三國史研究

張大可文集

第八卷

创于1897
The Commercial Press
商務印書館

图书在版编目(CIP)数据

三国史研究/张大可著．—北京：商务印书馆，2013
(张大可文集)
ISBN 978-7-100-09773-4

Ⅰ.①三… Ⅱ.①张… Ⅲ.①中国历史-研究-三国时代
Ⅳ.①K236.07

中国版本图书馆CIP数据核字(2013)第015790号

三国史研究
张大可 著

商务印书馆出版
(北京王府井大街36号 邮政编码100710)
商务印书馆发行
北京德富泰印务有限公司
ISBN 978-7-100-09773-4

2013年5月第1版　　开本 640×980 1/16
2013年5月北京第1次印刷　　印张 35 1/4

定价：139.00元

内容提要

本书《三国史研究》是作者汇结评说三国历史的一部论文集，收入个人文集为第八卷。论集收录论文二十六篇，附录五章，分为七组。第一组论文三篇，总论三国鼎立的形成和汉末军阀；第二组论文六篇，论形成三国鼎立的三大战役及外交；第三组论文三篇，论三国的创业之主曹操、刘备、孙权；第四组论文五篇，论三国各方的重要谋臣；第五组论文四篇，论曹魏屯田、孙吴部曲、孙吴对江南的开发，以及三国时期的民族问题；第六组论文四篇，论诸葛亮北伐以及三国的统一。末篇《新中国成立以来三国史研究述评》与附录五章构成第七组，为三国史研究提供信息资料。附录一，书评四则。附录二，关于三国时期的考古与文物，是成都武侯祠博物馆研究员谭良啸应邀提供的。附录三、附录四是复旦大学博士后司马朝军提供的论文索引，以及计量分析，作者作了补充和技术改编，制成编码索引，以便查寻。附录五是一组特别的计量编目索引，以资考辨与反思。三国史研究的畸轻畸重，论著论文索引提供了生动的证据，故不吝惜篇幅著录。

前 言

这本《三国史研究》论文集，初版于1988年，甘肃人民出版社出版，是新中国成立以来第一本研究三国史的个人专集，了却了我上大学时的一桩心愿。1959年，学术界掀起了一场人为的替曹操翻案的运动，当年全国报刊都卷进了这场学术讨论中。据不完全统计，当年报刊发表三国史论文153篇，其中146篇都是讨论曹操的，十之七八为曹操鸣不平，这是很不寻常的。1960年，三联书店出版了《曹操论集》，选刊了37篇论文，囊括了许多学界的名流。这场讨论是由郭沫若与翦伯赞两位学界泰斗发起的，自然来头不小，影响深远。不过争论的当年，我正在就读高中，无心也无能力顾及，可以说是漠不关心。1961年，我上了北京大学，学习中国通史，自然要接触这一问题。奇怪的是，我们这些当年的青年学子却没有一个赞同翻案者的高论。大家热情很高，于是开展了一次大学生的学术讨论。初版前言开场一段回顾了这场讨论，不妨引录如下，以见出版这本集子的因由。初版前言如是说：

我研究三国史的契机，要追溯到二十多年一次大学生学术讨论会。时间是在1962年仲夏的一天下午，地点在北京大学学生宿舍楼第三十二号楼的四楼上，参加者北京大学中文系第 1961 级古典文献专业班全班同学，人数二十余人。当时，我是这个班的成员，中国通史课的课代表。当这门课程讲到汉末魏晋之时，我们组织了一次大学生学术讨论会，同学们都经过了近一个月的认真准备。我们讨论的议题是对学术界替曹操翻案的问题展开研讨。1960 年三联书店出版了一本《曹操论集》，有不少同学都找来从头到尾读了一遍。有的还搬出了《三国志》和《后汉书》翻查原始资料。我们当时都还十分稚嫩，也有点初生牛犊之气，敢于非难时贤。在讨论中谁都不否认曹操统一北方、削平群雄的伟大功绩，但谁也弄不明白像曹操这样一个极端奸险诈伪的权谋家，为什么在翻案发起者的文章中变成了古代人民的解放者！在"文革"的十年风暴中有一句口号："愈是清官愈要批判。"这是否是历史对这场替奸臣揭去奸臣帽子的翻案运动所作的总结或惩罚，留待未来的历史家去作定论罢。今天回顾这件往事，说明了六十年代的青年精英对于时代的思考。我个人则从此逐渐养成了对争鸣问题的再思三思的习惯，并由此而引发对三国史一系列问题的探索，于是有今天的这样一个成果。

曹操是一个伟大的双重性历史人物。陈寿的《三国志·武帝纪》是一篇良史笔下的恢宏大传，充分肯定了曹操的成就，同时也不隐讳他的过恶，用两句话概括就是："治世之能臣，乱世之奸雄。"曹操的一生，淋漓尽致地表现了他的这种两面性。学术界历来是正面肯定曹操的，而在舞台上，以及民间故事中则基本是引曹操为鉴，抨击奸险诈伪。可以说曹操在人民心目中做了反面教员，这也是他咎由自取。既然是自己写下的历史，又是人民定下的警世艺术形象，又有何案可翻？至于各种历史教科书，没有一本书是否定曹操的，更是无案可翻。可是为什么像郭沫若、翦伯赞这样重量级的人物却煞有介事要替曹操翻案呢？这是值得人们深思的。历史学家可以写出各式各样的历史，但历史的真实却不以主观意志为转移，谁想要颠倒历史，谁就要失去他自己的分量。六十年代的那场大学生学术讨论会，虽然没有留下音响，但对于参加讨论的人却是一次思想解放，这对每个人后来的生活道路都是很有教益的。如果说“文革”伊始，我们就能保持清醒的头脑，是得益于这次学术讨论的。回想当年的情景，至今还历历在目，那时发愿研究一番三国史，于是后来就有了这样一个成果。

这次重新推出，论集收录论文二十六篇，附录五章。附录二，关于三国时期的考古与文物，是成都武侯祠博物馆研究员谭良啸应邀提供的。附录三与附录四，是复旦大学博士后司马朝军提供的。司马朝军在其恩师吴金华教授指导下为 2002 年 10 月《三国志》国际学术讨论会提供了《（1978—2001）三国史及〈三国志〉研究论文目录》，以及计量分析的文章，这对于进一步开展三国史研究有极大的帮助。我征得司马朝军的同意，将他整理的信息资料附录在本论集之后，以飨读者，为了配合三国史研究的述评，我作了技术改编，制成编码索引，并将论著部分作了分类。司马朝军又补充 1978 年以前的论文目录，我又补充了数百条目录，去其重复方才成为目前这个样子。对于司马朝军的无私奉献，以及他的导师吴金华教授的支持，表示深切的谢意。

2011 年 5 月

目　录

三国鼎立形成的历史原因

一、多因素的历史原因

三国鼎立是一个值得研究的特殊的历史课题。不仅三分故事自宋代以来由于平话、戏剧、小说的影响，已是家喻户晓，而且形成三分的历史发展，威武雄壮，可供我们许多有益的启迪和借鉴。但是三国鼎立形成的历史原因这一课题的研究，似乎还是一个薄弱环节。目前史学界已成定论的观点认为："三国鼎立出现的根本原因，在于各地区封建经济的发展，导致了分裂倾向的加剧。"其理由是："长江流域上下游几个区域的封建经济，发展到了勉强可以自给和彼此均衡的程度，给南方孙、刘的割据提供了物质基础，而同一时期北方的国家则由于社会经济受到割据混战的严重摧残，无力消灭南方的国家，以统一中国。"[①] 这就是三国鼎立的"必然性"理论，可名之曰"经济均衡论"。史学界已发表的学术论文，出版的学术论著和各种教科书，对三国鼎立的看法都没有越出"经济均衡论"的藩篱。事实上，早在春秋战国之

① 翦伯赞：《中国历史纲要》，第2册，第5页。

际，长江流域已有巴、蜀、楚、吴、越等国家的建立，何待于两汉以来的江南开发形成经济均衡！割据长江上流的刘璋、刘表，甲兵资实，不弱于孙吴，更不减于刘备，何以要待刘备来建立蜀汉形成曹、孙、刘三家对峙！可见“经济均衡论”是把复杂的历史简单化了。

从中国封建社会两千年历史发展的长河来看，王朝兴衰，军阀混战，群雄割据，南北对峙都一再出现，而三国鼎立是唯一的一次历史存在，可见这一历史局面的出现是一个特例。特例是历史发展中的变异，就像生物遗传工程上的变异一样，有它变异的特殊原因，而不能用“常规”的必然性理论去解释。

中国自秦汉以来的封建王朝，最长的莫过于两汉、盛唐、朱明、大清，这几个朝代都没有超出三百年。短命的王朝如秦朝、新莽、隋朝只有十几年或几十年。每一个封建王朝解体，都要出现军阀混战，群雄割据，而后走向统一，形成了天下大势“合久必分，分久必合”的周期性运动①。这可以看作是封建地主经济发展的周期性运动。因为自给自足的封建经济，即使在统一的中央集权政治下，“在某种程度上仍旧保留着封建割据的状态”②，中央集权力量一旦削弱或解体，就要出现群雄割据的局面。而割据混战破坏生产，给人民带来无穷无尽的灾难，所以它是不能持久的。人民要求和平，反对战争；要求统一，反对分裂，这是历史的趋向。群雄割据中的优胜者，顺应历史的趋向，他就能够削平战乱，统一中国。秦、两汉、隋、元、明等封建王朝末年的战乱，很快走向了统一，这就是“合久必分，分久必合”的常规。南北对峙就打破了这一常规。中国历史上有东晋与北方十六国之对峙，有南北朝之对峙，有北宋与辽之对峙，有南宋与金之对峙，这些对峙历史都有比较复杂的历史原因，而不能简单地用“经济均衡论”加以解释，更何况三国鼎立。

---

① 《三国演义》第一回开篇曰：“话说天下大势，分久必合，合久必分。”这不能认为是简单的循环论观点，而是对于中国封建社会朝代兴亡分合的总概括，而发展方向是走向统一与巩固，故引作“合久必分，分久必合”。

② 《毛泽东选集》横排本，人民出版社1966年版，第二卷，第587页。

形成南北对峙局面的主要历史原因，是北方游牧民族入主中原，迫使政治腐败的汉人政权退到南方，凭藉长江天堑作为屏障而偏安江南。由于这样的历史条件一再重演，所以南北对峙的局面也就一再出现。魏晋六朝与南宋两个时期的南北对峙，南方的经济实力大大超过了北方，而人心向背也有利于南方，因此祖逖北伐、桓温北伐、刘裕北伐、岳飞抗金都取得了节节胜利，但是由于南方政权的政治腐败而使北伐总是归于失败。显然“经济均衡论”在这里是无法解释的。东汉末年没有北方游牧民族入主中原，而是军阀混战演成了三分，有着极其复杂的历史原因，因而形成了一个历史发展的特例。

“经济是基础”，任何时候这都是立国的基本条件。东汉末年的战乱，北方经济残破，没有力量支持曹操不停顿地发动大规模的军事行动，的确是三国鼎立的一个重要因素。曹操北征乌桓，南下荆州，接着又东进赤壁，连续大规模作战，北方经济无法承受。吴国的朱治就说：“中国萧条，或百里无烟，城邑空虚，道殣相望，士叹于外，妇怨乎室，加之以师旅，因之以饥馑，以此料之，岂能越长江与我争利哉。”[①] 周瑜论曹操必败，原因之一是“又今盛寒，马无藁草”[②]，也说明了北方后勤供应不继，士卒乏衣粮，马乏草料，乃是一种冒进。但是，当时曹操已得天下十之七八，长江上流的益州牧刘璋遣使请降，只有区区江东六郡相抗，且孙权内部未靖，山越未服，南北对抗众寡悬殊，并未形成均衡。只要曹操计划周密，时机得宜，不冒进赤壁，完全有统一中国的可能。赤壁战后，荆吴之势强，刘备入蜀，三国鼎立形成，才出现了南北的经济均衡，对于“三分对峙”，有一定的影响，但仍不是主要的因素，因为曹魏的实力，仍大大强于吴蜀二国力量之和。尤其是蜀国这个弱小政权，远不敌曹魏，而诸葛亮居然能够屡次北伐。蜀国所恃是得天独厚的地理条件，以及吴蜀两国的互为犄角之援。经过几十年的对峙，北方经济恢复，吴蜀

① 《三国志·朱治传》裴注引《江表传》。
② 《三国志·周瑜传》。

两国政治昏暗，人心反向，曹魏和西晋的人力、物力占了压倒性的优势，三国也就归于一统了。经济的因素最后起了决定性的作用。但是，我们不能以此来反证，三国鼎立决定于南北的经济均衡。

三国鼎立有着多因素的历史原因，是经过极其复杂的历史演变才形成的。如果我们划分一下三国鼎立的历史发展阶段，就可明显地看出来。不过划分三国历史的发展断限，十分复杂，难以用一个标准来统一，从不同的角度可以有不同的分段标准，都可成立。排定历史编年，可以王朝体系划分历史断限，三国鼎立始于公元220年的曹丕称帝，迄于公元265年的西晋建立，前后四十六年。在西晋建立之前两年，蜀汉已亡，历史进入了晋吴两国的南北对峙。但作为一个有始有终，因果相连的历史时期，三国纷乱的历史，应起于公元190年的军阀混战，迄于公元280年的西晋灭吴，前后九十一年。研究三国历史，不追溯东汉末的军阀混战，就不能说明三分的由来和三国史事的因果；不讲西晋灭吴，就没有结尾。这九十一年的纷争历史可以从两种角度来划分三国历史发展的断限。从三方对峙国别史的角度来叙述，可划分为三国形成时期、三国发展时期、三国走向统一时期三个阶段。从公元190年到220年是形成时期；从公元220年到239年魏明帝之死为三国发展时期；从240年到280年是三国衰落走向统一时期。这样划分是着重讲三国形成后的历史发展，而把三国的形成只作为一个引子。但是我们如果侧重于三国鼎立为什么会产生，则应着重讲三国形成时期的历史，三国对峙历史不是主要的叙述对象，这样发展断限的划分就会迥然不同。陈寿的《三国志》则是侧重于三国形成时期的历史叙述，即详于乱而略于治，或者说详变革之世，而略升平之世。本文着重探讨三国鼎立形成的历史原因，从这一角度可将九十一年的三国历史划分为群雄割据、三国鼎立形成、三国对峙并走向统一三个阶段。公元190年至207年是东汉末群雄割据阶段，前后十八年，从人才均势上形成了曹孙刘三个集团。公元208年赤壁之战至公元229年孙权称帝，是三国鼎立形成阶段，前后二十二年，三方斗争交错，内容复杂，形势发展瞬息万变，最终形成了三分的地理均势和政治均势，三国鼎立才得以确立。公元 230 年至公元 280 年，是三国对峙并走向统一的历史阶段，前后五十一年。半个世纪的“三分对峙”，地理均势起了主要作用，南北的经济均衡作为地理均势的补充也起了重要作用。研究三国鼎立不同阶段的历史发展，尤其是第一二两个阶段错综复杂的历史内容，可以鲜明地看出，“形成三分”实非某种单一的历史原因所决定，也并非必然要出现的局面，而是各种各样的主客观原因，通过无数的偶然事变，交互作用的结果。当然，历史的偶然又存在于必然之中。历史研究的任务，就是要按照历史的本来面目揭示这种存在于必然之中的偶然是怎样引导着历史的发展，而不是将复杂的历史内容规范在简单化的必然性公式中。

所谓“必然”，是指历史发展的趋向和客观的历史条件。东汉末年豪强地主集团的经济膨胀有很大的割据性，必然带来军阀割据混战；反过来，割据兼并必然导致统一，这就是历史发展的趋向。南北的经济均衡和吴蜀两国所依恃的地形险阻，是客观的历史条件。所谓“偶然”，是指东汉末年军阀混战走向统一的过程中，出现了三分鼎立的局面。这一局面是由于三分的人才均势，三分的地理均势，三分的政治均势等多种历史原因的交叉才形成的。三分的人才均势，三分的地理均势，三分的政治均势都是“偶然”的事变。这些历史事变是“人谋”起了主导的作用。下面分层次论述三国鼎立形成的多因素历史原因，并着重分析“人谋”的历史作用，以供讨论。

二、东汉末军阀混战所形成的三分人才均势

三分的奠定，首先是在军阀混战中，使汉末人才分散，形成了曹孙刘三个坚强的领导集团。

汉末军阀，穷凶极恶的董卓，顽悍乐杀的公孙瓒，贪利赖宠的陶谦，倏彼倏此而横的吕布，狂愚而逞的袁术，雍容论道的刘

表，昏暗懦弱的刘璋，都无戡乱之才，他们的作用是为胜利者驱除，在群雄角逐中注定要被歼灭。志大略疏的袁绍，文武兼资的曹操，弘毅宽厚的刘备，任才尚计的孙权，都有统一天下之志，任人有方，驭才有术。而后袁绍败亡，演成了三分之局。

官渡之战奠定了北方的统一，消除了一个争天下的强手；赤壁之战曹操受挫，孙刘之势强，于是奠定了三分之势。本来这两次战役都有混一天下的可能。袁绍鹰扬河朔，雄视天下，若官渡之战袁胜曹败，袁绍君临天下的可能性是很大的。曹操统一北方，“奉辞伐罪，旄麾南指，刘琮束手”①，若赤壁战胜，称孤道寡乃必然之势。但这两次战役都是强者败，弱者胜，出现了戏剧性的变化，从而改变了历史的天平，使偶然因素变成了必然之势。这里的“偶然”，是指曹操官渡告捷，孙刘赤壁战胜，带有“偶然性”；但“偶然”胜利之后，使形势逆转，成为了不可战胜的强者，这就是“必然之势”。反过来说，叱咤风云的袁绍和曹操，不听谋臣劝谏，丧失了取胜之道，只是“偶然”的一着失计，造成了“失之毫厘，差以千里”的“必然”后果。

袁绍之败　袁绍在官渡之战以前一直是走上坡路的。他积聚了许多争天下的优势。袁绍不仅有可恃的袁氏四世五公的政治资本，而且他本人有“姿貌威容”，能“折节下士”，具有雄略的气质。在政治斗争中，袁绍主谋诛灭宦官，又首倡讨董卓，大得人心。韩馥让冀州，袁绍受之，而豪杰之士多归之，数年之间，遂兼有河朔四州，天下无敌。沮授、田丰、审配、逢纪、辛评、辛毗、郭图、许攸等智士为之谋，麹义、颜良、文丑、高览、张郃等勇士为之统其军。但是官渡之战，袁绍一败涂地，从胜利的顶峰跌落下来，坠入了灭顶的深渊。袁绍官渡之败的主要原因是因胜而骄，一意孤行，以个人之智敌曹操之群士。他不纳田丰之谋，不用沮授之计，既要急于进取，而又坐失战机，不在曹操东征刘备之时进军，焉能不败？袁绍外宽内忌，能聚人而不能用人，不仅荀彧、郭嘉、董昭等智士离他而去，就是效死之士如沮

① 《三国志·吴主传》裴注引《江表传》。

授、田丰等也无所施其能。张郃、许攸则因其计不用，愤然阵前倒戈。袁绍逞个人之智，又碰上了曹操这样一个棋高一着的对手，他就难逃覆败的命运了。官渡之败暴露了袁绍的弱点，他不是曹操的对手。在奉迎献帝问题上，袁绍拱手让曹，就输了一着。然而这是对全局成败有决定性影响的一着，袁绍输了，处处被动。曹操赢了这一着，全盘皆活，处处主动。袁曹二人相较，袁绍凭藉的是“力”与“地利”，曹操依靠的是“智”与“道术”，两人政治素质的优劣不待分辨而高下自分。《武帝纪》中有曹操与袁绍的一段对话：

> 初，绍与公共起兵，绍问公曰：“若事不辑，则方面何所可据？”公曰：“足下意以为何如？”绍曰：“吾南据河，北阻燕、代，兼戎狄之众，南向以争天下，庶可以济乎？”公曰：“吾任天下之智力，以道御之，无所不可。”

袁绍实现了他的“南据河，北阻燕、代”，也可算得上群雄中的佼佼者。但与曹操相比，袁绍只是一个“小器”。王夫之说：“起于纷乱之世而欲成大业，非能屈天下之英雄，不足以建非常之业。”[①] 袁绍能屈韩馥、公孙瓒之辈，而不能屈曹操，故不能建非常之业。曹操高于袁绍，不只是个人的政治素质，而主要的是他所推行的政治路线。袁绍看重的是地利和兵力，曹操看重的是人才和道义。所以诸葛亮说：“曹操比于袁绍，则名微而众寡，然操遂能克绍，以弱为强者，非惟天时，抑亦人谋也。”[②] 十分精当。

曹操赤壁之败 曹操用兵如神，善能以少胜众，以弱克强，但在赤壁之战中却是御众而败，盛强而摧，大出人意料之外。王夫之分析说：“操之所以任天下之智力，术也，非道也。术者，有所可，有所不可，可者契合，而不可者弗能纳，则天下之智

① 《读通鉴论》卷九。下引王夫之语均出此篇，不再注。

② 《三国志·诸葛亮传》。下引诸葛亮语出此篇者，不再注。

力，其不为所用者多矣。”这就是说，曹操也没有真正做到诚心任用智力以扶持大义，而是为一己之私利用权术驾驭人才。谋士的意见，投合自己的私心就采纳，不投合自己的私心就不采纳。曹操的赤壁之败，正是如此。他不听贾诩、程昱的善计而急于东进，重蹈了袁绍拒谏的覆辙，走上了恃众欺寡，恃强凌弱的失败之路。曹操之急于东进，也正如袁绍之急于南下一样，是急于做皇帝梦，故冒行以建非常之功，结果是志骄意得，欲速而不达，被孙刘联军的智力所击败。赤壁之战是一场斗智斗力的群英会。孙刘两家的谋臣武将，齐心合力共御曹操，而曹操却颐指气使，以一人刚愎自用之智，抗天下群英之会，败亡也就是必然的。

官渡之战和赤壁之战都是奠定三国鼎立的重要战役。前者袁绍失败，后者曹操失败，使统一的局势一再受挫，而演成三分之局。这两次弱者挫败强敌的战役，都是“人谋”起了决定性的作用。赤壁之战，刘孙联合的基础就是以人才三分的均势为前提的。诸葛亮的隆中对策就是“人谋”在规划三分。尽管刘备败逃，无存身之地，但“刘备有英名，关羽、张飞皆万人敌”①，所以孙权就对诸葛亮说：“非刘豫州莫可以当曹操者。”② 诸葛亮出使江东是以鼎足之形为条件与孙权进行谈判的。他对孙权说：“今将军诚能命猛将统兵数万，与豫州协规同力，破操军必矣。操军破，必北还，如此则荆、吴之势强，鼎足之形成矣。”

东汉末军阀混战，为何人才三分，这有着复杂的历史原因，是一系列偶然事变的分合所形成的必然之势。前已述及，荀彧、郭嘉、董昭，初投袁绍，后归曹操。鲁肃与刘晔友善，最初欲依巢湖郑宝，而后两人分道扬镳。诸葛瑾、诸葛亮，同胞兄弟，一个辅孙权，一个佐刘备。在乱世之中，局世未明朗之时，际遇交合带有较大的偶然性。但是人往高处走，天下扰攘，君择臣，臣亦择君，又是必然之势。东汉末年的人才形成三分而未若江河之归大海，有客观的原因，也有主观的原因。试分析如下。

---

① 《三国志·程昱传》所载曹操谋士程昱语。

② 孙权语见《三国志·诸葛亮传》。

客观原因主要有两个方面。一是汉朝还没有完全失去其继续存在的合理性，刘姓皇帝仍是一面旗帜。两汉儒学昌盛，它所宣传的君权正统观念深入人心，士大夫多尚气节。袁绍在反对董卓废立时就说："汉家君天下四百许年，恩泽深渥，兆民戴之来久。今帝虽幼冲，未有不善宣闻天下，公欲废适立庶，恐众不从公议也。"[①] 二是东汉世家大族正处于上升时期，多名节之士。尤其是两次党锢之祸，士大夫反对宦官专政，赢得了天下人的归心。这两个客观因素对曹操有得有失。他挟天子以令诸侯，在政治上占了优势，四方人才多归往之，这是得。但曹操出身于宦官集团的庶族，初起时不敌袁绍，不仅使得一部分北方士人流归了袁绍，如沮授、田丰、审配等，而且延迟了他统一北方的时日，眼看孙权坐大、刘备寄居荆州而不能及早消灭，这是失。关东军讨董卓，孙坚力战第一，义动天下，也赢得了一部分人才的归心。张昭、周瑜、程普、黄盖等倾心辅佐孙氏兄弟，这是孙吴之得，反之则是曹操之失。刘备以帝室之胄，"受左将军之命，躬膺天子之宠任，而又承密诏以首事，先主于是乎始得乘权而正告天下以兴师"[②]，露布衣带诏讨曹，使曹操蒙受"托名汉相，其实汉贼"[③]的恶名，而刘备则以正统自居，诸葛亮辅刘备，不仅仅是报三顾之恩，而且也是扶持正统。这是刘备之得，亦是曹操之失。

主观原因也有两个方面。一是曹操的对手刘备、孙权都是人中之杰，总揽英雄有很大的号召力。二是曹操品德不济，奸险诈伪，暴虐无比，使得一部分智士远离了他，像诸葛亮、庞统等人宁肯归隐待时，也决不北投曹操。陈宫、张邈之叛，就是鄙薄曹操的为人。曹操傲慢，把蜀中使者张松推给了刘备，这是最大之失。东晋史家习凿齿评论说："昔齐桓一矜其功而叛者九国，曹操暂自骄伐而天下三分，皆勤之于数十年之内而弃之于俯仰之顷，岂不惜乎？"[④] 曹操不仁，多次屠城，滥杀无辜，并在征战中

① 《三国志·袁绍传》裴注引《献帝春秋》。

② 王夫之语，见《读通鉴论》卷九。

③ 周瑜语，见《三国志·周瑜传》。

④ 《三国志·刘二牧传》裴注引《汉晋春秋》。

颁布了“围而后降者杀无赦”的反动军令，所以他始终未能获得“天命攸归”的舆论。曹操兵围汉献帝，失人臣礼，始终带着“汉贼”的帽子打天下。曹操的这些弱点为孙、刘所利用。因此，曹操不能像他的先辈汉高祖、汉光武那样囊括天下英雄，也就不能统一天下，只好做了个半壁河山的“周文王”而饮恨九泉。

三、曹孙刘三方的军事、外交斗争和三分地理均势、政治均势的形成

三分的地理均势和政治均势都是三国鼎立的必要条件。这两个条件是伴随着曹孙刘三方之间的军事斗争和外交斗争而出现的，也是“人谋”因势利导而形成的必然之势。

所谓地理均势，是指割据集团利用地理条件抗衡对方的一种策略。在生产力不发达的古代，使用戈矛甲盾作战，因此占有险固地利形胜的一方在争雄角逐中明显地具有优势。中国的地理形势是西北高，东南低，东面、南面都濒临大海。所以王朝更替，割据争雄，一再演出北方战胜南方的历史现象。“周之王也，以丰镐伐殷；秦之帝，用雍州兴；汉之兴自蜀汉。”① 隋唐统一，兴于西北；明清战略，重在西北。南北朝对峙，五代十国战乱，两宋与辽金之对峙，总是北方战胜南方，其中地理形势是一大因素。这是因为，偏安东南的割据政权，被大海封闭，没有回旋余地；又处于低地，攻守不利。占有中原的北方政权，不仅占有居高临下的地理优势，而且也是传统文化的正统所在，政治上也占优势。再看区域形势，从南北看，横贯东西的长江把中国地理划分为南北两大区，南北对峙，南方政权总是依赖长江为天堑。从东西看，以华山、秦岭为界，劈成西北、西南两个闭锁地区，险固便，形势利，中原有事，常为割据之境。在三国以前的西汉末年，就有隗嚣据陇，公孙述据蜀的先例。东汉末年的军阀混战，

① 《史记·六国年表序》。

陇蜀也是最先成割据之地。诸葛亮的《隆中对》，劝刘备据荆益，就是着眼于三分的地理均势，公元 222 年，夷陵之战，解决了荆州的归属，三分地理均势形成。

所谓政治均势，是指群雄割据或列国纷争之间的均衡外交斗争，形成势均力敌的对抗集团。公元 229 年，孙权称帝，蜀国遣使庆贺，订立中分天下的盟约，三分政治均势形成。

由于以上两个均势的形成，三国鼎立的局面才巩固下来。但这两个均势并不是平行的两个因素，而是“人谋”规划三分鼎立所同时进行的两个方面，即一方面谋求地理均势，同时又谋求政治均势，而地理均势是政治均势的前提条件。所以，三国形成时期曹孙刘三方的军事斗争和外交斗争都是围绕荆州的争夺而展开的。随着荆州归属的解决才形成了三分地理均势，而后出现了三分的政治均势。至此，三国鼎立的对峙，就成为了必然之势。

荆州处于四通的战略要地。诸葛亮说“荆州北据汉沔，利尽南海，东连吴会，西通巴蜀，此用武之国”。鲁肃说“夫荆楚与国邻接，水流顺北，外带江汉，内阻山陵，有金城之固，沃野万里，士民殷富，若据而有之，此帝王之资也”①。荆州如此重要，势为曹孙刘三家所必争。赤壁之战前，三家各有自己的打算。刘备要跨有荆、益以成三分。孙权要进伐刘表，西规巴蜀，竟长江所极与曹操对抗，形成南北对峙。曹操要并吞荆州，逼降孙权，统一天下。公元 208 年，曹操南下荆州，东进赤壁，形势逼使孙刘联盟。孙刘结盟就意味着孙权修正他的规划，走鼎足三分以观天下之变的路线。赤壁战后，孙权借荆州给刘备，奠定了鼎足三分的形势。这是曹操最忌的一着棋，而孙权下了这一着，使得他闻讯后大失常态，“方作书，落笔于地”②。

孙刘联盟是推进三国鼎立形成的最重大的事件，它改变了当时政治格局的力量对比，造成南北均衡，才使得历史的进程向着“人谋”预定的三分轨道向前发展。导演孙刘联盟走向三分的是

① 鲁肃语，见《三国志·鲁肃传》。下引鲁肃语不再注。

② 《三国志·鲁肃传》。

诸葛亮和鲁肃，而演出这幕历史活剧的主角却是吴主孙权，曹操则从反面起了推助作用。孙权在大敌当前忍痛修正自己竟长江所极的规划，借荆州给刘备，这是非同寻常的抉择。孙权的抉择表现了一个杰出政治家的豪放胸襟和现实主义精神，比袁绍、刘备、诸葛亮的政治气度都要略高一筹，乃至于竟出乎曹操的意外。袁曹官渡之战前夕，刘备不待袁绍大军发动之后，急于袭夺徐州，过早地亮出了反操的旗帜，遭到曹操全力进攻，使自己站不稳脚跟。反过来，袁绍不纳田丰之策，不在曹操东攻刘备之时乘间举兵以袭曹操之后，坐失良机，遭官渡败北。刘备、袁绍两人不肯互援，皆因各存私心，缺乏战略远见，低估了曹操的应变能力。王夫之分析说：刘备“先绍而举，则大功自己以建，而绍之威不张”，袁绍不援刘备，“亦犹昔者拥兵冀州，视王允之诛卓而不为之援，其谋一也”。结果是“两相制，两相持，而曹操之计得矣”。王夫之的这些分析，可以说是透视了袁绍、刘备两人的心骨。他们比起孙权来要逊色得多。建安十九年，刘备不取汉中，东出三峡与孙权争荆州江南三郡，“卒以郡与吴人，徒劳役吏士，无益而还”，反而让曹操先夺了汉中，“使夏侯渊、张郃深入于巴，几丧一州”①。刘备的这一失计，既伤了同盟和气，又为日后的关羽失荆州种下了祸根，表现了刘备政治气度的褊狭。相比之下，孙权却是恢宏大度而又权谋在胸。他既敢于借荆州给刘备，不怕养虎在身，而又不失时机地讨还荆州，步步进取，灵活主动。孙权先是索还江南三郡，而后袭杀关羽，全据荆州，改善了吴国的地理均势，增强了吴国的力量。为了避免两线作战，孙权不惜向曹魏称臣，保证了夷陵大捷。孙权不愧是三国时期最杰出的政治家和外交家。

孙刘联盟，使两家的事业走向胜利与发展，反之，两家失和，曹魏渔利。孙权袭荆州杀关羽，刘备复仇败夷陵，造成蜀弱吴孤，曹魏更加强大，吴蜀重新联盟，但元气已伤，失去了取胜之势，两国北伐均告失败。但是，孙权不得荆州，上流门户洞

---

① 廖立语，载《三国志·廖立传》。

开，他就坐卧不宁，在同盟中只能扮演附庸的角色。所以孙权要拼全力与刘备争荆州，志在必夺。在这种形势下，刘备与诸葛亮既缺乏灵活性，又丧失警惕性，终于演出了吴蜀的悲剧。从地理形势看，孙吴取得荆州以后，才真正形成了三分的地理均势，吴蜀两国才有可能结成巩固的联盟。但是蜀汉丧失了荆州，也就丧失了进入中原的前进基地；加之连吃败仗，力量削弱，又不能北据关中，刘备只能偏安于闭锁的益州，守险割据，而兴复汉室的隆中计划也就中道夭折了。

四、"人谋"在形成三分过程中的决定性作用

孙刘联盟抗曹谋求三分，这是"人谋"的直接因素。此外，政治家和军事家的筹略得失及其际遇凋落，也是促成三国鼎立的重要原因，这是"人谋"的间接因素。本节分析"人谋"的间接因素。

最早提出三分思想的是孙吴谋臣鲁肃。公元 200 年，鲁肃过江对孙权说："肃窃料之，汉室不可复兴，曹操不可卒除。为将军计，惟有鼎足江东，以观天下之衅。规模如此，亦自无嫌。何者？北方诚多务也。因其多务，剿除黄祖，进伐刘表，竟长江所极，据而有之，然后建号帝王以图天下，此高帝之业也。"这时鲁肃的规划有两个方案。一是趁北方多务，赶在曹操南下之前进伐刘表，竟长江所极，形成南北对峙，此为上策。一是上策不能实现，退而求其次，鼎足江东。由此可见，鲁肃是一个务实派的政治家，他的规划是要依循客观形势的变化，向着可能的趋向而行动。所以当曹操南下荆州之后，他就坚决主张联合刘备，共拒曹操，修正孙吴立国的上策路线以求其次，从而与蜀汉的隆中路线相吻合，取得了赤壁之捷。直接规划三分的是诸葛亮和鲁肃，但他们两人都只是规划了三分之形，却并不守三分之势。他们共同的目的都是要兴高帝之业，即统一中国，只不过诸葛亮佐的是刘备，鲁肃辅的是孙权。诸葛亮、鲁肃之谋是合吴蜀两国之力，

共灭曹操。至于灭曹之后，则如邓芝所说："君各茂其德，臣各尽其忠，将提枹鼓，则战争方始耳。"① 假如没有周瑜、关羽、吕蒙、陆逊打乱葛鲁之谋，吴蜀始终并力抗曹，则局势的演变难以预见。曹操不敢称帝，正是有吴蜀联盟。曹丕篡汉选择在吴蜀交恶之时，这当然不是巧合。从灭曹魏的大局来看，孙权袭荆州，刘备复仇，都是不明智的。由于孙刘双方都想利用对方来增强自己，所以双方的交恶就很难避免，不达均势，则不停止。三分均势并不是葛鲁之谋的本意。这说明，三分虽然是出自"人谋"的规划，但又不为人的主观意志所控制，而是错综复杂的历史演成的必然之势。周瑜想阻挡这个势头，他执意要进兵西川，由于无力越过刘备这个障碍，含恨死于巴丘，过早地结束了他的生命。《三国演义》描写诸葛亮三气周瑜，逼死这位英名盖世的江东宿将，情节是虚构的，而事情却是真实的。孙权逼鲁肃讨还荆州，鲁肃不能办，也因忧郁而过早地结束了自己的生命。周瑜死年三十六岁，鲁肃死年四十六岁，都在风华正茂之时而陨落，这都不是偶然的。王夫之慨叹鲁肃早死，关羽骄矜，葛鲁之谋遭破坏，是吴蜀两国的一场悲剧。由于荆州所处的要冲地位，关系着吴蜀两国霸业的成败，因此，这场悲剧是难以避免的。这又说明孙刘的失策带有必然性。

不过，我们进一步透视三国鼎立形成时期的各种偶然和必然因素，都是"人谋"的得失在起决定性的作用。因此，某些由"人谋"导致的必然，例如吴蜀争夺荆州的悲剧也有可能用"人谋"来消解，假如刘备和诸葛亮，尤其是守在第一线的关羽，外交上灵活一些，吴蜀矛盾的爆发不至于如是之速，即使爆发也不至于如是之剧，形势发展可能又是另一番模样。刘备在外交上若能做到缓吴之攻，一旦得了关中，那时蜀国将为上首之国，吴国也许就不来索讨荆州了。这一假设有无现实性呢？回答是肯定的。因为赤壁之战，孙刘并力，刘备占江南，孙权占江北。刘备借江北也是形势所致。如果孙权不借，又不能控制刘备，江北处

① 《三国志·邓芝传》。

于曹刘夹击之中，亦是不能守。孙权审时度势，把江北借给刘备，树曹之敌，自己却腾出手来巩固江东，进攻合肥，筑起了江北防线。然后又掉过头来争荆州，向刘备讨江南三郡，以江北易江南，有分寸，有道义。不幸的是刘备和诸葛亮过于执着“人谋”预画的隆中路线，不识大体，不讲道义，恰如鲁肃所说：“贪而弃义，必为祸阶。”[①] 如果刘备也像孙权一样豁达一些，能够审时度势，西取益州之后，主动退守夷陵一线，把江北还给孙权，吴蜀并力向北，刘备早并汉中，北出秦川，孙权东攻合肥，荆湘联军指向襄阳，曹魏危矣，也许隆中路线就能得以完全实现。

再看曹魏方面，亦有失着。公元204年，曹操取汉中，不趁吴蜀争江南三郡之机进兵蜀中，此其一失。公元221年，吴蜀夷陵相攻，曹丕不与蜀国并力灭吴，此其二失。如果说赤壁之战是曹操急进而葬送了大好的统一局势，而这两次则是曹魏的迟误而丢失了可能的统一良机。曹魏谋臣刘晔是瞅准了这两次机会的，可惜曹氏父子拒谏不纳，仿佛是天意在安排似的，其实是有原因的。赤壁之战，曹操丧胆，他兵取汉中又费了一番力气，所以不敢贸然入蜀，失之于谨慎。曹丕利用吴蜀交恶，急于称帝，坐失良机。还有更深一层原因，由于三国各方人才精萃，机会之来，一闪即逝，稍一疏失，追悔莫及。正如刘晔对曹操所说：“若小缓之，诸葛亮明于治而为相，关羽、张飞勇冠三军而为将，蜀民既定，据险守要，则不可犯矣。今不取，必为后忧。”[②] 所以说曹操是迟误之失。曹丕想坐收渔人之利，乘吴之疲，但曹军未出，陆逊早已设防于江矣。曹丕只好临江而叹：“彼有人焉，未可图也。”[③]

已然的历史是不能用推论来改写的。但是上述种种分析、评说，并非无稽之谈，而是要从已然的历史中得到深刻的启示。我们强调“人谋”在形成三分过程中的决定性作用，与经济是基础

① 《鲁肃传》裴注引《吴书》。
② 《三国志·刘晔传》。
③ 《三国志·吴主传》。

的唯物史观并不矛盾。曹魏统一中国，经济的因素起了最后的作用。但在形成三国鼎立这一短暂的具体历史阶段，“人谋”的因素则是最活跃最积极的。统一之世，人心安定，国家组织形成固定的格局，“人谋”的一计之得与一计之失，无关大局。因此人才必然遭受习惯力量的压制，不易脱颖而出。纷乱之世，人心浮动，各种力量组合未定，机会之来，一瞬即逝，因此“人谋”的得失改变政局力量的对比，特别明显。在这种形势之下，各方力量，讲求实效，雄略之主不拘一格录用人才，捷足高才者有用武之地，所以乱世出英雄，英雄造时世。三国纷争既是一个人才辈出的时代，也是“人谋”引导的格局。本文分析、评说的立论基础是辑录三国时当事人自己的看法来总结三国历史，论从史出，不失为一家之言。

陈寿撰《三国志》，只有纪传，而无表志，着重记载三国形成时期的人物，可以说是生动形象地体现了这一历史演变的主旋律，即“人谋”在形成三分过程中的决定性作用。一部《三国志》，共载了四百四十一人的传记，十之八九的人物都凋落在公元 239 年之前，而过半的篇幅和过半的历史事件和人物活动又集中在公元 220 年之前。换句话说，一部《三国志》，着重记载的是汉末关东兵起以后三十年间的动乱历史，这正是三国形成时期的历史，它成了陈寿探索的主要对象。三国人物传记的分合排列以按类与时序相结合，但突出的是政谋人物而不是军事人物。如曹魏的五虎上将张辽、乐进、于禁、张郃、徐晃按类为一传，他们排在程昱、郭嘉等谋士传之后。蜀国的五虎将关羽、张飞、马超、黄忠、赵云为合传，列在诸葛亮传之后。吴国以张昭、顾雍、诸葛瑾、步骘等政治人物合传居前，程普等十二员虎将合传在后，文武双全的周瑜、鲁肃、吕蒙等人合传在二者之中。陈寿论人，重在人物器识的发挥，不时作比较。如将刘备与曹操相较，认为刘备“机权干略，不逮魏武，是以基宇亦狭”。又将蜀汉的庞统和法正与曹操谋臣比较，认为庞统可与荀彧为仲叔，法正与程昱、郭嘉相俦并。从陈寿所写《三国志》的重心和对人物传记的布局、品评来看，用意重在探索三国鼎立形成的历史原因和“人谋”的作用。本书各篇论题，就是本着陈寿所展开的主题进行论述，可称之为“读三国志论”。学术界至今尚未有解释三分的成熟理论，因此，本文的探索也只是抛砖引玉。

综上各节所述，三国鼎立形成的历史原因是极其复杂的。就根本性的历史原因来说，东汉末年军阀混战所形成的三分人才均势和三分地理均势是两个最重要的因素，其中“人谋”的因素起了决定性的作用。决定三国鼎立的“人谋”，不是某一个人的主观意志，而是三分人才均势所必然表现出的平衡运动。无论是直接规划三分的葛鲁之谋，还是破坏葛鲁之谋的周瑜、吕蒙、关羽、陆逊之偾事，以及曹孙刘三方决策者筹略之得与失，都不由自主地在合力地把历史推向三分，这就是三国鼎立形成的必然之势。因此本文所说的偶然与必然，只不过是对已然历史的描述，而不是某种教条所规范的模式。

三国历史，错综复杂，仪态万千，引人入胜，促人反思，可供鉴赏，故人们最熟悉三国历史和三分故事。不过，百姓对三国历史的了解，主要来自历史小说《三国演义》以及有关的戏曲，有些知识与历史实际不相符合，例如诸葛亮借东风和草船借箭，有虚构，有张冠李戴。但《三国演义》围绕诸葛亮写三分，在体现人谋这一主题上是与历史事实相吻合的。《三国演义》的主题无非是说明，凡戡乱者、治国者首要的是任天下之智力，即笼络人才，这是历史的教训。文武兼资的曹操单凭权术不能笼尽天下英雄。刘备起自微贱，但他宽仁待众，得诸葛亮大才相辅，故能屡仆屡起而终为人中龙。凭藉世资风云一时的大军阀袁绍、袁术、刘表、刘璋等不懂用人之机，他们都失败了。至于赳赳武夫董卓、公孙瓒、吕布、韩遂之流，更不足与论。曹孙刘三家兴起的原因，固然很多，而他们均广延智士，所以在混战中越战越强，可以说用人路线起了至关重要的作用。

（原载《青海社会科学》1988 年第 3 期，人大复印资料转载）

董卓及其凉州兵团

董卓是东汉末穷凶极恶的大军阀。公元 189 年，董卓带兵入洛，专断朝政，擅废立，成为汉末军阀混战的导火线。公元 190 年关东兵起，董卓焚洛阳，挟汉献帝西迁长安，东汉实际上名存实亡。研究错综复杂的三国历史，追溯因果之源，董卓及其凉州兵是不可省略的一章。

一、冠绝一时的雄韬武略

董卓字仲颖，陇西郡临洮县人。两汉时的临洮县即今甘肃岷县，那时是一个防御羌人的边陲重镇，为陇西郡的南部都尉治。这一带山高水险，本是羌中之地。这里的人民，与羌人交接，骑马弯弓，养成了勇武剽悍的习性。董卓就是在这样的地理环境和社会习俗中成长起来的一个雄略人物。董卓又出身于一个武官家庭。他父亲董君雅是颍川纶氏县尉。县尉领县兵。董卓生来力大体壮，有一副好身躯，粗猛有谋。史称他“膂力过人，双带两鞬，左右驰射，为羌胡所畏”[1]。他青年时游历羌中，尽与羌豪相

---

① 《后汉书·董卓传》。

结，精通羌胡事，被羌胡人视为豪侠好汉。董卓成为大军阀，他的基干队伍就是以羌胡为主体的凉州兵。

董卓是从东汉对西羌的部族战争中培植起来的军阀。西羌扰边是东汉严重的边患。史载："东犯赵、魏之郊，南入汉、蜀之鄙，塞湟中，断陇道，烧陵园，剽城市，伤败踵系，羽书日闻。"[①] 兵锋祸及的地区，为今甘肃、山西、陕西及四川北部等广大地区。干戈绵延的岁月，从安帝永初元年（公元107年）至灵帝建宁三年（公元170年）长达六十三年。东汉政府支出的直接战费达三百二十亿。甘肃境内的羌人最多，战祸也最烈。董卓盛壮之年，正值桓、灵二帝凉州三明安羌时期[②]。董卓年少从军，他从一个行伍吏卒，一步一步升迁为中郎将、前将军，就是在羌汉战争中一台一阶升上来的。《后汉书》和《三国志》均有董卓传，行文大同小异，互为补充。《三国志·董卓传》及裴注所引《吴书》、《英雄记》记载了他的行伍经历。卓传云：

> 汉桓帝末，以六郡良家子为羽林郎。卓……为军司马，从中郎将张奂征并州有功，拜郎中，赐缣九千匹，卓悉以分与吏士。迁广武令，蜀郡北部都尉，西域戊己校尉，免。征拜并州刺史、河东太守，迁中郎将，讨黄巾，军败抵罪。韩遂等起凉州，复为中郎将，西拒遂。

《吴书》云：

> 郡召卓为吏，使监领盗贼。胡尝出抄，多虏民人，凉州刺史成就辟为从事，使领兵骑讨捕，大破之，斩获千计。并州刺史段炯荐卓公府，司徒袁隗辟为掾。

《英雄记》：

---

① 《后汉书·西羌传》。

② 凉州三明为桓、灵时安羌三名将，皇甫规字威明，张奂字然明，段炯字纪明，均凉州人，史称三明，三人合传，见《后汉书》卷六五《皇甫张段列传》。

卓数讨羌胡，前后百余战。

上引资料，都是综合概述，语焉不详，史事也略有参差，如段颎为并州刺史与袁隗为司徒并非一时。但参错推考，仍可勾勒出董卓行伍生涯的大致流年。段颎为并州刺史荐卓，卓为中郎将张奂军司马，袁隗为司徒辟卓为掾，这几件事的绝对年代都可考定。董卓生年，虽史籍缺载，仍可间接大约推知。据《英雄记》[①]所载，董卓兄弟三人，卓排行第二，公元 192 年董卓死时，其母池阳君年九十，同时被斩。依此可以大约推定，卓母三十岁许生卓，约在公元 132 年。段颎在桓帝延熹四年（公元 161 年）为并州刺史[②]。董卓“桓帝末，以六郡良家子为羽林郎”，可能即为段颎所荐。当时董卓三十岁许。在这之前，董卓为郡吏，逐捕盗贼，凉州刺史成就辟为从事。《后汉书》董卓传称为“州兵马掾”，巡守边塞，击破羌胡，“斩获千计”，立下了军功。这时董卓只有二十余岁。张奂延熹九年为中郎将[③]，第二年桓帝改元永康，即公元 167 年，董卓三十五岁许。这一年春，“东羌、先零五六千骑寇关中、抄三辅，奂遣司马尹端、董卓并击，大破之，斩其酋豪，首虏万余人，三州清定”[④]。论功行赏，董卓拜郎中，迁广武令，历蜀郡北部都尉、西域戊己校尉。戊己校尉，督护西域，是二千石的高级武职。灵帝建宁二年（公元 169 年），张奂坐党狱被禁锢，董卓为奂故吏，连坐免。熹平元年（公元 172 年），袁隗为司徒，段颎迁司隶校尉。董卓原是段颎故吏，又得颎之助，袁隗辟为司徒掾，出为并州刺史、河东太守。公元 184 年黄巾起义，拜董卓为东中郎将与北中郎将卢植并击河北、山东黄巾军，兵败抵罪。公元 185 年董卓又被起用为破虏将军，从张温西征韩遂，其时“六军上陇西，五军败绩，卓独全众而还，屯驻扶风，拜前将军”[⑤]。公元 188 年韩遂与凉州司马扶风马腾联兵反汉，有众十余万东犯三辅，围陈仓。灵帝派左将军皇甫嵩与董

---

①②③ 《后汉书·皇甫张段列传》。
④ 《三国志·董卓传》。
⑤ 《后汉书·董卓传》。

卓联兵进讨，击退了韩遂、马腾，董卓势力进一步膨胀，与皇甫嵩齐名。公元189年，灵帝征董卓为少府，要他交出兵权，董卓抗命不就。灵帝又改拜董卓为并州刺史，调离关中，董卓仍不交出凉州兵，他拥众驻兵河东观变，何进召卓，“即时就道”[①]，带兵入洛。

上述为董卓的发迹史。他从凉州兵马掾到前将军带兵入洛，已历三十余年的行伍生涯，身经百战。当时东汉朝廷里，没有一个将军是他的对手。以镇压黄巾而负有盛名的两个中郎将皇甫嵩和朱儁都十分害怕董卓，被其玩弄于股掌之中。

董卓的雄韬武略冠绝一时，无论用兵打仗，还是玩弄权术，他都有一套。

先说用兵。董卓善用疑兵，瓦解对手的意志，颇有韬略。公元185年追击韩遂进兵陇西之战，六军有五军皆败，惟有董卓全师而还。当时董卓受命率师三万进讨汉阳先零羌。董卓在望垣县（在今甘肃甘谷东）北被数万羌胡所围，粮食乏绝，进退逼急。董卓伪欲捕鱼，乃于所渡渭水处立堰，而潜从堰下过军而决堰，“比羌胡闻知追逐，水已深，不得渡”[②]，摆脱了险境。羌胡又扼董卓归路，但不敢恋战。原来董卓进兵之初，已留别部司马刘靖将步骑四千屯留安定（郡治临泾，在今甘肃镇原东南）遥应以为后援。“虏谓安定当数万人，不知但靖也”。[③]

董卓入洛，步骑不过三千。当时京师官兵甚盛。司隶校尉袁绍拥有西园八校尉禁军的指挥权，其时曹操任典军校尉；后将军袁术控制了大将军何进的部曲；济北相鲍信又募来一支山东兵；执金吾丁原有骁将吕布，这些力量合起来十倍于董卓而有余。董卓觉察自己势单力弱，他过四五天就将部众在夜里暗地拉出军营，天明“乃大陈旌鼓而还，以为西兵复至，洛中无知者”[④]。董

① 《后汉书·董卓传》。

② 参阅《三国志·董卓传》、《后汉书·董卓传》，及《资治通鉴》卷五八《汉纪》灵帝中平二年。

③ 《三国志·孙坚传》裴注引《山阳公载记》。

④ 《后汉书·董卓传》。

卓这一手竟镇住了一时人杰袁绍、袁术、曹操等人，他们纷纷逃出京师，禁军及何进部曲统归于卓。董卓又离间丁原部曲，使吕布杀丁原而并其众，收吕布为义子。于是董卓势力大盛。

董卓的政治手腕也不凡，且雄略过人。他进兵洛阳，冠冕堂皇发表清君侧诛讨宦官的表章，争取舆论。但是未等董卓入京，二袁已诛除了宦官，少帝以公卿止卓退兵，董卓趁此又堂而皇之施以强权。他对公卿大臣说："公诸人为国大臣，不能匡正王室，至使国家播荡，何却兵之有？"①

董卓入洛之后，他办的第一件事就是废帝更立，控制皇权。他毫不手软地杀害何太后，拔掉了朝官和名士所凭藉的旗帜。与之同时他外示宽柔，起用党人名士做朝官，外放大臣为牧伯太守，平反党人冤狱，"以从人望"②。周毖、伍琼、郑公业用为尚书，以何颙为长史，荀爽为司空。陈纪、韩融等染党锢者为列卿。外放尚书韩馥为冀州刺史，侍中刘岱为兖州刺史，孔伷为豫州刺史，张咨为南阳太守，张邈为陈留太守。对名将朱儁"外甚亲纳而心实忌之"③，而表朱儁为太仆以为己之副。关东兵起，董卓火烧洛阳，退防于陕，实际已放弃了洛阳。董卓却用朱儁守洛阳抗御关东军，但又不给兵权。朱儁反卓与关东军结盟，却无如之何。

关西是董卓的根本。董卓挟天子以令诸侯，招抚了凉州的马腾、韩遂，又征召了关中潜在的政敌皇甫嵩和京兆尹盖勋。左将军皇甫嵩屯扶风有雄兵三万。盖勋鼓动皇甫嵩起兵响应关东军夹击董卓。本来决机于两阵之间的兵谋，皇甫嵩还比董卓高一筹。但皇甫嵩雄略不足以驾驭董卓而听征，交出了兵权，到洛阳去做城门校尉。盖勋孤掌难鸣，也只好听征，到洛阳去就任越骑校尉。皇甫嵩到了洛阳，董卓将他逮捕下狱，迫使皇甫嵩屈服后又用为御史中丞。

皇甫嵩和朱儁是朝廷倚为柱石的两位智勇双全的大臣，而他

---

① 《后汉书·董卓传》注引《典略》。
② 《后汉书·董卓传》。
③ 《后汉书·皇甫嵩朱儁列传》。

们均被董卓屈服，这一来满朝文武更无奈董卓何。初平元年（公元 190 年）正月关东兵起，董卓立即迫使献帝西迁长安，把这一象征权力的傀儡皇帝远远地放在自己势力范围的后方，而董卓仍留洛阳主持战事，关东诸侯均畏其强莫敢先进。直到初平二年（公元 191 年）四月董卓才被孙坚战败退出洛阳西入长安。这一年多朝廷大政由王允主持，而王允不能有所动作。因为国家的武装牢牢地被董卓所掌握。王允只好采用阴谋手段来诛除董卓。由于王允没有掌握兵权，政治处理又失措，结果又遭遇凉州兵扰乱长安。

二、遗臭万年的祸国大盗

黄巾起义动摇了东汉政权的统治，董卓就心怀异志。公元 185 年，他利用西讨韩遂的机会，重掌兵权，再不听朝廷的调遣，死死抓住兵权不放。

韩遂退回凉州，皇甫嵩和董卓屯驻扶风。公元 189 年，灵帝征董卓为少府，意在解除他的兵权。但是董卓抗旨不就，上书诡称所将湟中义从及秦胡兵因粮饷欠缺，军心不稳，依恋旧主，“牵换臣车，使不得行”，他为了稳定军心，只好留下来“将顺安慰”。朝廷不能制，深以为忧。灵帝病重后，下了一道严旨，玺书拜卓为并州牧，“令以兵属皇甫嵩”。董卓再次抗旨上书曰：

> 臣既无老谋，又无壮事，天恩误加，掌戎十年。士卒大小相狎弥久，恋臣畜养之恩，为臣奋一旦之命。乞将之北州，效力边陲。①

皇甫嵩的侄儿皇甫郦认为，“卓被诏委兵，而上书自请，此逆命

① 《后汉书·董卓传》。

也”[①]，谏嵩诛讨，为国除奸。皇甫嵩畏惧董卓，不敢诛除，只是上书朝廷，眼睁睁让董卓拉走了凉州兵，留下了无穷的后患。

董卓桀骜不驯已非一日。早在公元185年就有意稽迟张温军令，且应对不顺。参军孙坚看到董卓如此跋扈，耳语张温曰：“卓不怖罪而鸱张大语，宜以召不时至，陈军法斩之。”[②] 优柔寡断的张温没有采取果断行动，养虎遗患，董卓入洛，反遭杀害。

张温、皇甫嵩都未能诛除董卓，表面看是董卓拥有强兵，实质是灵帝昏庸，姑息养奸，朝纲失坠，国法不伸。何进诛宦官，不听主簿陈琳劝谏，反召董卓入京，更是引狼入室，这都说明了朝廷的昏庸。

董卓废帝擅立后，大权在握，自为相国，入朝不趋，剑履上殿。东汉二百年承平，京师贵戚宅第相望，金帛财产，家家殷积。董卓放纵士兵剽掳，淫略妇女，谓之“搜牢”。李贤注云：“言牢固者皆搜索取之也。”[③] 何太后合葬灵帝文陵，董卓趁机掠取陵中随葬珍宝，又“奸乱公主，妻略宫人”，“以严刑胁众，睚眦之隙必报，人不自保”。[④] 国家法纪全被践踏。董卓公然对宾客说：“我相，贵无上也。”[⑤] 由于关东兵起，才未能实现篡逆。

董卓退出洛阳，胁献帝西迁长安，更加暴露了他的凶残性。他发掘了诸帝寝陵及公卿冢墓，收其珍宝。董卓还把洛阳及其附近二百里内居民几百万口驱赶入关中，将房屋烧光，鸡犬杀尽。被驱赶的人民，沿途缺粮，更遭到军队的践踏和抢掠，死亡无算，积尸满路。史称“旧京空虚，数百里中无烟火”[⑥]。东汉两百年来政治、经济、文化中心的巍峨帝京，成了一片瓦砾场。

接着董卓又把关中弄得残破不堪。他大肆搜括，敲剥黎民，筑坞于郿县，高厚七丈，与长安城等，号曰“万岁坞”，积贮了三十年的军粮，珍藏黄金二三万斤，银八九万斤，珠玉绵绮纨素

---

① 《后汉书·皇甫嵩朱儁列传》。

② 《三国志·孙坚传》。

③ 《后汉书·董卓传》及注。

④ 参阅《后汉书·董卓传》及《三国志·董卓传》。

⑤ 《三国志·董卓传》裴注引《魏书》。

⑥ 《三国志·孙坚传》裴注引《江表传》。

奇玩杂物，积如丘山。董卓得意洋洋地自称："事成，雄据天下；不成，守此足以毕老。"[①] 足以看出，董卓把个人的荣辱，完全建立在千百万人的尸骨上。

董卓为了满足他无止境的贪欲，他还椎破了秦时所铸的铜人、钟虡，毁坏了汉时的五铢钱，更铸小钱，致使物价腾贵，谷一斛至数十万。老百姓又蒙受了一层灾难。

初平三年（公元 192 年）四月，司徒王允用计谋诛除了董卓。长安士女出卖衣装首饰，沽酒相庆，"士卒皆称万岁，百姓歌舞于道"[②]。一代穷凶极恶的祸国大盗，终于被钉在历史的耻辱柱上而遗臭万年。

三、剽悍凶残的凉州兵团

董卓虽死，祸犹未已。因为董卓的凉州兵团未受损伤。所谓凉州兵团是一支汉羌混合队伍。这支军队是董卓长期对西羌作战中精心培植起来的部曲武装，它的基干是湟中义从和关中秦胡，有三万余人。董卓东出，招降纳叛，极盛时有十余万人。董卓驻屯河东，招纳了两员河东将杨奉、徐晃。董卓入洛，攀附董太后为本家。董太后侄董承，河间人，被董卓召为部曲。吕布，九原人，骁勇过人，善骑射，号为飞将，本为执金吾丁原部将，董卓召为义子，杀丁原，并其众。董卓千方百计招纳壮勇，张大其势。但他倚重的是凉州将，羌胡兵。董卓死后，扰乱长安的四大将都是凉州人。李傕字稚然，北地人；郭汜又名多，张掖人；张济武威人；樊稠金城人。此外，董卓部曲将段煨，武威人；牛辅部智囊贾诩，武威人。史籍缺载籍贯的董卓部曲将董越、杨定、李蒙、王方，以及女婿牛辅，必多为凉州人。董卓年少时就与羌豪交结，故凉州兵的基层军吏更多羌胡豪帅。所以学术界称董卓

① 《三国志·董卓传》。
② 《后汉书·董卓传》。

部曲兵为凉州兵团①。

董卓入关，部曲将牛辅、董越、段煨、张济皆拜为中郎将。牛辅屯陕（今河南陕县），董越屯渑池（在今河南渑池县西），段煨屯华阴（今陕西华阴），张济屯弘农（在今河南灵宝县西）。牛辅部最强，李傕、郭汜为其部曲，又有贾诩为之谋。董卓死后，王允善后失计，不赦宥董卓部曲。牛辅被部将杀死，众推李傕、郭汜为首，用贾诩计返回长安。李傕、郭汜沿途收兵，又与董卓部将樊稠、李蒙等合，有众十余万。初平三年（公元 192 年）六月，凉州兵攻破长安，杀王允等公卿百官及长安人民一万余人。兴平元年（公元 194 年），马腾、韩遂攻长安，又适值天旱大饥荒，“谷一斛五十万，豆麦一斛二十万，人相食啖，白骨委积”②。兴平二年（公元 195 年），李傕、郭汜争权，连月相攻，“死者万数”。当时关中户口有数十万，“自傕、汜相攻，天子东归后，长安城空四十余日，强者四散，羸者相食，二三年间，关中无复人迹”③。富庶的关中遭凉州兵扰乱，一片荒残。

凉州兵剽悍凶残，战斗力强，破坏性大。凉州兵无论羌汉，都勇敢善战，这是在关西长期战乱中锤炼出来的。郑泰论凉州兵说：“关西顷遭羌寇，妇女皆能挟弓而斗，天下所畏者，无若并、凉之人与羌、胡义从。”④ 尤其是羌兵，“性坚刚勇猛”，“果于触突”。因羌人习俗，“以战死为吉利，病终为不祥”⑤，临阵交锋，敢于拚死战斗。从中平六年（公元 189 年）八月董卓入京，到建安三年（公元 198 年）四月李傕覆灭，凉州兵在汉末历史舞台活跃了整十年，给古代的神州大地带来了极大的破坏。洛阳成了一片废墟，长久得不到恢复。公元 196 年，汉献帝从长安回到洛阳，这里仍是一片瓦砾场。“百官披荆棘”，“尚书郎以下，自出樵采，或饥死墙壁间”⑥。关中和中原的经济遭到了空前的破坏，

---

① 徐德麟《三国史讲话》就称董卓部曲为凉州兵团。

②③ 《后汉书·董卓传》。

④ 《资治通鉴》卷五九《汉纪》献帝初平元年。

⑤ 《后汉书·西羌传》。

⑥ 《后汉书·献帝纪》。

人口死亡数百万。“白骨露于野，千里无鸡鸣”[①]，这一景象就是凉州兵在四百年繁华的两京创造的“奇迹”，也使得两汉的灿烂文化蒙受了严重摧残。东汉时已经用纸，但造纸术还不发达，文化传播的书籍主要还是简策帛书，传播不广，京都所藏，极为珍贵。不知书的凉州兵把珍贵的简策帛书毁坏，缣帛制成帷囊，简策付之一炬，造成了无法弥补的损失。

董卓和他的凉州部曲将，都是一些杀人不眨眼的混世魔王。初平元年（公元 190 年）二月，正当社祭时间，董卓遣兵至阳城，杀尽祭社男子，掳掠妇女财物，将人头系在车辕上，诡称“攻贼大获”，高呼“万岁”，回到洛阳，“焚烧其头，以妇女与甲兵为婢妾”[②]。董卓俘获了关东兵，用布缠裹，“倒立于地，热膏灌杀之”[③]。董卓在长安，尝至郿坞，公卿百官在长安横门（西门）外祖道送行，董卓杀数百降人助宴。“先断其舌，次斩手足，次凿眼目，以镬煮之”[④]。王允杀董卓，因为王允是太原人，李傕、郭汜迁怒并州人，将在军中的并州人“男女数百人，皆诛杀之”[⑤]。董卓及其部将凶残如此。

董卓部众多羌胡兵，本来习俗就是“更相抄暴，以力为雄”[⑥]，而董卓为了笼络部众，放纵烧杀抢掠，不加约束，更加助长了凉州兵的破坏性。凉州兵在洛阳“搜牢”，就是董卓放纵的。李傕、郭汜在长安相攻，李傕召羌胡数千人，“先以御物缯彩与之，又许以宫人妇女”，诱得这些凉州羌胡兵帅游弋在宫墙门外，高声呼叫曰：“天子在邪！李将军许我宫人美女，今皆安在?”[⑦]凉州兵竟是如此胡为。

李傕、郭汜等凉州将和他们的主子董卓一样，愈是凶残，愈是加速自身的灭亡。他们在自相残杀中，樊稠为李傕所杀，郭汜为其部将所杀，张济出关攻穰（今河南邓县）战死。建安三年

① 曹操诗《蒿里行》。
②④⑤ 《三国志·董卓传》。
③ 《后汉书·董卓传》。
⑥ 《后汉书·西羌传》。
⑦ 《三国志·贾诩传》裴注引《献帝纪》。

（公元198年），李傕被段煨讨灭，夷三族，董卓的凉州兵也就随之消亡。

凉州兵团的将领，也有几个人归了正果。首先是关东将董承、杨奉脱离出来。建安元年（公元196年），董、杨二将拥卫汉献帝东还，与李傕、郭汜割断了关系。曹操迎献帝许都，讨灭了杨奉，随后又于建安五年（公元200年）诛除了董承。杨奉部将徐晃跟了曹操成为魏国名将。凉州将中郎将段煨屯驻华阴，修农事，不掳略，奉正朔。公元198年，段煨讨灭了李傕，结束了凉州兵团之患。贾诩在长安为尚书，典选举，护持朝廷，颇尽心力。公元200年，他说服凉州将张济之侄张绣归附了曹操，张绣立功官渡，贾诩为魏名臣。

还有一支不属于董卓系统的凉州兵，即韩遂、马腾率领的凉州兵，也是一支汉羌混合的队伍，这里附带论及。这支凉州兵是从起义而变质成为割据军阀的队伍。公元184年，在黄巾起义影响下，凉州北地郡（郡治富平，在今宁夏灵武西南）先零羌和枹罕（在今甘肃临夏西北）、河关（在今临夏西）的汉羌人民响应起义，共推湟中义从胡北宫伯玉、李文侯为将军，杀东汉护羌校尉冷征、金城太守陈懿。这支军队后来落入韩遂之手，成为了他割据凉州的资本。公元187年，凉州司马扶风马腾反汉与韩遂联合，巩固了韩遂对凉州的割据。李傕死后，关中成了韩遂、马腾的割据领地。公元208年，马腾被征为卫尉，腾子马超领其众。公元211年曹操西征关中，破马超、韩遂联军。此后曹操派兵乘胜进击，马超、韩遂节节败退。公元214年，马超南走汉中，后归刘备，韩遂西走西平（在今青海西宁）。公元215年，韩遂被部将所杀，凉州平定，马、韩凉州兵也彻底消亡。由于马、韩凉州兵始终没越出关中，只是割据自守，不如董卓凉州兵凶残，所以活动历史也久长得多。从公元184年到公元215年，韩遂割据凉州32年。

四、如何评价董卓及其凉州兵团

穷凶极恶的董卓和他的凉州兵团在汉末登上历史舞台，对社会进行了一场大浩劫，这并不是偶然，而是东汉腐朽政治的必然产物①。

董卓入洛，杀了太后，废了皇帝，另立新君，等于把神圣的皇权打落在地，遭到了士族地主的激烈反对。内有王允之谋，外有袁绍之逼，迫使董卓退出洛阳，最后上了断头台。董卓以极其野蛮的手段来对抗，这恰又加速了他的灭亡。东汉朝官被董卓及其凉州兵杀灭殆尽，汉献帝回到洛阳，既无文臣，又无武将，成了一个空头皇帝。献帝到了许都以后，来投奔的士族名士也有几个拥护的，例如孔融就是一个，但十分寥寥，而涌到许都来的无论士族和寒族之士，大多是来恭贺权臣曹丞相的。不待曹丕篡汉，汉家的国运早在董卓入京时已经终结。可以说董卓乱政替曹氏代汉扫清了道路。也就是说董卓扮演了一个改朝换代的清道夫的角色。但他的清除方式却是社会的大破坏和开启了军阀混战，使历史的前进付出了沉重的代价。

董卓之出现于历史舞台，是一个惨重的历史教训。它说明了极度腐朽的专制政权，如果农民战争没有能够推翻它，而它又不能用自身的力量来切除它政治上的恶性肿瘤，它就必然要产生像董卓这样穷凶极恶的军阀来操纵手术刀，那末生灵遭涂炭，也就是在所难免了。证之以古今中外的军人政变，无一不是产生在极度腐朽的专制政权之下。君权专制制度不除，董卓不死。中国两千年的封建社会，不知产生了几多董卓。因此，解剖董卓，不只是研究三国史，而且也是解剖中国封建专制制度弊病的一个典型事例，是很有意义的。

（原载《西北史地》1985 年第 2 期）

① 参阅本书《东汉末年的军阀混战》。

东汉末年的军阀混战

三国鼎立是东汉末军阀混战、割据兼并的结果。而军阀混战则是豪强地主集团割据性的一种表现，同时它又是政治腐败的直接产物，因此，东汉豪强地主势力的发展、政治的极端腐败，以及割据集团的形成是研究三国历史首先要讨论的问题。

一、东汉末豪强地主集团的割据性

两汉四百年的统一，地主经济得到了高度的发展。东汉政论家仲长统对东汉末豪强地主经济势力的膨胀有着生动的描绘。他说："汉兴以来，……豪人之室，连栋数百，膏田满野，奴婢千群，徒附万计。船车贾贩，周于四方；废居积贮，满于都城。琦赂宝货，巨室不能容；马牛羊豕，山谷不能受。"他们在地方上有很大的势力，"荣乐过于封君，势力侔于守令"[1]。如果中央政权稳固，能够有效地控制豪强地主，地方经济愈发达，国家就愈强大。西汉前期的经济繁荣，带来了汉武帝的雄伟事业。反过

① 《后汉书·仲长统传》。

来，如果中央政权削弱，国家对豪强控制失驭，地方经济愈发达，愈要与中央闹独立。东汉末年就是这一种情况。

东汉末黄巾大起义，豪强地主纷纷组织武装，修筑坞壁，镇压黄巾，乘机扩展势力。献帝初平元年（公元190年），关东兵起，天下大乱，豪强地主各拥兵自重，率族自保，有的则作有计划的迁移，或择主而居，或占山为王。如颍川荀彧北依袁绍，后投曹操；临淮鲁肃南渡，往依孙权，都是举族而迁。右北平无终人田畴则是一个占山为王的典型豪强。北方乱起，他"率举宗族他附从数百人"，入徐无山中，"营深险平敞地而居，躬耕以养父母。百姓归之，数年间至五千余家"。当时饱受战乱流离之苦的黎民被迫依附强宗，沦为部曲僮客，壮大了豪强的力量。田畴力量壮大后，于是制订了约束部众的二十余条法纪，"法重者至死"，又制订了婚嫁之礼，学校授业之法。田畴还遣使与乌丸、鲜卑交通，使之致贡，俨然是一个独立王国①。在全国各地林立着无数个像田畴这样的强宗豪右，他们就是东汉末军阀割据混战的社会基础。割据一方的州牧郡守，如果得不到这些地方豪强的支持，就很难立足。据有北方幽、冀、青、并四州的大军阀袁绍，招命田畴，又即授将军印，礼命五至，畴终不出。兴平元年（公元194年），陶谦让徐州给刘备，刘备不敢接受。后得下邳陈登支持，刘备才领徐州牧。但终因基础薄弱，刘备两次得徐州，两次丧失了徐州，在北方不能立足。后来他在荆州驻屯近十年，依靠荆州地主集团入川，又得刘璋旧部东州地主集团及益州地主集团的支持才建立了蜀汉。孙权得江北大族张昭、周瑜支持，特别是得到江东地主集团顾、陆、朱、张四大姓以及全氏、贺氏等豪强的支持，才站稳江东。曹操是以颍川荀氏、沛国曹氏、夏侯氏地主集团为基干，广泛罗致北方地主集团的支持发展起来的。袁曹角逐，曹胜袁败，因素很多，但其中一个因素，就是像田畴这样的众多豪强弃袁投曹，在很大程度上改变了袁曹双方的力量对比，才使得曹操由劣势转变为优势，并在战胜之后，能够稳住

① 《三国志·田畴传》。

局势，巩固对所占地区的统治。

东汉豪强地主集团分为两个阶层。一是世代官僚地主，史称世族地主，又称世家大族。他们世代为高官，经学传世，在中央和地方都有着坚固的势力。如汝南袁氏四世五公[①]，弘农杨氏四世四公[②]，颍川荀氏世为“冠冕”[③]。他们的门生故吏遍天下，在政治上有很大的号召力。一是地方豪强地主，主要是大商贾兼并土地形成的豪强，史称庶族豪强。他们有大量的田产，奴婢以千计，但在政治上受士族地主的压抑。曹操家族是沛国谯县的大豪强，属于宦官集团的大官僚，其父曹嵩曾官至太尉，但仍是庶族地主。所以曹操在政治上的号召力不如士族地主的代表人物袁绍、袁术兄弟强，初起时不能与二袁匹敌。二袁利用他们的政治号召力，在东汉末最早萌动了觊觎汉室之心，成为祸首，这是他们在政治上失败的一个重要原因。曹操、孙权、刘备都是庶族地主的代表人物，大乱初起时他们还想扶持汉室，建立功名；后来看到汉室不可复兴，仍然各自打着效忠汉室的旗号收揽人心，终于鼎立三分。又，士族地主集团多谋士，庶族地主集团多武将。士族地主军阀排斥庶族地主，他们手下缺乏能征惯战之将，军队战斗力不强，在混战中极易被消灭。曹孙刘三家都以庶族地主和平民出身的战将为骨干，又广延智士，得到两个阶层豪强地主集团的支持，所以在混战中越战越强，刘备更是屡仆屡起。分析东汉末豪强地主集团的割据性，把握两个阶层的军阀具有重要的意义。

无论士族地主，还是庶族地主，他们的代表人物都是大豪强，在中央或地方为高官，掌握了国家的一部分政权。当黄巾起

① 四世五公：《三国志·袁绍传》裴注引华峤《汉书》，袁绍高祖袁安，“章帝时至司徒，生蜀郡太守京。京弟敞为司空。京子汤，太尉。汤四子：长子平，平弟成，左中郎将，并早卒。成弟逢，逢弟隗，皆为公。”按，袁绍即袁逢之庶子。袁安、袁敞、袁汤、袁逢、袁隗五人，经历四代均居三公之位，故曰四世五公，或曰四世居三公位。

② 杨氏四世四公：据《后汉书·杨震传》，弘农杨震，震子杨秉，秉子杨赐，赐子杨彪，四人历四代，均居三公之位，故曰四世四公。

③ 颍川荀氏：即曹操谋士荀彧、荀攸家族，世代为高官，知名当世。

义沉重地打击了东汉政权，使刘姓皇帝摇摇欲坠时，这些手握权要的豪强地主的代表人物，都有着割据称雄的野心，只是在等待时机罢了。灵帝中平五年（公元 188 年），汉灵帝设置州牧，派刘焉做益州牧，刘虞做幽州牧，黄琬做豫州牧。汉置州刺史，职司监察，秩六百石。州牧秩二千石，掌管一方的民政和军权。三州牧的设置是为了加强镇压益州、豫州的农民起义和平定幽州的张纯之叛。其他各州郡国的刺史守相，趁机扩张势力，事实上成为各霸一方的土皇帝。灵帝死，军阀割据的局面已经形成，军阀混战只差一根导火线来点燃了。公元 190 年，关东诸侯讨董卓，袁绍为盟主，屯兵河内，袁术屯南阳，各拥强兵，观望不进，只有曹操和孙坚才认真地打了几仗。袁氏兄弟假讨董卓之名，行割据之实。他们借诸侯之力逼迫董卓挟帝西迁，造成中原无主，以便袁氏称帝。所以王夫之说："董卓死，李（傕）、郭（汜）乱，袁绍擅河北而忘帝室，袁术窃，刘表僭，献帝莫能驭，而后曹操之篡志生。曹操挟天子，夷袁绍，降刘琮，而后孙权之割据定。是操之攘汉，袁绍贻之；坚之子孙僭号于江南，曹操贻之也。"又说："绍拥兵河北以与操争天下，而操乃据兖州以成争天下之势。绍导之，操乃应之；绍先之，操乃乘之；微绍之逆，操不先动。"① 王夫之的这些议论是十分中肯的。

二、东汉末年的军阀混战是腐朽政治的产物

前节分析了东汉豪强地主势力的发展，为军阀割据混战提供了社会基础，这只是分裂割据的前提条件；而东汉后期的政治腐败，则是导致军阀混战的直接原因。

东汉政治从和帝以后就进入了腐败，外戚宦官轮流执政，互相争权残杀。到了桓、灵二帝时期，前有"五侯"，后有"十常侍"，宦官专横达于极点，不仅杀逐外戚，而且屡兴党狱，打击

① 《读通鉴论》卷九。

士族地主，“海内涂炭二十余年”[①]。宦官子弟党羽，布列州郡，辜较百姓，与盗贼无异。他们随意掠人妻女，夺人田宅，草菅人命，无恶不作，逼得民怨沸腾，终于爆发了黄巾大起义。

已往学术界分析汉末社会矛盾，一般认为是士族地主阶级的腐朽专政激化了阶级矛盾，爆发了黄巾起义。在分析北方袁曹势力的消长成败时，一般认为曹胜袁败是寒族地主战胜了士族地主。在分析汉末战乱的原因时，总是说士族地主经济的发展导致了封建割据战争。这种形而上学的表象分析给人一种假象，仿佛寒族地主比士族地主要进步。殊不知宦官集团和董卓集团都是寒族地主。士族地主与寒族地主间的矛盾加剧了军阀混战的残酷性。两个地主集团的代表人物都想称王称霸，取代汉家天下，本质都是一样的。东汉后期的皇权不代表士族地主集团，因此，东汉后期的政治腐败，不能说是士族地主阶级专政的腐败。二袁二刘不重视寒族人才，公孙瓒杀戮衣冠大姓，均遭失败。曹孙刘三家以及司马氏代魏，都是得到两个地主集团的支持，主要是得到士族地主集团的支持才取得了胜利。这说明，三国时代，士族地主正处于发展时期。

东汉后期腐败政治的集中表现是宦官专政。东汉宦官不同于唐代宦官，不掌军权[②]，不能制主，而是充当皇帝与太后争权的工具。桓、灵二帝都是诸侯王入继大统，最初受制于太后，也就是受外戚控制。桓帝的外戚窦武是士族地主，灵帝的外戚何进则是出自屠门的寒族地主。无论士族外戚，还是寒族外戚，他们都不能代表整个执政的地主阶级，而只是一个有限的地主集团。只有皇权和广大朝官才是整个执政地主阶级的代表。东汉以门第世资取士，所以士族地主阶级垄断了政权，而与寒族地主有着尖锐的矛盾。宦官集团属于寒族地主阶层，他们依靠皇权庇护侵夺士族地主的一统政权。桓、灵二帝以诸侯王入继大统，与宦官勾结杀逐外戚，而不是依靠朝官排除外戚，这样一来，皇权代表了腐

① 《后汉书·党锢列传》。

② 灵帝末蹇硕掌禁军，为时短暂，并未酿成祸乱。

朽的宦官集团而与皇权的政治基础士族地主阶级对立。这标志着统治集团内部分崩离析，不能照旧统治下去了。而皇权是政权的象征，士族地主阶级要巩固自己的统治，又必须拥护皇权。于是代表士族地主阶级的朝官名士与外戚联合起来反对宦官，企图用清君侧的方式来巩固皇权与士族地主的一致性。由于朝官名士的反宦官，而使士族地主在社会上很有声望，黄巾起义的失败，恰恰就是由于士族地主的联合镇压而被扑灭。

黄巾起义虽然失败了，但它却动摇了东汉政权的统治。然而灵帝依然故我，不但没有回到士族地主阶级阵营中来诛除宦官，反而更加信用宦官，成为这一腐朽集团的支柱，这必然导致统治阶级内部矛盾的加剧，使得一部分士族地主也痛感失望，哀叹汉运将尽。冀州刺史王芬、南阳许攸、沛国周旌等联结豪杰，“谋废灵帝，立合肥侯”①。汉阳（今甘肃甘谷）人阎忠竟公然谏说皇甫嵩以兵威取汉而代之。至于拥有强兵的方镇牧伯，无论寒族士族都心怀异志，等待时机，拥兵割据。董卓就是在这一背景下应运而生的，他却是一个寒族地主的代表。刘焉谋任益州牧，他是士族地主的代表。

但是，当时多数的朝官名士，包括袁绍、袁术在内，还想挽救将倾的大厦，他们与何进联盟谋诛宦官。出身宦官的寒族地主豪强代表曹操也加入了谋诛宦官的行列。这说明了地主阶级无论士族寒族，大多数仍想维护东汉政权，也就是维护统一。维护统一，必须诛除宦官，这是黄巾失败后各阶级和阶层的共识与共同愿望。灵帝死后，宦官集团极端孤立。何进不费吹灰之力就杀了蹇硕，夺得了对禁军的指挥权。正如陈琳所说，“今将军总皇威，握兵要，龙骧虎步，高下在心”，扫灭宦官，“此犹鼓洪炉燎毛发耳”②。但是代表皇权的何太后却反对诛除宦官。何进召四方猛将豪杰挟兵谏以胁迫太后。陈琳说进曰：“夫违经合道，天人所顺，而反委释利器，更征外助。大兵聚会，强者为雄，所谓倒持干

---

① 《三国志·武帝纪》。
② 《后汉书·何进传》。

戈，授人以柄，功必不成，反为乱阶。”① 果不出陈琳所料，宦官先发制人杀了何进。二袁灭了宦官，却没有力量阻挡董卓入京。东汉宦官就像一个人到了癌症晚期一样，伴随着宦官的诛灭，东汉政权也就瓦解了。

陈琳的所谓“违经合道”，即是专命诛宦官，先斩后奏。何进这样做是完全有力量的，但他为何要舍易就难，自取灭亡呢？这有两方面的原因。一是投鼠忌器，为了维护皇权的神圣，何进不愿专命诛宦官。二是专制制度，矫命独断乃欺君之罪，何进不愿犯宫阙之怒，欲以诏旨诛宦官。陈蕃、窦武之败亦失于此。何进鉴于前车之败，所以他召诸侯入京以胁太后。殊不知用强力胁迫太后，实际上就是蔑视皇权，等于“倒持干戈，授人以柄”，适足以煽起像董卓这样穷凶极恶的大军阀的觊觎野心。

中平六年（公元189年）四月，汉灵帝死，十七岁的刘辩即位，外戚何进辅政，召驻屯河东的凉州军阀董卓入京。董卓乘机废掉少帝刘辩，另立九岁的刘协为帝，自任相国，夺取了军政大权。二袁逃离京师，袁绍时任司隶校尉，袁术任后将军。初平元年（公元190年），关东持政的士族地主集团起兵反董卓，公推袁绍为盟主，关东军进逼洛阳。兖州刺史刘岱、陈留太守张邈、广陵太守张超、东郡太守桥瑁、山阳太守袁遗屯酸枣；渤海太守袁绍，河内太守王匡屯河内，冀州牧韩馥在邺供军资，此为河北之军。豫州刺史孔伷屯颍川，后将军袁术屯南阳，此为河南之军。此外，奋武将军曹操与骑都尉鲍信亦募兵会酸枣，汴水之战后屯河内。十二支关东军，声势浩大，董卓不敌，于次年初平二年（公元191年）四月退出洛阳。董卓西去，关东军联盟解体，互相攻伐。刘岱杀了桥瑁，以王肱领东郡太守。袁绍胁韩馥夺了冀州。袁绍打算立幽州牧刘虞为帝与董卓相抗，谋于袁术，袁术欲自为帝，假意以公义拒之。于是兄弟二人不相容。袁术北结公孙瓒以逼绍，袁绍南连刘表以制术。就这样，大规模的军阀混战以讨董卓为标志拉开了大幕，在关中和广大的中原地区演出了

① 《后汉书·何进传》。

"白骨露于野，千里无鸡鸣"[1] 的一幕幕惨剧。

三、从中原十年大混战到赤壁之战

东汉末年的军阀混战，从公元190年至199年（汉献帝初平元年至建安五年），是十年大混战时期，争战异常激烈。曹丕在他的《典论·自叙》中有着生动的载述：

> 初平之元，董卓杀主鸩后，荡覆王室。是时四海既困中平之政，兼恶卓之凶逆，家家思乱，人人自危。山东牧守，咸以《春秋》之义，"卫人讨州吁于濮"，言人人皆得讨贼。于是大兴义兵，名豪大侠，富室强族，飘扬云会，万里相赴，兖、豫之师战于荥阳，河内之甲军于孟津。卓遂迁大驾，西都长安。而山东大者连郡国，中者婴城邑，小者聚阡陌，以还相吞灭。[2]

《后汉书》立传的有九大军阀：董卓、刘虞、公孙瓒、陶谦、袁绍、刘表、刘焉、袁术、吕布。这九大军阀按各自所代表的阶级倾向划分，士族地主集团有五人：袁绍、袁术、刘表、刘焉、刘虞；寒族地主集团有四人：董卓、公孙瓒、吕布、陶谦。《三国志》立传人物较多，除上述九人外，增加的军阀人物有十二人，立专传的有七人：臧洪、张杨、公孙度、张燕、张绣、张鲁、刘繇；立附传的有五人：李傕、郭汜附董卓传，袁谭、袁尚附袁绍传，张邈附吕布传。此外，未立传的军阀代表人物，有韩遂、马腾、张超等，裴松之注作了补充。《三国志》及裴注所增加的这十五个军阀人物，除刘繇为士族，张燕、张鲁两人为农民首领外，其余十二人全为寒族地主集团。曹操、孙权、刘备三

① 《曹操集·蒿里行》。
② 《三国志·文帝纪》裴注引。

家，实为三家大军阀，他们兼并和得到许多小军阀的归附而壮大起来，终于建立了魏、吴、蜀三国，所以不在本文作为一般军阀平列，而视为创业之主，另立专论。

关东起兵，各路诸侯都是士族地主集团。由于士族地主凭藉世资而傲视人才，他们中的大多数人不懂兵机，坐而论道，很快失败了。反之，寒族地主集团大多起自行伍，乱世中正好英雄有用武之地，他们主宰了军阀混战的舞台，所以《三国志》立传，寒族地主代表人物居多。《后汉书》只载述大军阀，士族地主根深叶茂，号召力大，所以九人中有五人为士族地主。

以上所列，不计曹、孙、刘三家之外，共二十四个军阀代表人物。其中割据周边州郡的有七人：韩遂、马腾、刘焉、张鲁、刘繇、公孙度、刘虞。金城人韩遂，于公元 184 年乘黄巾之起而据凉州，扶风人马腾时为凉州司马，于公元 187 年拥兵与韩遂合。董卓集团败亡后，韩遂在凉州，马腾在关中，韩马合纵割据雍凉前后三十余年，公元 214 年被曹操讨灭。马腾早在公元 208 年受征入许都为卫尉，公元 212 年被曹操所杀。其子马超统率部众与韩遂合。马超兵败，走入汉中，后投刘备为蜀大将。刘焉据益州，两传至刘璋，在公元 214 年为刘备所并。张鲁据汉中，在公元 214 年被曹操兼并。刘繇据扬州，早在公元 195 年就为孙策所并。公孙度据辽东，三传至公孙渊，在公元 238 年为曹魏大将司马懿讨灭。刘虞据幽州，在公元 193 年为公孙瓒所并。逐鹿中原的大军阀有董卓、公孙瓒、袁绍、袁术、吕布等五人，以及曹操、刘备。刘表、臧洪、张杨、张燕、张绣、陶谦、张邈、张超等人并无纵横天下之志，他们在军阀混战的洪流中也卷入了逐鹿中原之争。分别叙之如下。

董卓集团 董卓第一个觊觎汉家皇权，“杀主鸩后，荡覆王室”，成为众矢之的，灭亡也速。初平二年（公元 191 年）四月，董卓被关东军逐出洛阳，西入长安，初平三年（公元 192 年）四月为汉司徒王允所杀，残部李傕、郭汜为祸关中，自相吞灭。李傕杀郭汜，而后李傕在建安三年（公元 198 年）为段煨所灭。

公孙瓒集团 公孙瓒字伯珪，辽西令支人，本是家世二千石的士族子弟，由于庶出受到世俗冷遇，只得为郡小吏。后公孙瓒从戎，与塞外乌桓力战，积功为奋武将军，封蓟侯。军阀混战之初，公孙瓒手握强兵，从幽州南下，据有冀州大部及青州，与袁绍争衡近十年，建安四年（公元199年）春为袁绍所灭。

袁绍集团　袁绍出身袁氏四世五公的高门，他杀宦官，反董卓，以司隶校尉显职出都，初平元年（公元190年）以渤海太守身份起兵讨董卓，声望冠中夏，被推为盟主，驻屯河内。初平二年（公元191年）四月董卓西去，关东军解体，大混战开始。袁绍威逼韩馥让出冀州牧，一时兵力最盛。冀州从事沮授建议袁绍东攻青州，西击黑山，北并公孙瓒，和抚戎狄，据青冀幽并四州之地南向以争天下。建安四年（公元199年），袁绍并灭公孙瓒后，完全达到了他的预期目的。袁绍势力达于鼎盛，他的骄恣及野心也达于顶点。他不听谋臣建议挟天子以令诸侯，将汉献帝拱手让给了曹操。袁绍又不听谋臣修耕战以缓搏败曹的建议，于建安五年（公元200年）急于发动官渡之战而败北，使河北元气大伤。袁绍死后，二子袁谭、袁尚又互相火并，被曹操各个击破。建安十二年（公元207年）曹操亲自将兵击乌桓，追穷袁氏余党。袁尚、袁熙出逃辽东，被公孙康斩杀，袁绍集团彻底覆灭。

袁术集团　袁术是袁绍的异母兄弟，因嫡出而蔑视袁绍，兄弟二人不和。袁术反董卓而出奔荆州鲁阳，时为后将军。袁术志大才疏，本无所作为。长沙太守孙坚领兵北上讨董卓，杀荆州刺史王叡和南阳太守张咨，因借袁术名望拥为军主，袁术才得以据有南阳。初平三年（公元192年）正月，袁术使孙坚攻刘表，孙坚战殁。袁术在南阳遭到曹操、刘表夹击不能立足。初平四年（公元193年），袁术转兵东向杀扬州刺史陈温据有淮南。袁术统治暴戾，穷极奢侈，大肆搜刮，弄得民穷财尽，军人乏粮，取食蒲蠃。建安二年（公元197年），袁术称帝于寿春，众叛亲离，又遭吕布、曹操攻击，由是破败。建安四年（公元199年）四月，袁术穷迫欲北上青州依袁谭，曹操遣刘备及将军朱灵在徐州截击，术不得过，还走寿春。六月病死，部曲星散。

吕布集团　吕布原为并州刺史丁原部将。灵帝中平六年（公元 189 年)，何进召丁原入洛阳谋诛宦官。董卓入洛后，吕布杀丁原投董卓，后又与王允同谋杀董卓。献帝初平三年（公元 192 年）李傕、郭汜率董卓残部入长安，吕布南出武关投袁术。袁术恶其反复无常，拒而不受，又北投张杨、袁绍。兴平元年（公元 194 年）春，陈留太守张邈与陈宫等谋，迎吕布入主兖州，与曹操相争。兴平二年（公元 195 年）闰六月，吕布兵败投徐州刘备。建安元年（公元 196 年）六月，吕布趁刘备与袁术交兵之际，偷袭刘备根据地下邳（今江苏邳县南)，自称徐州牧。吕布与袁术合谋夺取徐州后，两人又反目互相攻战。吕布反复无常，为天下所忌，建安三年（公元 198 年）十二月被曹操擒杀。

张杨集团 张杨也是丁原部将，与吕布同僚，驻屯河内。河内北依太行山，南濒黄河，西控虎牢关，是中原的战略要地。张杨据有河内，为兵家所必争。张杨初依袁绍，后投董卓，董卓败亡复依袁绍。建安三年（公元 198 年)，张杨声援吕布，曹操借机把手伸向河内。张杨部将杨丑杀张杨以河内附曹操。张杨另一部将眭固杀杨丑，仍以河内附袁绍。建安四年（公元 199 年）四月，曹操进兵河内，杀了眭固，袁曹公开破裂，从而爆发了著名的官渡之战。

臧洪 臧洪字子源，广陵射阳人，为广陵太守张超功曹。初平元年（公元 190 年)，臧洪说张超起兵讨董卓，张超然其计，与其兄陈留太守张邈引兵会于酸枣。关东诸侯设坛盟誓，共推臧洪为司仪。臧洪于是升坛操盘歃血为盟，慷慨陈辞，激扬士众，声名远播。袁绍招致臧洪，使洪抚领青州，与公孙瓒所署青州刺史田楷连战二年，为袁绍夺得了青州。袁绍使其子袁谭领青州，徙臧洪为东郡太守。建安元年（公元 196 年)，曹操击败吕布，围张超于陈留。臧洪从袁绍请兵救张超，袁绍不许。曹操于是破杀张超。张超兄张邈南走寿春求救于袁术，半道为其兵所杀。臧洪怒袁绍不救张超，以东郡叛绍。袁绍兴兵攻围年余，破杀臧洪。

陶谦 陶谦字恭祖，丹杨人，为诸生，举茂才，历官卢令、幽州刺史，征拜议郎。黄巾起义，朝廷以谦为徐州刺史，后升为牧。关东兵起，曹操父曹嵩避难琅邪。初平三年（公元 192 年）曹操据有兖州，迎曹嵩赴兖。曹嵩曾为汉太尉，贪赃财物至巨，有辎重百余辆。陶谦遣都尉张闿将骑二百卫送，闿等贪财物，杀曹嵩取其财，逃奔淮南①。曹操迁怒于陶谦，在初平四年至兴平元年（公元 193—194 年）全力征讨。曹军破彭城、傅阳、取虑、睢陵、夏丘五城，皆屠之。史载，曹操“凡杀男女数万人，鸡犬无余，泗水为之不流”②。董卓乱两京之时，中原及关中士民多流移徐州，至此遭曹兵蹂躏，大多被歼。徐土残破，陶谦忧死，遗命让徐州牧于刘备。

张绣 张绣武威人，董卓部将张济之族侄。公元 196 年，张济引众出关入荆州攻刘表，在穰城中流矢死。张绣领其众归附刘表，驻屯穰城，抗拒曹操。曹操连年攻绣不能下。官渡之战前夕，张绣从贾诩计，领众归附曹操。官渡之战，张绣力战有功，后从曹操破袁谭于南皮，征乌丸于柳城，功勋卓著。但曹丕以淯水之战，张绣杀其兄曹昂，数辱张绣，绣自杀。淯水之战，发生在公元 197 年。曹操南征张绣，绣降。曹操贪张济妻美色，纳入军营玩弄，张绣怒而攻操，杀其长子曹昂及其弟之子曹安民。曹操右臂亦中流矢，差点丢了性命。

刘表 刘表字景升，山阳高平人，汉末名士八俊之一。公元 190 年，荆州刺史王叡被孙坚所杀，刘表代叡为荆州刺史。因袁绍在南阳阻断刘表上任。刘表从间道单马入宜城，采纳荆州名士蒯越等人的建议，诱杀宗贼渠魁五十余人，抚用附从的地方势力，“南据江陵，北守襄阳”③，据有荆州，与袁术相抗。公元 192 年，刘表与曹操合兵逐走袁术，刘表任镇南将军、荆州牧。公元 198 年，刘表击败遥应曹操的长沙太守张羡，使自己的辖地“南接五岭，北据汉川，地方数千里，带甲十余万”④，成了南方最大

① 此据《三国志·武帝纪》裴注引《吴书》。关于曹嵩之死有几种记载，裴注又引《世语》谓陶谦密遣将杀曹嵩。《后汉书·陶谦传》载，曹嵩为陶谦别将所杀，陶谦实不知情。

② 《后汉书·陶谦传》。

③④ 《后汉书·刘表传》。

的割据者。但刘表无戡乱之才，他只想“保江汉间，观天下变”[①]，不介入逐鹿中原之争。官渡之战，他坐山观虎斗，应袁绍之援而不出兵相救，使得曹操从容不迫统一了北方。

以上简述了东汉末年军阀大混战各主要集团的兴灭概况。最错综复杂的是中原十年大混战，各集团极尽纵横捭阖之能事，今日为友，明日成仇，互相攻伐，形势万变。董卓败亡后，逐鹿中原的主要是四大集团：河北袁绍、公孙瓒，河南曹操、吕布。刘备也逐鹿于中原，但根基不厚，又无良辅，两次得徐州，两次失徐州，公元 200 年南依刘表，退出了中原之争。公孙瓒和吕布都无远略，尤其是吕布，见利忘义，勇而无谋，他们的失败是注定的。其他各集团都不过是拥兵割据，观望成败，全无远虑，次第为强者所灭。曹操和袁绍，都想纵横天下，取汉室而代之，各有一套图谋远略的规划。袁绍取河北，曹操图河南，两人同床异梦而又紧密携手，共图发展。在十年纷乱之中，袁绍北向，曹操南向，两人互为背靠，不受夹击，因此各自取得了节节胜利。公元 191 年末，公孙瓒南下，其势凶猛，曹操助袁绍击退了公孙瓒。公元 192 年，袁术北进，袁绍助曹操赶袁术出南阳。在袁曹携手共进中，曹操依赖袁绍的扶植而发展，又计高一筹；而袁绍迂阔，反遭曹操的暗算，因此，在官渡决战前夕，曹操已先赢了一着。

袁绍并河北四州，主要敌人只有公孙瓒一个，而且公孙瓒腹背受敌，背后有刘虞、乌桓，但袁绍用了近十年的时间才把公孙瓒扫灭，丧失了与曹操决战的最佳时机。曹操战河南，与吕布、陶谦、袁术、张绣、刘备、刘表众多军事集团对抗，最怕两线作战。曹操背靠袁绍南向，各个击破陶谦、吕布、袁术以及刘备，收降张绣，威镇刘表，在很大程度上得益于袁绍之助。初平三年（公元 192 年）正月，袁绍在冀州界桥之战中已破公孙瓒主力，奠定了统一河朔的基础。可惜袁绍未从臧洪之议救援张超，不仅失去了树操之敌的一个机会，而且回师征臧洪，自毁一面长城，

① 《三国志·刘表传》。

不能早灭公孙瓒，还导致了与曹操官渡决战之前丢失了河内。袁绍丢失河内和东郡，减弱了自己的优势，还助长了曹操北上的雄心。当曹操北进河内之时，其时公孙瓒亦被讨灭，曹操夹击袁绍之谋才未能实现。反之，曹操与吕布、张绣、刘备鏖战之时，袁绍有多次夹击曹操的机会，他都放弃了。

建安五年（公元200年），袁曹官渡决战，袁败曹胜，奠定了曹操统一河北的基础。当时刘备已寄人篱下，江东孙策又亡，天下还没有出现三分之势。从官渡之战到赤壁之战，形势变化较为明朗，统一的形势向前发展。割据周边的军阀都按兵不动，中原只剩下曹操在扫荡河北。但同时也在积聚三分的因素。一是江东孙权稳定了局势，抚平了山越，成为一支对抗曹操的新兴力量。二是刘备驻屯荆州六七年，蓄积了东山再起的力量，积聚了汇于荆州的人才，又得诸葛亮出山相辅。建安十二年（公元207年），诸葛亮发表“隆中对策”，规划三分之局，鲁肃在孙吴亦有此谋。赤壁之战，推动孙刘结盟，曹操战败而北还，于是“人谋”的规划又迈出了现实的第一步，三分之局由此奠立。东汉末年的军阀大混战告一段落，历史翻开了曹、孙、刘三家主宰局势的新篇章。

官渡之战及袁绍集团的覆灭

官渡之战，是三国鼎立形成中的第一个大战役，也是北方曹操与袁绍两大集团之间的一次主力决战。这次决战袁败曹胜，从而奠定了曹操统一北方的基础，对三国历史的发展具有重要意义。设若这次战役袁胜曹败，袁绍完全有能力席卷江南而君临天下，那末三国鼎立也就不会出现了。在军事上，曹操以少胜众，走上了他的巅峰。这次战役如同赤壁之战一样，也是一次群英会。袁曹双方的谋臣武将，云集官渡，斗智决力，波澜壮阔，值得研究。

一、官渡之战发动前的基本形势

官渡之战发动前的基本形势，即公元 199 年初的军阀割据格局。这时，袁绍已灭公孙瓒，据有青、冀、并、幽四州之地，民户百万，带甲数十万，势力最盛。曹操已于建安三年十二月（公元 199 年 1 月）吞灭吕布，据有司、豫、兖、徐四州，及荆州北部、青州一部，是仅次于袁绍的大军阀。这时，北方军阀还有五个集团：辽东有公孙康，关中有马腾、韩遂，南阳有张绣，汉中有张鲁，淮南有袁术。南方有三个集团：益州有刘璋，荆州有刘表，江东有孙策。这八个军事集团，公孙康、张鲁、刘璋、孙策，由于地理偏远，还都没有介入中原的逐鹿，可以置而不论。袁术奄奄待毙，马腾、韩遂拥兵观望，张绣与刘表唇齿相依。刘表与袁绍相结，也只是为了保境观望。南阳张绣在曹操连年打击下，丧师万余，所领残部，也无多大作为。整个北方的基本形势，已呈现出袁、曹两家以河为界的南北对峙态势。袁绍、曹操两人都有统一天下之志，因此，袁曹冲突不可避免。

袁曹双方的力量对比，总的形势袁强曹弱。但仔细分析，双方均各有优势和短处，加上其他军阀集团的向背，力量对比就会有很大的转化。从袁曹双方人力、物力来看，袁绍地广人众，占有一定优势。试以《后汉书·郡国志》所载户口将袁曹占领区作一比较。袁绍所占青、冀、幽、并四州总户数约二百万（不计公孙氏所占辽东等郡），人口约八百五十万；曹操所占司、豫、兖、徐四州总户数约三百三十九万，人口约一千八百万（不计关中，加荆州南阳郡）。按汉时户口，曹操占领区要高出袁绍占领区一倍。但是汉末战乱，黄河以北不是主战场，人口耗损不如中原剧烈。并州没有遭到多大破坏。幽州经刘虞务农植谷，招抚流亡，人口殷实。袁绍占领区人口耗损按半数计仍有四百余万。曹操控制的中原，战祸最烈，潼关以东至于陈留、南至颍川，“数百里中无烟火”①，徐州屡经战乱，“多所残戮”②，又“江淮间空尽，人民相食”③。曹操占领区的人口耗损，“十裁一在”④，以十分居二计，有三百余万人口。或者袁曹双方所领人口大体相等。但河北冀州此时却比河南殷富。曹操经过几年屯田，经济条件有所改善，可是仍不能与河北相比。从地理形势看，袁绍据河北四州，居高临下，又与戎狄和亲，无后顾之忧。曹操所占中原，处四战之地，周围军阀环绕，有陷入两线作战的危险。但是，“战争是

① 《三国志·孙坚传》裴注引《江表传》。

② 《三国志·武帝纪》。

③ 《三国志·袁术传》。

④ 《三国志·张绣传》。

政治的继续”，袁绍在政略上输于曹操，已隐伏着败机。公元 196 年，汉献帝东归洛阳，袁绍拒绝沮授之谋，不迎立献帝，将其拱手让给了曹操。曹操赢了这一着，挟天子以令诸侯，盛气凌人的袁绍，也不得不听从曹操的摆布，一再上表向朝廷表白赤心。这正是“天与不取，反受其咎”。袁绍灭公孙瓒后，志骄意得，急不可耐地想做皇帝。这时袁术归帝号于绍，曰：“今君拥有四州，民户百万，以强则无与比大，论德则无与比高。曹操欲扶衰拯弱，安能续绝命救已灭乎?”[①] 袁绍好不欢喜，示意主簿耿包劝进，谓“赤德衰尽，袁为黄胤，宜顺天意，以从民心”[②]。袁绍军府僚属一致反对，纷纷指斥耿包妖妄宜诛。袁绍被迫杀包解嘲，十分狼狈。他“举义兵以诛暴乱”的假面具被摘了下来，失去了号召力，政治上从优势转向劣势，失去了许多政治集团的支持。

二、袁绍发动官渡之战的导因及其内部的反映

袁曹两个雄猜者在十年混战（公元 190—199 年）中，为了战胜群雄而一度携手并肩，划分势力范围，袁绍在河北，曹操在河南。两人随着势力的膨胀而外亲内疏，明争暗斗。曹操挟天子以后，不仅关中附从，而且号令起袁绍来。曹操下诏书责绍，斥以“地广兵多而专自树党，不闻勤王之师而但擅相讨伐”[③]，袁绍后悔莫及。曹操又自为大将军，以绍为太尉。袁绍耻为之下，上表不受。曹操不得已让出了大将军，自己做司空，还使将作大臣孔融持节拜袁绍兼督冀、青、幽、并四州，暂时平息了矛盾。袁绍仍不满足，致书曹操，说许下低湿，应徙都甄城，以便自己也能打上天子旗号。枭雄曹操岂能做这种傻事，理所当然拒绝。建安三年（公元 198 年）三月，曹操南下围张绣于穰。田丰说袁绍，趁此机会南下袭许，奉迎天子以号令天下，否则“终为人所

① 《三国志・袁术传》裴注引《魏书》。
②③ 《后汉书・袁绍传》。

擒，虽悔无益”[1]，由于当时公孙瓒未灭，袁绍避免两线作战没有听从，只给曹操写了一封恐吓信。曹操慌忙撤军，被张绣追击，打了一个败仗。曹操忧心忡忡地对荀彧说：“今将讨不义，而力不敌，何如？”荀彧回答说：“古之成败者，诚有其才，虽弱必强，苟非其人，虽强易弱，刘项之存亡，足以现矣。”接着荀彧从气度、谋略、武功、德义四个方面分析，曹操都胜过袁绍，又有天子为号令，“扶义征伐”[2]，不愁打不败袁绍。曹操又去问郭嘉，袁绍不逊，“吾欲讨之，力不敌，如何？”郭嘉以“绍有十败，公有十胜”回答曹操。郭嘉十胜内容：道胜一，义胜二，治胜三，度胜四，谋胜五、德胜六，仁胜七，明胜八，文胜九，武胜十[3]。荀郭二人的回答，难免夸张之词，但分析曹操才高一筹无疑是正确的。荀、郭两人同时提出，趁袁绍北击公孙瓒，迅速消灭吕布，避免两线作战。公元198年底，曹操南破张绣，东擒吕布，于是摆出了对抗的姿态，进兵河北，“与袁绍相拒”[4]。事情的原委，还得从河内的张杨说起。

张杨原是并州刺史丁原的部将。董卓杀丁原，当时张杨回并州募兵，于是据有河内。吕布原来也是丁原部将，与张杨是同僚又相好。袁绍在河北又与张杨相联络。曹操围吕布，袁绍暗中支持张杨声援。曹操也打入了张杨内部。建安四年（公元199年）二月，曹操趁袁绍与公孙瓒激战之机，公开挑起事端，指使张杨部将杨丑杀张杨，旗帜鲜明地投靠曹操。张杨部将袁党眭固又杀杨丑，明白宣布投归袁绍，并重兵控制河内郡的战略重镇射犬（在今河南武陟县西北）。夏四月曹操进军临河，派曹仁、史涣渡河击杀了眭固，占领了河内郡，打入了袁绍的领属区，建立了河北前进基地。所以袁绍在建安五年（公元200年）二月的讨操檄文中列数曹操罪状说：

往岁伐鼓北征，讨公孙瓒，强御桀逆，拒围一年。操因

① 《后汉书·袁绍传》。

②④ 《三国志·荀彧传》。

③ 郭嘉“十胜”说，见《三国志·郭嘉传》裴注引《傅子》。

其未破，阴交书命，欲托助王师，以见掩袭，故引兵造河，方舟北济。会行人发露，瓒亦枭夷，故使锋芒挫缩，厥图不果。[①]

袁绍对曹操此举，自然十分恼怒，他曾经致书公孙瓒，劝瓒投降，“释憾除嫌”[②]，但公孙瓒不答。所以袁绍奋力灭瓒，凯旋之后，立即宣布兵伐许都，简选精兵十万，骑万匹，时间约在建安四年（公元 199 年）五六月之间。

袁绍宣布进兵许都，在内部引起了争议。郭图、审配等认为讨伐曹操，易如反掌，“今时不取，后难图也”。沮授认为，袁军讨伐公孙瓒，师出历年，“百姓疲敝，仓库无积”，且曹操奉迎天子，建宫许都，“今举师南向，于义则违”。为了摆脱政治上的被动局面，同时争取时间，休整士卒，沮授建言说：

宜先遣使献捷天子，务农逸人。若不得通，乃表曹操隔我王路，然后进屯黎阳，渐营河南，益作舟船，缮修器械，分遣精骑，抄其边鄙，令彼不得安，我取其逸，如此可坐定也。[③]

但急于称帝的袁绍却听不进去，他要与曹操立决雌雄。他不顾政治上的被动局面，不顾士民连年征战的疲劳，不取稳操胜券的战略，而妄听郭图的“公师徒精勇，将士思奋”的谀词，走上黩武的道路，以图“早定大业”[④]，在不利的时机发动官渡之战，加深了隐伏的败机。

曹操进兵河内，占了地利和实利，挑起了袁曹的公开对立，而把发动战争的责任又转嫁到袁绍身上，确实是道高一尺，先赢一着。

---

① 《后汉书·袁绍传》。李贤注引《献帝春秋》，曹操渡河声言助绍灭公孙瓒，实欲袭邺，以为瓒援。会瓒破败，袁绍亦觉，曹操退屯敖仓。

② 《三国志·袁绍传》裴注引《汉晋春秋》。

③④ 《后汉书·袁绍传》。

三、曹操迎击袁绍的战略部署

曹操力弱，其战略是后发制人。他在河内得手以后，沿黄河两岸选择战略要地设防，并在官渡构筑决战的工事，诱敌来攻。袁绍亦深知对手曹操不凡，没有立即进攻，而是一面休整士众，一面筹办大举进兵的粮秣。同时双方展开了激烈的外交战。环绕中原的军事集团，面对袁曹冲突，也在重新拨动算盘，考虑前途：是投曹，还是附袁。曹操为了争取战略主动，从建安四年（公元199年）四月到建安五年（公元200年）正月，先后作了如下部署：

（1）如上节所述，建安四年四月，曹操进兵河内，建立了河北前进基地。

（2）六月，派刘备、朱灵东出徐州，截击北上的袁术，不让二袁结合。此着，曹操虽误用了刘备，却截击成功，袁术死，淮南归入曹操领区，消灭了一个后患。

（3）八月，曹操派琅邪相臧霸，引精兵入青州，牵制袁绍，捍卫东方。

（4）同月，曹操亲自领兵进据黄河北岸的重镇黎阳（今河南浚县东），留于禁屯河南重要渡口延津（今河南延津北），又令东郡太守刘延在白马（在延津东北，今河南滑县东）布防。

（5）九月，曹操还许，置主力于官渡（今河南中牟东北），筑垒固守。官渡地处鸿沟上游，濒临汴水，是许昌东北门户。袁军直线南下，官渡是两军必争之地。曹军守住官渡，就是“扼其喉而不得进”①。所以曹操十二月又返回官渡，亲自坐镇，严阵以待袁军来犯。

（6）冬十一月，曹操笼络凉州从事韦端说关中诸将附曹操。曹操以钟繇为司隶校尉督关中诸军，又以侍御史卫觊出镇关中，

① 《三国志·荀彧传》。

协助钟繇镇抚西方。钟繇至关中，选战马两千匹输官渡。曹操又表刘馥为扬州刺史以镇东南。

与此同时，袁绍所派使者四出，到处碰壁。九月，袁绍遣使与南阳张绣连和，贾诩却劝张绣趁此时机投曹操。十一月张绣投曹，进驻官渡前线。袁绍又遣使求助刘表，表许之而不出兵，也不援曹。

（7）建安五年正月，东征刘备。刘备在徐州举起反曹义旗，宣布献帝衣带诏。刘备认为曹操在官渡不得脱身，故没有集中兵力防御，而是分兵略地。曹操却比刘备更有眼光，他决不让刘备站稳脚跟。他立即亲自东征，并对诸将说："夫刘备，人杰也，今不击，必为后患。袁绍虽有大志，而见事迟，必不动也。"① 正如曹操所料，田丰再次指点袁绍进兵，但袁绍却以"子病"为由拒绝，只派轻兵援助刘备。刘备又没有提防曹操自来，仓卒不能应战，于是"弃公而走"②，北投袁绍，关羽降了曹操。可以说曹操没有费吹灰之力就扑灭了刘备，稳定了东方，迅速回军官渡。

如上所述，曹操从建安四年四月的渡河之战，到建安五年正月的东征刘备，取得了一连串的胜利，巩固了东、西、南三面，堵塞了袁绍开辟第二战线的漏洞。然后，曹操集中全力于官渡一线，步步设防，阻滞和消耗袁军的战斗力，主力则隐伏于官渡有利地势，以逸待劳与袁军决战。在外交上，曹操着着得手，显示了挟天子以令诸侯的政治优势，而袁绍的失败，说明他政治上已处劣势。在军事上，袁绍丢失了一次难得的夹击机会。政略战略，袁绍都逊人一等，而又刚愎自用。沮授强谏，削夺其军权，分其部为三，使沮授及郭图、淳于琼各典一军，削弱了战斗力。田丰强谏，袁绍打下牢房，折了一翼。曹操闻田丰不从戎，喜曰："绍必败矣"③。与之对照，曹操内部则上下整肃，曹操对诸将说，袁绍"志大而智小，色厉而胆薄，忌克而少威，兵多而分

① 《三国志·武帝纪》。

② 《三国志·先主传》裴注引《魏书》。

③ 《三国志·袁绍传》裴注引《先贤行状》。

画不明，将骄而政令不一，土地虽广，粮食虽丰，适足以为吾奉也”[1]。荀彧更作了具体分析，认为“绍兵虽多而法不整，田丰刚而犯上，许攸贪而不治，审配专而无谋，逢纪果而自用，此数人者，势不相容，必生内变。颜良、文丑，一夫之勇耳，可一战而擒也”[2]。这些预见均为实战所证实。说明曹方做到了知彼知己。

四、官渡之战的过程和结局

官渡之战从建安五年的二月到十月，共历时九个月，分为三个阶段。第一阶段，二至六月，曹军步步退却，在运动中消耗和偷袭袁军，积小胜为大胜，灭敌威风，壮我士气。第二阶段，七至九月，官渡相持。第三阶段，十月乌巢烧粮奇计破袁。依时间顺序列战事进程于下。

（1）二月，袁绍进军黎阳，曹军收缩河南。袁绍令刘备协助颜良为先锋，渡河围白马。沮授对袁绍说：“良性促狭，虽骁勇，不可独任。”[3] 绍不听。

（2）四月，曹操北上解白马之围，用荀攸计，屯兵延津伪装渡河，好像要攻击袁绍的后方，迷惑袁绍大军渡河，使其分兵西向。目的达到后，曹操自引轻骑，集中徐晃、张辽、关羽等骁将，出其不意奔袭白马。关羽斩颜良，袁军溃散。曹操拔出白马之军，迁徙白马百姓沿黄河撤退，丢弃辎重军械，诱使袁绍大军渡河来追。

（3）五至六月，袁绍大军渡河，进至延津。沮授又谏：颜良败没，曹军反而后退，这胜负变化，应当详察。为万全计，大军“宜留屯延津，分兵官渡，若其克获，还迎不晚，设其有难，众弗可还”。袁绍不听。沮授气愤地说：“上盈其志，下务其功，悠悠黄河，吾其济乎！”[4] 称病辞职。袁绍不许，将沮授降职隶属

① 《三国志·武帝纪》。

②③④ 《资治通鉴》卷六三。

郭图。

袁绍大将文丑与刘备追击曹军，在延津南白马山中计被斩。颜良、文丑，两人为河北名将，连战皆输，绍军夺气。

与延津之战同时，于禁、乐进又将步骑五千，从延津西渡河奇袭袁军后方，至汲、获嘉二县，焚其堡聚二十余屯。

（4）七至九月。袁绍虽然连战皆北，仍凭其兵力优势，密集推进，与曹操相持于官渡。八月，袁军逼近曹寨，依沙埴为屯，东西数十里，曹军亦分营与相当。

袁绍逼近官渡的同时，于七月派刘备迂回曹军后方，与汝南黄巾军联合开辟了第二战线。袁绍又“遣使招诱豫州诸郡，诸郡多受其命”①。袁军派出的劫粮之军也连连得手②。许下及军中人多与袁绍通书③。

九月，袁曹两军在官渡展开阵地战，曹军寡不敌众，还营坚守。袁军起土山地道强攻，激战异常。两军“相持百余日，河南人疲困，多畔应绍”④。当时曹军粮少，曹操与荀彧书，议欲退军。荀彧书与曹操，以楚汉相争譬喻，“是时刘、项莫肯先退，先退者势屈也”，“此用奇之时，不可失也”⑤。曹操问计于贾诩，贾诩说：“公明胜绍，勇胜绍，用人胜绍，决机胜绍，有此四胜而半年不定者，但顾万全故也。必决其机，须臾可定也。”⑥

曹操遣曹仁率徐晃、史涣等击破汝南刘备军，又绝袁绍劫粮之军，使其运输畅通。曹操又用荀攸计，使徐晃等截烧袁绍运粮军，烧其辎重，杀其将韩猛。

（5）十月，两军决战。袁绍复遣淳于琼等将兵万余人护送粮车，屯宿于绍营北四十里。沮授再次进谏说：“北兵虽众而劲果不及南，南军谷少而资储不如北。南幸于急战，北利在缓师。宜待持久，旷以日月。”并建议“可遣蒋奇别为支军于表，以绝曹

---

①《三国志·赵俨传》。
②《三国志·任峻传》。
③《三国志·武帝纪》。
④《后汉书·袁绍传》。
⑤《三国志·荀彧传》。
⑥《三国志·贾诩传》。

操之抄”[1]。袁绍仍不听从。谋士许攸又进言绍曰：曹操全军集官渡，许下空弱，若分军击许，奉迎天子以讨操，“操成擒矣”，即使不溃，也使曹操首尾奔命，“破之必也”[2]。袁绍还是不听，说：“吾当先取操。”[3] 下令军中各持三尺绳，一定要活捉曹操[4]。

许攸见谋不用，心怀不平。正在这时，留守邺城的审配收系了许攸犯法的家属。许攸一怒之下，投奔曹操，告知袁军储粮虚实，劝曹操轻骑烧粮。当时曹军只有一个月的军粮，为打破僵局，曹操决意出奇制胜。他亲率五千骑兵，冒用袁军旗号，月夜偷袭乌巢，留曹洪等守营。天亮时，曹操抵达淳于琼粮营。淳于琼不护粮草，见曹操兵少，欲邀功利，出营迎战。曹军殊死战，淳于琼战败，粮草被焚。

袁绍知道曹操劫粮后，又作了错误调遣。他不听张郃用重兵救粮的意见，却采纳郭图攻劫曹营的主张。袁绍对其子袁谭说：就算曹操攻破淳于琼军，我这里攻破曹营，看他回到哪里去。张郃与郭图争执起来。张郃说：曹操自引精兵，必能破琼，而曹营坚固，我们却攻不下来，大事就完了[5]。但袁绍不听，只用轻军救淳于琼，而令张郃、高览攻曹营。这时曹营已回军夹击袁绍军。郭图出了错误的计谋，反诬张郃不力战以推脱责任。张郃、高览气愤不已，焚烧战具，投降曹军。曹军乘势全线出击，袁军大溃。袁绍和其子袁谭仓皇溃逃，只带了八百骑渡河，沮授及审配两子都成了俘虏。沮授拒降，为曹操所杀。

袁绍官渡惨败，愧对田丰，说：“吾不用田丰言，果为所笑。”[6] 于是下令杀害田丰。袁绍如此心胸狭窄，一蹶不振，发病吐血，在公元202年（建安七年）五月病死。其子袁谭、袁尚互相攻杀，被曹操各个击破。公元205年，曹操杀袁谭，公元206年灭并州高干，公元207年远征三郡乌桓，彻底扫荡了袁绍集团的残余势力，完全占领了青、冀、幽、并四州，基本上统一了北

①②③ 《资治通鉴》卷六三。

④ 《后汉书·袁绍传》裴注引《献帝春秋》。

⑤ 原文见《后汉书·袁绍传》及注，此撮述其意。

⑥ 《后汉书·袁绍传》。

方。袁尚、袁熙为辽东公孙康所杀。

官渡之战，曹操以少胜众，以弱胜强，击败了一代枭雄袁绍，使他从巅峰跌落下来；反之，成就了曹操的事业，加速了他统一北方的步伐。河北智士名将田丰、沮授、颜良、文丑，伴随袁绍成了牺牲品。

五、袁曹双方兵力概算

三国时的战役，总是伴随着外交上的纵横捭阖，敌我双方兵力，虚虚实实，有时虚张，有时缩小，需要进行一番考证和概算，才可大体得其实。众所周知，官渡之战是一次以少胜众，以弱克强的战例。但少弱的一方与多强的一方，一出一入，程度几何，以往深究不够。本文试作概算。

袁军兵力 《三国志》和《后汉书》袁绍本传，均载袁绍“简精卒十万，骑万匹，欲袭许”，这只是最初动员的兵力数，实际投入的兵力，则远远超过此数。整个战区的袁军兵力，推计有二十余万，投入官渡第一线的就有十二三万。依据如下。

(1)《后汉书·袁绍传》载：绍军大溃，绍与谭率八百骑渡河，至黎阳北岸，入其将军蒋义渠营。“众闻绍在，稍复集。余众伪降，曹操尽坑之，前后所杀八万人。”

(2)《三国志·袁绍传》裴注引张璠《汉记》：“杀绍卒凡八万人。”

(3)《资治通鉴》卷六三胡注引《通鉴考异》云：“《献帝起居注》：曹公上言，凡斩首七万余级。”

(4)《三国志》及《后汉书》袁绍本传均载官渡战后，“冀州城邑多畔，绍复击定之”。

官渡之战，双方列营数十里，袁军虽然全军溃败，但不是被曹军全面包围而全军覆没，所以“众闻绍在，稍复集”，加上逃散士兵，其数至少四五万。曹军坑杀袁军七八万。两者相加，至少十二三万，这就是袁军在官渡第一线的兵力。战区设防，如蒋义渠营者，是为别屯，当不止一营，如韩猛之运粮军，如于禁在延津西所击破的袁军别屯等，总计亦有数万。官渡战后，冀州城邑多叛，但曹操并未乘胜追击，扩大战果，眼看着袁绍“复击定之”。这足以说明，袁绍战区尚有驻防雄兵，足以挡住曹操的乘胜挺进。如无数万之众，是不可能的。所以我们推计整个战区的袁军兵力有二十余万。

曹军兵力 曹方兵力最难概算，各项资料都蒙上了一层迷雾。但只要进行认真的排比分析，仍能寻出求实的线索。

曹方兵力可从以下三个方面来推求。

其一，史料记载的破绽。《三国志》有三处记载曹军兵不满万，只有袁军的十分之一，虽然史家记载有本，但非实录。一是《张范传》载袁术语。术对范曰：“今曹公欲以弊兵数千，敌十万之众，可谓不量力矣！”张范答曰：“今曹公挟天子以令天下，虽敌百万之众可也。”二是《荀彧传》载荀彧与曹操书，“公以十分居一之众，画地而守之”云云。三是《武帝纪》载，“公兵不满万，伤者十二三”云云。袁术妄人，其语虚诞，又是论辩，不必求实。荀彧夸张谓曹军以一当十，意在激励，陈寿据此描写战况紧张激烈，亦非实录。袁绍列营数十里，曹操“分营以当之”，已透露曹军兵力不少，必大体相当，才能列营数十里以当之。

其二，从曹操的发展过程来分析。这一方法首先为裴松之所提出，详细写入《武帝纪》注中。裴氏云：

> 魏武初起兵，已有众五千，自后百战百胜，败者十二三而已矣。但一破黄巾，受降卒三十余万，余所吞并，不可悉纪；虽征战损伤，未应如此之少也。

裴松之又从官渡之战的过程中加以分析说：

> 绍为屯数十里。公能分营与相当，此兵不得甚少，一也。绍若有十倍之众，理应当悉力固守，使出入断绝，而公

使徐晃等击其运车，公又自出击淳于琼等，扬旌往还，会无抵阂，明绍力不能制，是不得甚少，二也。诸书皆云公坑绍众八万，或云七万。夫八万人奔散，非八千人所能缚，而绍之大众皆拱手就戮，何缘力能制之？是不得甚少，三也。将记述者欲以少见奇，非其实录也。

《三国志集解》卢弼注引何焯的推计，谓曹操“自将之亲兵，必有一二万人”，言外之意，全军不止此数。卢弼又引林国赞的推计，就曹军不下四万。中华书局1983年出版的《中国古代战争战例选编》作者赞成此说。卢弼本人认为“裴注所云，似为未审”；但又就曹操所统数十万众，“何以不调赴官渡，此则事之不无可疑者耳”。卢弼所提出的矛盾和疑问，其实并非不可解释。本文第一节分析袁曹优劣，指出袁曹所统人口，大体相当，袁曹双方总兵力亦应大体相当。但袁曹双方所处地理形势及经济实力不同，所以兵力集中程度不同。袁绍无后顾之忧，可以扫境集中于冀州第一线，所以官渡兵力相对雄厚。曹操处四战之中原，所防甚多，又要防止许都有变，留兵必不在少，因此集中于官渡的兵力相对袁军为少。但此役是至关重要的决战，所集兵力不会太少。从曹军“分营与相当”来推计，至少有七八万，约是袁军的三分之二。由于袁绍的基本战术是集中优势兵力密集推进，所以始终多于曹军。双方在战斗进程中不断消耗减员，亦不断补充追加。官渡决战时，袁军仍保持十二三万，列营数十里，寻找突破点。曹军也展开数十里，不让袁军越过，并不惜与袁军拼消耗，进行大规模的阵地战。曹军若无七八万人，是不能相持的。

其三，从曹军参战将领推计。曹方谋臣武将，都调集官渡。《三国志》各传所载如下：

谋士：荀攸、贾诩、郭嘉、董昭；

曹氏夏侯氏亲将：曹仁、曹洪、夏侯渊；

宿卫将：许褚、韩浩；

列将：张辽、乐进、于禁、徐晃、史涣、张绣、刘延；

运粮将：任峻。

此外，谋士刘晔、亲将夏侯惇、骁将朱灵、领禁卫营的宗室将曹纯、曹休亦应在军。幽州渔阳太守鲜于辅、乌桓校尉阎柔、东州令田豫，他们在袁曹相持时投奔曹操。还有关羽，参加了官渡第一阶段的战役。

以上曹仁、曹洪、夏侯渊、夏侯惇、张辽、乐进、于禁、徐晃、刘延、史涣、张绣、朱灵等十二大将皆各典一军。刘延守白马，于禁守延津，各有二千余人。徐晃、史涣两军有步骑五千。张绣降曹，至少有五六千。至于曹氏夏侯氏亲将所带之兵更多。诸将所领不下三四万。曹操所领中军及宿卫营，亦当有数万。

此外，还可以从曹操前后用兵来推计。公元 208 年，曹操南下荆州，统众三十万[①]，虽兼有河北之众，中原之师以半数计，亦有十余万。官渡之战，是曹操生死存亡的一次大战役，他进行了长时间的准备和动员，调集四方之将参战，岂能用不满万兵作战，视同儿戏的么！程昱守甄城，只有众七百，而募兵数千。钟繇镇关中，输马二千匹。这些都是曹操全面动员的旁证。曹操在白马、延津计斩颜良、文丑，精心策划，用少量强将精兵在运动中诛杀袁军勇将，的确是以十分居一之众歼敌，但这是有意布置的圈套，意在斩将灭敌士气，不能据此战术上的用兵比率概算总兵力。

六、如何评价袁绍

官渡之战，袁败曹胜，有着多方面的原因。前述各节已指出，曹操在政治战略、外交战略、军事战略各个方面都胜过袁绍。但是，战争是政治、经济、军事、人才、技术各个方面综合力量的较量，既然袁绍在总体上优于曹操，只要河北力量能聚合成一个整体，一致对付曹操，未必就要失败。田丰、沮授、张郃等都有好的建议，足可以弥补袁绍的不足。例如田丰提出奇兵战，就是利用河北的总体优势，居高临下四出侵扰曹操统属区，

① 《三国志·诸葛恪传》。

令其疲于奔命，然后寻找战机，出奇制胜。袁绍溃败后，曹操感叹地说："向使绍用田别驾计，尚未可知也"①。再说，胜败乃兵家常事，袁绍官渡败北，并没有达到总崩溃的地步，何以官渡一战就奠定了曹操统一北方的基础呢？这些都是发人深思的。

如果说袁绍因其出身世族，代表腐朽的大官僚、大地主的利益，遭到人民的反对而失败，那么出身宦官集团的曹操，即使真如某种观点认为的那样，代表了中小地主阶级，未必等于人民拥护。因为在官渡之战的整个过程中，看不出有人心向背所起的决定性因素。袁绍和曹操，两个大军阀决战，士卒和粮饷，都是强力征发的，难说哪一方是正义之师。曹操挟天子以令诸侯，袁绍为扫除隔断王路的奸雄，各执一词。从史料记载来看，人心的向背似乎更有利于袁绍。不可否认，袁绍出身世族，得天独厚，的确得了许多便利，但他雄踞河北的成功，主要是个人走着英雄创业的道路。他谋诛宦官，反董卓为天下倡，界桥之战，易京灭公孙瓒，这些业绩都显示了他的雄略。袁绍治冀州，政令宽缓，固然有纵容豪强的一面，也有急农扶困的一面。所以袁绍死后，河北民众，"莫不伤怨，市巷挥泪，如或丧亲"②。袁尚、袁熙逃入乌桓，"幽，冀吏人奔乌桓者十万余户"③。不仅郭嘉有"袁绍有恩于民夷"之言，而且荀攸甚至说："绍以宽厚得众，借使二子和睦以守其成业，则天下之难未息也。"④ 对照曹操，他的政令严酷，一般民众并不欢迎。曹操征战，凡遇坚强抵抗，就极其野蛮和残酷。他征徐州，进行大屠杀；他征吕布，用水灌城；官渡之战，他坑降卒八万；以后他征河北，征并州，多次屠城。曹操打到哪里，哪里残破，可以说这是他未能统一天下的一个主要原因。曹操在官渡，也危机四伏，虽然取得最后胜利，却带有几分侥幸。

袁绍失败的主要原因有三：一是他个人的谋略智计，气质权术不是曹操对手；二是他外宽内忌，刚愎自用，不能容忍人才而

① 《三国志·袁绍传》裴注引《先贤行状》。
② 《后汉书·袁绍传》注引《魏书》。
③ 《后汉书·乌桓传》。
④ 郭、荀之言见《三国志》两人本传。

取长补短，官渡之战形成以个人之智力对曹氏集团之群士，哪有不败之理；三是个人心胸狭窄，官渡败后，不思更张，反而变本加厉忌刻人才，气愤忧死。袁绍死后，又无良辅协调二子，被曹操所利用，于是袁绍集团不可避免地覆亡了。下面将袁曹两人再作一些比较分析。

曹操临阵决机，应变无穷，有白马，延津的运动战，有于禁、乐进、徐晃、史涣等人的出奇不意，有扼守官渡的阵地战，有假冒袁军的乌巢劫粮偷袭战。袁绍不知机变，又不听谋臣善计，只一味在正面突破，而曹操早已严阵以待，所以无功。但是，袁绍也不是平庸之辈，他鉴于白马、延津之败，不再分兵，密集推进，逼使曹操在官渡打阵地战、消耗战。袁绍如能坚持到底，发挥兵多粮足的优势，与曹操持久相抗，前景未可预料。但他又偏偏性急，不用重兵救援乌巢，护住粮饷，反而驱使全军攻坚，以求速决，用己之短拼敌之长，大为失计。曹操越过袁军大营，偷袭乌巢，是死中求活的一着险棋，既是迫不得已下出的险着，也是深知袁绍为人下出的妙着。

曹操从善如流，得策则行，故所遣将领，皆能如意。袁绍刚愎自用，囚田丰，黜沮授，迫使许攸、张郃投敌，这些都暴露了他外宽内忌的弱点。他能聚人而不能用人，减杀了自己的军力。袁绍唯小人郭图之言是听，唯庸将淳于琼是信，结果都坏了大事。袁绍用人不明，因他忌刻心太重，把奴才、庸才加于人才之上，所以矛盾重重，内部不团结。这一点，古今同然，可以说放之四海而皆准，袁绍败也固宜。

袁曹相斗，某些方面类似刘、项相争。项羽战河北，刘邦战河南。现正是袁绍战河北，曹操战河南。两对对手都曾并肩携手，而相争天下成仇雠。袁绍之仁与项羽之仁有某些相似，被智者称为妇人之仁。韩信论项羽之仁说：“项王见人恭敬慈爱，言语呕呕，人有疾病，涕泣分食饮，至使有功当封爵者，印刓敝，忍不能予，此所谓妇人之仁也。”[1] 郭嘉论袁绍之仁说：“绍见人

① 《史记·淮阴侯列传》。

饥寒，恤念之形于颜色，其所不见，虑或不及也，所谓妇人之仁耳。”① 袁绍使审配收治许攸家人犯法，可以说是小不忍而乱了大谋；袁绍与曹操交往，不识曹操之奸险，这些都表现了袁绍的妇人之仁。例如曹操征徐州，袁绍遣朱灵等相助，曹操却留下朱灵，挖了袁绍的墙脚。臧洪文武全才，替袁绍定青州，被用为东郡太守，可独当一面。曹操围张超。臧洪原是张超部属，向袁绍求兵救张超。袁绍为了顾全与曹操的友谊，不允臧洪救张超，逼反了臧洪。袁绍回师南向，争战一年，延误了灭公孙瓒，自毁了一面长城。曹操一旦得势，毫不留情，毫不手软。他进兵河内，图谋袭邺，直到这时，袁绍才醒悟，然为时已晚。

袁绍不敌曹操，他失败了。但在官渡之战以前，袁绍却也察纳雅言，尊礼田丰，信用沮授，艰苦创业，几经危险而一一越过险滩，实现了雄踞河北四州的预定计划，成了最大的军阀。可是官渡之战，袁绍对于正确的意见一句也听不进去，这是什么原因？原来这时的袁绍正大做其皇帝的幻梦，欲急于事功。所以田丰、沮授的进言，都不合袁绍胃口；郭图、淳于琼等小人的谗媚之语遂乘机而入。恰如沮授所说：“上盈其志，下务其功，悠悠黄河，吾其不反乎!”曹操赤壁冒进，也犯了袁绍同样的错误，也遭败北，何况袁绍。古往今来，有多少叱咤风云的历史人物在冒进中翻船，不可胜计。袁绍在官渡的败没，只是增添了一个悲壮的例证而已。

袁绍失败了，但他鹰扬河朔的业绩替曹操统一北方开辟了道路，仍不失为汉末的一个英雄人物。至于袁绍发难讨董卓，毫无疑问应当给予高度的评价，因不关本文主题，就不赘述了。

① 《三国志·郭嘉传》裴注引《傅子》。

赤壁之战与三国鼎立

发生在公元208年的赤壁之战，在中国军事史上是以少胜众，以弱克强的典型战例，这是曹、孙、刘三家的一场大会战，是人们喜欢评论的一个热闹节目。历史小说《三国演义》用了八个回目（第四十三回至第五十回）的巨大篇幅来描写赤壁之战，威武雄壮，精彩动人。这场大会战的特点是“群英会”，经过十几年征战锤炼的三方英杰会聚一堂作决定历史命运的大决斗。结果孙刘联军取得胜利，曹操大败亏输，从而定下三分鼎峙之局。

但是，长期以来，一些教科书和学术论文都没有对“赤壁之战奠定三国鼎立”这一命题作出令人信服的分析，因而导致了有的人对赤壁之战这一事实本身也提出了质疑[①]。因为胜败兵家之常，若单从军事的观点来看，以一战的胜负来解释鼎足三分是远远不够的。曹操虽然打了败仗，但并未丧失元气，为什么一败之后再不敢窥临大江呢？更令人不解的是，用兵如神的曹操，常能以少胜众，曾在官渡之战中大败袁绍；而他发动的赤壁之战，二十几万大军却被一个三十四岁的青年将领周瑜率领的三万二千孙

① 尹韵公：《赤壁之战辨》，载《光明日报》1981年3月31日第4版。

刘联军所击败[1]，岂非反常？难道真有运数，曹操命中注定要作"周文王"，使历史鼎足三分吗？

当然没有运数，三国鼎立并不符合人民的愿望。早在公元198年，袁涣就对曹操说，"自大乱以来十数年矣。民之欲安，甚于倒悬"[2]，规谏曹操收拾人心，以统一天下为己任。曹、孙、刘三家都是打着统一的旗号才得以立国的。可见三国鼎立是不符合人民愿望的。

但是，三国鼎立终于出现了，曹、孙、刘三家谁也没有完成统一。怎样看待三分历史？它是历史的必然，还是历史走了曲折的道路？研究赤壁之战的意义就在于此。似乎已成学术界定论的"经济均衡论"，认为三国鼎立是历史的必然，其实是不能成立的[3]。因为经过了秦汉四百余年统一的广大人民，具有共同的文化和生活习俗，厌恶战乱，渴望统一，这才是带根本性的历史必然。三国鼎立，并非人民的意愿，它的出现，实乃多因素造成的历史偶然。如果我们做一番纵横的历史分析，就会十分鲜明。从纵的历史来看，凡改朝换代，在新旧王朝交替之际，总是出现群雄割据，逐鹿中原的局面，这才是历史的常例，东汉末年的战乱亦不例外。秦末战乱和西汉末年的大混战，人口死亡大半，户口什存二三，汉高祖用了五年，汉光武用了十二年就统一了中国。刘邦统一天下时，"天子不能具醇驷"，其经济残破的严重程度可想而知。曹操总结了历史的经验，十分注意经济的恢复。公元196年，他迎献帝都许，"是岁用枣祇、韩浩等议，始兴屯田"[4]，当年许下屯田，得谷百万斛。"于是州郡例置田官，所在积谷，

---

① 关于赤壁之战曹方兵力，曹操称八十万是虚张声势。据《吴书·诸葛恪传》："北方都定之后，操率三十万众来向荆州"，是较为可靠的数字。曹操得荆州，驻防各地分散了兵势，用在赤壁之战的第一线兵力只有一半，故《周瑜传》注引《江表传》载周瑜说："今以实校之，彼所将中国人，不过十五六万"，"所得表众，亦极七八万耳"，总计二十余万。孙刘联军兵力，吴军三万，刘备与关羽、张飞率二千人助战，共三万二千，见《周瑜传》及《先主传》裴注引《江表传》。

② 《三国志·袁涣传》。

③ 参阅本书开篇《三国鼎立形成的历史原因》的辨析，兹从略。

④ 《三国志·武帝纪》。

仓廪皆满。故操征伐四方，无运粮之劳，遂能兼并群雄”[①]。可见用北方经济萧条来说明统一的条件还没有成熟，理由是不充分的。从横的历史来看，既然南方经济发展，足以抗衡北方，但同样是江东形胜，王朗、华歆却不能守；同样是荆益沃野，刘表、刘璋不得以为资，难道真是天所以资刘备，而使孙氏“应运东南”吗？简单的“经济均衡论”是不能解释复杂的历史原因的。这一理论也无法解释赤壁之战胜败的原因，为什么能征惯战的曹操，在他用兵最得意的时候，却被弱小的孙、刘联军所击败？历史的原因，只能用历史的事实本身来说明。

当然，我们应该承认，南北经济的均衡是三国鼎立的客观条件之一。但这只是可能性，并非必然性，如果从经济上探索原因，与其说南北的经济均衡，勿宁说是两汉世家大族的经济发展和政治势力，导致了东汉末年的军阀割据。两汉的察举征辟制度，经学的家法传统，世族间的婚姻联系，使得一些大族把持了政局。袁氏四世五公，门生故吏遍天下。二袁以讨董卓为名，行割据之实，是世家大族分裂了东汉政权。所以王夫之说：“操之攘汉，袁绍贻之。”[②] 这是符合历史实际的。但是在干戈扰攘之中，二袁，吕布、刘表等割据的世家大族一个一个被消灭。曹操是打着“奉辞伐罪”的旗号消灭他们的。这就生动地说明了统一的因素压倒了分裂割据的因素。特别是曹操发动的荆州之战，兵不血刃一鼓下荆州，大大发展了统一的力量。益州牧刘璋接连三次派遣使者阴溥、张肃、张松纳款请降。曹操声威远播，也震撼了江东。豫章太守孙贲“欲遣子入质”[③]。孙权的柴桑行营，军心浮动，张昭、秦松等元老重臣，同声主和。但是，曹操南下荆州之后出现的统一全国的可能性却被赤壁之战葬送了。曹操发动的赤壁之战，是在一个时机不成熟的错误时间打了一场必败的战争。表面看是孙刘联军打败了曹操，而实际是曹操发动的赤壁之战推动了孙、刘结盟，替诸葛亮的隆中计划创造了历史条件，乃

① 《资治通鉴》卷六二。

② 《读通鉴论》卷九。

③ 《三国志·朱治传》。

是曹操非始料所及的。

原来孙氏集团的既定方针是极长江之险与曹操抗衡。早在公元200年，鲁肃过江，就建议孙权，“进伐刘表，竟长江所极，据而有之，然后建号帝王，以图天下”[①]。甘宁亦有此说，曰：“南荆之地，……至尊当早规之，不可后操。”又说：“西据楚关，大势弥广，即可渐规巴蜀。”[②] 至于周瑜，他至死念念不忘西取巴、蜀，翦除刘备，“据襄阳以蹙操，北方可图”[③]。公元207年孙权移营柴桑，于公元208年春亲自统兵抢先发动了夺取荆州之战。诸葛亮在公元207年已发表了《隆中对》，提出东联孙吴，北拒曹操的三分策略。但是这一路线与孙权集团的战略方针大相径庭，加上刘表与孙权有不共戴天之仇，所以孙权是要吞并荆州，而不是联合荆州。刘备寄人篱下，无立锥之地，没有联吴资本。所以赤壁之战前，隆中路线只不过是刘备集团的“单相思”，当时并没有出现孙、刘结盟的政治气候。按照这一历史的本来面貌评价《隆中对》，与其说诸葛亮预见了鼎足三分，勿宁说他是依靠人谋来力争三分。隆中路线能否实现，有待天下之变。

但是，诸葛亮的分析是有根据的。他隐居隆中十年，洞察天下大势，替刘备制定了三分天下以求统一的策略，是唯一具有可能性的路线。《隆中对》的主旨是强调人谋来引导历史的面貌。

按照古代政治家总结的历史经验，要统一天下，须得占有天时、地利、人和，这三者缺一不可。诸葛亮的《隆中对》就是根据这一理论分析天下大势的。从天时，即当时的形势来看，曹操统一了北方，占领了兖、豫、冀、徐、青、幽、并、司隶等八州之地，三分天下有其二，人力、物力、财力都占了压倒的优势，“此诚不可与争锋”。孙权据有江东，已历三世，“国险而民附，贤能为之用，此可以为援，而不可图也”。也就是说，曹操统一了北方，孙氏巩固了江东，南北已成对峙之局。但是孙氏不足以单独对抗曹操，而占有地理形势的荆益尚在庸主手中，刘备又恰

① 《三国志·鲁肃传》。
② 《三国志·甘宁传》。
③ 《三国志·周瑜传》。

在荆州得有人望，所以刘备的事会之来，仍有希望。从地利来看，刘备若跨有荆益，也就有了联吴资本，一定能成鼎足之势。从人和来看，刘表、刘璋是坐守待毙之主，不能网罗天下英雄。在乱世之中，“天下英雄喁喁，冀有所望”，“智能之士思得明君”①。刘备以他的信义，紧紧地团结了关羽、张飞、赵云等一批人才，“皆万人敌”②，又得诸葛亮辅佐，所以被目为天下英雄。用今天的话说，形成了一个坚强的领导集团。可见“人和”，并不只是一般民众和地主集团的拥护，更重要的是得到智能之士的归附，形成一个吸引民众的政治核心。曹、孙、刘三方都有统一天下之志，各自网罗了一批人才，形成了三个领导集团，这就是鼎足三分的政治基础。

刘备既是“帝室之胄”，又“英才盖世”，从二刘手中夺取地盘是绰有余裕的。但是，寄寓荆州的刘备，要从同姓手中夺地盘，策略上不可不慎重。因为他打的旗号是“兴复汉室”，同室操戈，怎能赢得人心归附？刘备两度得徐州，又两次失徐州的教训记忆犹新。他后来进蜀时还对庞统说：“今指与吾为水火者，曹操也，操以急，吾以宽；操以暴，吾以仁；操以谲，吾以忠；每与操反，事乃可成耳。”③ 所以刘备在《隆中对》之后仍按兵不动，他是在等待时机。可是深谋远虑的曹操是不允许刘备从容占有荆州的。他不失时机地发动了荆州战役，打破了刘备集团的希望，几乎使诸葛亮的隆中路线变成泡影。刘备打算步田横的后尘，远遁苍梧。“当此时，曹操附手，谓天下已定”④。但是不测的风云给曹操带来了厄运。由于他急于东进，推动了孙、刘结盟，又给诸葛亮的隆中路线带来了转机。请看诸葛亮的分析：

> 今将军（指孙权）诚能命猛将统兵数万，与豫州协规同力，破操军必矣。操军破，必北还，如此则荆、吴之势强，

---

① 《三国志·诸葛亮传》。

② 《三国志·程昱传》。

③ 《三国志·庞统传》裴注引《九州春秋》。

④ 《后出师表》，载《三国志·诸葛亮传》裴注引张俨《默记》。

鼎足之形成矣。成败之机，在于今日。[①]

这段话是诸葛亮使吴在柴桑行营对孙权讲的。诸葛亮抓住曹操东进，孙权不肯投降这一大好“天时”，以荆州使者身份与孙权谈判，用激将法煽起孙权的抗曹决心，签订了鼎足三分的双边同盟。孙权在鲁肃的赞助下，总结了曹操各个击破北方军阀的历史教训，认识到“非刘豫州莫可以当曹操者”，在大敌当前，作了让步，接受了打败曹操，荆州归刘的条件，这就达成了巩固的同盟。赤壁战后，孙权履行了盟约，借荆州给刘备，消息传到北方，惊得曹操失魂落魄，“方作书，落笔于地”[②]。

为什么孙刘联盟，曹操必败呢，因为刘备驻屯荆州七八年，已赢得汉沔襄樊地主集团的支持。“先主奔江南，荆楚群士，从之如云”[③]。刘备是荆州的一面旗帜。他还奉有衣带诏讨“贼”(指曹操)，是人们心目中的“正统”所在。对曹操来说，荆州新附，立脚未稳，故不敢在江南决战。所以周瑜西上，“初一交战，操军不利，引次江北”。这样一来，联军夺回了天堑，曹操迫不得已，“方连船舰，首尾相接”，为联军的火攻创造了条件。曹操南下是“奉辞伐罪”，孙、刘联合则可以揭露他“托名汉相，其实汉贼”。联军凭江而守，处于内线作战，兵员补充和粮运有江东作后盾，故“愈守则兵愈增粮愈足，而人气愈壮”[④]。所以孙、刘结盟，以刘备在荆州的声望，加上江东的士众，在政治上压倒了曹操，成为“正义”之师，故能在军事上发挥以己之长攻敌之短。即使不用火攻，“持之数月，而操亦为官渡之绍矣”[⑤]。

诸葛亮和周瑜分析曹军必败，其因有四：第一，北土未安，操有后患；第二，北方步卒，不习水战；第三，战线太长，供应不济；第四，不习水土，必生疾病。曹军的这些败因，都不是根本性的。曹操之败，失在于“急”。为曹操计，应休整荆州士众，

① 《三国志·诸葛亮传》。
② 《三国志·鲁肃传》。
③ 《三国志·刘巴传》。
④⑤ 《读通鉴论》卷九。

恢复荆州战后的经济，成为前进的基地。在政治上要发展荆州战役的声威，阻止孙、刘结盟，徐图进取，要不了几年或可统一江东。总之，不能让刘备占有荆州，形成鼎足。这一谋略是当时曹操的谋士贾诩献纳的。他对曹操说："明公昔破袁氏，今收汉南，威名远著，军势既大；若乘旧楚之饶，以飨吏士，抚安百姓，使安土乐业，则不劳众而江东稽服矣。"① 曹操的另一个谋士程昱也提出了警告，急于东进，将推动孙权助刘备。这些正确意见，利令智昏的曹操均不采纳。"权果多与备兵，以御太祖。"②

骄兵必败，赤壁之战也是一个生动的例证。曹操发动荆州之战，计划周密，打得非常漂亮。南下之前，曹操在政治上和军事上都作了充分的准备和动员。他罢了三公官，置丞相、御史大夫，并自领丞相。他镇压了拥汉派的世族领袖孔融。又征调关西马腾入侍，拜卫尉。曹操还在邺城开人工湖训练水师，决心要一举平定江南。在完成了这些布置以后，曹操于建安十三年（公元208 年）七月，亲率三十万大军南下。他用荀彧计，"显出宛、叶而间行轻进，以掩其不意"③，杀了刘备一个措手不及，一败涂地。刘琮请降，曹操兵不血刃一鼓下荆州，轻易取得的胜利冲昏了他的头脑，他幻想着凭借这一战胜的余威就可以吓倒孙吴。他给孙权下了一封战书，十分骄狂地宣称："近者奉辞伐罪，旌麾南指，刘琮束手，今治水军八十万众，方与将军会猎于吴。"孙权得书以示群臣，"莫不响震失色"④。消息传来，更加滋长了曹操的骄矜。他不礼遇益州使者张松，把他推到了刘备一边。西晋习凿齿评论说："昔齐桓一矜其功而叛者九国，曹操暂自骄伐而天下三分，皆勤之于数十年之内而弃之于俯仰之顷，岂不惜乎。"⑤ 这话是一针见血的。

曹操不听谋士贾诩和程昱的劝谏，固执地轻躁东进，并不仅

---

① 《三国志·贾诩传》。
② 《三国志·程昱传》。
③ 《三国志·荀彧传》。
④ 《三国志·吴主传》裴注引《江表传》。
⑤ 《资治通鉴》卷六五引。

仅是胜利冲昏了头脑，还有更深刻的政治原因，曹操不同于刚愎自用的袁绍，而是一个“才略不世出”的雄杰。他轻躁东进是为了那不可告人的政治目的押赌注。他的政治目的就是梦想一举平定江南，实现梦寐以求的篡汉自代。排除正统观念，谁坐天下都一样，主要看他政治是否开明一些，何况统一北方是曹操自己打出来的。须知，这是我们今天的马克思主义观点。在古代，曹操篡汉是名不正言不顺的。他“挟天子以令诸侯”，虽然在政治上沾刘氏的光，但也蒙受了“汉贼”之名而不能辞。曹操之急于东进的心情，早在公元 207 年春二月发布的丁酉令上就已按捺不住地显露出来。令文说：“天下虽未悉定，吾当要与贤士大夫共定之，……其促定功行封。”[①] 一个“促”字表现了曹操的紧迫感。他大封功臣二十余人为列侯，其余各以次受封，又抚恤死士之孤。曹操此举是预演着开国大典的帝王之礼，收买人心，鼓励军心。当然，曹操“要与贤士大夫共定之”，早日完成统一大业是无可非议的，是正义的事业。但是由于他篡汉之心的过早萌动使他急于求成，冒险发动赤壁之战，葬送了统一的大好形势，这是无可讳言的。

曹操是一个善于权谋的政治家。赤壁之战以后，孙权借荆州与刘备，三分天下的形势已具雏形，曹操眼看由他来完成统一的事业不大能实现了，于是决心做“周文王”，加快培植曹党势力，为儿子曹丕代汉奠定基础。曹操欲擒故纵，在建安十五年（公元 210 年）冬十一月下了一个此地无银的“明自令”。清严可均辑的《全三国文》题名《让县自明本志令》。所谓“让县”，是曹操减退出自己受封的武平侯国三县二万户，用以换取封众子为侯。在这之前，朝廷有封曹操三子为侯之令，曹操“固辞不受”。现在，他自己退出三县“以分损谤议”，也就是要洗刷一下他那“操虽托名汉相，其实汉贼”的狼藉名声，声明自己决不代汉。政治家的宣言是否真实，应以他的实际行动来检验。曹操下“明志令”不久，就在建安十六年（公元 211 年）春正月以世子曹丕为五官

① 《三国志·武帝纪》。

中郎将，置官属，为副丞相。接着又封五子为侯。建安十七年（公元212年）冬又指使董昭建言尊立自己为“魏公”，并割据冀州为王国根据地。尚书荀彧表示不满，曹操毫不手软地逼死荀彧。荀彧长子荀恽乃曹操之婿，荀彧为曹操主要谋士，由于荀彧忠于汉室，曹操立即加害。荀彧死后不久，曹操就在建安十八年（公元213年）称“公”，建安二十一年（公元216年）称“魏王”。曹操称王距离皇位只有一步之差了，这都是曹操在“自明本志”与“再三推让”的表演下一步步逼进的。这可以反证曹操急于发动赤壁之战的政治目的，由于私心的驱动而冒险了。

由上分析，赤壁之战奠定鼎足三分，不在于军事上一战之得失，而是曹操的东进政策促成了孙、刘结盟。这一点程昱作了深透的分析。《三国志·程昱传》记载说：

> 太祖征荆州，刘备奔吴。论者以为孙权必杀备。昱料之曰：“孙权新在位，未为海内所惮。曹公无敌于天下，初举荆州，威震江表，权虽有谋，不能独当也。刘备有英名，关羽、张飞皆万人敌也，权必资之以御我。难解势分，备资以成，又不可得而杀也。”权果多与备兵，以御太祖。

所谓“论者”，主要是指曹操。急于求成的私念，挡住了他的视线。一叶障目，不见泰山。曹操只看到孙吴夺取荆州的决心，而看不到由于自己的紧逼会迫使孙吴改变方针联刘抗曹。鲁肃的转变就是生动的例证。曹操南下荆州，鲁肃立即向孙权提出联刘抗曹的策略，“同心一意，共治曹操”①。诸葛亮使吴，陈说利害，孙权在大敌当前顾全大局，答应打败曹操，荆州归刘，并于战后实践诺言，恰如程昱之所料，“权必资之以御我”。事势的发展，也真如程昱所说：“难解势分，备资以成，又不可得而杀也。”这可说是曹方谋士程昱在赤壁战前预料到的天下三分。所以，我们有充分的理由认为：曹操发动的赤壁之战，是在一个时

① 《三国志·鲁肃传》。

机不成熟的错误时间打了一场必败的战争。这可以说是曹操的急于求成替诸葛亮的隆中路线搭了一个跳板。

从三国鼎立的整个形成过程来看，赤壁之战只是拉开了鼎足的序幕。三国鼎立的最后形成应以夷陵之战为标志。荆州是吴国的上流门户，汉中是蜀国的门户。公元219年刘备从曹操手中夺得了汉中，公元220年孙权又夺了刘备的荆州，才真正形成了三分的地理均势。当吴蜀夷陵之战爆发时，曹丕谋臣刘晔建议立即配合蜀国并兵灭吴，吴亡，蜀国不战自破。但是曹丕又忙于代汉自立而丧失了曹魏最后一次统一天下的“天时”。可见政治上的失计，总是有其内在原因的。

总括本文论述，我们认为三国鼎立并非历史的必然，而是历史走了曲折的道路，原因是复杂的。曹操发动赤壁之战葬送了大好的统一形势，是政治上的最大失计；反过来则是诸葛亮、鲁肃三分路线的最大成功。三国历史，风云多变，很值得我们去认真研究。三国鼎立是“人谋”的主观努力和政治家的失计影响了历史的面貌，带有很大的偶然性。但赤壁之战，曹操败北，刘备兴起，而后“关羽北伐，秭归蹉跌”，隆中路线遭挫折。“凡事如此，难可逆见”，历史不是以个人意志为转移的。三国鼎立的偶然性又存在于历史的必然性之中，除了地理的均势外，曹操在政治上还有许多致命弱点。曹操权诈机变、心狠手毒，未能网罗天下所有英雄，造成了汉末人才分散，形成了三个领导集团。曹操残暴不仁，曾屠杀徐州五县男女数十万口，甚至颁布了“围而后降者屠”的反动法令，始终未能获得“天命攸归”的舆论，也就是老百姓并不十分喜欢他。曹操兵围献帝，失人臣礼，始终带着“汉贼”的帽子打天下。曹操的这些弱点为孙、刘所利用。因此，历史让曹操做了个半壁河山的“周文王”，看来是很公正的。

（原载《兰州学刊》1982年第2期）

赤壁之战考辨

问题的提出

怎样评价历史事件或评价历史人物，观点是非可以众说纷纭智者见智，仁者见仁。但是对于历史事件本身的有无，只能凭据历史记载，凭据考证，凭据事实，决不可信口讥议。《光明日报》1981年3月31日刊载了尹韵公的《赤壁之战辨》一文，认为《资治通鉴》记载的赤壁大战是司马光的歪曲和渲染，赤壁之战只是曹操用追刘备的轻骑五千打了一场小小的遭遇战，孙权战后对立功将领奖励很轻也证明了赤壁之战不是大战。此文以20世纪50年代末郭沫若等人作翻案文章提出了质疑为由，论证赤壁之战是一场小小的遭遇战。反过来说，尹文是特为翻案文章的质疑论提出了注说。为此，我们必须要追溯一下质疑论的具体内容。

郭沫若在《替曹操翻案》[1] 一文中有如下一段精彩之笔。

---

① 本文所引郭沫若、谭其骧、翦伯赞等人文章，均见《曹操论集》，三联书店1960年版。

> 要替曹操翻案须得从我们的观点中所见到的历史真实性来重新塑造。……例如以“赤壁之战”而言，在史籍上就有不同的说法。曹操遗孙权书云：“赤壁之役，值有疾病，孤烧船自退，横使周瑜虚获此名。”（原注：见《吴志·周瑜传》注引《江表传》）《魏志·武帝纪》也说：“公至赤壁，与备战不利，于是大疫，吏士多死者，乃引军还。”到底哪一边是历史真实呢？我们很难判断。但曹操在赤壁之战是打败了，那是没有问题的。

谭其骧在《论曹操》一文中对此提出了辨难。谭文说：

> 郭沫若连关于赤壁之战的记载也表示怀疑，他援引了曹操与孙权书中“值有疾病，孤烧船自退”的说法，认为“到底哪一边是历史真实呢？我们很难判断”。按，赤壁战时曹操军中有疫疾，这是事实；至于“烧船自退”，明明是曹操遮羞自解之辞，有何难判断？

值得注意，曹操遗孙权书，出自敌方《江表传》的记载，是吴国史官把它记载下来用以讥讽曹操的。《江表传》的前后文很值得注意，前文云：“瑜之破魏军也，曹公曰：孤不羞走。”后文云：“瑜威声远著，故曹公、刘备咸欲疑谮之。”显然，曹操遗孙权书不仅仅是自我解嘲，还带有“疑谮”挑拨的目的。这样记载明确的史料，何难判断之有！相映成趣的是曹方的记载却在讳饰之中透出了“与备战不利”的消息，实难掩饰。所以郭文在提出“不知哪一边是历史的真实”这一似是而非的质疑后，又十分机智地转了一个弯，说：“曹操在赤壁之战是打败了，那是没有问题的。”看来郭文闪闪烁烁的质疑，原是当不得真的。其实郭老的这个疑问，正如他说“曹操打了黄巾却组织了黄巾”这一名言一样，是有意犯常识性错误，大约郭老是“矫枉过正”吧！这样说来，尹文立论的理论基础是不能成立的。

至于翦伯赞与吴晗根本就没有提出过质疑，两人的文章明确指出赤壁之战是一场“大会战”，“定下三国三分鼎峙之局”。翦文《应该替曹操恢复名誉》有这样一段话：“对于曹操来说，战争就是他的诗歌，他不会在强渡长江的号角声中，失掉节奏的。”如果不把它断章取义提出，综观翦文上下文的论述，无非是说评价曹操，舞台塑造曹操，要全面地占有材料和全面地分析，不要把久经沙场征战的曹操说成是一个大草包。曹操是草包也罢，不是草包也罢，他在赤壁之战中打了大败仗，这对于写翻案文章似乎是一件头痛的事。其实胜败是兵家之常，即便是尊者、贤者打了一场败仗也用不着去讳饰。只不过赤壁之战太重要了，它奠定了三分之局，葬送了曹操的统一事业，似乎有损他的光辉形象，而《资治通鉴》偏又作了绘声绘色的记述，于是乎尹文干脆来了一个釜底抽薪，认为赤壁之战是司马光的歪曲和渲染。现在我们撇开《资治通鉴》来查核一下原始资料。《三国志》及《裴注》是治三国史的原始材料，今摘引魏、蜀、吴三方关于赤壁之战的史料并略作述评于后，供研究赤壁之战的同志作参考。

一、曹魏方面的史料

（1）“公（曹操）至赤壁，与备战，不利。于是大疫，吏士多死者，乃引军还。备遂有荆州江南诸郡。”（《武帝纪》）

（2）“后太祖征荆州还，于巴丘遇疾疫，烧船，叹曰：郭奉孝在，不使孤至此。”裴注引《傅子》曰：“太祖又云：哀哉奉孝！痛哉奉孝！惜哉奉孝！”（《郭嘉传》及注）

（3）“公船舰为备所烧，引军从华容道步归，遇泥泞，道不通，天又大风，悉使羸兵负草填之，骑乃得过。羸兵为人马所蹈藉，陷泥中，死者甚众。军既得出，公大喜，诸将问之，公曰：‘刘备，吾俦也。但得计少晚；向使早放火，吾徒无类矣。’备寻亦放火而无所及。”（《武帝纪》裴注引《山阳公载纪》）

按：《山阳公载记》系魏国诸侯（汉献帝废为山阳公）

史官所记。比较客观地记述了曹操兵船为敌方所烧，而魏国史官却曲笔回护曹操赤壁之败，一则曰："不利，引军还"，再则曰："巴丘遇疾疫"；三则含糊其词曰："烧船。"但惨败事实却在字里行间透露出来。

(4)"建安十三年（公元208年），孙权率众围合肥。时大军征荆州，遇疾疫，惟遣将军张喜单将千骑，过领汝南兵以解围，颇复疾疫。"（《蒋济传》）

(5)"太祖征荆州，刘备奔吴。论者以为孙权必杀备，昱料之曰：'孙权新在位，未为海内所惮。曹公无敌于天下，初举荆州，威震江表，权虽有谋，不能独当也。刘备有英名，关羽、张飞皆万人敌也，权必资之以御我。难解势分，备资以成，又不可得而杀也。'权果多与备兵，以御太祖。"（《程昱传》）

(6)"建安十三年，太祖破荆州，欲顺江东下。诩谏曰：'明公昔破袁氏，今收汉南，威名远著，军势既大；若乘旧楚之饶，以飨吏士，抚安百姓，使安土乐业，则可不劳众而江东稽服矣'。太祖不从，军遂无利。"（《贾诩传》）

(7)"臣松之以为诩之谋，未合当时之宜。于时韩、马之徒尚狼顾关右，魏武不得安坐郢都以威怀吴会，亦已明矣。彼荆州者，孙、刘之所必争也。荆人服刘主之雄姿，惮孙权之武略，为日既久，诚非曹氏诸将所能抗御。故曹仁守江陵，败不旋踵，何抚安之得行，稽服之可期？将此既新平江、汉，威慑扬、越，资刘表水战之具，藉荆楚楫擢之手，实震荡之良会，廓定之大机。不乘此取吴，将安俟哉？至于赤壁之败，盖有运数。实由疾疫大兴，以损凌厉之锋，凯风自南，用成焚如之势。天实为之，岂人事哉？然则魏武之东下，非失算也。诩之此规，为无当矣。"（《贾诩传》裴松之按语）

按：曹操破荆州，人心未附，急躁东进，推动了孙刘结盟，这是他失败的根本原因。当时曹氏的智囊人物程昱、贾诩都看出来了。裴松之驳贾诩休兵安民之策未合时宜，立论未周。曹氏创败，故曹仁不守，若曹操安坐荆州，孙权未敢主动出击。裴氏认为曹操赤壁败北，一是疫疾，二是南风，这的确是失败的因素，但把这说成是天意，自然是唯心之论，但由此可证曹操确实惨败赤壁。否则裴氏不会有此一番议论。裴氏离世未远，其言可信。曹军确染疾疫，但东进之时未必染大疫，否则曹军不会东进。曹军败后，饥寒交迫，于是疾疫大兴。蜀、吴两方亦多有记载，疾疫史料有十条之多，余详后。

二、蜀汉方面的史料

（8）“先主遣诸葛亮自结于孙权，权遣周瑜、程普等水军数万，与先生并力，与曹公战于赤壁，大破之，焚其舟船。先主与吴军水陆并进，追到南郡，时又疾疫，北军多死，曹公引归。”（《先主传》）

（9）“曹公军不利于赤壁，兼以疫死。”（《刘璋传》）

（10）“亮说权曰：‘曹操之众，远来疲弊，闻追豫州，轻骑一日一夜行三百余里，此所谓“强弩之末，势不能穿鲁缟”者也。故兵法忌之，曰“必蹶上将军”，且北方之人，不习水战；又荆州之民附操者，逼兵势耳，非心服也。今将军诚能命猛将统兵数万，与豫州协规同力，破操军必矣。操军破，必北还，如此则荆、吴之势强，鼎足之形成矣。成败之机，在于今日。’权大悦，即遣周瑜、程普、鲁肃等水军三万，随亮诣先主，并力拒曹公。曹公败于赤壁，引军归邺。先主遂收江南，……”（《诸葛亮传》）

（11）“及魏武帝南征荆州，刘琮举州委质，而备失势众寡，无立锥之地。亮时年二十七，乃建奇策，身使孙权，求援吴会。权既宿服仰备，又睹亮奇雅，甚敬重之，即遣兵三万人以助备。备得用与武帝交战，大破其军，乘胜克捷，江南悉平。”（陈寿：《上亮集表》，见《诸葛亮传》）

(12)“孙权遣兵佐先主拒曹公，曹公引军退归。”(《关羽传》)

按：孙权集团的既定方针是极尽长江之险与曹操抗衡。公元200年鲁肃过江，建议孙权“进伐刘表，竟长江所极，据而有之，然后建号帝王，以图天下。”(《鲁肃传》)甘宁亦说权曰：“南荆之地，……至尊当早规之，不可后操。”又说：“西据楚关，大势弥广，即可渐归巴蜀。”(《甘宁传》)至于周瑜，他至死还念念不忘西取巴蜀，屏除刘备，“据襄阳以蹙操，北方可图”。(《周瑜传》)公元207年，孙权移营柴桑，于第二年（公元208年）春亲自统兵抢先发动了夺取荆州之战。由于曹操南下，以鲁肃为代表的智能之士立即转向联刘抗曹。所以诸葛亮得以在“受任于败军之际，奉命于危难之间”的情况下，完成了联盟东吴的艰难使命。大敌当前，孙权作了让步，同意鼎足三分，打败曹操，荆州归刘。因此从同盟立场上说，刘孙联合抗曹，故吴、蜀史官书作“并力”“俱进”。但从鼎足三分的盟约看主客形势，东吴尽管是联军主力，不过是援刘抗曹，所以蜀国史官又说“孙权遣兵佐先主拒曹公”，陈寿说：“备得用与武帝交战”，魏国史官书作“权果多与备兵”，称赤壁之战为曹刘之战，这都是符合史实的。这些错综复杂的情况，得陈寿良史之才的笔法以存其真，不能说是记载“混乱”。设若曹操不以大兵东进，孙权岂肯签订鼎足三分的盟约，而于赤壁战后借荆州给刘备呢？

三、孙吴方面的史料

(13)“十三年春，权复征黄祖，……遂屠其城。……是时曹公新得表众，形势甚盛，诸议者皆望风畏惧，多劝权迎之。惟瑜、肃执拒之议，意与权同。瑜、普为左右督，各领万人，与备俱进，遇于赤壁，大破曹公军。公烧其余船引退，士卒饥疫，死

者大半。”（《吴主传》）

（14）“瑜（谓权）曰：……今北土既未平安，加马超、韩遂尚在关西，为操后患，且舍鞍马，仗舟楫，与吴越争衡，本非中国所长。又今盛寒，马无藁草，驱中国士众远涉江湖之间，不习水土，必生疾病。此数四者，用兵之患也，而操皆冒行之。将军擒操，宜在今日。”（《周瑜传》）

（15）东吴参战猛将，均见于《吴书》各本传者：

程普：“与周瑜为左右督，破曹公于乌林。”

鲁肃：“为赞军校尉，助画方略。”

吕蒙：“与周瑜、程普西破曹公于乌林。”

黄盖：“随周瑜拒曹公于赤壁，建策火攻。”

韩当：“以中郎将与周瑜等拒破曹公。”

周泰：“与周瑜、程普等拒曹公于赤壁。”

甘宁：“随周瑜拒破曹公于乌林。”

凌统：“与周瑜等拒破曹公于乌林。”

吕范：“曹公至赤壁，与周瑜等俱拒破之。”

按：赤壁之战，联军以孙吴为主力，故吴国史官记其事最详。原来曹操败阵，“烧其余船引退”，自我解嘲“烧船自退”。曹操之败，周瑜从军事上分析其因甚悉：一、北土未安，操有后患；二、北方步卒，不习水战；三、战线太长，供应不济；四、不习水土，必生疾病。曹军有此数短，故周瑜在战略上藐视了曹操，但战术上周瑜是十分重视的，他集中了东吴的精兵猛将。所谓“拒”与“拒破”云云，乃是“相持”与“力战”之谓也。如果曹操不在赤壁惨败，荆州岂能丢失？如果联军不在赤壁大胜，周瑜怎敢长驱直取南郡？

四、赤壁之战双方兵力

（16）“曹操入荆州，刘琮举众降，曹公得其水军，船步数十万”，议者咸曰：“……今操得荆州，奄有其地，刘表治水军，蒙冲斗舰乃以千数，操悉浮以沿江，兼有步兵，水陆俱上。”（《周瑜传》）

(17)“近者奉辞伐罪，旌麾南指，刘琮束手。今治水军八十万众，方与将军会猎于吴。”（《曹操与孙权书》，见《吴主传》裴注引《江表传》）

(18)“北方都定之后，操率三十万众来向荆州。”（《诸葛恪传》）

(19)“瑜请见（权）曰：诸人徒见操书，言水步八十万，而各恐慑，不复料其虚实，便开此议，甚无谓也。今以实校之，彼所将中国人，不过十五、六万，且军以久疲，所得表众，亦极七、八万耳，尚怀狐疑。夫以疲病之卒，御狐疑之众，众数虽多，甚未足畏。”（《周瑜传》裴注引《江表传》）

按：赤壁之战，曹操号称八十万是虚张声势。曹操南下率三十万众，并荆州兵约十万，总计四十万。但曹操驻防新得荆州，分散了兵势，用在赤壁之战第一线兵力只有一半，且又是“以疲病之卒御狐疑之众”，故“众数虽多，甚未足畏。”由此可见，曹操赤壁之战，失在于急，贾诩的缓进建议是完全正确的。

(20)“先主至于夏口，亮曰：‘事急矣，请奉命求救于孙将军。’时权在柴桑，观望成败，亮说权曰：……权勃然曰：‘吾不能举全吴之地，十万之众，受制于人。’……即遣周瑜、程普，鲁肃等水军三万，随亮诣先主，并力拒曹公。”（《诸葛亮传》）

(21)“亮（语权）曰：豫州军虽败于长阪，今战士还者及关羽水军精甲万人，刘琦合江夏战士不下万人。”（《诸葛亮传》）

(22)“瑜请见（权）曰……得精兵五万，自足制之，愿将军勿虑。权抚背曰：公谨，……五万兵难卒合，已选三万人，船粮战具俱办，卿与子敬、程公便在前发，孤当续发人众，多载资粮，为卿后援。”（《周瑜传》裴注引《江表传》）

(23)“（刘备）乘单舸往见瑜，问曰：‘今拒曹公，深为得计。战卒有几？’瑜曰：‘三万人’备曰：‘恨少。’瑜曰：‘此自足用，豫州但观瑜破之。’……备虽深愧异瑜，而心未许之能必破北军也，故差池在后，将二千人与羽、飞俱，未肯系瑜，盖为进退之计也。”（《先主传》裴注引《江表传》）

按：联军方面，刘备有二万人之众驻夏口，孙权有十万之众屯柴桑。从周瑜请兵五万来看，孙权确有十万之众。联军用于第一线兵力，周瑜率吴兵三万，刘、关、张率二千人助阵，共三万二千。孙、刘双方都留有大军为后援。赤壁火攻后，孙权转攻合肥，刘备进兵江南，周瑜率战胜之兵临南郡，战略主动权操在联军手里。上引资料说明，赤壁大战，双方动员总兵力五十余万，而在第一线阵地上，联军以三万二千之众，对抗了曹操的二十余万大军，由于机智地使用了诈降与火攻，使得曹操大败亏输。究其根本，联军处在内线作战，依凭长江天堑而守，兵员补充和粮运有江东作后援，故“愈守则兵愈增，粮愈足，而人气愈壮”。总之，孙刘联盟，以刘备在荆州的声望，加上江东的士众，声讨曹操“托名汉相，其实汉贼”，在政治上压倒了曹操，故联军能在军事上发挥以己之长攻敌之短，即使没有火攻，“持之数月，而操亦为官渡之绍矣”。（王夫之：《读通鉴论》卷九）还须指出，曹操依靠荆州水军，而荆州水军不敌孙权水师，故水上优势仍在联军手中。

五、赤壁之战的时间及战况

(24)“十三年春正月，公还，作玄武池以肄舟师。……秋七月，公南征刘表。八月，表卒，其子琮代，屯襄阳，刘备屯樊。九月，公到新野，琮遂降，备走夏口。……十二月，孙权为备攻

合肥。”（《武帝纪》）

（25）“备进住夏口，使诸葛亮诣权，权遣周瑜、程普等行。……与备俱进，遇于赤壁，大破曹公军。……权自率众围合肥，使张昭攻九江之当涂。……曹公自荆州还，遣张喜将骑赴合肥。”（《吴主传》）

（26）“权遂遣瑜及程普等与备并力逆曹公，遇于赤壁。时曹公军众已有疾病，初一交战，公军败退，引次江北。瑜等在南岸。瑜部将黄盖曰：‘今寇众我寡，难与持久。然观曹军船舰首尾相接，可烧而走也。’乃取蒙冲斗舰数十艘，实以薪草，膏油灌其中，裹以帷幕，上建牙旗，先书报曹公，欺以欲降。又豫备走舸，各系大船后，因引次俱前。曹公军吏士皆延颈观望，指言盖降。盖放诸船，同时发火。时风盛猛，悉延烧岸上营落。顷之，烟炎张天，人马烧溺死者甚众，军遂败退，还保南郡。”（《周瑜传》）

（27）“至战日，盖先取轻利舰十舫，载燥荻枯柴积其中，灌以鱼膏，赤幔覆之，建旌旗龙幡于舰上。时东南风急，因以十舰最著前，中江举帆，盖举火白诸校，使众兵齐声大叫曰：‘降焉！’操军人皆出营立观。去北军二里余，同时发火，火烈风猛，往船如箭，飞埃绝烂，烧尽北船，延及岸边营柴。瑜等率轻锐寻继其后，擂鼓大进，北军大坏，曹公退走。”（《周瑜传》裴注引《江表传》）

（28）“瑜之破魏军也，曹公曰：‘孤不羞走’。后书与权曰：‘赤壁之役，值有疾病，孤烧船自退，横使周瑜虚获此名。’瑜威声远著，故曹公、刘备咸欲疑谮之。”（赤壁战后曹操与孙权书，见《周瑜传》裴注引《江表传》）

按：曹操南征，事先作了充分的动员。他在邺城训练水师就是作征讨孙吴的准备。因此曹操的东进是他的既定方针，虽夸大兵力，虚张声势，但并非虚声恐吓，而是大规模进兵。建安十三年，曹操七月集结，八月南下，九月兵掩荆州，十二月败于赤壁，孙权乘胜进围合肥。从九月至十二月有三个多月时间，曹操大军已云集于前线。《资治通鉴》编年，系两军对峙赤壁于十月，指的是曹操发动赤壁之战的时间，亦即从江陵东下之时。曹军九月到新野，从新野到江陵只有六、七百里，大军亦已赶到。因此，曹操东进是浩浩荡荡，决不是只追刘备的轻骑五千。至于曹军“饥疫”，因是“盛寒”，供应不济，并非南方暑热染疫。“初一交战，公军败退，引次江北”，这才是两军相迎时的一场小小的遭遇战。由于曹军水师以“狐疑之众”的荆州水师打头阵，自然不敌孙吴水师，故此遭遇而败。曹军虽然小败，而其气已夺，“引次江北”，把已经夺得的天堑又交还了联军，于是方连船舰训练北兵，隔岸相持，这就为黄盖的火攻创造了条件。这时曹操一筹莫展，企望侥幸取胜，于是中了黄盖的诈降计。从时间和军事战力角度排除赤壁大战的说法是没有史实根据的。联军用火攻败曹军，曹操烧余船退走（见前第 13 条），自我解嘲曰“烧船自退”，奸雄之机变权诈乃此！

六、孙权对赤壁之战立功将领的恩遇和评价

（29）孙权与陆逊书：“公瑾雄烈，胆略兼人，遂破孟德，开拓荆州，邈焉难继，君今继之。”（《周瑜传》）

（30）“权称尊号，谓公卿曰：‘孤非周公瑾，不帝矣。’”（《周瑜传》裴注引《江表传》）

（31）“肃为赞军校尉，助画方略。曹公破走，肃即先还，权大请诸将迎肃。”孙权特持鞍下马相迎。（《鲁肃传》）

（32）赤壁之战，程普“与周瑜为左右督，破曹公于乌林，又进攻南郡，走曹仁。拜普将军，领江夏太守，治沙羡，食四县”。（《程普传》）

（33）“（瑜）病卒，时年三十六。权素服举哀，感动左右。……后著令曰：‘故将军周瑜、程普，其有人客，皆不得

问。’”（《周瑜传》）

按：周瑜攻下南郡，战事方告结束，参战将领均得重大升赏。周瑜拜偏将军，领南郡太守，食邑四县。程普拜偏将军，领江夏太守，食邑四县。其余诸将，黄盖升拜武锋中郎将，凌统迁校尉，吕范拜偏将军等等，不一一赘引。从升赏角度排除赤壁大战也是没有根据的。

结束语

赤壁之战奠定三分鼎立，意义重大，所以历史记载特详。翻开《二十四史》，在中国历史上远远超过赤壁之战规模的大战役有几十次，但我们有把握地说，赤壁之战的史料最丰富，夺全史之冠，在《三国志》及《裴注》中，随便就可勾稽出几十条来。正史以人物为中心，故战史资料分散在人物传记中。赤壁之战的特点是“群英会”，几十年征战锤炼的三方英杰会聚一堂作智力决斗，所以在《三国志》人物及裴注中保存了丰富的资料。详加考证，《三国志》记载赤壁之战的史料，零星的不计，比较集中和重要的就有十三个人物传，有卷一《武帝纪》、卷十《贾诩传》、卷一四《程昱传》、卷三一《刘二牧传》、卷三二《先主传》、卷三五《诸葛亮传》及所附陈寿《上诸葛氏集表》、卷四七《吴主传》、卷五四《周瑜传》、《鲁肃传》、卷五五《程普传》、《黄盖传》、卷五六《朱治传》、《吕范传》。裴松之注引关于赤壁之战的史料共有十八条，来自十一种史籍，有范晔《后汉书》一条，袁宏《后汉记》一条，韦昭《吴书》二条，乐资《山阳公载记》一条，王沈《魏书》与司马彪《九州春秋》合一条，常璩《华阳国志》一条，习凿齿《汉晋春秋》一条，虞溥《江表传》八条，陆机《辨亡论》一条，张骘《文士传》一条。上列直接史料的字数统计有六千五百余字，与赤壁之战相关的间接史料粗略统计不下十万字，而《资治通鉴》记载的赤壁之战仅有二千零六十五字[①]。由此可见，《资治通鉴》记载赤壁之战并无歪曲和渲染，它之所以叙述得有声有色，其根本原因就是凭藉了丰富的原始资料，真可谓无一字无来历，无一句无出处。本文所录三十三条资料，只是原始资料的一部分。其中关于疾疫的记载有十条，关于烧船的记载有五条。看来疾疫与火攻是曹操败北的两大因素，因此也是研究赤壁之战的两大关键问题。曹魏方面的记载只说“不利”、“引军还”，讳言大败，并强调疾疫；吴蜀两方面的记载，说“大破之”、“大破曹公军”强调火攻，同时也实录了疾疫助联军之威，夺曹军之气。赤壁初一交战，曹军已有疾疫，但大疫则是战败以后饥寒交迫才加剧了的。设若孙刘联军没有赤壁大胜，哪来周瑜取南郡，刘备取江南，孙权攻合肥！反之，设若曹操未大败，哪肯烧余船自退，拱手让出荆州！曹军赤壁败后，投降曹军的荆州水师全军覆没，加之江陵失守，曹操就再也无力窥临大江了。

如何运用《三国志》的史料，须明陈寿的史法。陈寿写三国史，是分别依据各国史料写国别史，所以要实录各国原有史料的语气，曹魏史料有所讳饰，吴蜀史料涉及自身事件亦然。因此考察三国史事需将三方史料综合排比，才能理出接近于事实的线索。从总体上，陈寿的记载是实录，裴注又大大丰富了三国史料，这就为我们研究赤壁之战提供了不可抹煞的史实证据。

① 袁伯诚：《从赤壁之战看〈资治通鉴〉的编纂方法》，载《西北师院学报》1983年第3期。

夷陵之战与三国鼎立的地理均势

夷陵之战是曹孙刘三方争夺荆州最后的一个回合。此役吴胜蜀败，形成了三分的地理均势，正式确立了三国鼎立的局面。这是夷陵之战对于历史的影响，也是本文所着重讨论的内容。此外，孙吴战将陆逊，在夷陵之战中，开创性地在势均力敌的情况下打了一场大规模的歼灭战，丰富了中国军事史的内容。长期以来，学术界研究夷陵之战，牵强附会地论证以少胜众，以弱胜强，甚不得要领，本文附带论及。

一、夷陵之战的背景

公元208年，赤壁之战是曹孙刘三方争夺荆州的第二个回合[①]。此役孙刘结盟，挫败了曹操南下的势头，三家瓜分了荆州，初步形成三分鼎立之局。曹操占据南阳郡和江夏郡北部，以襄阳为重镇，阻止联军北上。孙权占据了南郡和江夏郡南部，全据长江形势，打通了西进益州的大道。刘备奄有江南四郡：武陵、长

① 赤壁之战前，曹操南下，兵不血刃下荆州，是第一回合。

沙、零陵、桂阳，有了立足之地。按照战前诸葛亮使吴所订双边协定，赤壁战后荆州归刘成鼎足之形[①]。所以刘琦死后，孙权表荐刘备为荆州牧，并把自己的妹妹嫁给刘备，巩固联盟。刘备则表荐孙权为车骑将军，领徐州牧。孙刘双方互相推荐，达成了势力范围的默契。从荆州北上宛洛，是刘备发展的方向，从扬州北上徐州，是孙权发展的方向。当时长江上游有刘璋，汉中有张鲁，关中有马超、韩遂。这是三个互不统属，而又均无远略的割据集团。曹操占有整个大江以北的中原地区，兵强马壮，仍有力量时时卷土南下。与曹操争天下的刘备和孙权，处在长江中、下游，无论地利和人力，均不能单独与曹操相抗。为求生存与发展，孙刘联盟抗曹，唇齿相依，形势使然。

建安十九年至二十年（公元214—215年），孙刘争荆州江南三郡，是荆州争夺的第三个回合。此次孙刘两家没有大动干戈，通过外交谈判达成协议，两家中分荆州，以湘水为界，南郡、武陵、零陵西属，江夏、长沙、桂阳东属。

建安二十四年（公元219年）关羽北伐，威震荆襄，孙权趁荆州之众北出的机会，派吕蒙偷袭南郡，擒杀关羽，是荆州争夺的第四个回合。此役之后，孙刘联盟破裂，两家敌对，曹丕趁此称帝篡汉。孙权破坏了联盟，心惊胆战。他为抵御刘备复仇，避免两线作战，向曹魏称臣。这就是发生夷陵之战的背景。夷陵之战，是荆州争夺的第五个回合，也是最后一个回合。

荆州争夺的五个回合，有三个回合发生在联盟内部，而且一次比一次升级，最终以吴胜蜀败荆州归吴而结束。设若夷陵之战胜败易主，局势难以预料，若果还是三足鼎立，则荆州争夺仍不会结束，不达均势则不停止。

弱国结盟对抗强国，目的是求得力量的均势以便生存和发展。因此，联盟内部，也要力量相对均势，这是联盟的条件。赤壁战后，刘备被周瑜屏隔在狭窄的江南四郡之地，在联盟中处于依附地位，这是刘备不能接受的。因此，建安十五年十二月（公

① 事详《三国志·诸葛亮传》。

元 211 年 1 月)，刘备深入虎穴去京口向孙权求借南郡地。周瑜认为“刘备寄寓，有似养虎”[①]，将为孙吴后患，不如趁刘备自投罗网之机，吞并荆州。孙权认为曹操在此，疆埸未靖，从而采纳了鲁肃“多操之敌，而自为树党”[②]，将南郡借与刘备，从而形成了当时形势下的均势。公元 214 年，刘备得益州，势力壮大，荆州居吴国上流，孙权感到西强东弱，因而向刘提出索还荆州的要求。关羽坐镇南郡，兵力盛强，孙权不敢提出要求而讨江南三郡。结果和约中分荆州，孙权退出了强夺的零陵郡，只得到长沙、桂阳两郡，心中实不平。但是对刘备来说，他认为中分荆州，等于用长沙、桂阳郡换了孙权的南郡，问题已经解决，从而放松了警惕，到公元 219 年，刘备夺得了曹魏的汉中、上庸两地，关羽又威震荆襄，势力迅猛发展，再次打破了东西均势，孙权震恐而偷袭荆州，这也是必然之势。正如司马懿和蒋济所说：“刘备、孙权，外亲内疏，关羽得志，权必不愿也。可遣人劝蹑其后，许割江南以封权，则樊围自解。”[③] 曹魏采取了挑动吴蜀相仇的策略，拉拢孙权，创造了孙权放胆进攻的条件。

刘备失守荆州，也就丧失了隆中路线所规划的北伐条件，被困于四塞之地的益州，他绝不甘心。这正如陆机所说：刘备东出是“志报关羽之败，图收湘西之地”[④]。魏文帝曹丕曾与群臣讨论刘备是否东出，众议咸云：“蜀，小国耳，名将唯羽。羽死军破，国内忧惧，无缘复出。”侍中刘晔独持异议曰：“蜀虽狭弱，而备之谋欲以威武自强，势必用众以示其有余。且关羽与备，义为君臣，恩犹父子；羽死不能为兴军报敌，于终始之分不足。”[⑤] 这就是说，刘备称帝欲明正统所在，他必然要讨逆伐叛，以表示有统一天下的力量。伐魏，力量不足，讨吴，自谓可胜，加之为关羽报仇，可以激扬士气。因之，夷陵之战，不可避免。对此，裴松

① 《三国志·鲁肃传》裴注引《江表传》。
② 《鲁肃传》裴注引《汉晋春秋》。
③ 《三国志·蒋济传》。
④ 《辨亡论下》，见《全晋文》卷九八。
⑤ 《三国志·刘晔传》。

之作了精辟的分析。他说：

> 刘后以庸蜀为关河，荆楚为维翰，关羽扬兵沔、汉，志陵上国，虽匡主定霸，功未可必，要为威声远震，有其经略。孙权潜包祸心，助魏除害，是为翦宗子勤王之师，行曹公移都之计，拯汉之规，于兹而止。义旗所指，宜其在孙氏矣。瑾以大义责备，答之何患无辞，且备、羽相与，有若四体，股肱横亏，愤痛已深，岂此奢阔之书所能迴驻哉？[1]

裴松之的这番议论是用以驳斥诸葛瑾的。刘备东出，孙权求和，不许。孙吴南郡太守诸葛瑾致书刘备，陈说轻重大小，云："陛下以关羽之亲何如先帝？荆州大小孰与海内？俱应仇疾，谁当先后。若审此数，易于反掌。"裴氏所论，立足于理与义；诸葛瑾所论，立足于形与势。刘备在三分鼎立形势下，执理而轻势，不听群臣劝谏，刚愎自用，以弱逆强，遭致失败，咎由自取，追悔莫及。

二、夷陵之战双方兵力及各自长短

夷陵之战从蜀章武元年（公元 221 年）七月刘备调集大军伐吴起，到章武二年（公元 222 年）八月吴军退还止，前后历时十五个月，是三国时期延续最长的一次战役。双方投入第一线的兵力，蜀军八万，吴军五万；而维护交通及后勤支援，以及支线作战，两国也都倾注了全力，双方动员各有数十万人。双方能征惯战之将，几乎都投入了第一线。

蜀方兵力及部署　刘备亲征，统水步兵约十万，以白帝城为大本营沿三峡推进，前锋兵力四万余人。蜀将冯习为大督，张南为先锋，吴班、陈式统水军，黄权、辅匡、赵融、廖淳、傅彤等

---

① 《三国志·诸葛瑾传》裴注评语。

各为别督。赵云留守江州为后援。

吴方兵力及部署 孙权以陆逊为大都督、假节，督朱然、潘璋、宋谦、韩当、徐盛、鲜于丹、孙桓、骆统等五万人为第一线拒敌。诸葛瑾屯公安，孙权屯武昌，为后援。孙吴三线总兵力在十万以上，实多于蜀军。

夷陵之战双方兵力 《三国志》各传及裴注所引史料语焉不详，给后世论史者留下了“创造”的余地，遂有以少胜众，以弱胜强之说。细考《三国志》及裴注，不仅没有记载刘强孙弱；恰恰相反，记载刘弱孙强的史料却不少。前引魏文帝与群臣的议论中就已指出：“蜀，小国耳，名将唯羽。羽死军破，国内忧惧，无缘复出。”曹魏君臣对蜀国力量的分析是符合实际的。关羽丧师，荆州之众约七八万人①，尽为孙吴所并，大大增强了孙权的力量。陆逊进兵西陵，破秭归、建平及巫，“前后斩获招纳，凡数万计”②。此外，由于关羽丧师，蜀将孟达及上庸太守申耽降魏。蜀汉丢失上庸，丧师最少在万人以上。孙权偷袭荆州，蜀汉猝不及防，不仅国土丧失近半，荆州人物兵众全部丧失，蜀汉大大削弱。刘备倾国东出，所领只有一州之众，故兵力不足，只能使用在一个方向上。双方兵力，应作一番认真的考证。

蜀方兵力 其众约十万，入峡蜀军只有八万，依据如下：

(1)《吴主（孙权）传》载，黄武元年（公元 222 年），陆逊拒敌，“自正月至闰月，大破之，临阵所斩，及投兵降者数万人。刘备奔走，仅以身免”。

(2)《朱然传》载，黄武元年，朱然与陆逊并力拒备。“破备前锋，断其后道，备遂破走。”

(3)《韩当传》载，宜都之役，韩当与陆逊、朱然等，“共攻蜀军于涿乡，大破之”。

(4)《陆逊传》载，陆逊敕令诸军以火攻蜀军，破蜀军江南主力四十余营，斩张南、冯习及胡王、沙摩柯等，备将杜路、刘

---

① 公元 215 年，刘备与孙权争江南三郡，引五万之众出川屯公安，关羽赴益阳率众三万，合此两军其众八万。

② 《三国志·陆逊传》。

宁等穷逼请降。“备升马鞍山陈兵自绕。逊督促诸军四面蹙之，土崩瓦解，死者万数。”

（5）《刘晔传》裴注引《傅子》载，“权将陆议大败刘备，杀其兵八万余人，备仅以身免”。

（6）《文帝纪》裴注引《魏书》载，蜀将黄权等在江北，为吴军断其归路，率三百一十八人降魏。

参错考核上引各条史料，可知刘备统领进入三峡的水步兵总数八万人，全部被歼。“刘备奔走，仅以身免”，说明他全军覆没。黄权降魏，只有三百余人，说明江北诸军亦覆没，属八万总数之内。战斗过程分为三役：宜都之众为蜀军前锋，涿乡会战乃刘备中军，马鞍山之役为黄权所督江北诸军。每役蜀军死者以万计，加之降者数万，与《傅子》所载八万之众大体吻合。《傅子》所载，当初孙权向曹魏所献报捷数，只有夸大，不会缩小，所以入峡蜀军为八万是可信的。加上赵云所统留守江州及白帝守军，蜀军总计约十万。有的文章为了论证夷陵之战以少胜众，夸大蜀军为数十万或十余万，皆失于考证，不足为据。

吴方兵力　《陆逊传》载，陆逊督兵五万人，这指的仅仅是第一线的兵力。孙吴部署有诸葛瑾屯公安的第二线，有孙权屯武昌的第三线，总兵力显然超过蜀军，最保守的估计也有十五六万。孙权用兵，总是自统大众。赤壁之役，周瑜为先锋，只有兵三万，而孙权坐镇柴桑为后援。孙权对周瑜说：“卿与子敬、程公便在前发，孤当续发人众，多载资粮，为卿后援。卿能办之者诚决，邂逅不如意，便还就孤，孤当与孟德决之。”[①] 这既是孙权持重的表现，也是他“性多嫌忌”的反映[②]，不肯弄险。孙权每次领兵作战都是十万或七八万。他偷袭荆州，兵不血刃而兼荆州之众，力量大大增强，所统后援当在十万以上。陆逊有此后盾，因此他所统五万可以集中于一点一线，始终保持优势。

《资治通鉴》载，刘备遣将军吴班、冯习攻破权将李异、刘

① 《三国志·周瑜传》裴注引《江表传》。

② 《三国志·吴主传》陈寿评。

阿等于巫，“进兵秭归，兵四万余人”。司马光所言，或有依据，或为推断。备倾国东征，所统入峡蜀军其众不过八万，因沿途留守，集中推进的兵力只有四万余人，这个推断大体符合实际。陆逊迎敌于秭归以东，此时刘备已拉长战线二三百里，所统临阵之众不会多于陆逊。刘备从秭归继续推进，建行营于猇亭，布前锋于夷道，置黄权于江北，连营四五百里护卫后方，所统中军的机动兵力不足四万，少于陆逊之兵，所以夷陵之战不能说是以少胜众。从表面看，刘备所统是八万，陆逊所统是五万，但由于双方后援力量对比悬殊，刘备入峡又向前进攻，未与陆逊交锋兵势已分，实际临阵之众蜀军还少于吴军。不过陆逊为了打歼灭战，进一步诱敌深入而作了战略退却，表现了他优秀的指挥艺术，但不能说明是以少胜众。刘备也懂得集中兵力的意义，所以把水兵也拉到陆上集中，由此可见蜀兵寡少，刘备捉襟见肘。

夷陵之战，吴强蜀弱　刘备所用之将，多为川将，经历阵战较少，不是吴将对手。蜀汉的五虎将，关羽、张飞、黄忠、马超、赵云无一人在阵，关、张、黄、马皆亡，赵云因反对伐吴而被留为后援。蜀将唯黄权有谋，因与刘备方略不合，被部署在江北。蜀汉谋臣，法正已亡，诸葛亮监国，刘备东出，无良弼在旁。因此，刘备连营七百里，犯兵家之忌，也无人指出。反之，孙吴战将，不仅陆逊多智，而且所统多是功臣宿将。徐盛、韩当、潘璋、朱然、宋谦、鲜于丹等都是身经百战可独当一面的老将。徐盛、朱然多谋。潘璋骁勇，“所领兵马不过数千，而其所在常如万人”[①]。崭露头角的年轻将领，如孙桓，二十五岁，能得士众心，他驻防宜都，牵制了蜀军的前锋。反攻后奋勇向前，断蜀军退路打阻击战，迫使刘备“逾山越险，仅乃得免”，刘备忿恚叹曰：“吾昔初至京城，桓尚小儿，而今迫孤乃至此也！”[②] 归师勿迫，乃兵家之忌。孙桓敢断刘备归师，足见吴兵作战骁勇。论兵论将，孙吴之师强于蜀汉，所以不能说夷陵之战是以弱

---

① 《三国志·潘璋传》。

② 《三国志·孙桓传》。

胜强。

但是，蜀军亦有其优势。首先是复仇之师，哀兵必胜，讨伐孙权背义袭盟，全军同仇敌忾，有一股不可阻挡的锐气。其次，刘备在魏黄初二年（公元 221 年）四月即皇帝位，七月出师，将士受封受赏，正是立功报效之时，加之刘备亲征，将士激动，士气旺盛。其三，蜀军居高临下，又善于山地战，占有地利。其四，蜀军初战时，战线没有展开，八万之众高度集中，也占有优势。但蜀军的这些优势没有充分发挥，被陆逊的战略大退却所避开，很快丧失了。蜀军初战的胜利只是破吴边将，未遇孙权主力。当蜀军前锋推进至夷道时已成强弩之末，受阻于坚城之下陷入了进退维谷的境地。所以决战之前强弱众寡都已易位，吴军掌握了主动权。

再看，吴军虽强，却有其弱点。荆州为刘备统治十余年，民众向心在蜀。又刘备已称帝，打着兴汉的正统旗号，具有很大的号召力。刘备深深懂得这一点，所以他命荆州马良带着金帛封印以爵赏去诱劝诸夷。当蜀军进次秭归，“武陵五溪蛮夷遣使请兵”①，威胁着吴军的侧翼和后方。再次，陆逊资望较浅，不为功臣宿将所服，若处理不当，有分崩之势。其次，曹魏坐山观虎斗，若吴军战败或疲惫，将乘势夹击收渔人之利。陆逊十分明白，吴军只能打胜仗，不能打败仗。如果蜀军突破夷陵防线，不仅荆州动摇，而且曹魏必然趁火打劫。所以他上书孙权说：“夷陵要害，国之关限，虽为易得，亦复易失。失之非徒损一郡之地，荆州可忧。今日争之，当令必谐。”② 为此，陆逊初战，十分谨慎。他为避蜀军锋芒，大胆地作了战略退却。可是诸将不明政治形势与军事方略，求战心切，不听调动，欲与蜀军硬拼，几乎偾事。可惜，刘备未能抓住战机，利用吴军的弱点，迅猛推进。随着相持阶段的来临，吴军掌握了主动，蜀军也就丧失了一切胜机。

综合上述，吴蜀双方兵力和长短，可以说是势均力敌，双方

① 《三国志·先主传》。
② 《三国志·陆逊传》。

都有胜机和败着。蜀兵义正气盛而将弱，吴兵将强而集中但居下流。这一形势决定了此役双方谁都不可能取得速战速决的胜利。这一场持久的斗智斗力的大战役，谁能坚持到最后，谁的谋略优，谁就能取得胜利。

三、夷陵之战的过程、结局和影响

夷陵之战的过程分三个阶段，分述于下。

第一阶段，章武元年（公元 221 年）七月至十二月，蜀军进攻，吴军防守。七月，蜀军发起进攻，吴班、陈式率水军，冯习、张南统陆军，水陆齐进，军队密集，攻破吴军前沿重镇巫县，长驱直入秭归。八月，孙权称臣于曹魏，受封为吴王。吴将抚边将军、宜都太守陆逊统兵五万西上迎敌。所统诸将：徐盛，建武将军、庐江太守；潘璋，振威将军、固陵太守；韩当，偏将军、永昌太守；朱然，昭武将军、江陵督；孙桓，安东中郎将；骆统，建忠中郎将；宋谦、鲜于丹，原吕蒙属将。孙吴集四方精英于一线，兵精将猛，遏止了蜀军的进攻。刘备统大军继进，驻屯秭归。双方都在作大战前的部署，沉寂了数月。

第二阶段，章武二年（公元 222 年）正月至六月，两军相持于夷陵。二月，刘备亲自指挥蜀军发起第二阶段的进攻。将军黄权谏曰："吴人悍战，又水军顺流，进易退难，臣请为先驱以尝寇，陛下宜为后镇。"① 刘备不从，以黄权为镇北将军，督江北军拒陆逊于夷陵，并防魏师。陆逊继续作战略后撤，分散蜀军之势，并在运动中伺机歼敌。吴军在后撤中歼灭蜀军五营，重兵屯于夷陵坚壁。刘备在江南推进，因前锋受阻于夷道，遂将大军屯驻于夷道北之猇亭。刘备欲诱吴军主力决战，令吴班率数千人在平地立营，另伏兵八千于山谷。吴将帅皆欲进击，陆逊以军法制约，坚守不出。刘备见机关已被识破，引伏兵从山谷中出，撤水

---

① 《三国志·黄权传》。

军于岸上结营，从巫县、秭归至夷陵，连营树栅四五百里。刘备的这一部署，欲固守已得的峡谷高地，持久以待时变，顾不得犯兵家之忌。刘备出此险着，他低估了对手陆逊。

第三阶段，章武二年闰六月至八月，吴军反攻，全歼入峡蜀军八万，大获全胜。本文第二节所引资料，可见陆逊的反攻方略。首先他用火攻，并以密集的优势兵力在夷道打破蜀军前锋。阵斩张南。朱然、韩当、骆统等大将参加了这一战役，与孙桓守城部队配合，夹击蜀军。接着朱然等直插蜀军之后，切断蜀军归路。刘备慌忙撤军，吴军潘璋等猛将紧紧咬住追击，围歼蜀军江南军主力于涿乡。涿乡在江北夷陵之西。刘备率残部靠拢黄权的江北军，升马鞍山据高据守。陆逊督诸将四面围攻，蜀军土崩瓦解。刘备退入秭归，欲收合残部。陆逊哪里肯让刘备喘息。孙桓插入夔道，断刘备归路。刘备闻讯，逾山越险，弃军而逃。刘备命驿人烧军资铙铠断后，仅得入白帝城。就这样，蜀军全军覆没，舟船器械，一时略尽。吴将李异、刘阿等直追至白帝诚，屯兵于江南。徐盛、潘璋、宋谦等竞欲乘胜取蜀，陆逊、朱然、骆统等认为，吴军应撤回防魏。这时赵云已率江州之众入援白帝。八月吴军班师，夷陵之战结束。

吴军获得夷陵大捷，除总形势有利吴军外，陆逊优秀的指挥艺术是取得胜利的直接保证。这次战役体现陆逊的战略思想，有以下几个方面。

第一，避敌锋芒，果断作战略退却，创造战机，乘敌之疲。陆逊节节后退，把三峡险地让与刘备，示敌以弱，诸将不解，以为陆逊胆怯，各怀愤恨。陆逊喻之曰："备举军东下，锐气始盛，且乘高守险，难可卒攻，攻之纵下，犹难尽克，若有不利，损我大势，非小故也。今但且奖励将士，广施方略，以观其变。若此间是平原旷野，当恐有颠沛交驰之忧，今缘山行军，势不得展，自当疲于木石之间，徐制其弊耳。"① 蜀军深入三峡五六百里，拉长战线，分散了兵势，在进攻中受到削弱，士气衰损。反之，吴

① 《三国志·陆逊传》裴注引《吴书》。

军退避三舍却蓄积了士气。战略退却，进一步改变了吴蜀强弱的对比，在临阵第一线，蜀军也成了劣势。

第二，善于把握战机，运用火攻歼敌。刘备初入三峡，欲乘锐集中优势兵力以求速决，打破吴军，突入荆州。但陆逊大步后撤，分散了蜀军之势，迫使蜀军屯兵于坚城峻危之地，欲进不能，欲退不得。刘备也是一个久经沙场而又老谋深算的军事家和政治家。他改变策略，以守险持久来等待时变。因两军持久不决，曹魏必乘其后，这对吴军不利。陆逊要赶在曹魏出兵之前打败蜀军，因此，他必须抓紧战机速决。如果说战争的第一阶段是刘备以求速决，那末，现在却颠倒了过来，两军相持以后，吴军要求速决。陆逊选择闰六月暑热之时反攻，因这时蜀军水陆都集于林荫，又有东南风入峡，便于火攻。陆逊先以小股部队试攻，见蜀军反应无防火准备，抓紧战机全线出击，分割包围，大获全胜。

第三，坚定不移地集中优势兵力用于主攻方向，力争打歼灭战。孙桓被蜀兵围困于夷道，向陆逊求救。陆逊为了捕捉战机保持高度机动而按兵不动。诸将争曰："孙安东，公族，见围已困，奈何不救？"陆逊曰："安东得士众心，城牢粮足，无可忧也。待吾计展，欲不救安东，安东自解。"[①] 果然，刘备受阻于坚城，久攻不下，士气大损。陆逊知彼知己，知孙桓可恃，才如此部署。即使刘备攻下夷陵，将付出重大代价，而陆逊所统夷陵之众则乘其弊而击之，亦必能获胜。

夷陵战后，诸葛亮十分惋惜地说："法孝直若在，则能制主上，令不东行；就复东行，必不倾危矣。"[②] 胡三省对此评论说："观孔明此言，不以汉主伐吴为可，然而不谏者，以汉主盛怒而不可阻，且得上流，可以胜也。兵势无常，在于观变出奇，故曰孝直在必不倾危。"[③] 胡评涉及两个问题：一是诸葛亮的责任问题，他不谏止；二是指出刘备失败原因，未能"观变出奇"。诸

① 《三国志·陆逊传》。
② 《三国志·法正传》。
③ 《资治通鉴》卷六九《魏纪》黄初三年。

葛亮既有此感叹，不能说他没有谏，只是也以为刘备可胜，故没有力谏，故败后十分惋惜。胡评所指刘备失败原因不无见地。刘备若采纳黄权建议，命大将统众顺流直下荆州，打乱吴军部署，事难逆料。陆逊也忧虑此着。他致书孙权说："臣初嫌之，水陆俱进，今反舍船就步，处处结营，察其布置，必无他变。伏愿至尊高枕，不以为念也。"① 再看，刘备连营树栅四五百里，只要防卫有方，也并非必然失败。因为这一直线部署不在平原旷野，而是沿山峡居高临下布防，构成了一条坚强的纵深防线，吴军要动摇这条防线谈何容易。刘备之失，不仅在于不能"观变出奇"，疏忽防吴火攻，而且还在于他亲冒矢石居于第一线，把主力暴露在敌人的视线之下。假定刘备把大本营放在秭归，自统大军为后继，这种依险连营数百里的纵深防线未必有失！由于刘备亲临前敌，不仅把主力置于险地，而且实际成了大军的绊脚石。建安二十年（公元 215 年）孙权率十万之众攻合肥，被张辽、李典以七千之众击溃，也是如此。由于孙权亲临前敌，把自已暴露在敌人的视线之下，事出仓猝，必然成为大军的绊脚石。天子亲征而深入险地本身就是一种轻率行动，鲜有不败者矣？

当然，刘备亲临前敌，可以起到激励士气、动员民众的政治效果，马良策动武陵蛮夷叛吴就是明证。可惜，刘备没有派出一支正规军去支援，蛮夷乌合之众，很快被吴军讨平，蜀国反倒把一个马良赔了进去，得不偿失。

六十三岁的刘备，惨败于二十九岁的陆逊之手，还差点成了二十五岁的孙桓的俘虏，惭愧、悔恨交加，不久就病死了。临终，他悲愤地说："吾乃为逊所折辱，岂非天邪！"② 此役，蜀国元气大伤，基本决定了隆中路线的夭折，从而刘备也成了一个富有悲剧色彩的英雄。

历史事件也和许多辩证事物一样，有着两面性。夷陵之战，本是刘备发动的一场吞吴之战，它破坏了隆中路线的孙刘联盟。

① 《三国志·陆逊传》。

② 《三国志·先主传》。

但恰恰又是夷陵之战造成了三分的地理均势：巩固了孙刘联盟。首先，夷陵战后，蜀弱吴孤，曹魏的优势得到增强，随之对吴的压力增大，迫使孙权回到联蜀的立场主动求和。其次，夷陵之战，使吴得荆州，稳固了上流门户，不再担心西边的威胁，可以专力对魏，促使孙吴下决心与魏决裂。其三，夷陵之战，使蜀国惨败，国力更加削弱，比任何时候都更需要寻求盟友。于是吴蜀联盟很快恢复。蜀国小弱，但占有沃野千里、四塞之固的益州，仍可据险立国，与孙吴形成了东西均势。孙刘联盟，减杀曹魏优势，形成南北均势。也就是说：夷陵之战最后解决了荆州的归属，形成了三分的地理均势，才正式确立了三分鼎立之局。公元208年的赤壁之战，三分荆州只是奠定了三分鼎立之形；而最终完成三分鼎立之局，应以公元229年吴蜀订立中分天下盟约为标志。公元228年，诸葛亮北伐，专力对魏。这时孙权才完全解除了戒心。于次年称帝，蜀汉遣使称贺，承认了孙权的地位。两国订立中分天下的盟约，三方称帝，政治上也达到了均势。但这一盟约的签订，实际是夷陵之战形成的三分地理均势创造了前提条件，因此说夷陵之战正式确立了三分鼎立之局。

蜀失荆州并非“重益轻荆”

《江汉论坛》1980 年第 1 期刊载了薛国中同志的《诸葛亮与〈隆中对〉》一文，提出诸葛亮没能完成统一大业的主要原因之一是对荆州问题处置失当，犯了“重益轻荆”的错误。这一论点似与史实不符，值得讨论。

刘备进蜀之初，只命庞统随行，而让诸葛亮坐镇荆州。关羽、张飞、赵云、刘封、孟达等一班虎将及重兵都留守荆州，可见刘备集团对荆州是足够重视的。

按隆中对策，北伐中原，兴复汉室，不仅要占有荆州，还必须占有益州，首先完成鼎足三分的霸业。“西和诸戎，南抚夷越，外结好孙权，内修政理。”①（《三国志·蜀书·诸葛亮传》）显然是以益州作为巩固的根据地的。所以当庞统战死雒城，三军夺气，情况危急之时，诸葛亮不得已亲自援蜀。况且当时严重的危险还是来自北方。曹操已平定雍、凉，正窥伺汉中。若果益州久持不下，曹操军来，则非刘备所有。在这种形势下，诸葛亮入蜀，赶在曹操平定汉中之前占有益州，毫无疑义是正确的决定。不久曹

① 《三国志·诸葛亮传》所载《隆中对》语。

操就夺取了汉中，“蜀中一日数十惊”[①]，就说明了这一问题。薛文引王夫之说“取蜀之事，先主以自任有余，而不必武侯也”，是不符当时的实际情况的。

薛文说，诸葛亮带兵入蜀，“这一行动破坏了原来兵力的战略配置”，是“丢下荆州”；又责备诸葛亮在取得益州后没有回师荆州，把住“入川的大门”，因此是重益轻荆。我们认为这些说法是不能成立的。把守大门是一将之任，治理蜀国非诸葛亮莫属。在刘备未得益州之前，荆州是立足之地，故须诸葛亮亲自坐镇。而当益州已为荆州后援，有一关羽留守就完全可以胜任了。关羽是蜀国上将，曹、孙双方都畏之如虎。公元 215 年，孙权来争荆州，只以索讨江南三郡为限，不敢正眼窥探关羽稳坐的南郡。公元 219 年，关羽北伐，一战而擒获于禁的步骑三万，使曹操震恐，议欲迁都洛阳以避其锋。这说明诸葛亮入蜀，让关羽留守是作了慎重的安排的，荆州主力也还在他的统领之下。

《隆中对》分析荆州是“用武之国”，而益州“沃野千里，天府之土，高祖因之以成帝业”，是立国根本。薛文认为这个分析“已经包含着重益轻荆的思想萌芽”，在战略上是“错误”的。我们的看法与此相反，认为诸葛亮的分析是符合实际的，在战略上是完全正确的。刘备在未得益州之时，“北畏曹公之强，东惮孙权之逼，近则惧孙夫人生变于肘腋之下；当斯之时，进退狼跋”[②]。在战略位置上，荆州就是“用武之国”，四战之地，为刘、孙、曹三家所必争。倘若没有益州作为可靠后方，刘备没有回旋余地，难以立国。益州是立国根本，荆州是前进基地，轻重次序是客观存在，怎么能说是诸葛亮的主观安排呢？按照《隆中对》制定的北伐计划，荆州之兵直向宛、洛，吸引曹魏主力，刘备亲率益州之众出秦川，就能够收到箪食壶浆以迎王师的效果。从战术上看，荆州之兵是主力，直插曹魏心脏，出秦川之师是侧翼配合。但从全局的进退来看，北伐不可能一战成功。所以在战略

① 《三国志·刘晔传》注引《傅子》。
② 《三国志·法正传》。

上，荆州之兵是用奇，出秦川之师是正，因这一路较易广境拓土。公元228年，诸葛亮一出祁山，“南安、天水、安定三郡叛魏应亮，关中响震”①，完全应了《隆中对》的分析，就是明证。若果刘备一旦占有关中，则可迁都长安，居高临下东向以争天下，走高祖创业的道路。所以诸葛亮设计要刘备亲出秦川，命一上将出击宛、洛，呼应配合。因此益州得手后，诸葛亮驻留成都，着手兴创国家，刘备担当征伐之任，带兵在外，积极地实践隆中路线，这不能说是重益轻荆。

薛文为了证实诸葛亮重益轻荆，还提出了两个论据。其一是“夺取荆州时急躁冒进”；其二是诸葛亮使吴在会谈中“只着重分析各方军事实力，争取孙权全力抗曹，不提荆州归属问题”。薛文用这两个论据来证明诸葛亮缺乏全局的政治经验。果真如此，那诸葛亮的确是重益轻荆。但是薛文的论据不符史实。

《隆中对》精辟地分析了刘备不能与孙、曹争锋，只能从同姓手中夺地盘。公元208年春，孙权从南边发起了争夺荆州的进攻，一举歼灭黄祖，七月曹操率师南下，也是来抢荆州。在南北夹击之下，荆州的平静被打破了，刘表被吓死，二子不协，内部分崩离析。在这种形势下，刘备夺取荆州，迫在眉睫。如果荆州一旦易手，无论属曹还是属孙，刘备再去争夺，岂不是与孙、曹争锋？但是以兴复汉室为号召的刘备向同姓夺地盘，必须讲究策略才能使人心归附。当刘琮投降曹操之后，诸葛亮劝刘备攻琮，名正言顺，说“荆州可有”，这是一个大好时机，刘备立即采纳了。但是在夺取方法上刘备与诸葛亮有所不同。诸葛亮建议攻琮，夺取襄阳，迟滞曹军南下，从容不迫地去占有江陵的军实，在军事上这是最有利的。刘备则主要是从争取人心归附上来考虑，他命关羽率水师奔赴夏口，自己径直去取江陵。刘备过襄阳数刘琮之罪而释之，把这个累赘留给了曹操，政治上获得了信义昭著的美名，果然最大限度地争取了人心。“先主奔江南，荆、

① 《三国志·诸葛亮传》。

楚群士，从之如云。”[①] 但是刘备的上述计划落了空，在当阳长坂被曹操追及，一败涂地，失去了联吴的资本，若不是鲁肃到来，刘备只好远遁江南了。薛文说，由于刘备“没有采纳”诸葛亮的建议，“结果刘琮降曹，让曹操占领了荆州”，把诸葛亮的建议说成是在刘琮降曹之前提出的，这是不符史实的。

本来孙权是要夺取荆州的，但由于曹军南下，以鲁肃为首的主战派立即转向与荆州结盟。因此薛文推论，“若按诸葛亮的意见抢先占领荆州，刘备必然是损兵失地，一无所得，只有利于曹操”，这种说法也是不能成立的。

曹操不战而下荆州，声势大振，水陆俱进直取江东。当时刘备有精甲二万，文有诸葛，武有关、张、赵云，又是荆州人望，这是一支不可轻视的力量。孙权要阻挡曹操东进，必须联合刘备这支力量。所以孙权说：“非刘豫州莫可以当曹操者。”刘备新败之余，要夺回荆州，没有东吴作后援，那是梦想。曹操的东进，促成了孙、刘两家的联合。诸葛亮使吴，达成了鼎足三分的双边同盟。孙、刘双方承认鼎足三分，荆州的归属自然解决。诸葛亮说：“今将军（孙权）诚能命猛将统兵数万，与豫州协规同力，破操军必矣。操军破，必北还，如此则荆、吴之势强，鼎足之形成矣。”于是“权大悦，即遣周瑜、程普、鲁肃等水军三万，随亮诣先主，并力拒曹公”[②]。鼎足三分是刘、孙联盟的前提。如果孙权不答应这一条件，刘备宁愿远遁苍梧作田横，也决不作附庸。大敌当前，孙权不得不作让步，同意鼎足三分，打败曹操，荆州归刘。所以《三国志》的《蜀书》、《吴书》各传凡提及赤壁之战，都说“并力”、“俱进”，而《魏书·武帝纪》直接说成是曹、刘之战。赤壁战后，周瑜率军在南郡作战，把江南诸郡让刘备去收拾，孙权没有派一兵一卒去争夺这些地方，而是转攻合肥。后来鲁肃都督荆州，劝说孙权把南郡也借给了刘备。薛文含糊其词地说“刘备取得了荆州”，只字不提借荆州，用以掩饰

① 《三国志·刘巴传》。
② 《三国志·诸葛亮传》。

“不提荆州归属”的论点，完全不符史实。事实上正是由于诸葛亮的高瞻远瞩，孙权的恢宏大度，双方正确处理了荆州的归属，才结下了联盟，取得了赤壁之战的胜利，奠定了鼎足三分的基础。

那么荆州又是怎样丢失的呢？我们的看法恰与薛国中同志“重益轻荆”的论点相反，是刘备集团过分看重了荆州，诸葛亮、刘备，特别是守荆州的关羽都有责任。诸葛亮之责，是战略规划有失着；刘备之责，是执行路线有失误；关羽之责是贪而弃义，应负丢失荆州的直接责任。各人应负之责，试分述如次。

其一，诸葛亮制定隆中路线有失着。诸葛亮躬耕隆中十年，洞察天下大势，其规划三分的隆中路线，可以说是虑之熟，思之深，是非常精细的。诸葛亮的三分规划是：

> 将军既帝室之胄，信义著于四海，总揽英雄，思贤如渴，若跨有荆、益，保其岩阻，西和诸戎，南抚夷越，外结好孙权，内修政理；天下有变，则命一上将将荆州之军以向宛、洛，将军身率益州之众出于秦川，百姓孰敢不箪食壶浆以迎将军者乎？诚如是，则霸业可成，汉室可兴矣。

刘备“跨有荆益”之后，第一，“保其岩阻”，也就是要守住荆益；第二，西和诸戎，即影响及于陇右，保护蜀汉的侧翼；第三，南抚夷越，安定后方；第四，外结好孙权，联盟抗曹；第五，内修政理，使自身强大；第六，待“天下有变”，两路北伐。如此一系列的规划，比汉高祖北出秦川一路出师，还要优越，因此说，诸葛亮的规划是“虑之熟，思之深”。但汉高祖成功了，诸葛亮失败了，追根寻源，不能不从战略路线上反思。这关键的一着棋就是经营汉中。项羽初封刘邦在巴蜀，想要困死刘邦，刘邦欲与项羽拼命。经过张良等人的运谋，刘邦得封汉中王。刘邦有了这一前进基地。终于成就了汉家基业。诸葛亮思虑不及此，正应了“智者千虑，必有一失”这句古老的俗谚。此外，关中马超，与曹操对立，诸葛亮也没有纳入联络范围。若把周瑜的规划与诸葛亮隆中路线做一番比较，诸葛亮的战略之失就十分鲜明地显现出来。

赤壁战后，周瑜诣京见孙权，提出极长江之险与曹操抗衡的策略。周瑜说：

> 今曹操新折衄，方忧在腹心，未能与将军连兵相事也。乞与奋威俱进取蜀，得蜀而并张鲁，因留奋威固守其地，好与马超结援。瑜与将军据襄阳以蹙操，北方可图也。

周瑜规划的精彩之笔有两个方面是诸葛亮没有认识到的，第一，是“得蜀而并张鲁”；第二，是“好与马超结援”。“得蜀而并张鲁”，就是经略汉中。汉中的地理形势，既是保卫益州的咽喉要地，又是北出秦川的前沿基地。没有汉中，不仅北伐秦川无着，而且益州不保。曹操入汉中，蜀中一日数十惊，就是显证。

周瑜带兵打仗，有实践经验，在把握战略与地理形势上就不是一般谋士可比拟的。马谡是纸上谈兵的好参谋，独当一面就要栽跟斗。诸葛亮规划三分之时，还是一个书生，战略不周全不必苛责，但若视而不见就不是一个唯物论者。

如上所述，由于诸葛亮在隆中路线中，没有把经略汉中，北联关中的战略纳入为“跨有荆益”的组成部分，使得刘备错失了在最佳时机夺取汉中，引起了一系列的连锁反应，产生了不可弥补的负面影响，导致隆中路线半道夭折，诸葛亮也是有责任的。

其二，刘备执行隆中路线的失误。成大功者必能得天时，错过时机，不仅事倍功半，而且往往事业不成。刘备入蜀，北驻葭萌，恩信自结虚度了整整一年的时光，大为失计。若此时刘备藉西川之力，拿下汉中，刘璋处于汉中与荆州的夹击之中，则刘备可以效法袁绍夺冀州之策，或可不战而得益州。真如是，刘备进可抢在曹操之前入关中，退可早日得益州，天下形势于蜀最为有利。刘备错过了这一着，夺取益州付出了沉重代价，既蹉跎了岁月，又丢了庞统与张松，两人都是难得的人才，此为一失。刘备得益州，曹操也破了关中。此时刘备不乘胜北上争汉中，却东出与孙权争江南三郡，再次失计。后来刘备争得了汉中，然得地不得其民，影响蜀汉的实力十分深远。更有甚者，刘备得汉中，头脑发热，既命关羽北伐，又抽走宜都的孟达，等于是把荆州拱手送与吴人，此为三失。荆州丢失，刘备发动夷陵之战，在错误的道路上愈走愈远，此为四失。刘备执行隆中路线一失再失，以至于三失、四失，焉能不败。

其三，关羽守土，贪而弃义，丢失荆州负有直接责任[①]。关羽逞匹夫之勇，他“刚而自矜”，小视孙吴，经常制造边境摩擦，鲁肃“常以欢好抚之”[②]。孙权联姻，他“骂辱其使”[③]。他围襄樊，擅取吴国的“湘关米”[④]，这成了孙权进兵的导火线和借口。对内，关羽没修好政理，不能存恤百姓，为吕蒙所利用。他“善待卒伍而骄于士大夫”，不能团结部属。南郡太守麋芳，屯公安的将军士仁，“素皆嫌羽轻己”。关羽出师，他们供给军资又不及时，“羽言还当治之”。于是“芳、仁咸怀惧不安”，“使人迎权”[⑤]。最后，关羽轻躁北伐，直接导致了荆州的丢失。按隆中路线，北伐条件，第一要东联孙吴，无后顾之忧；第二要天下有变；第三要有出击秦川的配合。这些条件一个都不具备，关羽就冒险北伐，屯兵于坚城之下，不亡何待？更有甚者，当曹操派徐晃援助襄阳，又将孙权的“讨贼自效”的书信“以弩射示羽”时，他还犹豫不能去。这时陆逊的一封卑下书信竟麻痹了关羽，使他“意大安，无复所嫌”[⑥]，“稍撤兵以赴樊”[⑦]，给孙吴留下了一座空城。驻防宜都的孟达又被刘备调去取上庸，蜀国君臣都达到了利令智昏的程度。

综上所述，荆州失守并不是隆中对策萌芽了重益轻荆的祸

① 鲁肃责备关羽以武力争江南三郡是“贪而弃义，必为祸阶”，是很有见地的。载《三国志·鲁肃传》注引《吴书》。

② 《三国志·鲁肃传》。

③ 《三国志·关羽传》。

④ 《三国志·吕蒙传》。

⑤ 《三国志·关羽传》。

⑥ 《三国志·陆逊传》。

⑦ 《三国志·吕蒙传》。

根，相反是过分强调“跨有荆益”，两路北伐，而未把夺取益州后更要重视经营汉中及早纳入隆中战略，由于这一失策，从而导致执行有偏差。说到底丢失荆州最根本的原因是三国鼎立形成过程中错综复杂的政治、军事斗争形势造成的。荆州是刘备北伐中原的前进基地，蜀国“得则保其疆域，失则只成坐困”，位置十分重要。荆州地处吴国上游，是它立国的门户。吴国得不到荆州，在同盟中只能当配角，所以它是要尽全力来争的。这就是当时斗争的总形势。一纸同盟条约怎能掩盖这生存攸关的利害冲突？公元215年，刘备若不以武力去争江南三郡，他本来可以早得汉中，增强实力，吴、蜀同盟的破裂也不至于如此之快。孙权尚能借荆州给刘备，刘备取得益州后不主动去谈判，却用武力去争江南三郡，在政治上是失计的，荆州已失，刘备还要去争，更是错上加错，无可救药了。总体上说，隆中路线虽有失着而大方向是正确的，也是十分精细的。但正确的路线还必须正确地去执行。任何完善的计划都不能包容错综复杂的斗争形势的实际发展，只能因势利导，去争取胜利。由于刘备僵化地执行隆中路线，对于荆州的丢失应负主要责任。关羽北伐与调孟达北上，当然都是奉刘备之命执行的。关羽北伐失败与曹操发动赤壁之战一样，既是在条件不成熟时的轻躁冒进，也是在发展顺利的形势之下利令智昏而丧失了理智的表现。从这个意义上说，三国纷争的历史也是值得认真总结的。

（原载《江汉论坛》1981年第2期。本文后半部分，这次入集时作了较多补充）

三国形成时期的外交

三国形成时期的外交，系指从公元 207 年诸葛亮提出隆中路线，规划孙刘结盟抗曹起，到公元 229 年吴蜀订立中分天下盟约止，前后 23 年。其特点是，密切配合三方争夺荆州的军事斗争，成功地使“人谋”规划的鼎足三分变成了现实，它以历史走了曲折的道路而大放异彩，是我国古代列国外交史上的一枝奇葩。

一、围绕争夺荆州的曹孙刘三方策略

东汉末年，军阀混战，形成了群雄割据的局面。曹操在北方经过了十九年的征战，先后翦除了陶谦、吕布、袁术、袁绍等军阀集团，基本上统一了北方。建安十二年（公元 207 年），曹操北征乌桓凯旋，清除了南下的后顾之忧，全国统一的趋势日渐明朗。当时全国还有六大军事集团。北方三大集团：曹操雄踞中原，关西有马腾、韩遂，汉中有张鲁。南方三大集团：长江上游益州有刘璋，中游荆州有刘表，下游江东有孙权。这六大军事集团中，曹操最强，已占有天下之半，“拥百万之众，挟天子而令诸侯”，其他任何一个集团都不足以与之单独对抗，曹操具有统一全国的势头。

从六大军事集团所处的地理位置来看，荆州处于四通的战略要地。诸葛亮说："荆州北据汉沔，利尽南海，东连吴会，西通巴蜀，此用武之国。"① 鲁肃说："夫荆楚与国邻接，水流顺北，外带江汉，内阻山陵，有金城之固，沃野万里，士民殷富，若据而有之，此帝王之资也。"② 蜀将甘宁归吴，也对孙权说："南荆之地，山陵形便，江川流通，诚是国之西势也。"③ 荆州地理位置的重要性，还可以从三国以后南北对峙政权的攻守中得到证明。南北朝对峙，荆州轻重，终六朝之世，系举国之安危。南朝荆襄镇将，资实甲兵，居全国之半。北宋覆亡，宋高宗南渡，由于荆襄固守，得以保守半壁河山一百余年。北方统一南方，总是用兵荆襄。南方政权，丢失荆襄，也就随之灭亡。所以顾祖禹总括说："盖江陵之得失，南北之分合判焉，东西之强弱系焉，此有识者所必争也。"④ 所以，袁术据淮南，首先就是争荆州，孙坚为之丧身襄阳。曹操挟献帝都许昌以后，连年进攻荆州，因北方未平而未得手。曹孙刘三方，谁占领荆州，谁在实力上就可以得到很大的增强。曹操占领荆州，逼降孙权以统一天下；孙权占领荆州，要全据长江与曹操抗衡；对于刘备来说，荆州是立身之地，藉此而居以待天下之变。荆州成了曹孙刘三家逐鹿中原的冲要，它的归属将影响历史步伐的节奏。

建安十二年（公元 207 年）十一月，诸葛亮发表隆中对策，替刘备制定的战略方针，首要的目标就是夺取荆州，然后西进益州，东联孙吴，北拒曹操。刘备长期驻屯荆州，"总揽英雄，思贤若渴"，有诸葛亮、关羽、张飞、赵云等文武相助，加之近水楼台，最有利于夺取荆州。但以兴复汉室为己任的刘备，从有大恩于己的同姓手中夺地盘，名不正言不顺，最为天下之忌，刘备需要等待时机。但曹、孙两方岂容枭雄刘备从容得荆州，他们都

① 《三国志·诸葛亮传》。
② 《三国志·鲁肃传》。
③ 《三国志·甘宁传》。
④ 《读史方舆纪要》卷七八。

积极准备抢夺荆州。东吴智囊鲁肃，替孙权划策，趁“北方多务，剿除黄祖，进伐刘表，竟长江所极，据而有之，然后建号帝王，以图天下”①。建安十三年（公元208年）春，孙权建柴桑行营，亲自统兵抢先发动荆州之战，一举歼灭江夏黄祖，打开了荆州的东大门。与此同时，曹操作了充分的准备，也于公元208年春在邺城作玄武湖训练水军。七月，他率三十万大军南下②，这是他征战以来最大的一次军事行动，志欲一举定江南。刘表也预感到荆州继袁氏灭亡之后次当受兵，二子又不睦，军中各有彼此。刘备从新野移驻樊城，伺机而动。刘表面临内忧外患而束手无策，忧愤成疾。曹军南下，声势浩大，刘表被吓死，其次子刘琮继任荆州牧，不战而降。曹操只用了三个月的时间，兵不血刃下荆州，大大发展了统一的形势。刘备败于长阪，已失基地，凄凄惶惶无所依归。关西的马腾、韩遂已被笼络，益州牧刘璋遣使张松纳款请降，这时只有江东的孙权还在观望。当时曹操并没把这个二十七岁的江东青年看在眼里，谁曾料竟是这个江东碧眼儿青年，改写了曹操的履历，改写了历史的进程。正是由于孙权明智练达的决策，使曹操在赤壁栽了一个大跟斗，从用兵如神的巅峰跌落下来，再没有力量跨越长江天险而饮恨九泉。赤壁战后五年，建安十八年（公元213年），曹操再次兴师四十万南下，进军濡须口与孙权交战，又一次碰了硬钉子，曹操算是折服，他喟然叹曰：“生子当如孙仲谋。”③

曹操、孙权、刘备都有统一天下之志，所以他们各自的战略方针有一共同点，都把夺取荆州列为首要的战略目标。三国形成时期的军事、外交斗争，可以说就是曹孙刘三方对荆州的争夺。三方战略正是由于有争夺荆州这一共同点而互不相容。从公元208年至219年的十年之间，荆州三易其主。首为曹操所有，次为刘备所得，最后归孙权。荆州归吴，形成了三分的地理均势，使得一个已经趋向统一的历史局面改变了方向，减慢了节奏。这

① 《三国志·鲁肃传》。
② 《三国志·诸葛恪传》。
③ 《三国志·吴主传》裴注引《吴历》。

是"人谋"的智慧演出的多幕波澜起伏的历史活剧。曹操、刘备、孙权、诸葛亮、鲁肃都是这场历史活剧的主要演员。孙权以他的高超演技，成为这场多幕历史活剧的主角和总导演，他的成功，可以给我们以深刻的启迪。诸葛亮和鲁肃只是这部历史话剧的编剧和副导演。

二、曹操的强权外交断送了统一之势

曹操兵不血刃下荆州，志骄意得，听不进谋臣的意见，不礼遇益州使者张松，张松返蜀劝刘璋绝曹亲刘备，曹操的骄矜替刘备入蜀开通了道路。他不纳贾诩之言，休整荆州士众，恢复经济，稳步进取，而冒进赤壁。曹操给孙权下了一道战书："近者奉辞伐罪，旄麾南指，刘琮束手，今治水军八十万众，方与将军会猎于吴。"[①] 曹操先声夺人，孙权得书以示群臣，莫不失色。孙权柴桑行营，一片主和声。肩负萧何之任的张昭是主和派的首领。他从政治、军事、地利诸方面论证抗曹必败的投降理论，结论是："愚谓大计不如迎之。"[②] 这说明曹操的心理战，先赢一着，起到了动摇江东柴桑行营抗敌决心的作用。但是曹操犯了一个大错误，他低估了孙刘两家久经沙场的少壮派的抗敌决心，尤其是低估了孙权的明智练达和果决。赤壁之战当年，孙权二十七岁，诸葛亮二十八岁，周瑜三十四岁，鲁肃三十七岁。这些人的胆略智慧，曹操还不十分了解，他误以为凭战胜之威，加上虚张声势就可以吓倒孙吴。恰恰相反，曹操的强权外交把孙刘两家撮合起来。当曹操正做着孙权杀刘备归顺的美梦时，却在赤壁碰上了孙刘联军的冲击。这一当头棒喝，打破了曹操的美梦，使他不敢在水上恋战，引退江北，把长江天堑又还给了联军。周瑜利用水上优势，加上火攻，使曹操遭到了用兵以来的第一次惨败，联军获

① 《三国志·吴主传》裴注引《江表传》。

② 《资治通鉴》卷六五。

得了巨大的胜利，遏止了曹操的统一势头，使形势发生了逆转。赤壁战后，孙权借荆州给刘备，奠定了三国的鼎立之势，这又出曹操的意料，他听到这消息，“方作书，落笔于地”①。

孙刘联盟，互为犄角，呈现出一派勃勃生机。公元 212 年，孙权作濡须坞，公元 214 年又攻下皖城，筑起了巩固的江北边防，尽有长江之险。公元 214 年刘备得益州，有了立国根基。公元 215 年刘孙争荆州南三郡，蜀兵东下。曹操趁机进兵汉中，占了便宜。但是这一次曹操仍未掌握好火候，又失之于早，成全了两家和解。孙刘中分荆州，又协同作战，孙权围合肥，刘备取汉中，曹操东奔西突，疲于奔命，只好临江而叹，逾秦岭而生畏。当曹操荡平汉中之时，益州震动，“一日数十惊，备虽斩之而不能安也”②。谋士刘晔、司马懿都劝曹操乘胜取蜀。曹操不从，解嘲地说：“既得陇，复望蜀？”③ 率军而回。曹操得陇不望蜀，“非其智不逮而力不足也”④。其一，鉴于赤壁之败，不肯弄险。其二，知孙刘已和解，孙权必在东方有所动作。他曾在进军西征之时就派护军薛悌给合肥守将张辽等送去密计。曹操已体味两线作战的后果，匆匆撤军。

建安二十五年（公元 220 年），曹操病殁，曹丕利用孙刘相仇，黄袍加身，充分利用了天时，完成了代汉，历史给曹魏又一次带来了统一的时机，可惜的是曹丕又志骄意得，重蹈乃父昔日进兵赤壁时的错误，玩弄强权外交，再一次葬送了统一的时机。

三、刘备的僵化外交夭折了隆中路线

隆中路线的政治目的是“兴复汉室，还于旧都”，而并非鼎足三分。总路线分为两步，第一步夺取荆益，以成鼎足之势，目

① 《三国志·鲁肃传》。

② 《三国志·刘晔传》裴注引《傅子》。

③ 《资治通鉴》卷六七。

④ 《三国志·法正传》。

的是建立两路北伐的基地。第二步北伐，荆州之军向宛洛，益州之众出秦川，这是隆中路线的军事策略。联孙抗曹，这是隆中路线的外交策略。王夫之批评两路北伐的规划说："善取天下者，规模定乎大全，而奇正因乎时势。"他认为诸葛亮此谋是"资形势以为制胜之略也"，"以有恃而应无方"，"非操之敌矣"[①]。所谓"有恃"，指过分倚重荆益的形势，而不能因时变化；所谓"无方"，指曹操的"任天下之智力，以道驭之，无所不可"。王夫之的批评不完全适用于诸葛亮，但对于刘备是完全符合的。当刘备寄人篱下之际，无力与孙曹抗衡，诸葛亮劝刘备取荆益，资其形势以为进退是完全正确的策略。两路北伐的规划本身并无错误，问题在于刘备向孙权借了荆州，这是一个新情况。刘备取了益州，孙权索讨，荆州就成了两国交争的导火线。荆州不仅是军事要冲，北伐的基地，它对于吴国来说还是上流门户，吴国将用全力来争。蜀国在力量未壮之时，要保全荆州，有上中下三策可选择。上策是还荆州，全力北图关中；中策是运用外交手腕缓吴之攻，待到力量壮大使吴国不敢来攻；下策是用武力捍卫，不惜同盟破裂。事非迫不得已，不能取下策。而刘备恰恰选择了下策，与孙权争江南三郡；更为可悲的是，他又执迷不悟，复仇东伐。诸葛亮反对伐吴，有史可稽。当刘备败还白帝后，诸葛亮无限感慨地说："法孝直若在，则能制主上，令不东行，就复东行，必不倾危矣。"[②] 这并非事后感叹，事前已有大臣谏诤，当包括诸葛亮在内。赵云谏诤说："国贼是曹操，非孙权也，且先灭魏，则吴自服。操身虽毙，子丕篡盗，当因众心，早图关中，居河、渭上流以讨凶逆，关东义士必裹粮策马以迎王师。不应置魏，先与吴战，兵势一交，不得卒解也。"[③] 赵云反对东出，因为这不仅是轻重倒置，而且破坏了隆中路线联吴的外交策略。黄权在军事部署上也提出了意见，他认为刘备一国之尊，只宜后镇，由他打先锋，刘备也听不进去，一个劲地蛮干。是刘备丧失了理智了吗？

---

① 《读通鉴论》卷九。

② 《三国志·法正传》。

③ 《三国志·赵云传》裴注引《赵云别传》。

当然不是。曹丕曾下令群臣讨论刘备会不会为关羽报仇，众议以为蜀汉国小力弱，无缘复出。刘晔独持异议，认为刘备必东伐，一为关羽复仇以示重义；二为扬威自强，“势必用众以示其有余”①。这把刘备的心理和盘托出。他以正统自居，骄狂自大，自认为能够打败东吴，夺回荆州。谁料到一败涂地，追悔莫及。刘备惨败，无颜见蜀中父老，不回成都，病故永安。

刘备的固执与专断，由来已久。早在建安二十年（公元215年），他不北争汉中，得地、得民、得人物，而走与孙权争江南三郡，出此下策，大失道义。鲁肃当面责数关羽：“豫州私独饰情，愆德隳好。斯盖凡夫所不忍行，而况整领人物之主乎！”质问得关羽无言以对。鲁肃还进一步剖析利害说：“肃闻贪而弃义，必为祸阶。吾子属当重任，曾不能明道处分，以义辅时，而负恃弱众以图力争，师曲为老，将何获济？”② 曹操奉行强权外交，一凭实力，二凭挟天子以令诸侯，名正言顺。就这样，曹操引来了孙刘两路夹攻，穷于应付，更何况刘备“负恃弱众以图力争”，根本没有两线作战的力量，自然比曹操还要危险。刘备与孙权争江南三郡的结果，中分荆州，以湘水为界，长沙、江夏、桂阳东属；南郡、零陵、武陵西属。江夏本为孙权所有。孙权索江南三郡为长沙、桂阳、零陵，以与所借出的南郡相值。中分和约实质以长沙、桂阳两郡抵偿南郡，孙权退出诈取的零陵。刘备以兵戎相见只索还一个零陵，实在不值。所以廖立批评说，刘备争南三郡，不仅“徒劳役吏士，无益而还”，而且“既亡汉中，使夏侯渊、张郃深入于巴，几丧一州”③。后来刘备虽然得了汉中，但只得其地而失其民，曹操移汉中民八万余口，移武都氐五万余落以实关中，捍御蜀汉，汉中人物尽为曹操所有。刘备打了一场消耗战，丧失大将吴兰等，付出了沉重的代价。刘备北定中原的外部环境有赖同盟，而刘备却亲手把它破坏，播下了失败的种子。关羽在同盟出现裂痕之时北伐，更是一种冒进，是典型的“负恃弱

① 《三国志·刘晔传》。
② 《三国志·鲁肃传》裴注引《吴书》。
③ 《三国志·廖立传》。

众以图力争”。用廖立的话说，就是“羽怙恃勇名，作军无法，直以意突耳”。同时刘备又从荆州抽走了孟达，使荆州成了一座空城。刘备既委孟达去攻上庸，却又信人不专，派养子刘封去监军，造成刘、孟二将不和，荆州告急，坐视不救。这都是刘备固执与专断，造成的一连串失策，夭折了隆中路线①。

刘备执着于荆州的寸土必争，又死抱正统的名分不放，因而在外交上陷入了僵化。从正统的名分上来看，关羽讨贼，孙权袭杀，于名分大义，天理不容。刘备问罪，道义上是站得住脚的。但从天下分裂，逐鹿中原的立场看，荆州本是东吴将士争得，讨还荆州，同仇敌忾，并无不义。从形势上看，刘备不度德不量力，不分主次，一意孤行，可以说是不识时务。诸葛亮就豁达得多，他以身许汉，一心扶汉，但不那么僵化。他受遗命辅孤，办的第一件事就是恢复吴蜀同盟。公元 229 年，孙权称帝，蜀汉君臣，主张讨伐，诸葛亮力排众议，遣使陈震庆贺，与孙权订立中分天下的条约，奉行了灵活外交。诸葛亮的努力，迎来了蜀汉立国有一个安定的外部环境。并能六出祁山，北伐中原。

四、孙权的灵活外交导向三国鼎立

如果说孙权在军事上是第二流的，那他在政治和外交上无疑是第一流的。在外交上，孙权比曹操、刘备、诸葛亮都要略高一筹。孙权在不失安吴原则的前提下，奉行灵活的外交策略，在每一个历史关头，都作出了惊人的选择，一步步导向三国鼎立，使处在长江下游的孙吴立于不败之地，不负孙策所托，是一个有魄力有远见的杰出政治家和外交家。

---

① 荆州丢失，意味着隆中路线夭折，刘备应负主要责任，这只是单向的分析。全面分析，镇守荆州的关羽“刚而自矜”，蔑视孙吴，轻躁冒进，没有执行好联孙抗曹的隆中路线，负有丢失荆州的直接责任。此外，诸葛亮规划的隆中路线有失着，又对急剧变化的形势估计不足，或反应迟缓，也有一定责任。参阅本书《蜀失荆州并非“重益轻荆”》的辨析。

孙权的第一个果敢决策是借荆州给刘备，树操之敌，屏蔽东吴。当刘备奔吴之时，其众“不当一校，计穷虑极，志势摧弱，图欲远窜”①，不被人看重时，孙权却认为“非刘豫州莫可以当曹操者”，采纳了鲁肃和诸葛亮的建议，毅然与刘备结盟，败曹操于赤壁，又资之以土地，使曹操大吃一惊。

孙权联刘，就意味着他修正全据长江的基本国策，而谋求鼎足三分，看起来是一个退步，实际上是在新形势下的一种前进。孙权全据长江的前提是“北方多务”，而现在曹操已统一北方，志在吞吴，应时变化，修正立国路线，正是识时务的俊杰。王夫之说：“兵之初起也，群雄互角，而操挟天子四面应之而皆碎。此无异故，吕布倏彼倏此而为众所同嫉，袁术则与袁绍离矣，袁绍则与公孙瓒竞矣，袁谭、袁尚则兄弟仇杀矣……刘表虽通袁绍，则视绍之败而不恤矣，皆相灭以授曹氏之灭之也。”② 这是现实的教训。孙权精通历史，至于晋文合宋、齐以败楚，乐毅结赵、魏以破齐，汉高连韩、彭、英布而摧项，往事之师，不仅是诸葛亮、鲁肃奉为楷模，孙权也筹之熟而执之固。所以周瑜、吕范等大臣都不能乱其心，移其志。孙权答应诸葛亮鼎立的订盟条件，并在打了胜仗之后履行盟约借荆州给刘备，这是向弱者作出让步，没有卓识明睿的战略眼光，是难以做到的，这正是孙权的不平凡处。

孙权的第二个果敢决策是称臣于曹魏，袭杀关羽，夺回荆州。刘备入川，孙权就招回其妹孙夫人，为讨回荆州埋下伏笔。刘备取得益州，孙权只索讨江南三郡，极有分寸。可惜的是刘备、关羽不识大体，以兵戎相见，破坏了同盟，促使孙权下决心夺回荆州。为了不陷入两线作战，孙权卑恭屈节称臣于曹魏。早在建安二十二年（公元 217 年）孙权就“令都尉徐详诣曹公请降，公报使修好，誓重结婚”③。建安二十四年（公元 219 年），关羽围樊，震撼荆襄，孙权认为时机已到，于是“笺与曹公，乞

① 《三国志·鲁肃传》裴注引《吴书》。

② 《读通鉴论》卷九。

③ 《三国志·吴主传》。

以讨羽自效”[①]，接着又“上书称臣，称说天命”[②]。曹丕称帝，孙权“使命称藩，及遣于禁等还”[③]，接受吴王封号，以殊礼待魏使邢贞。曹丕求索雀头香、大贝、明珠、象牙、犀角、玳瑁、孔雀、翡翠、斗鸭、长鸣鸡，孙权“皆具以与之”[④]。东吴大臣都深以为耻，徐盛等涕泣横流，认为曹丕求索过甚，吴不应受封。孙权以昔沛公受项羽封为汉王为辞，“此盖时宜尔，复何损邪?”[⑤]又说曹丕所求，“于我瓦石耳，孤何惜焉?”[⑥]

孙权不仅决策果断，他的外交手腕也十分高明。于禁的护军浩周被俘在荆州，孙权放还时特意拉拢。浩周回许后以阖门百口担保孙权诚心效顺。魏文帝黄初二年十二月（公元 222 年 1 月），浩周随邢贞使吴，带去文帝口信，向孙权征质子，封孙登为万户侯。征质子是真金火炼的考验，孙权拒绝将遭到魏蜀夹击；答应则要受制于人，真是进退维谷。但孙权自有他的妙策。他在浩周面前感动得“流涕沾襟”，临别时又“指天为誓”。孙权托浩周在文帝面前美言，推说孙登年幼，不懂礼节，上书辞封，稍长即送子入质，还说要宗室孙长绪伴送，派大臣张昭为傅。又托浩周为红娘，在曹魏宗室或夏侯氏中为孙登择媳。孙权的表演惟妙惟肖，使浩周深信不疑，魏文帝曹丕也被蒙混一时。浩周一走，孙权立即宣布立孙登为王太子，以此来杜绝曹丕征质。黄初三年（公元 222 年）六七月，吴蜀夷陵之战进入了决战。孙权为了稳住曹丕，又遣使上书，卑辞谢罪，表示十二月送质子入魏。九月曹丕遣侍中辛毗、尚书桓阶使吴征质，随即派出三路大军征吴。这时吴蜀战争业已结束，孙权有恃无恐，临江拒守。为时近一年的质子之争，终于以干戈相向告一段落。

质子之争为孙权赢得了时间，保证了夷陵之战的胜利。孙权发动的荆州之战，前后三年，全力对蜀，未受两线夹击，反而使刘备征吴还要北防曹魏，这是孙权在外交上的最大成功。荆州归吴，三国鼎立的地理均势最后形成。我们可以毫不夸张地说，诸

---

①② 《三国志·吴主传》。

③ 《三国志·武帝纪》裴注引《魏略》。

④⑤⑥ 《三国志·吴主传》裴注引《江表传》。

葛亮隆中路线规划的三分蓝图只是一个剧目的脚本，导演三分戏成功演出的不是诸葛亮，而是孙权。

五、三国外交的得失与教训

三国外交，是特指曹孙刘三个独立的政治集团之间所发生的交往，它为实现各自的政治目的服务，尤其是着重于对现实的形势服务。因此，我们评价三国外交的得失，不能用一个统一的标准，而只能依据各自现实的政治目的来衡量他们各自所采取的策略是否得当。例如赤壁之战前夕，曹操具有统一的形势，正确的外交策略是阻止孙刘结盟，各个击破，他没有做到这一点就是失策。反过来看孙刘，他们为了生存，携手联合抗曹，取得了胜利，其外交策略就是正确的。由于三方的最高政治目的都是统一天下，这一形势决定了三国外交具有浓厚的互相利用的色彩，而没有真诚的联盟。所以刘孙之间的明争暗斗以及公开交战都是顺乎自然的。但总体形势决定了孙刘联盟才能生存，所以三国外交，其主旋律是孙刘联盟阻挡曹操的统一，以成鼎立之势，而后观天下之变。所谓“鼎立”就是保持三方之间的力量均衡，这可称之为均衡外交。吴蜀小国，连体相依，所以金戈铁马之后，仍能握手言和。魏吴联盟只是短暂的互相利用，因为小国与大国结盟是不平等的依附，随时都有被吞灭的危险。孙权附魏，称臣纳贡，坐卧不宁，这种联盟是不能持久的。这说明，外交的灵活有一定的限度，它不是“人谋”可以任意设计的，最终要受到形势的制约。高超的外交艺术能因势利导，取得胜利。

曹操、刘备都是第一流的政治家。他们有魄力，有智慧，在三方斗争中善于化被动为主动，打出了不少好牌。曹操在与刘备争夺汉中之战失败以后，改变了策略，挑动吴蜀火并，由进攻转为防御，让孙权腾出手来去进攻关羽。曹操的这一手，收到了预期的效果，削弱了吴蜀，摆脱了困境，保持了曹魏的优势。刘备在困境时也表现了智勇兼备的外交才能。建安十五年十二月（公元211年1月），他深入虎穴，求借荆州，诸葛亮曾加以劝阻，预料周瑜等人会设陷阱。果然周瑜和吕范都劝孙权软禁刘备，作为人质，挟制关羽、张飞驱驰疆场。孙权不从，采纳了鲁肃树操之敌的“上计”，刘备才幸免于难。数年后，刘备仍心有余悸，对庞统说，他料孙权“所防在北，当赖孤为援”[①]，才计出险途的。刘备此行虽险，但对于局势的分析却了如指掌，好似战场用奇兵，走棋出奇着，死中求活，得其所愿，表现了他的大智大勇。随后，刘备阻挡孙权伐蜀，权谋也运用得十分高超。先是推说新据诸郡，“未可兴动”，不与孙权合作。孙权说，刘璋不武，恐失益州，危及荆州。刘备回答，曹操志在吴会，同盟不宜自相攻伐。孙权不听，遣孙瑜率军独进。刘备以自己与刘璋同宗为辞而代璋请罪，同时进行军事部署，“使关羽屯江陵，张飞屯秭归，诸葛亮据南郡，备自往孱陵”[②]，进退有节，有理有据，有实有虚，孙吴君臣，无如之何。但是曹操败于葛鲁之谋，刘备输于吕蒙之手，都是在自己鼎盛的时候遭到突然的挫折，不能不使人深思。曹操进兵赤壁，未能料到孙刘结盟；刘备命关羽北伐，没有料到吕蒙偷袭，根本原因就是因胜利而骄矜，放松了外交斗争。刘备得蜀，不把同盟放在眼里，寸土不让，以力相争，这是不得人心的。孙权愤然作色骂刘备：“猾虏乃敢挟诈！”决定以武力强索荆州，这是刘备黩武而招致的外交失败。复仇东伐，越陷越深。这一教训是深刻的。

三国之间的矛盾，蜀魏两国有正统与僭伪之分，因此是不可调和的。蜀国小力弱，需要结援孙吴才能对抗曹魏。孙吴是异军突起，可秦可楚。地理位置处于全国形胜的下游，联蜀才可立国，附魏只能称臣。如果蜀亡，或者魏亡，吴国都将失去独立地位。这种政治形势和地理环境决定了吴国外交的摇摆，时而向敌称臣，时而以友为敌，魏强则联蜀，蜀强则附魏，顺应形势，求得生存和发展。鼎立均衡是吴国生存的最佳环境，因此是孙吴君

① 《三国志·庞统传》裴注引《江表传》。

② 《三国志·先主传》及裴注引《献帝春秋》。

臣致力追求的政治格局。孙权的屈身忍辱，陆逊的及时退防，都是为此。

最后，我们来纵观一下三国外交，看孙权的历史作用。“鼎立”的均衡路线是诸葛亮和鲁肃提出的，但葛鲁之谋的目的不是谋求割据，而是替弱者规划逐鹿中原的善计。正由于此，葛鲁之谋并非逆统一的历史潮流而动，是值得肯定的。吴蜀联合攻魏，一东一西，迫使曹操处于守势，大国的地广人众和兵精粮足经不起在几条战线上同时作战，这些优势全都化为乌有。当关羽围攻襄阳之时，如果孙权在东，全力向北，一支出合肥，一支取徐州，刘备在西，率益州之众以出秦川，曹操是无法应付的。如果吴蜀取得全线胜利，蜀得关中、襄阳；吴破合肥、徐州，或者这四个方向只取得一半的胜利，都将使中原震动，人心倒向，从而打破平衡，使曹魏陷于危局，三国的历史就会重写，这才是葛鲁之谋的全面实现。曹魏灭亡，吴蜀再争天下，鹿死谁手，那也是难以逆料的。孙权背谋，虽得荆州，演成鼎足之势，小国自相残杀，大国渔利，吴蜀均不免灭亡命运，可以说这也是孙权之失，眼光未免短浅。但是外交决策只对当前的形势负责，而孙权的果决行动使吴国得到了最大的实利，我们不能不承认孙权是计高一筹的外交家。三国鼎立形成的过程中，孙权起了最重大的作用。正由于此，孙权被学术界误认为只是一个求偏安的庸主，看不见他问鼎中原的壮志，是不妥当的。

（原载《学术月刊》1987 年第 9 期）

附表：三国外交纪年

（一）第一阶段（公元 207 — 214 年）刘孙结盟，赤壁败曹，奠定了鼎足之势。

建安十二年（公元 207 年）：

十一月：诸葛亮发表隆中对，说备取荆、益，联孙抗曹。

建安十三年（公元 208 年）：

春：孙权建行营于柴桑，抢先发动荆州之战，一举灭黄祖。

七月：曹操率三十万大军南征荆州。

八月：（1）刘表卒，次子琮为荆州牧，举州降曹。

（2）曹操败刘备于长阪，进兵江陵。

（3）孙权使者鲁肃说备与孙权结盟。

按：曹孙刘三方争荆州，曹操势大兵强，捷足先登，兵不血刃下荆州。

十月：（1）曹操遗书孙权，发动赤壁之战。

（2）诸葛亮使吴，订立鼎足之形的双边同盟。

（3）孙刘联军赤壁大捷，曹操北还。

按：赤壁之战推动孙刘结盟，曹操败北。

十二月[①]：（1）孙权乘赤壁大捷，自将围合肥，攻围四月，败还。

（2）张昭攻九江当涂，不克。

（3）周瑜进兵江陵，攻曹仁岁余，仁委城走，孙权以周瑜为南郡太守。

（4）刘备进兵江南，取荆州江南四郡：武陵、长沙、桂阳、零陵。

按：东线孙权不敌曹军，西线联军节节胜利。

建安十四年（公元 209 年）：

刘备屯公安，表孙权为徐州牧；孙权表刘备为荆州牧，以妹妻备。

建安十五年（公元 210 年）：

十二月[②]：（1）刘备诣京口见权，求借荆州江陵所在南郡。周瑜、吕范上疏孙权留备，权以曹操在北，疆埸未靖，不从。

（2）周瑜整众欲西取益州，不幸病卒于巴丘。

① 建安十三年十二月，时当公元 209 年 1 月。

② 建安十五年十二月，时当公元 211 年 1 月。

（3）鲁肃代瑜领兵，劝权借荆州与刘备，“多操之敌，而自为树党，计之上也”，权从之。曹操闻孙权以土地业备，“方作书，落笔于地”。

按：鲁肃主事，孙刘结盟进入蜜月。

建安十六年（公元 211 年）：

春：孙权复遣孙瑜率水军驻夏口[①]，欲与刘备共取蜀。刘备欲自图蜀，托言璋为宗室，不接受孙权的建议，孙权召孙瑜还。

八月：曹操西征，破马超、韩遂。

十二月[②]：益州牧刘璋迎备入蜀北讨张鲁。孙权迎妹归吴，而孙夫人携备子刘禅还吴，张飞、赵云勒兵截江，乃得禅还。

按：孙刘暗中斗争。

建安十七年（公元 212 年）：

九月：（1）孙权建都秣陵，改名建业。

（2）孙权用吕蒙计，夹濡须水口立坞，经营江北防线。

十月：曹操东击孙权。

十二月[③]：刘备从葭萌还军攻刘璋。

建安十八年（公元 213 年）：

正月：曹操率四十万步骑进军濡须口，孙权率众七万御之。操攻破孙权江西营，而受阻于濡须，相守月余引军还。

四月：曹操征令淮南民内移，民转相惊，自庐江、九江、蕲春、广陵户十余万皆东渡江，江西遂虚，合肥以南唯有皖城。

五月：曹操进爵为魏公。

七月：魏始立社稷、宗庙。

建安十九年（公元 214 年）：

---

① 孙瑜时任奋威将军，率水军入援周瑜图蜀，进住夏口。《三国志·先主传》裴注引《献帝春秋》。

② 建安十六年十二月，时当公元 212 年 1 月。

③ 建安十七年十二月，时当公元 213 年 1 月。

四月：诸葛亮留关羽守荆州，与张飞、赵云将兵泝流入益州，与刘备会师围成都。

五月：孙权克皖城，获庐江太守朱光及参军董和。

六月：刘备取益州，孙权问之曰："猾虏乃敢挟诈如此！"

七月：曹操举十万之众再征孙权，无功还。

按：孙刘并力，刘备得益州；孙权克皖城，筑起了江北防线。

（二）第二阶段（公元 215—222 年秋八月），吴蜀交恶争荆州，曹丕代汉，吴得荆州，形成了鼎足的地理均势。

建安二十年（公元 215 年）：

五月：（1）孙权使诸葛瑾从备索求荆州江南三郡，备不许曰："吾方图凉州，凉州定，乃尽以荆州相与耳。"权曰："此假而不反，乃欲以虚辞引岁也。"遂置长沙、零陵、桂阳三郡长吏，关羽尽逐之。权大怒，遣吕蒙督兵二万取江南三郡。

（2）刘备率兵五万屯公安与孙权争江南三郡。

七月：（1）曹操乘孙刘交恶，自将破张鲁，取汉中。主簿司马懿、刘晔说操进兵取蜀，操不从，徙汉中民八万余口实关中、洛、邺。

（2）刘备惧失益州，与孙权求和，以湘水为界中分荆州：长沙、江夏、桂阳东属权；南郡、零陵、武陵西属备。

八月：孙权率十万之师围合肥，败还。

十一月：刘备遣将军黄权与曹将张郃争三巴。张飞击破张郃，郃走还汉中，刘备还成都。

按：廖立曰："昔先帝不取汉中，走与吴人争南三郡，卒以三郡与吴人，既亡汉中，几丧一州。"

建安二十一年（公元 216 年）：

五月：曹操进爵魏王。

建安二十二年（公元 217 年）：

二月：（1）曹操征孙权，进军濡须，三月引军还。

（2）孙权遣徐详诣曹操请降，曹操回报修好，愿与孙氏再次联姻①。

四月：曹操设天子旌旗，出入称警跸。

十月：鲁肃卒，吕蒙代肃领兵镇陆口。

按：刘备争荆州江南三郡，失信于吴，孙权改变策略，靠拢曹操。

建安二十四年（公元219年）：

正月：刘备进兵汉中，击斩夏侯渊。

三月：（1）曹操亲与刘备争汉中，败还，移武都氐五万余落出居扶风、天水界。

按：刘备迟得汉中，奄有其地而丧其民。

（2）刘备遣宜都太守孟达从秭归北攻房陵，又遣养子刘封自汉中乘沔水下，统达军。

按：孟达，蜀上将，守宜都可为荆州之援。刘备调孟达北攻房陵，抽空荆州后援，又信人不专，令刘封统达军，遗患无穷。

七月：刘备自称汉中王。

八月：（1）孙权攻合肥，无功。

（2）关羽攻曹仁于樊，擒于禁。

按：孙权无功，刘、关得志，联盟危矣。

十月：孙权笺与曹操，乞讨羽自效。曹操令曹仁以弩射权书示羽，羽犹豫不能去。

十二月②：（1）吕蒙取荆州，杀关羽。

（2）曹操表孙权为骠骑将军，领荆州牧，封南昌侯。

（3）孙权遣校尉入贡，又遣朱光等归，上书称臣于操，称说天命。

建安二十五年（公元220年）：

正月：曹操薨。

---

① 《三国志·孙策传》载，孙策定江东，曹操为了笼络孙策，"乃以弟女配策小弟匡，又为子章取贲女"。贲女与孙权为堂兄妹。此时曹操又欲与孙权联姻。

② 建安二十四年十二月，时当公元220年1月。

十一月：曹丕篡汉，改元黄初。

七月：(1) 孙权遣使奉献。

(2) 孟达与刘封不协，达以上庸降魏；刘封还成都，赐死。

(3) 曹丕称帝，建国号魏。

按：关羽骄矜失荆州。曹丕趁吴蜀交恶代汉。

魏黄初二年、蜀章武元年（公元 221 年）：

四月：(1) 刘备称帝。

(2) 孙权都鄂，改名武昌。

七月：刘备自将八万东征，孙权遣使求和，备不许。

八月：孙权遣使称臣于魏，卑辞奉章，送于禁等还。

十一月：(1) 魏使邢贞抵鄂，拜权为大将军，封吴王，加九锡。随员浩周带曹丕口信与权，征质子。

(2) 孙权遣都尉赵咨使魏致谢。曹丕求雀头香、大贝、明珠、象牙、犀角、玳瑁、孔雀、翡翠、斗鸭、长鸣鸡，孙权皆具与之。

十二月[①]：曹丕封权子孙登为万户侯，征以为质。孙权遣西曹掾沈珩入谢，并献方物。权以登年幼，上书辞封，以登为王太子。

魏黄初三年、蜀章武二年、吴黄武元年（公元 222 年）：

正月：吴将陆逊统兵五万拒刘备于夷陵。

闰六月：陆逊大破刘备于夷陵。

八月：陆逊回军布防于江。

按：刘备复仇东伐，孙权委曲求全于魏以避免两线作战。曹丕征质，孙权虚与委蛇。

（三）第三阶段（公元 222 年九月—229 年），吴蜀重新结盟，孙权称帝，订中分天下盟约，形成南北对峙的鼎足之形。

魏黄初三年、蜀章武二年、吴黄武元年（公元 222 年）：

① 黄初二年十二月，时当公元 222 年 1 月。

九月：（1）魏遣侍中辛毗、尚书桓阶使吴，与权盟誓，并责质子，吴王孙权辞让不受。

（2）曹魏三路大军征吴，孙权临江拒守。

十月：（1）孙权卑辞上书，求自改励。曹丕报曰："登身朝到，夕召兵还。"

（2）孙权改元黄武。

十二月：曹军无功退还。

十二月[①]：吴使太中大夫郑泉聘于蜀，蜀太中大夫宗玮报吴，吴蜀复通。

按：魏吴为时一年的质子之争，以兵戎相见告结束；吴蜀重又通好。

魏黄初四年、蜀章武三年、吴黄武二年（公元 223 年）：

四月：汉主刘备殂于永安，诸葛亮受遗命辅后主，改元建兴。

八月：邓芝使吴，说孙权绝魏，专与汉连和。

魏黄初五年、蜀建兴二年、吴黄武三年（公元 224 年）：

五月：吴王孙权使张温聘于汉，自是吴蜀信使不绝。

魏太和三年，蜀建兴七年，吴黄武八年（公元 229 年）：

四月：孙权称帝。诸葛亮遣卫尉陈震使吴，贺权称尊号。吴蜀订中分天下盟约，以豫、青、徐、幽属吴；兖、冀、并、凉属汉，其司州之土，以函谷关为界。

按：刘备死，蜀汉僵化外交结束；诸葛亮主政，奉灵活外交，与吴通好，形成南北对峙的鼎立局面，而后六出祁山。

① 此为魏黄初三年十二月，时当公元 223 年 1 月。

论 曹 操

曹操是人们所熟知的英雄人物，说他是三国时代最杰出的政治家、军事家、文学家当之无愧。但曹操也是那个时代最阴险毒辣的弄潮儿，奸险诈伪之术，登峰造极。作为开创一代伟业的正面历史人物的曹操，《三国志·武帝纪》有比较客观的记载，陈寿称赞他是“非常之人，超世之杰”。在小说和戏剧舞台上，作为反面历史人物的曹操，再现了他的阴暗面，也是人们认识历史的一面镜子，本是他自己写成的历史，并非是历代统治者的“敌性宣传”[①]。可以说曹操是历史上最典型的两重性人物，所以人民才选择了他作反面教员，认识专制帝王和狡诈权臣的丑恶面目，启迪对历史的反思。曹操篡汉，司马懿篡魏，为什么人民选择曹操而不选择司马懿作反面教员，岂不是意味深长么！北宋苏东坡在其笔记《志林》里就记载了当时街巷小儿听说书，听到曹操打败仗就兴高采烈，听到刘备打败仗就伤心落泪。可见曹操历来就是不受人民喜欢的。公元189年，曹操反董卓，逃出洛阳，间行东归，因疑心而杀故人吕伯奢一家八口，并说出“宁我负人，毋

① 郭沫若：《替曹操翻案》，载《曹操论集》，三联书店1960年版。

人负我”的话[①]，谁个听了也会不寒而栗。可是1959年，郭沫若撰写《替曹操翻案》等文章，把曹操描绘成了一千七百年前古代人民的解放者，说什么“曹操虽然打了黄巾，但没有违背黄巾的目的”；曹操打乌桓，“应该被称为一位民族英雄”、“重生父母”；曹操杀人，“应该根据历史事实重新考虑”，他是“很能够体贴民情，而收揽人心的”[②]。在学术界掀起了一场为曹操翻案的轩然大波。从此，对于曹操的评价趋于复杂化。本文意欲立足于翻案风波的事外来立论，是不可能了。由于评论曹操的文章很多，若将其功过是非逐一评述，也语多重复。因此，本文打破常规的论述方法，集中讨论以下四题：第一题，以陈寿的《武帝纪》为基础，简明地追述一下历史人物曹操的足迹，带传记性质，提供评价曹操的历史资料；第二至第四题，就郭文所提出的打黄巾兴屯田、征乌桓，以及杀人问题作一些史事辨析，以就正于时贤。

一、陈寿以实录的笔法，较为客观地记述了曹操一生的足迹

谭其骧先生在《论曹操》一文中指出[③]：替曹操“恢复名誉”、“翻案”，这字眼用得不妥。因为替某人翻案，“无论正翻反也好，反翻正也好，总得新的评价和旧的评价完全相反或基本相反，才算得上“翻案”，而曹操历来就有很多人说他坏，却也有不少说他好的，所以评价和肯定曹操，不是翻案。谭先生的这一段议论是非常深刻的。“恢复名誉”、“翻案”，用得妥不妥，不是一个字眼用法之争，而是对历史人物要不要实事求是地评价的问题。用“翻案”字眼评价曹操，不仅仅是对尊者贤者饰讳而已，而是颠倒是非，硬要把曹操的虐政说成美政，把他的奸险诈伪说

---

① 《三国志·武帝纪》裴注引孙盛《杂记》。

② 此所引郭文见《替曹操翻案》和《谈蔡文姬的胡笳十八拍》，收入《曹操论集》。本文所引戎笙、谭其骧、缪钺、木羽、吴泽诸时贤之文，亦载《曹操论集》。

③ 谭文载《文汇报》1959年3月31日，收入《曹操论集》。

成正大光明，在实践中带来了恶劣影响。“愈是清官愈要批判”，20 世纪 60 年代中期史学界冒出的这股邪风，可以说是肇端于替曹操翻案。教训是极为深刻的。

古代良史，多具有实录精神，陈寿以魏为正统，替曹操立本纪，着力载述武帝曹操的雄才大略，称赞他是“非常之人，超世之杰”。但在陈寿的笔下，曹操的权奸本质亦时时披露。裴松之注引的资料补充了陈寿记载的不足，善恶具载，较为客观。陈纪裴注以及《三国志》中的有关传记是我们评述曹操的原始资料。让我们循着《武帝纪》所载历史线索来看曹操本来的历史面目和他对历史的作用。

曹操生于公元 155 年，死于公元 220 年，享年六十五岁。他二十岁时被举孝廉为郎，登上政治舞台。公元 190 年，曹操三十五岁，陈留起兵讨董卓，在风云突变的汉末乱世中纵横驰骋三十年。他“挟天子以令诸侯”，统一了北方，是奠定三国鼎立的第一人物。

曹操的政治生涯可分为青年、中年、晚年三个阶段。公元 175 年至公元 189 年，曹操二十岁至三十五岁这十五年为第一阶段，此时是曹操建功立名，拼命侧身于世家大族行列的青年时期。公元 190 年至公元 209 年，曹操三十六岁至五十五岁这二十年为第二阶段，这是曹操大有作为的中年时期，在军阀混战中统一了北方，对历史作出了重大贡献。公元 210 年至公元 220 年，曹操五十六岁至六十五岁这最后十年为第三阶段，这是曹操的晚年时期，他步步逼宫，完成了篡汉的准备，自称“周文王”，扮演了一个权奸的角色。于是曹操以“治世之能臣，乱世之奸雄”而垂名汗青。

公元 175 年，曹操二十岁，被举孝廉为郎，因受父祖荫庇，历任洛阳北部尉、顿丘令、议郎。曹操在洛阳北部尉任上，造“五色棒”悬于四门，有犯禁者，不避豪右，皆棒杀之。曹操曾棒杀夜行的灵帝宠臣小黄门蹇硕的叔父，京师肃然。公元 184 年，曹操为骑都尉，率军镇压颍川黄巾，以功升任济南相。济南国辖十余县，长吏依附宦官和贵戚，贪赃枉法。民俗迷信，淫祀多达六百余祠，历任长吏都不敢禁绝。曹操上任，罢掉了八个县的赃吏，又禁断淫祀，拆毁祠屋，奸宄逃窜，一郡清平。由于触犯权贵，被征还为东郡太守。东郡为京师近郡，乃权贵横行之地。曹操恐致家祸，称疾归乡里。公元188年，灵帝建西园八校尉，曹操又被起用为典军校尉。当时金城边章、韩遂据郡以叛，曹操想为国讨贼立功，封侯拜将作征西将军，但未成行。西园军统帅是上军校尉宦官蹇硕，副统帅是中军校尉袁绍。曹操结纳袁绍，谋诛宦官。

曹操出身于宦官集团的大官僚大地主豪强大族，却走着反宦官的政治道路。由此表现了曹操的不凡。曹操祖父曹腾是历仕顺帝、桓帝、灵帝三朝的大宦官。曹操父亲曹嵩是曹腾的养子，出自夏侯氏，《曹瞒传》和《世语》都说曹嵩是夏侯惇之叔父。陈寿讳云“莫能审其生出本末”。公元200年官渡之战时袁绍发布的讨操檄文就称曹嵩为“乞匄携养”，诋毁曹操为“赘阉遗丑”。曹氏宗亲，依靠宦官，声势煊赫。曹嵩历任司隶校尉、大司农、大鸿胪，官至太尉三公。曹腾弟曹褒任颍川太守，曹褒子曹炽官侍中、长水校尉，曹炽子曹纯家资羡富，“僮仆人客以百数”[①]。曹腾的另两个侄儿曹鼎、曹瑜，也是高官。曹鼎任尚书令，曹瑜为卫将军，封侯。曹鼎之子曹洪，汉末有家兵千余人，是一个大豪强。东汉末，主荒政谬，宦官擅权，桓灵二帝连续发动勾党之狱，造成全国性的大冤狱。“自是正直废放，邪枉炽结”[②]，张让、赵忠等十常侍，封侯贵宠，父兄子弟布列州郡，暴虐百姓直接激起了黄巾大起义。宦官专政成为社会各种矛盾的焦点。郎中张钧上书：“宜斩十常侍，悬头南郊，以谢百姓。”[③] 宦官集团是汉政府一切腐朽势力的集中代表，在农民起义的打击之下是一个行将没落的阶层。曹操反对宦官集团，是符合历史潮流的。青年时期的曹操，正如他在建安十五年所下的《明志令》说的那样，“欲为一郡守，好作政教，以建立名誉，使世士明知之”[④]。

① 《三国志·曹仁传》裴注引《英雄记》。
② 《后汉书·党锢列传》。
③ 《后汉书·张让传》。
④ 《三国志·武帝纪》裴注引《魏武故事》。

曹氏宗亲虽是大豪强，但属于宦官集团，是寒族地主。曹操要在政治上崭露头角，必须侧身于世族名士的行列。所以他矫情饰志，力争赢得世族地主集团的支持。梁国桥玄、南阳何颙都十分器重他。桥玄官至太尉，称曹操为“命世之才”，并以妻子相托，又介绍他认识主持月旦评的大名士许子将。许品评曹操是“治世之能臣，乱世之奸雄”①。这两句评语既概括了曹操的能干，又道出了他的野心。由是曹操声名大振，他得到了世族地主集团的信任。公元 189 年大将军何进与袁绍谋诛宦官，曹操参决机要。袁绍杀灭宦官以后，董卓入京，擅废立，京都大乱。社会矛盾的焦点由反对宦官专政为反对董卓专权。曹操与袁绍、袁术等逃出洛阳，谋讨董卓。曹操陈留起兵，虽然势单力弱，汴水之战一败涂地，但这是顺应人心的正义之举，对于洗刷“赘阉遗丑”的污点有重大意义，也是应当肯定的。

公元 190 年关东诸侯起兵讨董卓，共推袁绍为盟主，曹操也起兵响应，进入了他逐鹿中原的中年时期。

关东军各路诸侯都想拥兵自重，就地割据，观望不进。只有孙坚与曹操两人奋力逼董卓，曹操兵败，孙坚入洛阳。董卓退出洛阳，挟献帝西迁后，东方诸侯开始了互相残杀的混战。河北、山东的黄巾也乘势而起。曹操在扬州重新募兵，得数千人，进屯河内。曹操力量单薄，无力与各路诸侯相争，于是把矛头指向黄巾军，公元 191 年，曹操进兵东郡，打败白绕率领的黑山黄巾军，壮大了自己的力量。袁绍表曹操为东郡太守，曹操有了地盘。公元 192 年，曹操又击溃魏郡、内黄等地以于毒和眭固率领的两支黑山农民军，接着又进兵兖州，大破青州黄巾军，“受降三十余万，男女百余万口”，并“收其精锐，号为青州兵”，此时曹操声势大振，自领兖州牧，成为北方的大军阀，与冀州的袁绍、徐州的陶谦在中原鼎足而立。

曹操的基本军事力量是招纳强宗豪右的地主武装。他所依重的亲兵将领如曹洪、曹仁、夏侯惇、许褚等都是谯县一带与曹家

---

① 《武帝纪》裴注引孙盛《异同杂语》。

有宗族、亲戚、同乡关系的大地主。先后归附曹操的任峻、李乾、李典等都是豪强。曹操依靠这些宗亲部曲和豪强家兵，在镇压黄巾起义过程中不断壮大自己。

作为寒族豪强地主的曹操，有一般世族地主所不及的长处。他不信天命，具有革新的思想。他知人善任，使得大批的谋臣武将都归附于他。曹操以刑杀为威，又诱之以官禄，不惜重赏，“故天下忠正效实之士咸愿为用”①。曹操手下谋臣如雨，猛将如云。世族地主多谋士，寒族地主多武将，曹操兼收并用。曹操还善于察纳雅言，不断改正自己的过失。公元 194 年，陶谦病死，曹操想乘机攻下徐州。荀彧说：“前讨徐州，威罚实行，其子弟念父兄之耻，必人自为守，无降心。就能破之，尚不能有也”②。果然，徐州人民拥戴刘备做了徐州牧。这一年曹操又杀了陈留名士边让，激起了兖州兵变。张邈与陈宫迎吕布，郡县皆应。兖州只有鄄城、范县、东阿等三县为曹操所有。从这些事件中，曹操看到了人民的力量，讲究策略，日臻完善。公元 195 年，曹操经过苦战夺回兖州，吕布东奔徐州。这时杨奉、韩暹奉献帝还洛阳。九月曹操采纳了荀彧之计，迎献帝到许都。又采纳了枣祗、韩浩的建议，始兴屯田，着手恢复经济。对世族地主采取笼络政策，邀请政敌大名士孔融、祢衡来许都做官。对人民的残戮行为也有所收敛。从此，曹操挟天子以令诸侯，在政治上占了优势，成为北方所向无敌的大军阀。

公元 198 年灭吕布。

公元 199 年灭袁术，降张绣。

公元 200 年，在官渡之战大破袁绍主力。公元 205 年灭袁谭，袁尚、袁熙奔乌桓。公元 207 年远征乌桓，灭二袁。至此，曹操统一了北方。

曹操平河北，先后发布了减收田租令，整齐风俗令，大封功臣令，这对于巩固和稳定北方的社会秩序具有积极的意义。

建安十三年（公元 208 年）七月，曹操亲率三十万大军南下

①② 《三国志·荀彧传》。

荆州，荆州刺史刘琮请降，曹操兵不血刃一鼓下荆州。胜利冲昏了曹操的头脑，他不礼遇益州使者张松，把纳款请降的益州推向刘备一边。接着曹操又发动赤壁之战，把孙、刘推向结盟，吃了败仗。曹操北还，孙权借荆州给刘备。就这样，赤壁之战拉开了三国鼎立的序幕。

从陈留起兵到赤壁之战，曹操征战二十年，赢得了辉煌的胜利，统一了北方。这是曹操对于历史所作出的贡献。尽管曹操打了黄巾，滥杀无辜，犯了许多错误，但他结束了北方的战乱，整个说来这个时期是功大于过。但曹操不听谋臣劝谏，冒险发动赤壁之战，葬送了统一天下的大好形势，这是曹操所犯的最大过错。

赤壁败还，曹操眼见得统一无望，于是一步步逼向帝宫，步入了他的晚年。

在曹操政治生涯的最后十年，公元 210 年至 220 年，尽管他仍鞍马征劳，但已失去了吞天下的锐气。他平关西，定汉中，而不敢入川。他多次南征，只是临江而止。秦岭、长江锁住了曹操的脚步，使得英雄无所用其武。一方面是孙、刘已经壮大，地形地利起了作用，这是客观的条件。另一方面，曹操的主要精力放在逼宫的内政上，他无暇顾及统一天下，只好含恨而做周文王，这是主观的因素。建安十五年，冬十一月己亥[①]（公元 211 年 1 月 1 日），曹操所下《明志令》，字面上好像是忠于汉室，实际上是一纸逼宫的宣言。"设使国家无有孤，不知当几人称帝，几人称王"，非人臣所宜言。曹操言此，已无人臣之心。公元 216 年，曹操晋爵魏王，车舆服饰用天子排场。至于对待汉天子，各种粗暴态度，无所不用其极。这一切都暴露了曹操的"不逊之志"，岂是别人"妄相忖度"？抛弃正统观念，如果曹操称王，如同曹丕代汉，司马炎代魏，尔后宋、齐、梁、陈的禅代，也未尝不可。但曹操没有这样做，他要躲在汉献帝的背后来完成篡汉的大

① 十一月己亥，即十一月二十九日。《三国志·武帝纪》裴注引《魏武故事》记载为十二月己亥，而十二月无己亥日，其"十二月"当为"十一月"之讹。

业，这就不能辞其为伪为奸了！所以历史选择曹操做反面教员，给他脸上涂上白粉，这是咎由自取。原是翻不得案的！

二、曹操打黄巾兴屯田，并没有继承黄巾起义的目的，但在客观上起了进步作用

郭文《替曹操翻案》劈头提出一个问题："打过农民起义军的曹操，是不是就应该受千秋万代的咒骂?"众所周知，传统的戏剧、小说之所以选择曹操作反面教员，既不是因为他打了黄巾，更不是因为他统一了北方，而是他奸险诈伪、残忍好杀令人可憎。郭文提出这一问题，与封建国家给予曹操镇压黄巾的褒奖有异曲同工之妙，目的在于替曹操开脱罪责，为他打黄巾辩护。

曹操是汉末镇压黄巾最得力的一员刽子手。公元192年，继破东郡、魏郡的黑山农民军之后，他又破青州黄巾于兖州寿张东，追至济北，"受降卒三十余万，男女百余万口，收其精锐号为青州兵"[①]，曹操先是剿杀，而后诱降和收编，壮大了自己的军阀势力。公孙瓒在公元191年大破青、徐黄巾三十万众于渤海东光南，"收得生口七万余人，车甲财物不可胜算"[②]，壮大了与袁绍争衡的力量。曹操打黄巾与公孙瓒等其他军阀打黄巾在本质上没有什么区别。郭文不这样看，而是认为"具有军事天才和组织本领"的曹操在"组织"黄巾，使之免掉"瓦解流离"之患，活下来了。郭文说：曹操虽然打了黄巾，但并没有违背黄巾起义的目的。黄巾起义的目的是什么呢?那就是人民"要粮食，要土地，要活下去"。曹操依靠他"组织"起来的青州兵为"起家的武力基础"，逐渐消灭了陶谦、吕布、袁绍、袁术等吃桑葚、吃蠑螺、吃人肉的郡国之师，给了黄巾土地，"组织"他们屯田，从而完成了黄巾起义的目的。

---

① 《三国志·武帝纪》。
② 《资治通鉴》卷六〇。

戎笙撰文全力以赴支持郭说，并进一步作了诠释。戎笙在《黄巾与曹操》一文中说："我觉得当时农民对土地的要求，在于'耕'而不必在于'有'。因此，把流民安置在国有土地上，不能说不符合农民的要求，因而也不能说违背了黄巾起义的目的。"

离开历史事实的"我觉得"，那就无所谓是非了。曹操打黄巾，是否"组织"了黄巾，继承了黄巾运动，这需要用历史事实来澄清。

首先，曹操诱降和改编黄巾为青州兵，并不是继承黄巾目的在"组织"农民革命军，而是改造黄巾成为地主武装，壮大自己势力。曹操在征服敌手中不断壮大自己的势力，收降了大批敌将，如于禁、徐晃、臧霸、张辽、张郃、文聘、庞德等。前已述及，曹操"起家的武力基础"，是招纳的强宗豪右部曲兵。曹操没有提举过一个黄巾将领，怎能说青州兵是曹操"起家的武力基础"呢？郭文的论点歪曲了史实根据。

再看黄巾起义的目的。郭文说是"要粮食，要土地，要活下去"，原则上并没有错，但这已是大大缩小和限制了黄巾起义的目的。公元 184 年张角起义发出的号召是："苍天已死，黄天当立，岁在甲子，天下大吉。"[①] 公元 192 年，青州黄巾遗书曹操也说："汉行已尽，黄家当立。天之大运，非君才力所能存也。"[②] 这生动地说明了黄巾起义的目的是要结束东汉的黑暗统治。曹操以汉家的奋武将军、东郡太守身分剿杀和收编黄巾，怎么能说是"没有违背黄巾起义的目的"呢？

谭其骧在《论曹操》一文中与郭文商榷，一针见血地指出："若说起义的目的是要粮食，要土地，要活下去，那得看人民在曹操政权统治之下是怎样活下去的，不能说有人活下去了，就是达到了目的（因为即使东汉王朝不倒，还是会有人活下去的，不会死尽灭绝）。农民的基本要求是土地，是耕者有其田，是轻徭薄赋，但曹操的措施是把农民编置在国有土地之上，在农官直接

---

① 《后汉书·皇甫嵩传》。
② 《三国志·武帝纪》裴注引《魏书》。

控制下进行农奴式的生产，榨取十分之五六的高额租赋，怎么能说没有违背黄巾起义的目的呢?”谭文的这段议论十分精彩，驳得很有力量。“耕者有其田”，是指黄巾要求从地主手中夺回土地，并不是指黄巾运动提出了平均地权的政纲。戎笙抓住这一句话的字面意义大作文章，说什么“农民的‘耕者有其田’的思想，是在封建社会晚期的阶级斗争中才表现出来的”，从而否认黄巾有土地要求，这是违背历史事实的。东汉此起彼伏的农民起义，就是为了要从地主手中夺回土地并反对封建依附化。在外戚梁冀专权时，广陵张婴等聚众数万人，杀刺史二千石，“寇乱扬徐间，积十余年，朝廷不能讨”。张纲为广陵太守，招降了张婴所部一万余人，“亲为卜居宅，相田畴”，从而缓和了阶级矛盾，“人情悦服，南州晏然”①。就在曹操治下，人民拥护的不是屯田制，而是那些体恤民情，给予人民土地和创造生产条件的循吏。张既为京兆尹，“招怀流民，兴复县邑，百姓怀之”。卫觊治关中，以盐值市牛犁，招抚流亡，使流入荆州的十余万关中百姓相率还归。杜畿治河东，“课民畜牸牛，草马，下逮鸡豚犬豕，皆有章程。百姓劝农，家家丰实”。苏则治金城，“与民分粮而食，旬日之间，流民皆归，得数千家”。又“亲自教民耕种，其岁大丰收，由是归附者日多”。仓慈治敦煌，迫使豪强分割土地与无地农民耕种，“民夷翕然称其德惠”②。这些官吏的治绩受到曹操的褒奖，这是应该肯定的。

现在来看曹操的屯田。缪钺在《关于曹操的几个问题》一文中说：“屯田制是将流离失所的农民组织起来，在国有的荒废土地上进行生产，由国家供给农具与耕牛，免除屯田客的兵役与徭役，而剥削量则是十分之五六”。郭沫若在《替曹操翻案》一文中断言，这是“当时百姓乐于接受”的。按诸史实，除“剥削量则是十分之五六”一句以外，其余全都似是而非，是站不住脚的。

① 《后汉书·张纲传》。

② 本节所引张既、卫觊、杜畿、苏则、仓慈等人治绩记载，均见《三国志》各本传。

曹操屯田，既不是为了安置流民，更不是“组织”黄巾重建家园，而是利用劫夺的黄巾资财，迫使精壮贫民成为为其兼并战争生产军粮的农奴，史有明载，不容歧说，《任峻传》注引《魏武故事》，“乃破黄巾定许，得贼资业，当兴立屯田”云云，并不是指“组织”黄巾屯田，而是说利用劫得的黄巾资财。那些“国有的荒废土地”和“农具与耕牛”都是黄巾的资财。就像公孙瓒破黄巾大得“车甲财物”一样。曹操破青州黄巾在初平三年（公元192年）夏四月，发布屯田令在建安元年（公元196年）冬十月，相隔五年之久，怎能是“组织”黄巾屯田？

许下屯田的“资业”，得自建安元年二月大破汝南、颍川的数万黄巾。十月枣祗、韩浩建言，曹操才下屯田令，明文规定屯田的目的是“强兵足食”以“兼天下”，载于《武帝纪》注引《魏书》。该书又载：“是岁乃募民屯田许下，得谷百万斛。于是州郡例置田官，所在积谷。”所谓“募民”就是强征贫民，尤其是那些参加过黄巾已经归农的贫民更是在劫难逃了。这哪里是“组织”黄巾！当时战乱，人民稀少，曹操屯田，安置了一些流民，这是值得称道的。但他们被沦为农奴，也是可悲的。许下屯田得益后，推广于各州郡，已是建安二年以后的事。其地区是曹操所控制的淮南、兖、豫、徐等州郡。曹操统一北方后，民屯主要置于兖、豫、司、冀四州腹地，而在与吴蜀沿边的战略要地置军屯。民屯维持到曹魏之末，司马氏篡魏，为争取民心而废置，于此可见曹魏屯田的性质，本不为民众所欢迎。

为生产军粮而屯田，并非曹操首创。公孙瓒早于曹操在兴平二年，即公元195年在易京就“开置屯田，稍得自支”[1]。后来孙权在江东屯田，诸葛亮在汉中屯田，也都是为了生产军粮而屯田于战争前沿地带。由于曹操所处的地理环境，在许下、淮南一带大规模屯田，郭沫若就误以为这是恢复生产的有效方式，而没有看清这是一种战争的经济体制。恢复北方的生产并不等于屯田。黄巾民众在流离之际尚带着耕牛农具，本来就是且战且耕，而且

---

① 《后汉书·公孙瓒传》。

在屯田之前早已在无主荒地上归农生产，何待于曹操来“组织”！

曹操“组织”屯田的实质就是用高度强化的国家机器迫使部分精壮贫民为生产军粮的农奴，加深人身依附。曹操制定的士亡法规定，士兵逃亡，“考竟其妻子”①，乃至于诛杀。民亡法规定，被征农民，“惮役而亡”，即使自首也捕杀无赦②。由此可以想见在典农中郎将军事管制下的屯田客的地位。他们既为农奴，不承担“兵役与徭役”，难道也值得称道吗？所以“民不乐，多逃亡”③，也就是十分正常的了。晋氏代魏，为了争取民心，于是解散了农奴化的屯田制。

建安十八年（公元 213 年），曹操征孙权，恐江滨郡县为权所略，征令内移，因而引起“江淮间十余万众皆惊走”④。郭文认为这是曹操出于“好心肠，但操之太切”，反而驱民投入政治更加腐败的孙权去了。有的论者认为这与屯田无关以驳郭文。事实上并非无关，而是密切相关。这些投奔孙吴的淮南民众，害怕内移为屯田民，所以才东渡的。

谭其骧定屯田制为曹操的四大罪之一，是就其对屯民的压迫而言，也可以这样说。若单言之为罪，似也失偏颇。曹魏屯田制，兴于军阀混战之际，在客观上也起了进步作用，表现在两个方面：一是组织了生产，稳定了社会秩序；二是增强了曹操兼并天下的实力。结束战乱是当时各阶级阶层人民的普遍愿望。曹操推行屯田，有这两个方面的进步意义，效果立竿见影，“数年中所在积粟，仓廪皆满”⑤，以此“征伐四方，无运粮之劳，遂兼并群贼，克平天下”⑥，即加速了北方统一的进程。同时曹操采纳了袁涣的建言之后，减轻了强行招募，也改善了对屯民的待遇，招抚了大批流亡，扩大了屯田制进步的一面。扬州刺史刘馥治合

① 《三国志·高柔传》。
② 《三国志·武帝纪》。
③ 《三国志·袁涣传》。
④ 《三国志·蒋济传》。
⑤ 《三国志·任峻传》。
⑥ 《三国志·武帝纪》裴注引《魏书》。

肥，“兴治芍陂及茄陂、七门、吴塘诸堨以溉稻田，官民有畜”①，更值得肯定。

三、曹操平定乌桓，消泯了边患，但不是反侵略，而是统一战争的必然发展

1959年关于曹操问题的讨论，对曹操平定三郡乌桓有着两种针锋相对的论点。郭文认为，“曹操的平定乌桓是反侵略性的战争”，“消泯了边患”，应该“称为一位民族英雄”。又说，曹操解救了“被俘虏去做奴隶的汉民十余万户，总有好几十万人”，“要他们把曹操当成重生父母，恐怕不会是过分的吧?”多数文章支持郭文的论点，认为平定乌桓是反侵略的战争。木羽的《曹操打乌桓是反侵略吗》，吴泽的《曹操平定三郡乌桓战争的性质和历史作用》两文提出了相反的论点，认为三郡乌桓是国内兄弟民族。曹操平定三郡乌桓及袁氏残余势力，是“统一北方的统一战争”。这两篇专论，理据充足，总的结论正确，但论证过程中亦有某些偏颇议论，仍值得商榷。本文基本支持木文和吴文的论点。曹操平定三郡乌桓，不是反侵略，而是统一战争的必然发展。“民族英雄”的桂冠不应当廉价地奉送给曹操。但是，曹操平定三郡乌桓，强制其内迁，用先进的汉族生产方式改造其游牧性，也包含着反部族战争的因素，郭文说“消泯了边患”的论点是不能否定的。过分强调三郡乌桓是国内兄弟民族，而完全抹煞乌桓对边地的侵扰掠夺，也不是历史唯物主义的观点。郭文说曹操解救了几十万被乌桓掳略的汉民，堪称“重生父母”是一种失实的夸张，但吴文认为随袁尚、袁熙逃归三郡乌桓的十余万户“吏民”，是被“驱使”的，主要是效忠袁氏的“顽固反动力量”，也是站不住脚的。

所谓三郡乌桓是指辽东、辽西、右北平郡境内的乌桓。献帝

① 《三国志·刘馥传》。

时，辽西乌桓大人蹋顿总摄三郡，“众皆从其教令”，故统称三郡乌桓。其时，上谷乌桓也赞助蹋顿。曹操平定三郡乌桓，也包括上谷乌桓。

西汉初，乌桓服属匈奴，驻牧于今内蒙古东境。公元前119年，西汉霍去病大破匈奴，移散乌桓于五郡塞外，即上谷、渔阳、右北平、辽西、辽东五郡塞外，实际是将乌桓就地展开，屏翼五郡，“为汉侦察匈奴动静”[①]。从这时起，乌桓与汉王朝在经济、政治、文化各方面发生了密切的关系，但仍居塞外，时叛时服，有的时候受到汉族统治者的压迫，有的时候又为患汉边。东汉建立，公元49年，辽西乌桓大人郝旦等九百二十二人率众九千余人归化汉朝，光武帝封其渠帅八十余人为侯王，使散居塞内辽东、辽西、右北平、渔阳、广阳、上谷、代郡、雁门、太原、朔方诸郡界，分而治之。汉置乌桓校尉领护乌桓，使内附的乌桓侯王招来种人，给其衣食，“为汉侦备，击匈奴、鲜卑”[②]。内附乌桓成为接受东汉王朝统治的国内少数民族。但是，乌桓仍聚落而居，有自己的领地，各有单于，还保持着相对的独立性。因此，在汉王朝眼里，内附乌桓只不过是归化蛮夷，与汉族仍有内外之别。反过来，我们也不能要求乌桓视汉族为老大哥。由于乌桓的游牧性，内附乌桓与塞外乌桓，以及与匈奴、鲜卑仍有千丝万缕的联系。所以在安帝、顺帝、桓帝时，渔阳等郡的内附乌桓又走出塞外，与鲜卑、南匈奴联成一气，侵扰汉边。灵帝时，东北各郡乌桓种落繁衍。乌桓大人，上谷有难楼，众九千余落；辽西有丘力居，众五千余落，皆自称王；辽东有苏仆延，众千余落，自称峭王；右北平有乌延，众八百余落，自称汗鲁王。上述四郡乌桓共一万六千余落，有数万之众，是一股很大的力量。由于乌桓各部互不统属，东汉承平日久，尚有能力控制，才没有发生边患。乌桓与汉族和平往来，互相贸易。但他们自称为王，与地方分庭抗礼，搞部族割据，创造了被野心家利用的条件。

---

① 《后汉书・乌桓传》。

② 《三国志・乌丸传》裴注引《魏书》。

灵帝中平二年（公元 185 年），汉朝征发乌桓精骑三千西讨凉州边章、韩遂，使涿令公孙瓒为将。乌桓骑兵不愿远征，加之军粮不足，行至冀中，“皆叛还本国”，乌桓与汉王朝发生了裂痕。前中山相张纯与前太山太守张举，利用这一机会，勾引乌桓大人丘力居、苏仆延等于中平四年（公元 187 年）举兵反汉。张纯自称天将军安定王，奉张举为天子，聚众十余万人，在幽州展开了激战，攻杀右北平太守刘政、辽东太守阳终、护乌桓校尉箕稠。《后汉书》及《三国志》两书的乌桓传、刘虞传、公孙瓒传等都记载着乌桓“寇掠青、徐、幽、翼四州，杀略吏民”，“钞略青、徐、幽、翼，四州被其害”的事实，不可辩驳。《三国志·武帝纪》载：“三郡乌丸承天下乱，破幽州，略有汉民合十余万户。”即使有夸大，也不能认为是子虚乌有。汉王朝征发乌桓精骑远征凉州，这当然是一种压迫。但这些精骑逃归本部以后，汉王朝并未采取报复行动。事过两年，乌桓才被二张利用的。当边地的游牧民族还未完全接受农耕生活，他们的种落膨胀以后，必然发作其固有的掠夺性，扰乱汉边。二张之利用乌桓只是起了导火线和加剧的作用，不能因此而掩盖部族祸边的战争性质。

乌桓扰边，汉朝拜刘虞为幽州牧，招抚乌桓，同时又令公孙瓒将兵征讨，剿抚并施。公元 188 年，乌桓惨败后才接受了刘虞的招抚，张纯、张举旋即败亡。但乌桓仍寇略不止，公孙瓒力战五六年，才略为平静。丘力居死后，蹋顿总摄三郡乌桓，声势复振。

公元 196 年，蹋顿助袁绍击败公孙瓒。袁绍和蹋顿和亲。公元 199 年，公孙瓒败亡，袁绍据河北幽、冀、青、并四州，为解除后顾之忧，南向以争天下，他假借朝廷名义封三郡乌桓为单于，一直保持着亲善关系。袁绍抚结乌桓是他的既定政策。他起兵反董卓时曾对曹操说：“吾南据河，北阻燕、代，兼戎狄之众，南向以争天下，庶可以济乎？”[①] 袁绍用和亲政策招抚乌桓，对乌桓和汉族两族人民都有利，无可非议。袁尚、袁熙败逃乌桓，蹋顿全力相助，这是完全可以理解的。

---

① 《三国志·武帝纪》。

官渡之战以前，袁强曹弱，曹操的战略是先吞荆州，壮大力量，再扫河北。官渡之战以后，曹操乘胜平定河北，袁氏残余势力袁尚、袁熙走入乌桓，“时幽、冀吏民奔乌桓者十万余户，尚欲凭其兵力，复图中国”[1]。面对这一形势，曹操是继续北上，还是转向南征，举棋不定。诸将皆曰：“袁尚亡虏耳，夷狄贪而无亲，岂能为尚用！今深入征之，刘备必说刘表以袭许，万一为变，事不可悔。[2]”只有谋士郭嘉提出了反对意见。他说：“公虽威震天下，胡恃其远，必不设备。因其无备，卒然击之，可破灭也。且袁绍有恩于民夷，而尚兄弟生存。今四州之民，徒以威附，德施未加，舍而南征，尚因乌桓之资，招其死主之臣，胡人一动，民夷俱应，以生蹋顿之心，成觊觎之计，恐青、冀非己之有也。表，坐谈客耳，自知才不足以御备，重任之则恐不能制，轻任之则备不为用，虽虚国远征，公无忧矣。”[3]

郭嘉分析“袁绍有恩于民夷”，而曹操对“四州之民，徒以威附，德施未加”是极为重要的情况。这对于分析逃入乌桓的十余万户幽冀吏民的原因提供了真实的背景。曹操扫荡河北，极其野蛮。且不说官渡之战，坑降八万，他进讨袁谭，“民亡椎冰，令不得降”[4]。“驱使”十余万吏民投入三郡乌桓的，不是袁尚、袁熙，恰恰是曹操。公元 204 年八月，曹操攻破袁尚老巢邺城，袁尚率残兵走中山。袁谭趁火打劫攻中山，并其众，袁尚逃依幽州袁熙。螳螂捕蝉，黄雀在后。曹操乘势席卷冀州，于公元 205 年春破斩袁谭。袁熙大将焦触、张南等叛攻熙、尚，举郡县降曹操。袁尚、袁熙急急如丧家之犬，逃奔三郡乌桓，并无多少部众。袁氏兄弟，自相残杀，不得人心，众叛亲离，曹操才不战而得幽州。这时袁氏兄弟逃命都来不及，哪有力量来“驱使”幽冀吏民十余万户投奔乌桓呢？如果袁尚、袁熙真有如此力量，乌桓蹋顿岂不忌疑如公孙康斩二袁首级以献曹操！袁氏兄弟于公元

① 《后汉书·乌桓传》。
② 《三国志·武帝纪》。
③ 《三国志·郭嘉传》。
④ 《三国志·武帝纪》。

205 年春逃入乌桓，距曹操于公元 207 年夏出征乌桓达一年半之久。逃入乌桓的十余万户幽冀吏民就是在这期间陆续追去的。正由于此，郭嘉才劝曹操先征乌桓，后下荆州。曹操权衡利弊，采纳了郭嘉之策，偷袭乌桓，一战成功，“斩蹋顿及名王已下，胡汉降者二十余万口”[①]。袁尚、袁熙及乌桓残部数千骑走辽东，公孙康斩二袁及乌桓大人楼班、乌延等，传送其首，三郡乌桓悉平。曹操移徙乌桓一万余落居中国，帅从其侯王大人种众与征伐，“由是三郡乌桓为天下名骑”[②]。

上述史实说明，三郡乌桓是内附的国内少数民族，一方面接受汉王朝的统治，另一方面又保留了自己的独立性，与汉族正处于融合过程之中。我们既不能视内附乌桓为“异族”，也不能说成是“兄弟民族”。乌桓参与汉末的内战扮演了附从的角色，是阶级矛盾与部族矛盾相交织，这也正是乌桓本身所具有的两重性历史地位所决定。先是被二张所利用，继为袁绍所招抚，最后替曹操打天下。乌桓无论帮助哪一方，都是一种悲剧。乌桓的悲剧也是那个时代的悲剧。二张利用乌桓的游牧掠夺性，纵其寇暴，直接反对统一的汉王朝，是属于扰边的部族战争。袁绍利用乌桓的内附性，给以恩义，使乌桓参与了中原的逐鹿战争。袁尚、袁熙与乃兄袁谭同室操戈，是纯属军阀的割据战争，曹操扫荡这股残余势力而进击乌桓是进行统一战争。这时乌桓正如吴文所说，“成为幽冀地方世族官僚军阀割据残余势力的集结处”，应予剿除。具体问题具体分析，这才是历史唯物主义的观点。

三郡地方投降曹操的二十余万胡汉人民，汉人占多数，其中有被乌桓虏略的汉人，但为数不多，因这是二十多年前的事。大部分汉人是插翅也难逃曹操之手的幽冀吏民，怎能说曹操是他们的“重生父母”？郭文把曹操杀马救军说成杀马救民，那是对于历史的歪曲，当年已有文章辨正，兹不赘。曹操对投降的乌桓人，分散部落，迁入内郡，强行同化，加速了民族融合，符合历

① 《三国志·武帝纪》。
② 《三国志·乌桓传》。

史进程的大方向，起了进步的历史作用。但对于乌桓人民，显然是一种痛苦。汉王朝征兵乌桓是压迫，曹操征发乌桓为天下名骑，同样也是压迫，并无本质的区别。按历史的本来面貌，我们肯定曹操平定乌桓，也就是肯定他的统一之功，美化曹操是不对的。

四、曹操奸险诈伪，残忍好杀，历史注定了他是一个反面教员

曹操之奸，是指他“挟天子以令诸侯”，史称他“托名汉相，其实汉贼”①。曹操之险，是指他心性险恶，翻脸不认人，如杀吕伯奢，逼死荀彧之类。曹操之诈，是指他巧设机关，害人之命，饰己之伪，如割发代首，借仓官人头，棒杀宠姬等。曹操之伪，是指他说的是一套，做的又是一套，如下《明志令》试探并掩其代汉之奸心。曹操的奸险诈伪，独步当时，空前绝后。曹操对于故人旧怨，往往以法诛之，而对之垂涕嗟痛，掩人耳目。如此变诈酷虐，别的人做不出，也想不出，唯曹操能之。

曹操之残忍好杀，更令人发指。他施法之酷，杀人之滥，较之董卓第二，毫无愧色，比之始皇虐主，酷暴相宜。秦法有夷三族、妖言令等酷刑虐法。西汉高后元年“除三族罪、妖言令”②，文帝二年，“尽除收帑相坐律令”③，后有大逆，复行族灭之法，但已不是常制。斗转星移，时代前进了四百年，曹操一一恢复了这些酷刑虐法，而手段更为残暴，范围也更加泛滥。孔融、杨修、崔琰、边让都以言论罪被曹操杀害、灭族。名医华佗也死于曹操毒手。建安五年，曹操杀董承，董承女为贵人，时有身孕，曹操也逼索诛杀。伏后目不忍睹，写信给她的父亲屯骑校尉伏

① 《三国志·周瑜传》。
② 《汉书·高后纪》。
③ 《汉书·刑法志》。

完，揭露曹操“奸逼之伏，令密图之”[①]。事情过了十多年，建安十九年事发，伏完也早在建安十四年卒，曹操震怒，仍不放过伏后及其宗族。《武帝纪》注引《曹瞒传》云：

> 公遣华歆勒兵入宫收后，后闭户匿壁中。歆坏户发壁，牵后出。帝时与御史大夫郗虑坐，后被发徒跣过，执帝手曰：“不能复相活邪?”帝曰：“我亦不自知命在何时也。”帝谓虑曰：“郗公，天下宁有是邪?”遂将后杀之，完及（按，“及”应作“之”）宗族死者数百人。

伏后纵有过，废黜而已，杀之已属过分，而罪及宗族数百人，如此暴虐，除董卓外，非曹操莫能为也。更有甚者，曹操还狭嫌族人，杀袁忠，杀桓劭即如此，桓劭叩首伏罪，亦不幸免。

在战争中滥杀无辜，曹操更可以说是堪称董卓第二。他颁布了“围而后降者不赦”的暴虐法令。屠城记载，史不绝书，如东征陶谦、吕布，两度屠彭城，西征关中陇右屠兴国、枹罕、河池，曹仁屠宛等。官渡之战，坑杀袁军降卒七八万人。有的论者争辩说，“围而后降者不赦”的法令只是威胁敌人，并不认真实行，这是没有根据的。如果只是威胁敌人，那就是有令不行，又怎能威胁敌人呢？曹操此令见于《于禁传》和《程昱传》注引《魏书》。于禁援引此令杀降在建安十年，公元204年，曹操“益重禁”。建安十六年（公元211年），田银、苏伯反河间，将军贾信等又欲援此令杀降，程昱认为“今天下略定，且在邦域之中”，制止杀降，获得了曹操的批准。这两例生动地说明了“围而后降者不赦”的法令得到了认真的执行，而且持续了很长的时间，直到建安十六年，由于“天下略定”，程昱反对，曹操才有所收敛。这道反动法令，何时颁布，史未明载，以战例推论，当颁布于初平四年（公元193年）征陶谦，曹操执行了十九年。

初平四年，曹操以报父仇为借口东征陶谦。连屠彭城、傅

---

① 《后汉书·皇后纪》。

阳、取虑、睢陵、夏丘五城，“凡杀男女数十万人，鸡犬无余，泗水为之不流”①。东晋史家孙盛评曰：“夫伐罪吊民，古之令轨；罪谦之由，而残其属部，过矣。”② 这就是曹操未能赢得天命攸归的根本原因。

建安十五年（公元 210 年）十二月曹操下《明志令》是他奸伪艺术的绝妙表演。《明志令》字面上像是忠于汉室，实际上是一纸试探逼宫而又掩其奸心的宣言。“设使国家无有孤，不知当几人称帝，几人称王”，非人臣所宜言。曹操言此，已无人臣之心。用通俗语言说，这叫火力侦察。袁绍也演过如此伎俩，讽主簿耿苞称说天命而又杀之，只是不如曹操高明就是了。曹操自称《明志令》是效周公《金滕》之作。但周公《金滕》只是誓诸鬼神，而曹操却要宣示天下，“此地无银三百两”。曹操让还三县，而条件是授三子为侯。曹操不但不“委捐所典兵众”，还要扩大外援为万安计。《明志令》发布不久，就在公元 211 年春正月以世子曹丕为五官中郎将，置官属，为副丞相。接着又封五子为侯。公元 212 年冬，又使董昭建言尊立自己为“魏公”，并割据冀州为王国封邑。尚书令荀彧有所不满，曹操就在公元 213 年逼死荀彧。荀彧不仅是曹操的主要谋士，而且还是儿女亲家。荀彧长子荀恽是曹操的女婿。由于荀彧拥汉，曹操立即加害。公元 216 年曹操晋爵魏王，车舆服饰用天子排场。至于对待汉献帝，用重兵监守，各种粗暴态度，无所不用其极。这一切都暴露了曹操的“不逊之志”，岂是别人“妄相忖度”！20 世纪 50 年代末的翻案史家们认为，曹操自己打出的天下，他代汉是理所当然。煞有介事地提出质问：难道皇帝只该姓刘的来做？须知今人的马克思主义观点是不能代替古人的观念的。在古代，曹操既然“挟天子以令诸侯”，那么他所立的功劳就要记在汉皇刘家的账上。若曹操恃功篡汉那也是名不正言不顺的。曹操蒙受“汉贼”之名是不能辞其咎的。抛开正统观念，替曹操的奸险诈伪开脱罪责，粉

① 《后汉书·陶谦传》。
② 《三国志·武帝纪》裴注引。

饰其残忍好杀之罪恶，也不是马克思主义应有的立场。曹操的最后十年，把主要精力放在步步逼宫上，尽管他仍鞍马征劳，但已失去了吞天下的锐气。曹丕忙于做皇帝，失去了吴蜀交兵时灭吴的战机。曹操不顾谋士贾诩、程昱谏阻，急于发动赤壁之战，欲以混一之功篡汉，反而葬送了统一的形势。曹氏父子两代，由于忙于篡汉而带来的战略失误，不能不批判。曹氏不篡汉，吴蜀不敢称帝，形不成三国鼎立长期对峙的局面，三分之势，定能早日混一，不言而喻。尽管历史没有这样写，但由此可以推论，对曹氏篡汉，不应歌功颂德。

综观曹操，文武兼资，是三国时第一流的政治家、军事家，还是一个诗人。他比所有的对手都要胜人一筹，毋庸置疑是一位英雄。曹操唯才是举，驭将有方，以弱克强，统一了北方。他在政治上走统一的道路，出身宦官而反对宦官，青年时好作政教，清平选举，是一个能吏、清吏。曹操总揽枢要以后，清吏治，抑豪强，整齐民俗，使残破的北方日渐恢复，奠定了北方统一南方的物质基础。曹操还善于察纳雅言，不断改正自己的过失。他不信天命，具有革新思想。曹操的这些功绩和品格，历史给他作了记载，也从未有人否认。但曹操奸险诈伪，残忍好杀，历史却又注定了他是一个反面教员，原是翻不得案的。可以这样说，曹操在历史上既扮演了“英雄”，又扮演了“权奸”的角色，是一个对历史有贡献的两重性人物，评价曹操应功罪兼书，而不是翻案。时人的“治世之能臣，乱世之奸雄”，可谓确评。

历史上有不少建树了丰功伟业的人物具有两重性。秦始皇统一六国，暴虐无比。曹操统一北方，奸伪无比。这都是两重性。其实两重性人物的本质仍是一重性。秦始皇和曹操这类人物的本质是藐视黎民，暴虐奸诈。但他们都十分聪明能干，机智权变，高人一等，故能在乱世之中做出一番事业，这就构成了两重性。如何评价两重性的历史人物，时至今日似乎还不具备成熟的理论和成熟的条件。什么三七开、四六分都不能解决问题。因为三七开、四六分之后无济于历史经验的总结。对于两重性人物，应当功归功，过归过，是则是之，非则非之。换句话说，对于两重性人物，艺术再现，以其所需，可以各取一面，而历史评价则是将其功过是非说清楚，不存在翻案问题。作为历史人物的曹操，我们应当充分肯定他统一北方的功绩，而谴责他的奸险诈伪和残忍好杀。曹操正由于他的奸险诈伪和残忍好杀，未能赢得天下归心，是汉末政治成为三分之局的因素之一。所以曹操是不能和他的先辈汉高祖、汉光武相提并论的。

（原题《关于曹操评价的几个问题》，原载《青海师大学报》1987 年第 1 期，人大复印资料转载）

论　刘　备

刘备是三国时期杰出的政治家，深为曹操所忌服。曹操曾从容地对刘备说："今天下英雄，唯使君与操耳，本初之徒，不足数也"①。东汉末年，群雄割据，四分五裂，天下生灵，肝脑涂地。刘备以一个匹夫之身，忧天下苍生之不幸，发愿"兴复汉室"，救民于倒悬。虽然他的理想半道夭折，未能实现统一的大志，但他充分发挥了自己的智慧和才能，几经危难，坚忍不拔终于建立了蜀汉政权，为结束东汉末年的军阀混战作出了重要的贡献。

一、屡仆屡起的仁德之主

历史小说《三国演义》把刘备塑造成了道德信义的化身，与奸险诈伪的曹操造成对比，势同水火。尽管小说在细节上有渲染，但大纲节目都有历史的根据。曹刘对立，这正是三国鼎立形成的时代脉搏。刘备就曾对庞统说："今指与吾为水火者，曹操

① 《三国志·先主传》。

也，操以急，吾以宽；操以暴，吾以仁；操以谲，吾以忠；每与操反，事乃可成耳。”[1] 从这一段话中，可知刘备立身处事，有意识地与曹操作对立，免不了有矫饰之情，即也有虚伪狡诈的一面，但总体上，刘备与曹操确属不同类型而相对立的人物。这是他们两人的不同社会经历所铸成的人型。曹操出身于大宦官，从小受到的是尔虞我诈的熏陶，工于心计。他涉世之后，就在上层社会中角逐，乱世给他的聪明才智提供了用武之地。曹操要从刘姓手中夺取政权，他不得不把奸诈艺术推向顶峰，从而成为东汉末第一流的权奸。刘备出身于破产的贵族家庭，沦落在社会下层，深知民间疾苦。同时刘备并未忘怀他是帝室之胄的血统，少小立志要干一番事业。他与同宗诸小儿游戏于房舍旁童童如盖的桑树下，说："吾必当乘此羽葆盖车。"刘备生于公元 161 年，六岁时公元 166 年就发生了第一次党锢之祸。东汉党祸，纠结不解，二十余年，海内涂炭，民怨鼎沸。刘备目睹世事的黑暗，凄怆汉室的倾颓，痛恨"奸臣窃命"，"欲伸大义于天下"[2]，但手无尺寸之柄，没有凭藉，只能修身养性，以道德信义号召天下，唤醒正义，战胜邪恶。刘备与关羽、张飞二人"寝则同床，恩若兄弟"[3]，与赵云"同床眠卧"[4]。三顾草庐请诸葛亮，送徐庶北还尽孝，这不仅表现了刘备的思贤若渴，也表现了他的宽仁信义。

刘备逐鹿中原，屡仆屡起，靠的就是他的宽仁信义。公元 208 年，曹操南下荆州，刘琮背着刘备投降曹操，诸葛亮劝说刘备趁机攻琮，据有荆州。刘备说："吾不忍也"。荆州人士随刘备南奔，众十余万，一天只能走十多里路。又有人对刘备说："宜速行保江陵，今虽拥大众，被甲者少，若曹公兵至，何以拒之？"刘备说："夫济大事必以人为本，今人归吾，吾何忍弃去！"终于被曹操追及，兵败长坂。东晋史家习凿齿评论此事说："先主虽颠沛险难而信义愈明，势逼事危而言不失道。追景升之顾，则情

① 《三国志·庞统传》裴注引《九州春秋》。
② 《三国志·诸葛亮传》。
③ 《三国志·关羽传》。
④ 《三国志·赵云传》裴注引《赵云别传》。

感三军；恋赴义之士，则甘与同败。观其所以结物情者，岂徒投醪抚寒含蓼问疾而已哉！其终济大业，不亦宜乎！”① 刘备能得关羽、张飞、赵云等人之死力，能得众心依归，正在于此。

刘备字玄德，涿郡涿县人，即今河北涿县。他的祖先是西汉景帝之子中山靖王刘胜，但支系疏远，家世没落，到了刘备这一代乃至织席贩鞋为生。因此，刘备的帝室之胄的出身，最初并没有给他带来什么凭藉。《三国演义》第二十回写刘备身世，有所渲染。刘备见汉献帝，献帝排家谱，刘备乃献帝之叔，世人皆称刘皇叔。献帝还令宗正卿宣读刘备的世次，祖上世代为侯，依代列次数乃汉景帝十八代孙。这一细节是小说家的增益之词，虚构刘备为皇叔，抬高他的正统地位。但刘备与汉献帝同宗，并都是西汉景帝之苗裔，却是事实。景帝有十四子，第八子刘胜封中山王，第十子刘发封长沙王。据《后汉书》光武帝、灵帝两本纪所载世次，东汉光武帝刘秀是刘发第五代孙，而灵帝子献帝刘协是刘秀第七代孙，以此推计，献帝为汉景帝之第十三代孙。若按《三国演义》所排刘备世次，则刘备当为汉献帝的第五代侄孙，不当为叔。据《三国志·先主传》记载，刘备确为中山靖王刘胜之后。刘胜之子刘贞“元狩六年封涿县陆亭侯”，刘备就是刘贞这一系的后代。刘贞封侯，《先主传》的记载有疏失。考《史记》《汉书》两书的王子侯表及《汉书·地理志》，刘贞封侯应在元朔二年，为中山国之陆成县侯，“成”字无“土”旁。西汉无亭侯。陆成县，东汉省入博陵县②。汉武帝元鼎五年，刘贞坐酎金失侯，家世衰落，后代迁徙涿县，刘备于是为涿县人。刘备祖父刘雄、父刘弘都曾做过地方小官。刘雄举孝廉，官至东郡范令。刘备祖父以上世次不明。所以刘备初起之时，只是依附军阀征战，并没有什么号召力。

公元184年黄巾起义，刘备二十四岁，也招兵买马，要趁此机会建功立名，改变他的贫困地位。刘备早年丧父，“与母贩履

---

① 《三国志·先主传》裴注引习凿齿语。

② 参见卢弼《三国志集解》。

织席为业”。他靠同宗刘元起的资助陪同刘元起之子刘德然读书，师事涿郡大儒卢植。刘备却“不甚乐读书”，“喜狗马、音乐、美衣服”，“好交结豪侠”，青年人都喜欢依附他。与刘备同窗的公孙瓒是关外辽西大汉，好侠义，刘备和他十分投情。刘备的这些表现不合儒家规范，所以没有得到卢植的品评推荐，黄巾起义之前，只好默默无闻地在乡里。

刘备招兵，得到中山富商张世平、苏双等人的资助，组织起了一支乡勇。河东解县人关羽、涿郡张飞二人为其左右手。刘备与关、张带领他的这支乡勇从校尉邹靖镇压黄巾，被任命为安喜县尉。安喜在今河北安国西北。从此，刘备登上了政治舞台。但是，他名微众寡，在中原不能立足，直到公元208年的赤壁之战，他转战了二十多年，仍无立锥之地，一直是东奔西突，寄人篱下，听人调遣。这期间，他两次得徐州，又两次失徐州，妻子被掳三次，十分狼狈。

刘备第一次得徐州在公元194年。公元193年，曹操东征徐州牧陶谦，陶谦向青州刺史田楷告急。田楷为公孙瓒所署。当时刘备依附公孙瓒，被任为平原相，隶属田楷。田楷同刘备领兵往救陶谦，陶谦举刘备为豫州牧，屯驻小沛，有众四五千。公元194年，陶谦病死，他手下的将吏就拥戴刘备为徐州牧。刘备不敢领受，他忧惧割据淮南的袁术，认为袁术“四世五公，海内所归”又“近在寿春”，怕遭攻打。下邳人陈登劝刘备说：“今汉室陵迟，海内倾覆，立功立事，在于今日。”又说，袁术骄豪，“非治乱之主”，徐州殷富，户口百万，可集合步骑十万，“上可以匡主济民，成五霸之业，下可以割地守境，书功于竹帛”。北海相孔融也劝刘备不要失掉这个好时机。孔融更鄙弃袁术，称他是“冢中枯骨，何足介意”。刘备这才领了徐州牧，并得到了袁绍和曹操的承认。曹操还表刘备为镇东将军，封宜城亭侯。

这时逐鹿中原的有七大诸侯：公孙瓒据幽州，袁绍据冀州，吕布据兖州，曹操据豫州，刘表据荆州，袁术据淮南，刘备据徐州。袁绍、曹操两家占有中原，最得地利，但军事上处于四战之地，必须力战才保得住。于是袁曹两家联合，袁绍北向攻公孙瓒，曹操南向攻刘表，东出击吕布。在这种形势下，刘备据有徐州，从军事态势上所处地理位置十分有利。因为徐州东临大海，北界青州。青州是袁绍的势力，刘备既得到了袁绍承认，暂时无北面之忧，西面是吕布，南面是袁术。吕布受曹操攻击，无力来争徐州，并且兵败后投归了刘备。只有淮南的袁术不服刘备，发兵来攻。袁术懦庸无才，根本不是刘备的对手。但刘备以白衣之士，一旦得大州，根基不固，最稳妥的策略莫过于保境安民，招贤纳士，固其根本，以待时机。可惜此时，他身边没有统筹全局的谋臣，只靠关羽、张飞二人的万人敌是打不了天下的。刘备自恃他的勇略，又错误地估计了形势，过高地估计了袁术的力量，亲自带兵与袁术偏将相持于盱眙、淮阴地区，却放松了对西边吕布的防备，遭到暗算，却又把徐州丢失了。

刘备身无良辅，不是他德薄才疏，而是先天不足。东汉是经学昌盛的时代，士族垄断了选举，所以汉末谋士多产于士族，武将多出自寒门。刘备是寒族，在中原能得关、张，而得不到荀彧、郭嘉。因此，刘备得了徐州，却不知道怎样来守住它。所以王夫之批评说："使其于陶谦授徐之日，早归命宗邦，诛傕、汜以安献帝，绍与操其孰能御之？而计不及此，孔北海亦莫之赞焉，徒与袁术、吕布一彼一此，争衡于徐、豫之间，惜哉！"① 这是说，刘备没有打出救驾西京这张政治王牌来巩固自己，而扮演了与袁术、吕布一样的军阀角色，所以遭到了失败，十分可惜。王夫之的批评，很有见地。

公元 196 年，吕布偷袭下邳，掳了刘备妻子。刘备求和，吕布还了妻子。不久，吕布又再败刘备于小沛，刘备走投无路，往投曹操。曹操表刘备为豫州牧，增益其兵使东击吕布。刘备又被吕布将高顺击败，妻子再次被掳。公元 198 年，曹操亲自东征，擒杀吕布，刘备复得妻子，随着曹操还到许都，曹操表举他为左将军，拜关羽、张飞为中郎将。

刘备第二次得徐州在公元 199 年冬，但立脚未稳，很快又丢

---

① 《读通鉴论》卷九。

失了。

刘备在许都受到曹操的优待，“出则同舆，坐则同席”，但暗中却被监视起来。刘备也深知曹操的奸诈，用韬晦计自保。闭门谢客，整日在后院种菜，装着不关心政治的样子。实际上刘备却参加了董承等人的集团，奉汉献帝衣带诏密谋诛操。有一天曹操请刘备饮酒，称许刘备为英雄。刘备吓了一跳，以为曹操觉察了他们的密谋，把手中的筷子也掉在了桌上。正好这时空中响起了一阵惊雷，刘备借题发挥掩饰内心的恐慌，说：圣人曰“迅雷风烈必变”，真是这样，这一声惊雷好不厉害①！

刘备心不自安，寻机求脱身之计。公元 199 年冬，袁绍意欲袭许，厉兵秣马发动官渡之战，穷途末路的袁术打算经徐州北上依袁绍。刘备利用曹操不愿二袁汇合的心理，自告奋勇去拦击袁术北上。曹操同意了刘备的请求，刘备急忙离开许都，摆脱了曹操的控制。曹操谋士程昱、郭嘉说：“刘备不可纵，今借之以兵，必有异心。”② 曹操后悔，追之不及。刘备到了徐州，果然亮出了反操的旗帜。杀了徐州刺史车胄，与袁绍连和。曹操也立即作出了反应。公元 200 年正月，曹操杀了董承等人，亲率大军全力以赴来争徐州。袁绍坐视不救。这一着，刘备未曾料到，仓皇应战，无力抵抗，妻子再一次被掳，关羽也投降了曹操。

刘备第二次得徐州，打出了堂皇正大的汉献帝衣带诏讨伐曹操，按理说能够打开局面了。恰恰事与愿违，刘备遭到了空前的惨败，全军覆没，只身逃脱，北依袁绍。官渡决战之时，曹操为了收买人心，放了关羽和刘备妻子。刘备集合散亡，借口南联刘表打击曹操的后方，脱离了袁绍，到汝南去重新开辟基地。公元 201 年，曹操在取得官渡之战胜利后，再次亲征刘备，刘备败走，南奔荆州牧刘表。刘表给了他一支军队，屯驻新野，替荆州看守北大门，防备曹操南下。刘备在新野，如蛟龙困于涸泽，无所事事，“髀里肉生，慨然流涕”③，真是岁月如逝，一晃就是七年。公

① 《华阳国志》卷六《刘先主志》。
② 《三国志·武帝纪》及《程昱传》。
③ 《三国志·先主传》裴注引《九州春秋》。

元207年，曹操统一了北方，刘备还是寄人篱下。刘备逐鹿中原的机会似乎再也不会有了。他二十四岁起兵，南征北战二十余年，如今已四十七岁了，“老将至矣，而功业不建”[1]，怎能不凄怆满怀！

刘备为何一败再败呢？根本原因是实力不足，盘踞中原的曹操父子兄弟，并据州郡，又挟天子以令诸侯，抢占了政治上的制高点，刘备敌不过曹操。再以个人的“机权干略”论，刘备也“不逮魏武”[2]。刘备认为曹操正对付北面的袁绍，一时不会东来，所以未等袁绍大军出动就攻取了徐州，他要抢先打出讨操的旗帜来号召天下。袁绍外宽内忌，心胸狭隘，又早怀异志，并自恃势大，力足以制曹操，他不愿刘备在政治上得势，所以坐视不救。曹操看准了这个空档，他要解除袁曹决战时的后顾之忧，所以果断地东出，达到了各个击破的目的。由此可见，曹操权谋，确是胜人一筹。

刘备虽然屡败，但他的声名却越来越大。他投曹操，曹操待为上宾；他依袁绍，袁绍亲出邺城二百里相迎。刘备部众，散而复聚。刘备走到哪里，哪里的民众就拥护他。他虽然没在徐州站稳脚跟，但他果敢的行动，露布献帝衣带诏的正义之举，都使得他在政治上获得了正统的地位。刘备的宽仁信义，远播江汉。“士之下者，必与同席而坐，同簋而食，无所简择，众多归焉”[3]。因此大得人心。他屯新野，“荆州豪杰归先主者日益多”。刘备也从失败中获得了教益，四处寻访良辅。他终于访得了伏龙、凤雏，并以三顾草庐的感人行动请得诸葛亮出山。刘备的事业，有了转机。

二、不达权变的悲剧英雄

刘备请得诸葛亮出山，这是他一生政治生活中的最重大事件。诸葛亮隐居隆中，静观世变，他从正统观念的立场认定曹操

① 《三国志·先主传》裴注引《九州春秋》。

② 《三国志·先主传》陈寿评。

③ 《三国志·先主传》裴注引《魏书》。

是国贼，立誓辅佐贤主兴复汉室。刘备“折而不挠，终不为下”的顽强精神使诸葛亮十分感佩。君臣二人，一见如故。刘备“欲伸大义于天下”，向诸葛亮问计。诸葛亮和盘托出他深思熟虑的意见，史称“隆中对策”，这是大家所熟知的。当时曹操已统一了北方，孙权固有江东，而刘备仍在寄人篱下。在这种形势下，诸葛亮建言刘备要利用“帝室之胄”的正统地位，打出“兴复汉室”的旗帜来号召天下。“兴复汉室”这一口号成了刘备集团的行动纲领，蜀汉建立以后，又成了这个政权的基本国策。

诸葛亮的“隆中对策”，可称之为隆中路线。这一路线的实质是引导刘备要运用权谋，审时度势，及时地实现战略方向的大转移。隆中路线的权谋有两个方面的内容。第一个方面，要刘备占有荆州、益州作根据地，即退出逐鹿中原，避实击虚，先求立身之地。第二个方面，在外交上要灵活，对于孙权占领的江东“此可以为援而不可图”。这一路线是在总结刘备前一时期逐鹿中原屡遭失败的经验教训的基础上提出的，有针对性，而且完全符合当时的客观形势，刘备只能这样走。刘备接受了这一路线，事业迅速发展。从公元207年到214年，仅仅七年时间，就占领了荆州、益州；又过了七年，公元221年，刘备称帝，建立了蜀汉，实现了鼎足三分的人谋规划。

隆中路线的终点是“兴复汉室，还于旧都”，而不是鼎足三分。鼎足三分目的是建立两路北伐的基地。公元219年，刘备取得了汉中，又夺得了上庸，关羽北伐，威震荆襄。正当隆中路线顺利发展的时候，风云突变，“吴更违盟，关羽毁败，秭归蹉跌，曹丕称帝”①，刘备从节节胜利的顶峰骤然跌落下来，又退回到一败再败的恶性循环中。这时刘备已年过花甲，不比逐鹿中原的当年，经不起一再失败的打击，恚恨病逝，完结了个人的政治生命，统一化成了泡影。隆中路线，半道夭折，刘备扮演了一个悲剧英雄的角色。世事为何如此，十分耐人寻味。

超越客观可能的主观幻想得不到实现，那不是悲剧，只能叫

① 诸葛亮《后出师表》载《诸葛亮传》裴注引张俨《默记》。

做不切实际的幻想的破灭。当今若干时贤鉴于三国鼎立的既成事实，套用经济决定论的公式，认为“南北经济均衡”，或者说“城市经济遭破坏”，“大一统在当时是不现实的”，“分裂割据是必然的”，并断言这一“必然”就是“三国鼎立”。如此说来，刘备“兴复汉室”本是一场幻梦，他的失败只是幻梦的破灭，当然不是什么悲剧。所谓悲剧，按亚里士多德的说法，就是“一个人遭遇不应遭遇的厄运”。说得更明朗些，就是一个人受到高尚而盲目的感情所驱使的主观努力走向了意愿的反面，陷入了厄运。刘备的悲剧，正是由于他过分执着个人崇高的宽仁信义，不达权变走向了意愿的反面。刘备大举伐吴，并不是一怒之下的孤注一掷，而是堂皇正大地捍卫神圣的信与义。刘备本欲以信义号召天下，没料到反而输了老本，葬送了隆中路线，这是他非始料所及的。

刘备“秭归蹉跌”，即夷陵败北，直接的因素是人谋失误。可从两个方面来分析。第一，从全局战略来看，国贼是曹操，并非孙权，这是明摆着的。此举的本身就是破坏隆中路线。因为孙刘联盟是隆中路线的核心和灵魂，这也正是刘备从失败走向胜利的根本保证。刘备伐吴，他要亲手来破坏这一联盟，无论是胜或败，都是凶兆。刘备失败，尚能生存，因孙权志在夺荆州，而不是要灭蜀；若刘备胜利，定要速灭。因为螳螂捕蝉，黄雀在后。曹操谋臣刘晔就向魏文帝曹丕建言，趁吴蜀交兵，大举伐吴。刘晔说：“今天下三分，中国十有其八。吴、蜀各保一州，阻山依水，有急相救，此小国之利也。今还自相攻，天亡之也。宜大兴师，经渡江袭其内。蜀攻其外，我袭其内，吴之亡不出旬月矣。吴亡则蜀孤。若割吴半，蜀国不能久存，况蜀得其外，我得其内乎！”[①] 刘备若取得胜利，压向荆州，则刘晔之谋，就一定能实现。曹丕巴不得如此。但正当他观望之际，刘备败北，孙吴大将陆逊及时回防，曹魏乘其弊的阴谋才未得逞。第二，从吴蜀两军对阵的将帅来看，蜀军弱于吴军。刘备疏于戎阵，不是陆逊对

① 《三国志·刘晔传》裴注引《傅子》。

手。他连营七百里，曹丕就料其必败。刘备所统，多是二三流人才，而陆逊所领，多是一流人才。诸葛亮曾经慨叹说："法孝直若在，则能制主上，令不东行；就复东行，必不倾危矣。"[①] 法正之死，真可谓是天不佑蜀。法正若在，即使不能制住刘备东行，至少不会使刘备遭到惨败，这是可以意料的。刘备取汉中，就得力于法正。刘备入川，折了庞统。假如庞统不折，诸葛亮不入蜀。坐镇荆州，岂能有失！刘备在用人之际，而蜀汉人才，接连殒殁，致使刘备伐吴，缺少谋臣良将。蜀中五虎将关羽、张飞、马超、黄忠、赵云先后损落了四将，只有赵云独存。赵云反对伐吴，刘备把他留守在江州。刘备的五虎将无一人在身旁。刘备虽身经百战，然而年已衰老，智穷虑竭，岂是陆逊之敌！

但是，疆场胜败，乃兵家常事，刘备为何一战失利，竟一蹶不振？单从年龄衰老、人谋失误来解释，还不能从根本上说明问题。刘备夷陵之败的根本原因是刘备宽仁信义的品格不适应现实斗争的权变策略所导致的一场悲剧。诸葛亮的隆中路线是依循客观形势提出来的。基本策略是用权。这在理论上和道义上都不能不使刘备陷于进退维谷的境地。在理论上，刘备的口号是"兴复汉室"，而行动却是向刘姓手中夺地盘。在道义上，刘表、刘璋又待刘备甚厚，强夺诈取，刘备都不忍为。建安十三年（公元208年）九月，刘琮投降曹操，诸葛亮劝刘备袭夺荆州，刘备说："刘荆州临亡托我以孤遗，背信自济，吾所不为，死何面目以见刘荆州乎？"[②] 刘备失去了夺取荆州的最好时机，赤壁战后才从孙权手中借得，留下了祸根。刘备入蜀，也是犹豫不决。《庞统传》裴注所引《九州春秋》有着生动的记载：

统说备曰："荆州荒残，人物弹尽，东有吴孙，北有曹氏，鼎足之计，难以得志。今益州国富民强，户口百万，四部兵马，所出必具，宝货无求于外，今可权借以定大事。"

① 《三国志·法正传》。
② 《先主传》裴注引《汉晋春秋》。

备曰："今指与吾为水火者，曹操也，操以急，吾以宽；操以暴，吾以仁；操以谲，吾以忠；每与操反，事乃可成耳。今以小故而失信义于天下者，吾所不取也。"统曰："权变之时，固非一道所能定也。兼弱攻昧，五伯之事。逆取顺守，报之以义，事定之后，封以大国，何负于信？今日不取，终为人利耳。"备遂行。

刘备入蜀以后，刘璋亲迎会于涪。庞统劝刘备在会所执璋，则"将军无用兵之劳而坐定一州也"[①]。此为商鞅擒魏公子卬之策，太失道义，刘备断然拒绝。庞统又献计三策。上策是出其不意轻进取成都；中策是诈称还救孙权，向刘璋借兵借粮，刘璋不借，名正言顺讨伐；下策是退还白帝，引荆州之援，徐图进取。刘备接受中策，以讨张鲁为名，北驻葭萌，厚树恩德，以待时机，诱使刘璋挑起战争，使自己在政治上处于主动地位，但拖长了战争，未能在曹军翻越秦岭之前先得汉中致使后来夺取汉中费了很大的周折。刘备不肯用权诈夺取荆州、益州，而以宽仁信义来号召天下，深得人和，在政治上的确是争取了主动，这是得。但刘备不用权诈，迟得了荆州、益州和汉中，使得一些人才流失，又折了一个庞统，这是失。刘备在夷陵之战以前执行隆中路线是有得有失。也许得大于失，或得失参半，不能执着地加以评论。但夷陵之战，刘备不达权变，只有失而无得，不仅输了老本，还陪了性命，可悲也夫。

庞统智士，所献三策，都不是最佳。最上之策，刘备不应稽留在葭萌，而是借刘璋之力，北伐张鲁，早得汉中，既厚根基，又控制了益州之众，形成了汉中与荆州两面夹击益州之势，加之张松、法正为内应，完全可以效法袁绍取冀州之计，不战而得益州。庞统与诸葛亮均未虑及，大概是刘备集团太想得益州，坐待时机，反误了时机，可以说是隆中路线的疏失！智者千虑，亦有失着，可这一着，影响了刘备的全局，着实令人叹惋。

① 《三国志·庞统传》。

从权变的立场来看，为了“兴复汉室”，策略应当灵活。夺刘表、刘璋之地不为过，不讨孙权不为失。赵云就劝谏说：“国贼是曹操，非孙权也，且先灭魏，则吴自服。”刘备应：“早图关中，居河、渭上流以讨凶逆，关东义士必裹粮策马以迎王师。不应置魏，先与吴战。”① 孙吴诸葛瑾也写信给刘备，说以利害。诸葛瑾说：“陛下以关羽之亲何如先帝？荆州大小孰与海内？俱应仇疾，谁当先后？若审此数，易于反掌。”② 刘备一概听不进去，一意孤行，可谓不识大体。

刘备伐吴，历来有着两种截然不同的评论。裴松之认为：“孙权潜包祸心，助魏除害”，袭夺关羽，亲者痛，仇者快，刘备“义旗所指，宜其在孙氏矣”③。苏辙著论与之相反。苏辙认为刘备与关羽，“名虽君臣而义则父子”，报仇也是应当的，但报个人恩义之私仇，比起“兴复汉室”灭国贼报国家之公仇，先后次序颠倒。苏辙批评刘备说：“先主念关羽之厚”，“至于奋不虑害，兵败而继之以死，忘两国之大计而徇一夫之遗忿，则未为得矣。”怎样判断得失呢？苏辙说：“事固有当作而不可作者，智者论其公私权其轻重而可否可决也。”④ 裴氏所论着重于义，苏辙所论着重于权，各有所偏，均有一定道理。

对刘备伐吴作了确切的预测和全面评论的是当时曹魏的谋臣刘晔。吕蒙袭杀关羽之后，曹丕曾下令群臣讨论刘备会不会替关羽报仇，群臣都说蜀汉小国，刘备没有力量东出。刘晔独曰：“蜀虽狭弱，而备之谋欲以威武自强，势必用众以示其有余。且关羽与备，义为君臣恩犹父子，羽死不能为兴军报仇，于终始之分不足。”⑤ 刘关张三人，情同兄弟，休戚与共。关张之死，不能不使刘备痛断肝肠。《三国演义》第八十一回写刘备的复仇情绪说：“二弟俱亡，朕安忍独生！”这是很符合情理的。但是刘晔更

① 《三国志·赵云传》裴注引《赵云别传》。
② 《三国志·诸葛瑾传》。
③ 《诸葛瑾传》裴松之按语。
④ 《栾城后集》卷三《历代论·刘玄德》。
⑤ 《三国志·刘晔传》。

看到刘备东出的目的，“欲以威武自强”，显示自己的力量。当时刘备已六十二岁，但事业未就。顾视自己的儿子，又毫无进取之才。烈士暮年，“兴复汉室”的壮心未已。刘备绝不能让荆州丢失。他要冒难而行，以伐吴之壮举来号召天下人的忠义，并借全军的义愤来夺回荆州，打开蜀国被封闭的不利局面。当然，刘备不会料到他遭惨败。恰如苏洵所说：“玄德有取天下之量而无取天下之才。”① 刘备对于一个重大行动的后果往往是估计不足的。例如他第二次得徐州，过早地打出反操的旗帜，没有利用好袁曹决战之势；公元 214 年他不北争汉中而东出与孙权争荆州江南三郡，既失联吴信义，又未能保住江南三郡，这些都是失策。其实，刘备并非不懂权谋，不权衡利害。公元 211 年，他运用软硬兼施的两手阻止孙权伐蜀，就是成功地运用权谋的例证。孙权要一统长江，刘备却要自己取蜀。看来这是不可调和的矛盾。但是刘备策略得当，孙权能屈能伸，两家的冲突得到了缓解。刘备入蜀，亦用权谋。他联结益州别驾从事张松，令张松劝说刘璋请刘备入蜀讨张鲁，堂皇正大，顺利入蜀。刘备“北到葭萌”，做出进讨张鲁的姿态，但不进兵汉中，而是“厚树恩德。以收众心”。然后借口东救孙权，回师取成都，被孙权称为“猾虏”。刘备既要用权谋以求生存和发展，又要行事与操相反，以宽仁信义号召天下，这就使他陷入了不可自拔的矛盾之中。最后终于以不达权变而成了一个悲剧英雄。

三、刘备的历史贡献

刘备的一生，可分为三个阶段。从公元 184 年镇压黄巾起家到公元 207 年三顾草庐得诸葛亮相辅，为第一阶段，逐鹿中原，屡仆屡起而奋斗不息。公元 208 年赤壁之战到公元 221 年夏四月即皇帝位于成都武担之南，为第二阶段，执行隆中路线，事业发

① 《嘉祐集》卷三《项籍论》。

展，成天下三分鼎足之形。公元 221 年秋七月伐吴到公元 223 年夏四月病逝永安宫，为第三阶段，伐吴失败，晚景悲凉，成为三国时代最令人叹息的悲剧英雄。

刘备对于历史的贡献，主要有两个方面。第一，是他为救世所作的努力，建立蜀汉而成就的英雄业绩。第二，是他的悲剧结局所捍卫的道与义给予历史的影响。

刘备起自微贱，没有什么凭藉，完全靠他不屈不挠的主观努力，藉乱世而成英雄。陈寿倾心折服，喻之为高祖。陈寿在《先主传》中用了许多特写之笔来点画刘备是天定的皇位继承人。刘备相貌非凡，“垂手下膝，顾自见其耳”。刘备的神奇有自然征兆。“舍东南角篱上有桑树生高五丈余，遥望见童童如小车盖，往来者皆怪此树非凡，或谓当出贵人。”这和《史记》写刘邦的笔法一样，无非是在刘备的头上加上一道五彩光环，天生不凡。这是古人在探索微贱英雄人物时的一种普遍认识，既是历史局限性，也是史家倾注的一种感情。陈寿把刘备与曹操进行对比，明显的是褒扬刘备而贬抑曹操。《武帝纪》写曹操身世说他“莫能审其生出本末”，与刘备出身“汉景帝子中山靖王胜之后也”形成鲜明对照。曹操“少机警，有权数，而任侠放荡，不治行业，故世人未之奇也”；刘备“少语言，善下人，喜怒不形于色，好交结豪侠，年少争附之”。事实上，“任侠放荡”与“交结豪侠”是一样的行为，但品格有高下。曹操放荡无节，被世人看不起；刘备豪爽有城府，被目为英雄。在逐鹿中原中，曹操所过多所残戮；而刘备所居，人心归附。刘备为平原相，平原郡刘平派刺客去暗害刘备，“客不忍刺，语之而去”。陈寿即事评论说：“其得人心如此。”但是刘备才干不如曹操。“机权干略，不逮魏武，是以基宇亦狭。”陈寿一褒一贬的对比写法和评论，说明这位西晋史家很看重历史人物的道德信义对于历史的影响。我们说刘备的悲剧最令人叹息，原因也正是在此。

刘备的政治品格，有别于汉末的所有军阀，确实具有救世济民的用心，许多方面值得肯定。举其大要有以下三点：

其一，兴复汉室，终生为之奋斗，百折不挠。东汉政权，极其腐败。如果刘备以帝室之胄来光复这个腐败的政权，那当然不值得肯定。刘备与诸葛亮论及两汉政治，认为“亲贤臣，远小人”是西汉“所以兴隆”的原因；反之，“亲小人，远贤臣”，是东汉“所以倾颓”的原因。每论及此，刘备“未尝不叹息痛恨于恒、灵也”[①]，说明刘备“兴复汉室”不是维护东汉的腐败政治，而是维护统一，要恢复西汉的盛世政治。所以他临终托孤对诸葛亮说：“君才十倍曹丕，必能安国，终定大事。若嗣子可辅，辅之；如其不才，君可自取。”[②] 刘备为完成统一，戎马一生，无一日安居。诸葛亮感念刘备的托孤和效法刘备的精神，所以他安定国内以后，亲自主持北伐，北驻汉中，鞠躬尽瘁，死而后已。后世人民颂扬刘备和诸葛亮，并不只是颂扬他们维护正统的思想，而更是颂扬他们百折不挠的奋斗精神。

其二，知人善任，尽其器能。刘备领益州牧后，以宽宏的器量，做了积极的人事安排。《先主传》有着生动的记载：

> 先主复领益州牧，诸葛亮为股肱，法正为谋主，关羽、张飞、马超为爪牙，许靖、糜竺、简雍为宾友。及董和、黄权、李严等本璋之所授用也，吴壹、费观等又璋之婚亲也，彭羕又璋之所排摈也，刘巴者宿昔之所忌恨也，皆处之显任，尽其器能。有志之士，无不竞劝。

长期追随刘备的有功之臣，刘璋的旧部，益州的知名人士，曾经反对自己的仇人，刘备都做了恰当的安排，调动了各个方面的积极因素，使新建的蜀汉呈现一片兴旺气象。刘备拔魏延为汉中督，用李恢安抚南中，临终托孤诸葛亮，都说明了他的识人卓见和用人气度。

其三，恭谦待士，抚爱百姓。孟子有言：“得天下有道，得其民，斯得天下矣；得其民有道，得其心，斯得民矣；得其心有

---

①② 《三国志·诸葛亮传》。

道，所欲与之聚之，所恶勿施？尔也。”① 这是儒家的民本思想。但是封建帝王是难以在施政中做到的。刘备以其一生坎坷，十分注意争取士心民心的归附。他总揽英雄以致于三顾草庐。他取得益州后，有人建议把成都城中的屋舍及城外的园田桑地分赐诸将。刘备采纳了赵云的建议，田宅皆归还原主，令人民安居复业。

以上三点是刘备独具的政治气质，也是他成功地建立蜀汉的根本原因。刘备数十年的颠沛流离，关羽、张飞、赵云都紧紧追随。且看陈寿的总评：

> 先主之弘毅宽厚，知人待士，盖有高祖之风，英雄之器焉。及其举国托孤于诸葛亮而心神无贰，诚君臣之至公，古今之盛轨也。机权干略，不逮魏武，是以基宇亦狭。

陈寿对曹操的总评是：

> 太祖运筹演谋，鞭挞宇内，揽申、商之法术，该韩、白之奇策，官方授材，各因其器，矫情任算，不念旧恶，终能总御皇机，克成洪业者，惟其明略最优也。抑可谓非常之人，超世之杰矣。

陈寿对曹操、刘备两人进行了对照的评论。曹操才大，所以事业也比较宏大。曹操“鞭挞宇内，矫情任算”的政治品格，与刘备无法同日而语。曹操也惟才是举，谋臣如雨，猛将如云。但曹操阵营中的谋臣良将都只不过是曹操手中的工具，没有独立的人格。荀彧仅仅表示了对曹操加九锡的不满，许攸夸耀了破冀州的功劳，杨修的智慧超人一等，都一一遭曹操忌杀。像程昱、贾诩、刘晔等一班谋臣，都深自退守，战战兢兢。但是，刘备作为一个封建政治家也并非完美无缺。他执行隆中路线，夺取荆州、

① 《孟子·离娄上》。

益州，本质上就是运用权谋，“伐人之国以为乐”，却又要不露权谋手段，讲求宋襄公式的仁义，失去了最好的战机。夷陵之战，更是一次不可救药的失误。刘备用人唯亲，蜀将多不睦，如既用孟达取上庸，又用刘封去监军，造成二将不睦，对关羽坐视不救。马超、赵云都未尽其才。这与上文所说刘备知人善任，尽其器能并不矛盾，封建时代的专制政体使任何一个开明之主都具有两面性。刘备，包括诸葛亮都不例外。至于刘备以言语不逊诛杀张裕，说什么“芳兰生门，不得不锄”①，这和曹操杀边让、杀孔融没有两样。刘备身上由于有这些弱点，而失去了“问罪曹氏之津”，令人感慨！但是，大节上刘备与曹操是两种类型的人物，刘备的宽仁信义影响历史，远及后世，这是没有疑义的。

（原载《成都大学学报》1987 年第 2 期，人大复印资料转载）

① 《三国志·周群传》附《张裕传》。

论 孙 权

孙权字仲谋，三国时吴国的开国之主。他十九岁承父兄之业，克平暴乱，历尽险阻，终于创立了吴国。孙权在内政、外交、军事各个方面都有卓越的建树，是三国时期第一流的政治家。但是，由于孙权所凭藉的天时、地利、人和均处劣势，所以他尽管统事五十三年，亦未能混一中夏，成为一个偏安之主，于是被学术界目为“限江自保”的次等英雄，这是值得重新商讨的。事实上，推进三国鼎立，孙权是至关重要的人物，起了主要作用。三国对峙的主线，不是魏蜀对抗，而是魏吴对抗。但长期以来，学术界颠倒了这一主线，讲三国历史以魏蜀为中心，把吴国放在配角的位置上，不符历史的本来面目，应予重新评价。

一、举贤任能，鼎足江东

孙权是一位沉静有谋的非凡人物。据《三国志·吴主传》，孙权十五岁为阳羡长，随后以奉义校尉之职领兵从策征讨，参加过讨伐庐江太守刘勋和江夏黄祖的战斗。孙坚有五子：孙策、孙权、孙翊、孙匡、孙朗。孙策、孙翊皆骁勇闻名，两人个性轻躁，皆死于非命。公元200年，孙策为仇家所刺，不久孙翊为部属所杀。孙匡才庸，孙朗庶出。孙氏兄弟，唯有孙权状貌奇伟，方颐大口，目光炯炯有神，被时人认为“骨体不恒，有大贵之表”[①]。建安十五年（公元210年）十二月刘备到京口初见孙权，亦大为感叹，认为“孙车骑长上短下，其难为下”[②]。古人以骨相论贵贱，这当然是一种迷信说法。但一个人的非凡气度，是内质所决定的，必然在他的言谈举止和行事中活脱脱地表现出来，所以品貌论人又包含着品评者观察人生的历史经验，不能一言以蔽之曰宿命论。孙权胸襟豁达，好侠养士，处事果断，又多谋略，有纵横天下之志，所以孙策十分器重他，“自以为不及”[③]。孙策临终，张昭等人认为孙策将授兵孙翊，但出人意料，孙策呼孙权配印绶。他对孙权说：“举江东之众，决机于两阵之间，与天下争衡，卿不如我；举贤任能，各尽其心，以保江东，我不如卿”[④]。事实证明，孙策善识人，孙权果不负其所托，举贤任能，鼎足江东，创立了吴国。

正如孙策所言，孙权不善临阵决机，却长于驭将用贤，又果于决断，因此他在军事上仍有非凡建树，故能保有江东。赤壁之战，任用周瑜而大破曹军；荆州之争，任用吕蒙而获全胜；夷陵之战，起用陆逊而成大功；石亭之役，用周鲂之谋而收奇功。赤壁之战、争荆州之战、夷陵之战，这几次大战役都关系着江东的生存，孙权都稳操胜券。没有这一系列军事上的辉煌胜利，孙权不能立国。而这些胜利，都是孙权善于识人和用人的结果。

一个纵横天下的英雄，善于识人和用人是成功的两个最基本的条件。曹操、孙权、刘备都善识人而又能用人，故能为一世之杰。袁绍能聚人而不能用人，他失败了。贤如诸葛亮，他用人一失于马谡，再失于李严，可见知人、用人之难。若将孙权与曹操、刘备相较，在用人上孙权兼曹刘二人之长而避其短，显得更

---

① 《三国志·吴主传》。

② 《三国志·先主传》裴注引《山阳公载记》。

③ 《三国志·孙策传》裴注引《江表传》。

④ 《三国志·孙策传》。

善于识人、用人和培养人才。曹操用人，权谋巧伪，独步当时。当时他雄踞中原，人物荟萃，故其营垒，谋臣如云，猛将如雨。但曹操性多忌疑，“持法峻刻，诸将有计画胜出己者，随以法诛之”[①]。如荀彧反对曹操自封魏公，许攸引破袁绍为己功，杨修智慧超出了曹操，一一都遭曹操所忌杀。像忠心耿耿的程昱、贾诩、刘晔等许多智士，都十分谨小慎微，未能充分发挥其才能。刘备思贤若渴，宽仁待士，但刚愎自信，用人唯亲，所以蜀将多不睦，坏了许多大事。马超、赵云都未尽其用，尤其马超，抑郁而死。关羽与麋芳、士仁不协；刘封与孟达不善；杨仪与刘巴不睦，又与魏延不相容，都坏了大事。王夫之就指出：刘备信诸葛亮，不如信关羽，“且不如孙权之信子瑜也”[②]，故失荆州，败夷陵。孙权亦工于权术，但不似曹操之险诈；孙权也宽仁，但不效刘备之用人唯亲。《三国志·吕范传》记载了一个生动的事例，很有教益。孙权十五岁作阳羡长时，手下有一个功曹叫周谷，他工于迎逢，善造假账欺瞒上司，多支钱财供孙权的私求，很得孙权欢心。吕范主管财计，孙权每有所求，他都一一记载下来向孙策报告，惹得孙权很生气。但到孙权统事时，却反过来重用吕范而罢黜了周谷。

下面我们具体概括孙权用人的策略，以供评说。

首先，孙权用人，求其所长，弃其所短，不求全责备。他曾与陆逊书[③]，从容谈论周瑜、鲁肃、吕蒙以及陆逊等人的功绩和长短得失，很有雅量。孙权在书中明确提出“不求备于一人”的用人原则。孙权认为鲁肃有二长一短，但一短不足以损其二长。吕蒙少时，果敢有胆气，而学问不足，孙权劝其读书，后来学问大长，筹略奇至可与周瑜比肩。陈寿对孙权的品评论人，极为赞赏，认为“优劣允当”。其他诸将如甘宁、潘璋两人骁勇忠勤而粗猛好杀，潘璋更是奢侈骄逸而屡犯法禁，孙权惜其才而原其短，两人感知遇之恩而效死力，立了无数战功。甘宁本蜀将，怀

① 《三国志·武帝纪》裴注引《曹瞒传》。
② 《读通鉴论》卷一〇。
③ 孙权与陆逊书，载《三国志·周瑜鲁肃吕蒙传》。

才不遇投黄祖，黄祖不用而投孙权，孙权用之，终成名将。由于孙权用人不求全责备，又有一双善识人的慧眼，故其所用，都人尽其才，国受其益。孙权所用丞相，如顾雍，如陆逊，都具有治国平天下之大才，深为王夫之所赞赏，称其为“允为天子之大臣”[1]。孙权遣使曹魏的外交人才，如徐详，如赵咨，都堪任专对，不辱君命。

其二，孙权从多方面破格起用人才，并能用人以专，信而不疑。他“纳鲁肃于凡品”，“拔吕蒙于行阵”，“识潘濬于系虏”，深为臣下所折服。吕蒙粗疏而又身微，孙权劝他学文读书，智慧大增，成长为一员儒将。这说明孙权用人，授之以方，扶之使长，很得人心。赵咨使魏，他在回答魏文帝曹丕的话中，就把孙权善识人、用人列举为聪明仁智的证据之一。孙权用人以专，信而不疑，也十分感人。周瑜赤壁建大功，引起了曹操和刘备的忌惮。曹操与孙权书曰，“赤壁之役，值有疾病，孤烧船自退，横使周瑜虚获此名”[2]，用以贬损周瑜。刘备则干脆向孙权进言说：“公瑾文武筹略，万人之英，顾其器量广大，恐不久为人臣耳。”[3]孙权不为所动，委以重任。周瑜不幸早丧，孙权流涕曰：“公瑾有王佐之资，今忽短命，孤何赖哉！”[4] 刘备东伐，诸葛瑾在南郡，有人告发他与刘备交通，孙权却处之泰然，把告发信转给了诸葛瑾。孙权对人说：“孤与子瑜有死生不易之誓，子瑜之不负孤，犹孤之不负子瑜也。”[5] 陆逊镇西陵，孙权委以结和吴蜀的重任，刻了一个自己的印章交给他。“权每与禅、亮书，常过示逊，轻重可否，有所不安，便令改定，以印封行之。”[6]

其三，孙权不仅有知人之明，用人之量，而且深得用人之法，结之以情。张昭、周瑜原是孙策倚重的文武重臣。孙权统事，待张昭以师傅之礼而兄事周瑜。张昭、周瑜非常感佩，尽心相辅。赤壁之战，周瑜对曹操所遣说客蒋干说：“丈夫处世，遇

---

① 《读通鉴论》卷一〇。

②③④ 《三国志·周瑜传》裴注引《江表传》。

⑤ 《三国志·诸葛瑾传》。

⑥ 《三国志·陆逊传》。

知己之主，外托君臣之义，内结骨肉之恩，言行计从，祸福共之，假使苏、张更生，郦叟复出，犹抚其背而折其辞，岂足下幼生所能移乎？”① 一席效忠的肺腑之言，使得蒋干佩服得五体投地。公元196年，孙权在宣城被山越所困，短兵相接，身陷重围，敌人的刀剑砍中了孙权的马鞍。情势万分危急。周泰死命冲突，身受十二处大伤，才保护孙权死里逃生。事隔十八年，公元213年孙曹濡须之战，孙权用周泰为濡须督，东吴名将朱然、徐盛为泰部将，心中不服。孙权不动声色，为诸将举行宴会，他亲自给周泰敬酒，让周泰脱下衣服，亮出累累创伤，一一讲述每一疤痕的战斗事迹。君臣二人，一问一答，说到动情处，孙权拉住周泰的臂膀，泣不成声。孙权当即把自己用的头巾和车盖赏赐给周泰。宴会结束，孙权奏军乐，在一片肃穆的鼓角声中，让周泰作前导，诸将簇拥，散出宴会场。孙权动之以情，使诸将和睦。文武大臣的丧葬，孙权极为重视。张昭、顾雍、朱然、吕范等的丧礼，孙权亲临吊慰，素服举哀。周瑜、鲁肃、吕蒙、甘宁、凌统等虎将死后，孙权为之痛惜，流涕哀伤，厚待家属。凌统死，留下两个孤儿，孙权养于宫中，待之如同亲子。每宴宾客，孙权叫他们来会客，夸奖说：“此吾虎子也。”又延请师傅，令其修文习武，长成后还其父兵。孙权晚年，一度昏聩，诛杀了吾粲、朱据等重臣；又多次斥责陆逊，致使逊恚恨而死。后孙权醒悟，追悔莫及。他流着眼泪对陆逊之子陆抗说：“吾前听用谗言，与汝父大义不笃，以此负汝。前后所问，一焚灭之，莫令人见也。”② 这一肝膈之言，出自老态龙钟的专制君王之口，至今读来还令人激动不已。想当年的孙吴臣僚，自然乐于效命了。

在孙权“亲贤贵士，纳奇录异”③ 的推诚用人政策下，远近奇士，争相效命，使得孙吴人才济济，虽逊于曹魏，却远远超过了蜀汉。虞翻，曹操征之不去。甘宁，蜀将，冒难来投。由孙权举拔的文武大臣如银汉星光，灿烂列目。顾雍、诸葛瑾、步骘、

① 《三国志·周瑜传》裴注引《江表传》。

② 《三国志·陆逊传》。

③ 周瑜与鲁肃语，见《三国志·鲁肃传》。

严畯、阚泽、薛综、士燮、鲁肃、吕蒙、周泰、甘宁、凌统、徐盛、潘璋、丁奉、朱然、吕范、朱桓、陆逊、陆抗、吕岱、周鲂、钟离牧、潘濬、陆凯、是仪、胡综、陆绩、诸葛恪等，都得到了效命的机会，各尽其能。父兄孙坚、孙策留下的功臣宿将有程普、黄盖、韩当、蒋钦、陈武、董袭、朱治、张昭、张纮、太史慈、周瑜、虞翻、贺齐、全琮等，亦倾心折服，辅弼孙权。纵观江东才俊，近四分之三为孙权所简拔。如此众多的人才，效命孙权，他怎能不据有江东！故王夫之曰："蜀汉之义正，魏之势强，吴介其间，皆不敌也，而角立不相下；吴有人焉，足与诸葛颉颃，魏得士虽多，无有及之者也。"[①]

二、运筹帷幄，胜人一筹

曹操文武双全，是一个命世全才，无人可及。但就审时度势，把握机会以求得最大发展的政治方略来说，孙权是无与伦比的第一流政治家，明显地胜人一筹，连曹操也要逊色一等，更不用说刘备了。孙权赤壁败曹，夷陵败刘，事非偶然。三国之所以鼎立也，以吴有人焉，孙权则是一个核心人物。这个看法，或将引起争议，这里谈谈个人意见。

为简明起见，我们只略谈孙吴政权生存和发展的四个阶段，即孙权统事后如何站稳江东、镇抚山越、联刘抗曹、夺取荆州。

站稳江东 公元200年，十九岁的孙权，从其兄孙策手中接过江东之众，面临着动荡不安的险恶形势。《吴主传》载，当时孙吴辖地"惟有会稽、吴郡、丹杨、豫章、庐陵，然深险之地犹未尽从，而天下英豪布在州郡，宾旅寄寓之士以安危去就为意，未有君臣之固"。在孙吴统治集团内部也多有驻足观望者，庐江太守李术公然"不肯事权，而多纳其亡叛"[②]。概括起来是三大问

① 《读通鉴论》卷一〇。

② 《三国志·吴主传》裴注引《江表传》。

题：名微众寡、山越暴动、地方不服。最突出的是名微众寡。孙权年少威轻，他能否驾驭父兄遗留下来的名臣宿将，站稳江东，面临着严峻的考验。孙权虽承父兄之余烈，但与旧将“未有君臣之固”，能否威众，将取决于他的措置是否得宜。孙盛评曰：“孙氏因扰攘之际，得奋其纵横之志，业非积德之基，邦无磐石之固，势一则禄祚可终，情乖则祸乱尘起。”[①] 权弟孙翊为其部将所杀，就是显证。

且看孙权如何动作！他连下几着妙棋稳定了局势。首先团结旧部。张昭为文臣领袖，周瑜为武将之魁。孙权待张昭以师傅之礼，而兄事周瑜，又以程普、吕范等为将率。张昭、周瑜等人谓“权可与共成大业，故委心而服事焉”。张、周心服，这就稳定了全军。第二着，“招延俊秀，聘求名士”。鲁肃、诸葛瑾等始为宾客，众士归附，人心悦服。第三着，“分部诸将，镇抚山越，讨不从命”。所谓“讨不从命”，指讨灭庐江太守李术。李术为孙策所署。公元 199 年，李术为孙策攻杀了曹操所署的扬州刺史严象。现在他却背叛了孙权。孙权利用袁曹官渡相持，曹操无暇东顾的时机，联络曹操，孤立李术，在政治上取得主动权。孙权致信曹操，声称李术攻杀严象是“轻犯汉制”，藐视曹操，是一个凶恶之徒。又严象曾奉曹操之意举孙权为茂才，因此孙权要为国讨贼，为严家报仇，并说此举为“天下达义”，希望曹操不要救援李术[②]。措词冠冕堂皇，理直气壮，无懈可击。曹操鞭长莫及，乐得顺水推舟，表权为讨虏将军，领会稽太守。孙权抓住时机，一举歼灭了李术。

镇抚山越 扬州山地为山越人聚居之域，占人口半数，他们叛服不定，是对孙权政权的最大威胁。孙权趁北方多事之秋，从公元 201 年到 207 年，集中全力镇抚山越。他分割郡县，设置新郡新县，分部诸将，分片包干剿抚，驱略山越人下山，使强者为兵，弱者补户。孙吴名将无不参加剿抚山越的战斗，据粗略统

① 《三国志·孙策传》裴注引。
② 《三国志·吴主传》裴注引《江表传》。

计，达三十九人之多。山越精壮有十余万人从军，补为编户齐民的人口不下五十万。孙权镇抚山越的政策，相当严厉，但获得了极大的成功。

联刘抗曹 赤壁之战前夕，刘备兵败长坂，走投无路，孙权主动放弃了极长江所有的战略，在大敌当前，毅然决断联刘抗曹，赢得了赤壁之战的胜利，实为惊人之举，非常人所能及。孙权审时度势，高瞻远瞩，在赤壁战后借荆州给刘备，此举更能表现他作为一个伟大政治家的胸怀和气度，使得曹操也感到大为意外，得知消息，惊骇不已，不觉把手中的笔也掉落在地上。借荆州给刘备，等于养虎在身，遭到周瑜、吕范等亲臣、重臣的反对。孙权作出的这一抉择，令人惊叹，当时他才二十九岁。刘备得荆州后，阻止孙权西进，孙权为顾全大局，也暂时作出了让步。直到公元214年，孙权与刘备争荆州江南三郡，仍表现了极大的忍耐与顾全大局的政治家气度。孙权索荆州江南三郡，很有分寸，可刘备不容，以兵戎相见。当时曹操已得汉中，从背后给刘备插了一刀。孙权并未趁火打劫，效吕布袭徐州，联曹灭刘，而是允刘备求和，让刘备掉头去对付曹操。这次孙刘言和以后，刘备得到了汉中，孙权得了江西皖城，巩固了江北防线，有效地屏卫了江东。

夺取荆州 公元214年，孙刘第二次联盟之后，孙权一度把战略重点放在东线，用力争合肥，北进徐州，企图把战略防线推进到淮水一线。这时孙刘联合力量超过了曹操，如果孙权坚决贯彻这一战略，与上游的关羽、汉中的刘备，齐头并进，或许三国鼎立将不在历史上占有一章。可惜鲁肃不幸于公元217年病故，加之关羽骄矜，激怒了孙权。吕蒙代鲁肃领兵，上陈擒羽之策。吕蒙说，孙吴取了徐州也不易守住，还不如取羽，“全据长江，形势益张”①。孙权接受了吕蒙的献计，改变战略，矛头向西，立即派徐详使魏，向曹操陈说天命，纳款效顺。甚至曹操死后，孙权向篡逆者曹丕称臣，接受其封爵吴王。孙权借此张大自己声

① 《三国志·吕蒙传》。

威，避免两线作战，确保集中全力西进，赢得了夺取荆州的辉煌胜利。夷陵大捷后，孙权并未被胜利冲昏头脑，他拒绝了徐盛、潘璋、宋谦等穷追刘备的建言，而果断地采纳陆逊的建议，即时收回兵力，沿江布防，避免了曹魏的乘危侥幸。在争荆州的回合中，孙权军事上胜了刘备，政治和外交上胜了曹丕，充分显示了孙权随机应变，极纵横捭阖之能事，堪称三国时杰出的外交家。孙权屈身忍辱，称臣受封的奇策，大得实惠，加强了孙权对江南的统治地位。陈寿对此，作了高度评价，赞誉孙权有“勾践之奇英，人之杰矣”。

此外，孙权缓称帝也是一着妙棋。他直到公元 229 年才称帝，与智术短浅而急于称帝作昙花一现的袁术相比，不知高出多少倍。西晋史学家鱼豢在他的《魏略》中作了生动的评述。鱼豢说：“权闻魏文帝受禅而刘备称帝，乃呼问知星者，已分野中星气何如，遂有僭意。而以位次尚少，无以威众，又欲先卑而后踞之，为卑则可以假宠，后踞则必致讨，致讨然后可以怒众，怒众然后可以自大，故深绝蜀而专事魏。”[①] 由此可见，孙权在政治和军事上每每后发制人，大智若愚，有深意存焉。

三、如何评价孙权的历史地位

评价孙权的历史地位，主要讨论两个问题，即如何看待他立足江东，以及他为什么不能混一中夏？这实质是一个问题的两个方面。换句话说，在推进三国鼎立过程中一直操执牛耳的孙权，又在位最久，为何不能统一中国？他是否“本谋”有限，自足于偏安的王业呢？怎样看待孙权的“本谋”，这对于评价孙权的历史地位有重要意义。

认为孙权本谋有限，只满足于偏安王业，此说肇端于司马光，成于胡三省和王夫之，后世学者不察而沿用其说，于是在学

① 《三国志·吴主传》裴注引。

术界形成定见。

《资治通鉴》卷六十三载鲁肃说孙权曰："肃窃料之，汉室不可兴复，曹操不可卒除。为将军计，惟有保守江东以观天下之衅耳。若因北方多务，剿除黄祖，进伐刘表，竟长江所极，据而有之，此王业也。"查《三国志·鲁肃传》，"保守江东"，原文作"鼎足江东"；"此王业也"，原文作"此高帝之业也"，在这一句之前，司马光还删去了最重要的一句："然后建号帝王以图天下。"这样，鲁肃对孙权的"江东对"，被修改成为偏安王业说，这只是司马光的观点，不能代替《三国志》所载原始资料。胡三省注，以按语口气加强了偏安王业说。胡三省曰："江东君臣上下，本谋不过此耳。"胡三省还觉此语不足以动读者之心，又在《资治通鉴》卷七十二对孙布诈降王凌事发表评注说："孙权自量其国之力，不足以毙魏，不过时于疆场之间，设诈用奇，以诱敌人来而陷之耳，非如孔明真有用蜀以争天下之心也。"王夫之《读通鉴论》着墨于魏蜀，而鲜论东吴之事。王夫之认为，孙权是坐观曹、刘之胜败，"乐得邓芝通好以安处于江东"。又说，顾雍、陆逊都具理天下大政之才，可惜"屈于时而相偏安之国"。王夫之又赞东吴政宽，休养息民，情不自禁发出慨叹，曰："惜乎吴无汉之正，魏之强，而终于一隅耳。不然，以平定天下而有余矣。"近世时贤的论著，异口同词都说孙权自足于偏安。吕振羽《简明中国通史》明确地说孙权立国的基本方针是"保江东"、"观成败"，"在曹魏和蜀汉敌对的空子里求生存，讨便宜"；范文澜《中国通史简编》说孙权"决心坐守江东"；王仲荦《魏晋南北朝隋初唐史》说"孙权君臣以苟安江南为满足"；韩国磐、万绳南等亦认为孙权立国的基本方针是"限江自保"。

事实并非如此。东吴君臣，积极进取，非止一人。鲁肃献帝王之说，甘宁进取荆图蜀之策，周瑜更欲整军伐蜀，前据襄阳，谓"北方可图"。吕蒙谋取荆州，说孙权曰："令征虏（孙皎）守南郡，潘璋住白帝，蒋钦将游兵万人，循江上下，应敌所在，蒙为国家前据襄阳，如此，何忧于操，何赖于羽?"又如全琮、徐盛、潘璋、宋谦等献擒羽灭蜀之计的诸将，均不甘心于鼎足，岂能满足于限江自保！孙权多次北伐，其后有诸葛恪的淮南之役，由于曹魏重点防吴，吴国小不敌，因而事功不就。孙权向曹魏权宜称臣，与魏使邢贞盟，张昭怒而徐盛涕泣横流，志欲为国家“并许、洛，吞巴蜀”[①]。邢贞谓其旅曰：“江东将相如此，非久下人者也。”[②] 至于孙策谋袭许，孙权赤壁鏖兵，以及夺取荆州，都寄寓着吞天下之志。黄武五年（公元226年），陆逊谏“宽赋息调”，孙权报陆逊书云：“至于发调者，徒以天下未定，事以众济。若徒守江东，修崇宽政，兵自足用，复用多为？顾坐自守可陋耳，若不豫调，恐临时未可便用也。”[③] “自守可陋耳”的思想，不正是孙权积极进取精神的反映吗？至于周瑜、鲁肃、甘宁等人所规划的战略，则是第一步立足于江东，第二步竟长江所极，第三步问鼎中原。正由于三国鼎立，孙权只走完了第一步，恰如曹操之不能越江，蜀汉之不逾秦岭，非不为而力不能，因此不能说孙权满足于偏安王业。当时蜀汉的一些坐而论道的书呆子有此看法，受到了诸葛亮的驳斥。诸葛亮说：“今议者咸以权利在鼎足，不能并力，且志望已满，无上岸之情，推此，皆似是而非也。何者？其智力不侔，故限江自保；权之不能越江，犹魏贼之不能渡汉，非力有余而利不取也。”[④]

孙权“智力不侔”，而“限江自保”，这是他不能统一中国的根本原因。下面再作一些具体分析。举其大端，有以下六个方面的主要原因。

其一，孙权所处天时、地利、人和均为劣势，不足以灭蜀并魏。所谓天时、地利、人和三个因素是相互影响的，三者又各包含两个方面。天时含政治凭藉和事会机运；地利含形胜险阻与人物殷阜；人和含得贤才与人心归服。魏谋臣刘晔说，孙权虽有雄才，故汉骠骑将军南昌侯耳，官轻势卑[⑤]。这是说孙权政治凭籍不厚，没有曹操挟天子以令诸侯之势，也没有刘备帝室之胄的正

①② 《三国志·徐盛传》。

③ 《三国志·吴主传》。

④ 《三国志·诸葛亮传》裴注引《汉晋春秋》。

⑤ 《三国志·刘晔传》裴注引《傅子》。

统之义，只能后发制人，在曹刘争相称帝的时候，把自己规取天下的雄心深藏不露，以便充分利用曹刘敌对的空隙，朝秦暮楚，讨取便宜。东吴地利有长江之险，此为一长；但地处低下而仰攻蜀魏，又是一短。中国传统文化在中原，人物众盛，而又居高临下，所以历代南北对峙，基本上是北方战胜南方。孙权虽得江东才俊，而山越屡叛，人和也只得了一半。等到孙权镇抚了山越，挥兵西进之时，曹操已南下，使得他未能在北方多务之时竟长江所有，丧失了机运。所以陈寿说："山越好为叛乱，难安易动，是以孙权不遑外御，卑辞魏氏。"①

其二，东吴名将，过早凋零。东吴开国的文臣武将，约四十人全部在孙权生前早早谢世。周瑜、鲁肃、吕蒙三大将，文武兼资，他们制定了东吴政权的立国方计，偏偏最早辞世。周瑜卒于公元211年，仅三十六岁；鲁肃卒于公元217年，四十六岁；吕蒙卒于公元219年，四十二岁。陈寿将东吴战将程普、黄盖、韩当、蒋钦、周泰、陈武、董袭、甘宁、凌统、徐盛、潘璋、丁奉等十二人合传，称为东吴虎将。这十二虎将有十人凋落在孙权称帝之前。孙策的突然早夭，几乎使孙氏集团瓦解。孙权的大批谋臣骁将的过早谢世，使得东吴争雄天下的实力大大衰落。曹魏地广，人才众多，一辈辈成长。吴、蜀地狭，贤才非唯本土所产，因汉末乱世，中原人才分之于四方，其后吴、蜀才俊，大批凋零，人才难继。可以说这是蜀、吴相继灭亡于北的重要原因。

其三，争荆州之役，吴虽得实利，但也增强了曹魏，从逐鹿中原角度看，可以说是战略失策。三国鼎立，曹魏占天下三分之二，又位处中原，天时、地利、人和都占绝对优势。吴蜀合力相抗，尚且不敌，而又自相残杀，大大削弱了抗衡力量。综合天时、地利、人和就是政治、经济、军事的总和。优劣是可以转化的。设如本文前述：当关羽得志于荆襄之时，若孙刘合力前进，刘备挥汉中之众以出秦川，孙权集中全力指向合肥、徐州，东西万里全线进击，彼此呼应，乘锐助势，蚕食魏境，中原震动，人

① 《三国志·贺全吕周钟离传》陈寿评。

心思变，前途不可预料。孙权忌惮关羽，战略转向，虽一时得志，却成就了曹氏篡汉，三国鼎立遂成不易之局。夷陵战后，魏强、蜀弱、吴孤。此后吴蜀虽重新结好，也频频出击曹魏，终因力弱而又各存异心，都希望对方替自己火中取栗，所以都以失败而告终。

其四，孙权短于临阵突敌，战功不著，直接影响他争天下的进程。孙权亲临战阵所指挥的对曹战役，举其大者有十一次，除攻克皖城一役外，有十次均未能取得胜利。试列举如下。

（1）公元209年（建安十四年），赤壁战后，孙权乘胜率十万之众围合肥，攻百余日不能下。

（2）公元213年（建安十八年），孙权与曹操相拒于濡须坞，曹操破权江西营，获都督公孙阳。

（3）公元214年（建安十九年），孙权征皖城，克之，获庐江太守朱光及参军董和，男女数万口。

（4）公元215年（建安二十年），孙权以十万之师围合肥，被曹操边将张辽、李典、乐进以七千之众大破之，差点当了俘虏。

（5）公元216年（建安二十一年），曹操再度进军濡须，孙权退走。

（6）公元219年（建安二十四年），权围合肥，无功还。

（7）公元226年（孙权黄武五年）孙权趁魏文帝曹丕之死，征江夏，围石阳，不克而还。

（8）公元229年（孙权黄龙元年），孙权乘陆逊夹石之战大败曹休的声威，扬声出江北而僭袭西阳，魏将满宠早为之备，权退还。

（9）公元230年（孙权黄龙二年），孙权围合肥新城，不克而还。

（10）公元233年（孙权嘉禾二年），孙权再围合肥新城，遣将军全琮征六安，皆不克还。

（11）公元234年（孙权嘉禾三年），孙权联蜀大举伐魏，东西相应。吴兵三路北进。西路陆逊、诸葛瑾向襄阳，东路孙韶、张承向广陵、淮阳，孙权自率大军出中路围合肥。魏明帝曹叡亲征，未至寿春，权退还。

孙权倾注全力于淮南，六攻合肥不下。两次濡须坞之战，并不是孙权击退南下的曹操，而是曹操挫败了孙权的北进合肥。以上十一例战场实践是十败一胜，这生动地说明了孙权的应变将略非其所长，可以说是他帝业不成的一个重要原因，纵观中国历史，凡生于乱世的开国之主，无不善驭戎机。如汉高祖刘邦、汉光武刘秀、唐太宗李世民、明太祖朱元璋，夺天下无不取之于马背。诚然，只知打仗，而不懂政治的一介武夫成不了气候，但只有韬略而短于戎阵也难以济大功。孙权也胆气豪壮，曾以双戟掷虎，临危不惊。建安十八年，孙权与曹操濡须口鏖战，曹军号称四十万，孙权敢于亲冒矢石挑战。他指挥水军包围曹操水上舟师，生俘三千余人，曹军落水者亦数千人。孙权又乘船深入曹寨五六里，曹军万弩齐射，孙权坐船受箭偏重将覆，因回船受箭，箭均船平，乃鼓乐齐鸣而还。《三国演义》所写诸葛亮草船借箭即取材于此。孙权的胆略和勇气，使得曹操非常佩服，不禁赞叹："生子当如孙仲谋!"可惜所遇对手道高一尺，孙权无所施其巧。孙权和诸葛亮都善用兵，但在三国人才辈出的时代，应变将略相对为短，在决机两阵之间把握不住时机，因而建功不著，大业难就。

其五，孙权称帝骄逸，晚年昏聩。大凡帝王都好大喜功，且多疑忌，晚年尤甚。公元229年，孙权四十八岁称尊号，即皇帝位，从此，东吴政权从顶峰走向衰败。孙权称帝前建都武昌，是一种前进的姿态；称帝后迁都建业，实际意味着限江自保。孙权不听劝谏，封辽东公孙渊为燕王，派重兵护送辽东使者，致使贺达等一万将士没入辽东。这时孙权忠奸不分，设校事官、察战官，大搞特务统治，信用佞臣吕壹等残害忠良。特别是他宠爱鲁王孙霸，无端废太子孙和，造成大臣各有彼此，举国分裂。孙权逼死陆逊，杀害吾粲、朱据等肱股大臣，使吴国政治出现了空前的危机。孙权晚年昏聩，政治黑暗，朝臣人人自危，边将外叛，种下了亡国之祸。

其六，曹魏重点防吴，孙权无隙可乘，不能建奇功。魏文帝曹丕曾问贾诩，统一天下，吴、蜀何者为先？贾诩答以休养生息，壮大国力以后再言战。曹丕不纳，于公元 222 年、224 年、225 年三次大举伐吴，有两次亲临大江，虽无功而还，但其战略计划先吴后蜀，十分明显。曹魏在国防前线设三大军事重镇以防吴、蜀。东置合肥，南守襄阳、西固祁山，防蜀重镇为一，防吴重镇为二。公元 234 年，吴、蜀联兵大举图魏，魏明帝敕令西线司马懿坚壁不战取守势，而在东线亲征取攻势，孙权闻风而退。在曹魏严密设防下，无论孙权、陆逊，出师皆无功，更不用说其他诸将。孙权不能攻其不备，只好用诈降计诱魏兵深入，周鲂诱曹休，孙布诱王凌，均是如此。这正如胡三省所评，孙权设诈用奇，只是疆场小计，不足与孔明北伐相颉颃。这话用指孙权的后期战略是符合实际的。

综上所述，孙权不能统一天下，因受历史条件局限，有着多种因素，并非志存偏安。曹操、刘备、孙权都没能完成统一大业，而是各自创立了鼎足三分的国家。汉末群雄纷争，只有他们三人建成了功业，都是那个时代的一流英雄人物。孙权在推进三国鼎立过程中起了主要作用，应予以高度评价。吴国在江南的建设和开发，促进了长江流域经济的发展，对后世历史产生了影响，这就是孙权对于历史的贡献。毫无疑问，孙权是三国时代应居于第二位的人物，他的功绩逊于曹操，大于刘备。已往的论者把孙权看作是曹刘相争中的配角人物的评价应予辨正。孙权在位最久，他前后的表现判若两人，这是必须指出的。孙权称帝，是他一生事业的分水岭。称帝前叱咤风云，有图取天下之志；称帝后志意已足，走向限江自保。至于晚年昏聩，更不足道。虽然有所悔悟，而无补大局，吴国也就不能发展了。

（原载《史林》1988 年第 2 期）

论曹操的智囊团

公元208年，曹操平定荆州，举行封赏宴会，擢拔荆州人

士。王粲向曹操祝酒，颂扬他统一北方。王粲说：

> 方今袁绍起河北，仗大众，志兼天下，然好贤而不能用，故奇士去之。刘表雍容荆楚，坐观时变，自以为西伯可规。士之避乱荆州者，皆海内之俊杰也，表不知所任，故国危而无辅。明公定冀州之日，下车即缮其甲卒，收其豪杰而用之，以横行天下；及平江、汉，引其贤俊而置之列位，使海内回心，望风而愿治，文武并用，英雄毕力，此三王之举也。[①]

东汉地主阶级分为两个阶层，庶族地主多武将，士族地主多智士。东汉选举被士族地主所垄断，他们在政治上的号召力具有压倒的优势。士族在当时正处于上升发展阶段，亦为多数民众所拥护。汉末一般军阀都把注意力放在扩充军备上，招揽武将，用以征伐四方，力求发展。但事与愿违，他们愈是排斥士族，愈是

① 《三国志·王粲传》。

失败得迅速。总揽朝政的庶族军阀董卓，不可一世，瞬息湮灭，就是明证。曹孙刘三家都注意文武并用，广揽士族智士，终于成了气候。袁绍凭借“四世五公”的政治声望招致了大批士族名士，构成了北方最强大的割据政权；刘表以党人领袖“八及”之一的声望，单骑入荆州，招致“海内俊杰”，雄踞荆州十余年。但是袁绍“好贤而不能用”，“奇士去之”；刘表“不知所任，故国危而无辅”，也都失败了。袁绍看重的是“南据河，北阻燕、代”，刘表“雍容荆楚”，“自以为西伯可规”，仍是依恃险阻甲兵，没有能够发挥自己的优势，总揽英雄。与袁绍、刘表相比，曹操名微众寡，但他既“缮其甲卒”，又“收其豪杰而用之”，庶族的武将，士族的智士，都云集于曹操的麾下，故能转弱为强，统一北方，克成洪业。曹操与军阀角逐的路线是，“任天下之智力，以道御之，无所不可”，这是最高超的策略。王粲颂他“引其贤俊而置之列位，使海内回心，望风而愿治，文武并用，英雄毕力，此三王之举也”，一点也不过分。曹操统一北方，不仅三分天下有其二，而且天下人才三分也有其二，形成了一个庞大的智囊团，为曹魏的建立准备了政治基础。可惜曹操个人品德不令，机权变诈，猜忌智士，使得他既未能拢尽天下英雄，更没能够充分发挥智囊团的作用，未能完成统一事业，可以说这也是一个悲剧。本文试图对曹操智囊团的形成和历史作用作一些探讨，揭示三国鼎立的一个侧面。

一、曹操智囊团的形成

本文讨论的曹操智囊团，不限于骨干谋士团，包括曹操的所有掾属，当然重点是骨干谋士团。建安元年（公元196年）曹操迎献帝都许为司空，建安十三年（公元208年）曹操为丞相。因此他的掾属或称司空掾，或称丞相掾。据《三国志》和裴注的记载，粗略统计，曹操的智囊团有九十三人，二人为汉官，九十一人为掾属（详本文第三节），分布在十四个传中，分为前期、后期两组。传目及人名如下：

卷十《二荀贾传》：荀彧、荀攸、贾诩，以及荀彧所荐戏志才、严象、韦康，共六人。

卷十一《袁张凉国田王邴管传》：袁涣、张范、凉茂、国渊、田畴、王修、邴原，七人（管宁不受征辟，未计）。

卷十二《崔毛何徐邢鲍司马传》：崔琰、毛玠、何夔、徐奕、邢颙、鲍勋；裴注补娄圭、许攸，八人（司马芝未计）。

卷十三《钟华王传》：钟繇、华歆、王朗，三人。

卷十四《程郭董刘蒋刘传》：程昱、郭嘉、董昭、刘晔、蒋济、刘放；附传刘资，七人。

卷十五《刘司马梁张温贾传》：司马朗、梁习、张既、温恢、贾逵，五人（刘馥未计）。

卷十六《任苏杜郑仓传》：任峻、枣祗、杜畿、郑浑，四人（苏则、仓慈未计）。

以上七传四十人，为第一组。

卷二十一《王卫二刘傅传》：王粲、卫觊、刘廙，附传徐干、陈琳、阮瑀、应场、刘桢，裴注补繁钦、路粹、丁仪、丁廙、杨修，十三人（刘劭、傅瑕未计）。

卷二十二《桓二陈徐卫卢传》：桓阶、陈群、陈矫、徐宣、卫臻、卢毓，以及陈群所荐戴乾，七人。

卷二十三《和常杨杜赵裴传》：和洽、常林、杨俊、杜袭、赵俨、裴潜，六人。

卷二十四《韩崔高孙王传》：韩暨、崔林、高柔、孙礼、王观，五人。

卷二十五《辛杨高传》：辛毗、杨阜、高堂隆，三人。

卷二十六《满田牵郭传》：满宠、田豫、牵招、郭淮，四人。

卷二十七《徐胡二王传》：徐邈、胡质、王昶，三人（王基未计）。

此外，卷二十八《王凌传》载凌为丞相掾；《张鲁传》裴注引《世语》有郭谌为西曹掾；《武帝纪》裴注引《魏书》载魏公劝进表有军师祭酒薛洪、董蒙、傅异；有军谋祭酒王选、张承、任藩；又裴注引《九州春秋》载参军傅干；《荀彧传》裴注引《彧别传》载彧所荐有郗虑；《任峻传》裴注引《魏武故事》载侯声为军祭酒；《晋书·宣帝纪》载司马懿为文学掾，共十二人。

以上七传及王凌等十二人共五十三人，为第二组。

上述两组人物总计九十三人，除荀彧、田畴二人外①，共九十一人皆为曹操掾属。其中娄圭、许攸、郗虑等个别人物史虽未载为掾属而推断计入，司马芝等史未载为掾属，未计。陈寿撰史，分为两组，第一组人物主要活动于魏国既建之前；第二组人物主要活动于魏国既建之后。建安十八年，曹操为魏公，设立公国百官，史称魏国既建，建安二十一年进爵魏王。两组人物的时间先后有交叉。如第二组人物中王粲、陈琳、阮瑀，主要活动在魏国既建之前；而第一组却有不少人物在魏国既建之后才发挥重要作用，如董昭、蒋济、刘放、孙资等。从形成过程看，曹操智囊团从初平二年（公元 191 年）荀彧弃绍投操起，到建安十八年（公元 213 年）魏国既建止，前后历时二十三年，以官渡之战分为前后两个阶段。官渡之战是曹操事业的一个分水岭。第一组人物大都在官渡之战以前投效曹操，第二组人物多数是在官渡之战以后才进入智囊团。

曹操的智囊团在官渡之战前夕已逐渐形成，骨干谋士都在这一阶段投效了曹操。公元 191 年，曹操为东郡太守，荀彧来归，被署为军司马。公元 192 年，曹操兵临兖州，程昱接受征辟，亦为军司马。曹操出征，荀彧、程昱二人留守。公元 196 年，荀攸、钟繇、董昭、郭嘉从操。公元 199 年官渡之战前夕，刘晔、贾诩从操。以上八人是曹操的骨干谋士团。此外，华歆、王朗、蒋济、毛玠、何夔、徐奕、陈群、赵俨、袁涣、凉茂、司马朗、梁习等重要谋士，也是第一阶段投效曹操。官渡之战以后，随着曹操事业的发展，智囊团不断扩大，成为一支庞大的人才队伍，为曹氏代汉打下了坚实的政治基础。

① 荀彧为侍中，守尚书令，因其声望高，曹操没有迫使其为掾属。田畴誓死辞封，实不为曹操掾属，拜议郎。

曹操是怎样把这些人才聚集起来的，大略言之，有五个方面：

（一）征辟 这是两汉选举的正常途径。袁涣、张范、凉茂、国渊、田畴、邴原、毛玠、徐奕、何夔、邢颙、鲍勋、华歆、王朗、程昱、刘晔、蒋济等，皆征辟署职。无论是推荐，还是投效，布衣出仕，都要用征辟的形式。

（二）投效 天下纷乱，“智能之士思得明君”，主动投效曹操的都是天下的智能奇士。在官渡之战以前，曹操寡弱时，荀彧、郭嘉、桓阶、贾诩等人的投效，都突出地具有典型意义。荀、郭两位大才，都是从鼎盛的袁绍营垒中投过来的。郭嘉初见曹操，就倾心悦服，对人说：“真吾主也。”[①] 桓阶说长沙太守张羡反对刘表，贾诩说张绣投曹操，都是在官渡之战相持而袁强曹弱之时。他们深邃的洞察力，远远高于时人之上。曹操得到这些智士的效力，怎能不兴旺！

（三）推荐 荀彧知人，他对于曹操智囊团的形成有重要作用。荀彧前后所举，“命世大才，邦邑则荀攸、钟繇、陈群，海内则司马宣王，及引致当世知名郗虑、华歆、王朗、荀悦、杜袭、辛毗、赵俨之俦，终为卿相，以十数人”[②]。彧所荐还有戏志才、郭嘉、杜畿，皆一代风流。所荐扬州刺史严象，凉州刺史韦康，虽短于军谋败亡，然以身殉职，不失为烈士。陈群荐广陵陈矫、丹阳戴乾等等。

（四）纳降 许攸，袁绍谋士，贪财，绍不能足，审配又收治其妻子。官渡之战正在难解难分之时，许攸投操，带来了袁绍军部署的情况，建奇计袭破袁绍军，使曹操赢得了官渡之战的大捷。陈琳，袁绍记室，官渡之役，为绍檄州郡，行文骂操三代，诋辱父祖。辞云，操祖腾，“故中常侍，与左悺、徐璜，并作妖孽”，父嵩“乞匄携养，因赃假位”，“（操）无令德，僄狡锋侠，好乱乐祸”[③]。建安九年，曹操破邺得琳，“爱其才而不咎”，辟为

① 《三国志·郭嘉传》。
② 《三国志·荀彧传》裴注引《彧别传》。
③ 《三国志·袁绍传》裴注引《魏氏春秋》。

司空军谋祭酒。军国书檄，多出自陈琳、阮瑀之手。牵招，袁绍从事，绍死从尚。尚败，牵招投操，署军谋掾，拜护乌丸校尉，督青徐州郡诸军事，独当一面。

（五）强征 曹操辟司马懿，懿不就征。建安十三年（公元208年），曹操再辟为文学掾，敕使者曰："若复盘桓，便收之。"[①] 懿惧而就职，为丞相东曹属，转主簿。曹操辟阮瑀，瑀逃入山中。曹操"使人焚山，得瑀，送至，召入"[②]，辟为司空军谋祭酒，与陈琳共管记室。阮瑀逃征之说，裴松之以为非实。就阮瑀而言，或有歧说，但强征士人也是古代司空见惯的手法，非独曹操所为。

上述五个方面来源，以征辟、投效、推荐三者为最主要形式。曹操能够聚集这样多的人才，因他具有比别的军阀不可比拟的个人的和政治的优势，试分别析之如下。

曹操的个人因素

曹操少小机警，有权数，文武双全，受到名士桥玄、何颙、许劭等人器重，被目为"命世之才"，青年时就有很高声望。他二十岁举孝廉为郎，历仕洛阳北部尉、顿丘令、济南太守，灵帝末入都拜典军校尉，与袁绍同列。曹操虽系"赘阉遗丑"，但他祖父曹腾"奉事四帝"，其所进达，皆海内名人[③]，与士族有很深的联系。曹操谋诛宦官，反董卓，更是名震天下。他的号召力虽不及"四世五公"的袁绍，甚至比刘表也略逊一筹，但除此之外，却无人与之匹敌。至于个人的胆略才干，曹操远在袁绍、刘表二人之上。河北大军阀袁绍的坐上宾荀彧、郭嘉都转投了曹操，还将袁曹作了全面对比。荀彧说：

> 绍貌外宽而内忌，任人而疑其心，公明达不拘，唯才所宜，此度胜也。绍迟重少决，失在后机，公能断大事，应变

① 《晋书·宣帝纪》。
② 《三国志·王粲传》裴注引《文士传》。
③ 《后汉书·宦者列传》。

无方，此谋胜也。绍御军宽缓，法令不立，士卒虽众，其实难用，公法令既明，赏罚必行，士卒虽寡，皆争致死，此武胜也。绍凭世资，从容饰智，以收名誉，故士之寡能好问者多归之，公以至仁待人，推诚心不为虚美，行己谨俭，而与有功者无所吝惜，故天下忠正效实之士咸愿为用，此德胜也。夫以四胜辅天子，扶义征伐，谁敢不从？绍之强其何能为！①

郭嘉更发表了十胜十败之说，即论袁有十败，曹有十胜，总括一句：“（袁绍）未知用人之机，多端寡要，好谋无决，欲与共济天下之难，定霸王之业，难矣！”② 荀、郭二人正是因为“度绍终不能成大事”，而转投曹操。

曹操的政治优势

曹操挟天子而令诸侯，在政治上占了制高点。他不仅以朝廷名义堂皇正大地征召人才，而且还以此挖对手的墙脚。例如华歆、王朗本在孙策麾下，曹操以朝廷名义征辟，孙策不敢违抗。曹操还借助傀儡天子控制了拥汉派的朝官和名士。像孔融这样的人，虽然在政治上反对曹操，但手无寸柄，反而为曹操所用。曹操利用孔融等人的声望安抚人心，壮大力量，稳固以后，才借故诛杀。正如张承所说：“今曹公挟天子以令天下，虽敌百万之众可也。”③

还有两个重要因素。一是曹操、荀彧用人“唯才是举”，不求全责备。建安十五年曹操下求贤令，明确提出天下未定，“此特求贤之急时也”，不必廉士而后用，鼓励臣僚像魏无知一样，举荐贤才。荀彧荐贤，不拘一格。戏志才、郭嘉有负俗之讥，杜畿简傲少文，“皆以智策举之，终各显名”。二是曹操善用兵，取得了一个又一个的胜利，智囊团像滚雪球一样越来越大。曹操还

① 《三国志·荀彧传》。
② 《三国志·郭嘉传》。
③ 《三国志·张范传》。

占了地理优势，“汝、颍固多奇士”[①]。曹操收聚的颍川智士就有荀彧、荀攸、郭嘉、戏志才、钟繇、杜袭、陈群、赵俨、辛毗等9人。中原文化发达，逐鹿中原又提供了人才成长的环境。曹操在中原的胜利，也就自然地赢得了人才的优势。等到南下荆州之后，天下奇士，除一部分为孙、刘所得外，都被曹操笼络去了。

二、曹操智囊团的历史作用

曹操的事业有两大成就：其一，完成了对北方的统一；其二，为曹丕代汉奠定了坚实的政治基础。本文着重讨论曹操统一北方的成功，除了他个人才干特出外，在紧要关头“贤士大夫”智囊们运筹帷幄的决策，也起了重要作用，尤其在战略方针上起了决定性的作用。下面逐层讨论曹操智囊团在政治、经济、军事各个方面的决策作用。

智囊团的政治方略和治政作用

（一）劝曹操迎献帝都许，挟天子以令诸侯　公元192年，毛玠首先向曹操提出了“宜奉天子以令不臣”[②]的建议，当时天子远在长安，还提不到议事日程。公元196年，天子还洛阳，曹操让群僚讨论，许多人不赞同。荀彧坚定地主张迎献帝都许。他引古证今，分析形势说：“昔晋文纳周襄王而诸侯景从，高祖东伐为义帝缟素而天下归心。”古代天子蒙难，勤王者被视为义举。中原遭董卓浩劫，义士百姓更加怀念天子。荀彧说：“诚因此时，奉主上以从民望，大顺也；秉至公以服雄杰，大略也；扶弘义以致英俊，大德也。天下虽有逆节，必不能为累，明矣。”[③]曹操于是下定决心奉迎天子都许，办了这一“于义为得，于时为宜”[④]

① 《三国志・郭嘉传》。
② 《三国志・毛玠传》。
③ 《三国志・荀彧传》。
④ 《后汉书・袁绍传》沮授语。

的大事，占领了政治上的制高点，得了全局的优势，处处主动。

（二）广收名士以临州镇 曹操初临兖州，因言议杀名士边让，激起了陈宫、张邈之叛，险些使船儿翻了个底朝天。曹操吸取教训，为司空、丞相后，以崔琰、毛玠、何夔、徐奕、邢颙、鲍勋、陈群等名士为东西曹掾，典选举，所举皆清正之士，网罗了大批名士为掾属。名士累世为地方望族，振臂一呼，士民景从。曹操派出智囊名士出宰州郡，入为公卿，利用他们的声望和才干稳定纷乱的政治局势。《何夔传》裴注引《魏书》曰："自刘备叛后，东南多变。太祖以陈群为篠令，夔为城父令，诸县皆用名士以镇抚之，其后吏民稍定。"如何夔为乐安太守，"到官数月，诸城悉平"[①]。钟繇、卫觊镇抚关中，安集了马腾、韩遂。梁习历漳长，乘氏、海西、下邳令，后为并州刺史二十余年，独当一面。曹操领冀州牧，州治邺城在魏郡，这是一个战略要地。王朗、董昭、凉茂、国渊、徐奕、鲍勋、王修等重要掾属先后为魏郡太守。袁涣为沛郡南部都尉。蒋济为丹阳太守，转扬州别驾，入为丞相主簿西曹属，转相国长史，又出为东中郎将。曹操掾属半数以上轮流到地方去做州牧、太守、县令、县长、都尉等职，绝大多数为令、长，既考验了策士名流的政治才能，又镇抚了吏民，真是一箭双雕。

智囊团的经济方略

在经济上，曹操智囊团提出了修耕植、兴屯田、储军资、深固根本的战略决策，对曹操事业的成败有重大意义。汉末战乱，人民流离，加上水旱蝗灾，社会经济严重破坏，北方地区普遍缺粮。许多大大小小的地方军阀，瓦解流离，无敌自破。袁绍之军在河北，仰食桑葚，袁术在江淮，取给蒲蠃。民人相食，州里萧条。面对这一严峻的形势，曹操要想生存下去，完成统一大业，必须首先解决军粮。公元192年毛玠就对曹操提出"修耕植，蓄

① 《三国志·何夔传》。

军资"，以成"霸王之业"① 的经济方略。公元 194 年，荀彧劝说曹操要先灭吕布，保兖州，"深根固本以制天下，进足以胜敌，退足以坚守"，才能"终济大业"②。荀彧是针对曹操两次征讨徐州，滥杀无辜提出的。"深根固本"以建立根据地的思想对曹操有很大的影响。为了"深根固本"，曹操大兴屯田，招抚人民。公元 219 年，曹操与刘备争汉中不得，就移汉中之民八万余口，移武都氐民五万余落充实关中、陇右、洛阳。又大量移塞外民族入居内地。招抚流亡，重视人民，也就减少了在战争中的滥杀。毛玠建议后，曹操就在兖州实行军屯。迎献帝都许以后，在许下试行民屯，当年得谷百万斛。于是推广各州郡，设置典农中郎将、典农都尉专职管理，令任峻、枣祗等人主持其事。以后刘馥在扬州屯田，卫觊在关中屯田，贾逵在豫州屯田，邓艾在淮南屯田，有军屯，有民屯，都取得了好成绩，解决了前线军粮。曹操以此"征伐四方，无运粮之劳，遂兼灭群贼，克平天下"③。

智囊团的军事方略

曹操领兵三十余年，身经数十战，所向无敌，能战，善战。曹操是一个杰出的军事家。史载，他"博览群书，特好兵法，抄集诸家兵法，名曰《接要》，又注《孙武》十三篇，皆传于世"。克敌制胜是曹操生命五线谱上的主旋律，同时也是曹操骨干智囊们的杰作。荀彧、程昱二人在兖州时为军司马；定都许下后，荀彧为尚书令，程昱为尚书，曹操出征，二人居中持重，是筹画军国大计的主要智囊。先后投归曹营的荀攸、郭嘉、董昭、刘晔、贾诩是曹操的随军参谋。荀攸为军师，郭嘉为军师祭酒（参谋总长），董昭为军谋祭酒，贾诩为参司空军事，刘晔为司空仓曹掾，转主簿，亦随军。还有钟繇以侍中司隶校尉职督镇关中，曹操西征为前军师。以上八人是曹操的骨干军事智囊。他们的贡献，突出地表现在两个方面：第一，制定战略方针；第二，临阵画策。

① 《三国志·毛玠传》
② 《三国志·荀彧传》。
③ 《三国志·武帝纪》裴注引《魏书》。

智囊团替曹操顺应形势制定战略方针，分为三个阶段，提出了不同的战略。第一阶段，官渡之战以前，荀彧与郭嘉定计，先南后北，对抗袁绍。公元197年，袁绍与曹操书，“其辞悖漫”，曹操震怒，行动失常，恨不得立即与袁绍决战。荀彧、郭嘉冷静地替曹操分析了形势，认为曹操四面皆强敌，若要攻克争天下的袁绍，宜先壮大自己。荀彧提出了远交近攻，先弱后强，各个击破，兼并群雄的战略方针。荀彧荐钟繇镇抚关中，是为远交。攻灭近在咫尺的张绣、吕布，是近攻。张、吕较弱，容易攻灭。郭嘉说：“不先取布，若绍为寇，布为之援，此深害也。”[①] 公元198年，曹操攻破张绣，东灭吕布。公元199年，又灭袁术。刘备起事徐州，郭嘉、程昱劝曹操迅速扑灭，然后专力对袁绍。官渡之战以前，曹操四面临敌，但始终没有陷入两线作战，而是一个一个歼灭对手，显示了正确的战略方针的威力。第二阶段，官渡之战以后，荀彧、郭嘉画计，改变战略，先扫河北而后南下。曹操和诸将欲乘官渡战胜之威，南击刘表，壮大力量。荀、郭都反对这一错误决策。荀彧说，袁绍战败，应乘胜追击，如“远师江、汉，若绍收其余烬，承虚以出人后，则公事去矣”[②]。曹操顿悟，复屯兵河上，不停顿地进击，经过了七年的征战，平定了河朔，击败了乌丸，解除了南下的后顾之忧。曹操北征乌丸，诸将惧刘表遣刘备袭其后。郭嘉说：刘表坐谈客，自己的才能不如刘备，不敢重用，“虽虚国远征，公无忧矣”[③]。第三阶段，赤壁战后，曹操避免两线作战而转为战略防御，挑动吴、蜀内讧，坐收渔人之利。公元219年，孙权上书讨羽自效，董昭建议将孙权书信驰驿以弩射示羽，关羽败还，不加追击，存之以为孙权害。赵俨在襄阳亦劝曹仁不追。这一着很奏效，吴、蜀交恶，削弱了力量，曹操摆脱了困境，保持了对吴、蜀的优势，还给曹丕带来了代汉的大好时机。

智囊团临阵画计，使曹操多次避免了惨败甚至覆灭的危机。

---

① 《三国志·郭嘉传》裴注引《傅子》。
② 《三国志·荀彧传》。
③ 《三国志·郭嘉传》。

最主要的有两次。第一次，公元194年，荀彧、程昱临阵应付陈宫、张邈的突然事变，替曹操保住了兖州甄城、范县、东阿三城。这一次如果没有荀、程的应变，曹操失去根本，将遭到吕布、陶谦的夹击，定要全军覆灭。接着袁绍使人说操迁家居邺，袁曹连和。所谓“连和”只不过是“投靠”的外交语言。程昱谏劝曹操，岂可“临事而惧”为“韩、彭之事”，打消了曹操连和的念头。第二次，公元200年，荀彧、荀攸、贾诩，以及阵前投归曹操的谋士许攸等，共献奇策，赢得了袁曹战略决战的官渡大捷。此外，公元198年荀攸、郭嘉画计引泗、沂灌城灭吕布的下邳之战，公元208年荀彧画计南下荆州之战，公元211年贾诩画计离间马超、韩遂的渭水之战，公元215年刘晔画计灭张鲁的汉中之战，都取得了辉煌的胜利。荀攸“前后凡画奇策十二”①，郭嘉“平定天下，谋功为高”②，二人临敌制变的奇谋最善。赤壁败后，曹操感叹地说：“郭奉孝（郭嘉之字）在，不使孤至此。”③

曹操在兖州，兵微将寡，处四战之地。后迎献帝都许，仍处四面强敌包围之中。北有袁绍，南有刘表、袁术，东有吕布，西南有张绣，关中有马腾、韩遂。曹操如何以兖、豫二州之地抗衡天下六分之五？战略决策的正确与否，无疑是成败的关键。曹操的智囊团皆天下英杰，众智汇聚，所以有经远之略。总括智囊团的战略方针，要点有五：（一）奉天子以令不臣；（二）广收名士以临州镇；（三）修耕植，畜军资，深固根本；（四）远交近攻，先弱后强，各个击破，兼并群雄；（五）广储掾属，建魏基业。相比之下，“袁绍、刘表，虽士民众强，皆无经远之虑”④，不是曹操的对手。袁绍的谋士沮授、郭图也提出挟天子以令诸侯的战略，但他好谋而无断，拱手让给了曹操。当然，曹操也犯过错误。如公元198年，他不听荀攸间敌之计，进攻张绣，推助了刘表与张绣的联合；公元215年，不听刘晔、司马懿之言，从汉中

① 《三国志·荀攸传》。
②③ 《三国志·郭嘉传》。
④ 《三国志·毛玠传》。

乘胜取蜀，未能扩大战果，终失汉中；尤其是公元208年，不听贾诩休整固守荆州之计，冒进赤壁，导致天下三分。从一正一反两个方面，曹操深知智囊团的重要作用。他在建安十二年下《封功臣令》中，充分肯定了智囊及武将的功绩。令文说："吾起义兵，诛暴乱，于今十九年，所征必克，岂吾功哉？乃贤士大夫之力也。"①曹操评价荀彧："谋殊功异，臣所不及"，"吾之子房也"②；评荀攸："军师荀攸，自初佐臣，无征不从，前后克敌，皆攸之谋也。"③又对太子曹丕说："荀公达（荀攸字），人之师表也，汝当尽礼敬之。"④曹操对程昱、郭嘉等都有极高的评价。知人善任，以尽其才，这正是曹操的不平凡处。

三、曹操对智囊团的驾驭及影响

汉末大乱，群雄竞起，袁绍并非平庸之辈，他何尝不想"挟天子而令诸侯"，但天子之名，万众所仰，不是轻易能挟制的。淳于琼就说："今迎天子，动辄表闻，从之则权轻，违之则拒命，非计之善者也。"⑤董卓、李傕不都是挟天子而败亡？但曹操成功地挟制了天子，关键是他成功地驾驭了智囊团，使天下英杰不为朝廷出力，而成为曹氏家奴。但是，任何事物都有它的两面性。把智囊团推向曹氏家奴的地位，既是曹操的成功，也是曹操的悲剧。

让我们先来剖析曹操的驾驭术，概括有五点。

（一）人尽其才 荀彧发表"四胜"说，其中曹操德胜绍，指的就是曹操知人善任，能使人尽其才。袁绍能聚人而不能用人，他只是为了名誉，把人才作摆设，"故士之寡能好问者多归之"；曹操聚人是要用人之长，"故天下忠正效实之士咸愿为用"。

① 《三国志·武帝纪》。
② 《三国志·荀彧传》及裴注引《荀彧别传》。
③④ 《三国志·荀攸传》。
⑤ 《后汉书·袁绍传》。

曹操明确提出“治平尚德行，有事赏功能”[①] 的用人原则，不拘一格录用人才，并能兼容并包。陈群持正，郭嘉不治行检，曹操对两人都喜欢。

（二）诱以官禄 建安十二年大封功臣二十余人为列侯。同时又下分租令与诸将掾属及死事之孤，“庶以畴答众劳”[②]。建安十三年南下荆州，论荆州服从之功，封侯十五人。功勋卓著的智囊，受封后还不断增邑。如荀彧，建安八年封万岁亭侯，建安十二年增邑千户，合二千户；荀攸，建安七年封陵树亭侯，建安十二年增邑四百户，合七百户；郭嘉，建安十年封洧阳亭侯，建安十二年增邑八百户，合千户。增邑之外，还不断下令表彰。但曹操并不滥赏。建安八年下《败军令》，明确规定“诸将出征，败军者抵罪，失利者免官爵”。曹操认为“但赏功而不罚罪，非国典也”[③]。史称曹操赏罚严明，“勋劳宜赏，不吝千金；无功望施，分毫不与”[④]。

（三）笼以权术 曹操具有雄略之主的气质，既有忍人之量，又有残贼之行。魏种在吕布袭兖之变中有背叛行为，投了袁绍，后生俘种，曹操惜其才而仍信用，委任为河内太守。陈琳为绍草檄骂曹操，辱及三代，陈琳被俘谢罪，曹操宥而不问。张绣在战阵中杀其子曹昂，后绣投操，立功封侯。官渡之战，许下群僚及郡县多与袁绍通问，曹操破绍得书，“皆焚之”，宣言说：“当绍之强，孤犹不能自保，而况众人乎！”[⑤] 显得十分豁达。曹操待人接物不拘小节，“每与人谈论，戏弄言诵，尽无所隐”[⑥]，许攸来降，“跣出迎之”[⑦]。用今天的话说，曹操没有架子。不过这都是表面现象。曹操的哲学是“宁我负人，毋人负我”[⑧]。陈寿评他，善于“矫情任算”，其所欲杀者，则“以法诛之”。《赵俨传》裴注引《魏略》载，曹操使人搜阅绍记室，发现阳安郡都尉李通没

①②④ 《三国志·武帝纪》裴注引《魏书》。
③ 《三国志·武帝纪》。
⑤ 《三国志·武帝纪》裴注引《魏氏春秋》。
⑥⑦ 《三国志·武帝纪》裴注引《曹瞒传》。
⑧ 《三国志·武帝纪》裴注引孙盛《杂记》。

有与袁绍相通，并断定这是赵俨劝说李通的结果。这一条记载说明曹操在当众烧书前，早已录了黑名单。崔琰之死，毛玠之叹，都有人告密，说明曹操组织有特务网，暗中监视百僚。曹操又用联姻的方式笼络智士，如以女安阳公主妻荀彧子荀恽。荀彧立了如许大功，又是儿女亲家，仅仅表示了对曹操称魏公一点点不满，曹操立即逼迫其自杀，毫不手软。

（四）辟为掾属　此谋出于郭嘉。《郭嘉传》裴注引《傅子》曰："河北既平，太祖多辟召青、冀、幽、并知名之士，渐臣使之，以为省事掾属。皆嘉之谋也。"本文第一节所列智囊团九十一人，出宰州郡，入为公卿，但身份都是曹操的掾属。智囊既为曹操掾属，则有主仆之分，他们不知有国家，但知有曹操。掾属无定员，曹操又无限加以扩大，故队伍庞大。曹操掾属有四个系统。第一，丞相开府治事，有长史、司直、主簿、东西曹掾、仓曹掾等等各种行政掾属。第二，曹操征伐四方，建立了庞大的军事掾属，名称繁多，有军师、军师祭酒、军谋祭酒、军祭酒、军谋掾、参军事等。第三，文学掾、记室，相当于秘书处。第四，曹丕为五官中郎将，魏国既建为太子，也开府置掾属，可称为太子系统。此外，曹操领冀州牧，又有州牧系统的属吏。曹操的掾属是留给太子的政治遗产，所以父子掾属系统有很大的交叉。例如司马懿，曹操辟为丞相文学掾，转主簿，令与太子游处为舍人，以便"渐臣使之"。《三国志》各传所载曹操掾属系统列名如下。

行政掾属四十四人：戏志才、严象、韦康、国渊、王修、邴原、崔琰、毛玠、徐奕、何夔、邢颙、鲍勋、刘晔、蒋济、司马朗、梁习、温恢、贾逵、杜畿、郑浑、繁钦、丁仪、丁廙、杨修、卫觊、刘廙、桓阶、陈群、戴乾、陈矫、徐宣、卢毓、和洽、杨俊、赵俨、韩暨、崔林、高柔、辛毗、满宠、胡质、王凌、郭谌、郗虑。

军事掾属三十二人：荀攸、贾诩、袁涣、张范、娄圭、许攸、钟繇、华歆、王朗、程昱、郭嘉、董昭、刘放、孙资、卫臻、孙礼、裴潜、杨阜、高堂隆、田豫、郭淮、徐邈、薛洪、董蒙、傅巽、王选、张承、任藩、傅干、侯声。

文学书记掾属八人：丞相文学：王观、司马懿；军谋祭酒掌记室：王粲、徐干、陈琳、阮瑀、路粹、杜袭。

太子系统掾属五人：五官将文学：应玚、刘桢；太子文学：王昶；五官中郎长史：凉茂；五官功曹：常林。

其他二人：冀州从事牵招、魏国尚书张既。

以上总计九十一人只是《三国志》及裴注所载的粗略统计，未载于正史的掾属当不少，因而远非全部掾属。建安十八年（公元 213 年），魏国既建，曹操掾属名正言顺转为魏国百官：相国钟繇，御史大夫陈群，相国长史蒋济，卫尉程昱，郎中令袁涣，中尉杨俊，将作大匠董昭，吏部郎卢毓，虎贲郎桓阶，黄门郎刘廙，尚节令荀攸，尚书仆射凉茂，尚书崔琰、毛玠、常林、徐奕、何夔、张既、徐邈，侍中刘晔、辛毗、王粲、杜袭、卫觊、和洽，太子舍人刘邵、司马懿等。

曹操通过广辟掾属和称公称王的手段，把丞相府组建成魏国的模拟机构，并使它凌驾于宫廷和百官之上。建安十九年（公元 214 年），曹操诛伏后，遣华歆入宫搜查，从壁室中拖出伏后，“被发徒跣”而出。献帝悲愤地对御史大夫郗虑说：“郗公，天下宁有是邪！”[①] 曹操称魏王后，已是出入警跸用天子礼。曹丕代汉，顺理成章。

（五）威以刑杀　孔融以言论罪被灭族，崔琰以腹诽罪被赐死，毛玠以牢骚而下狱。曹操对掾属动辄加杖。何夔“常畜毒药，誓死无辱”[②]，才幸免于杖。

总上，曹操驾驭智囊团的手段，用今语可概括成一句话：胡萝卜加大棒。集聚于曹魏的天下英才皆为曹氏家奴，凡表现了个人意志就遭杀戮。他们所建言的军国大计曹操需要的才能说，不想听的不敢说。像程昱这样的老臣，也是战战兢兢，闭门谢客。满朝智士，都是绵羊，曹丕顺利地取代了汉朝，我们说这是曹操

---

① 《三国志·武帝纪》裴注引《曹瞒传》。

② 《三国志·何夔传》。

的成功处。但智士为奴，聪明才智就不能充分发挥，他们不敢谏诤。例如刘晔本有奇谋善计，还要察言观色提出，曹操、曹丕不采纳，他也不坚持。曹操智囊团潜在的能量受到很大的抑制。不愿为奴的命世大才如诸葛亮、法正、张松、周瑜、鲁肃等等，不北走曹，而南奔吴蜀，于是汉末人才三分，而成鼎立之形。曹操文武兼资而不能完成统一大业，在这个意义上，又是他的悲剧。

(原题《论曹操智囊团的形成及其历史作用》，载《西北大学学报》1987 年第 3 期，人大复印资料转载)

论二荀程郭

在曹操的智囊团中，应当特别提出的是荀彧、荀攸、程昱、郭嘉四大谋士。他们辅佐曹操统一北方，建立了殊勋，既替曹氏奠定了基业，也成就了自己的英名。荀彧、郭嘉离袁绍而投曹操，程昱不受刘岱之辟而从曹操，可谓明于择主。司马子长有言："扶义俶傥，不令己失时，立功名于天下，作七十列传。"①二荀程郭正是这样的智士。本文略论四人的功绩和他们的历史地位。

一、二荀奇计

曹操倚重二荀，视为腹心和左右手，二荀视曹操为明主，尽心辅佐，知无不言，言无不尽。曹操称喻荀彧为"吾之子房"，盛推荀攸为"非常人也"。曹操认为得二荀与之计事，"天下当何忧哉！"曹操出征，荀攸为扈从军师，不离左右，荀彧则留守后方，"常居中持重"。二荀经常与曹操纵论时局，制定战略，奇谋

① 《史记·太史公自序》。

善计，无不言中，使得曹操的事业迅速发展。

荀彧七出奇计 荀彧字文若，颍川颍阴县（在今河南许昌）人，家世族。汉末，颍川四战之地，荀彧率宗人避乱依袁绍。公元191年，荀彧去绍从操，第一个投归曹操麾下，所谋甚多。单是《三国志·荀彧传》中就记载了七次大的献策，均被曹操采纳，使曹军连获大胜，成为天下无敌的强手。

第一次，公元194年，陶谦死后，曹操打算再次兴兵东征，夺取徐州。荀彧谏说曹操要“深根固本”，保有兖州，避免吕布再次偷袭，腹背受敌。荀彧还认为曹操前两次讨伐徐州，杀戮过多，徐州“子弟念父兄之耻，必人自为守，无降心”，曹军将受到徐州民众的坚决抵抗，即使攻下徐州也是守不住的。荀彧劝曹操先灭劲敌吕布，后平徐州，节制杀戮。曹操允诺，专力攻打吕布，恢复了兖州。

第二次，公元196年，汉献帝东还洛阳，荀彧建议曹操迎献帝都许，挟天子以令诸侯，这是一着高棋。从此，曹操在政治上居高临下，天下无敌。

第三次，曹操迎献帝都许后，袁绍不服，写信恐吓曹操要与之决战，荀彧劝曹操忍让，以大将军让绍，避免了过早地与袁绍决战，保存了实力。荀彧还把曹操与袁绍做了一番对比，指出袁绍外强中干，外宽内忌，优柔寡断，军法不严，曹操恰与之相反，明达不拘，刚毅果断，信赏必罚。曹操在度、谋、武、德四个方面都胜过袁绍，不愁抗不过袁绍。曹操的紧迫任务是先灭吕布，安定河南，然后等待时机，平定河北。曹操豁然开朗，并采纳荀彧的谋划，派钟繇出镇关中，打破袁绍侵扰关中可能施于曹操的战略包围。

第四次，公元200年袁曹官渡决战，两军相持半年之久，处于僵持状态。曹军乏粮，使得曹操丧失了信心，打算退军。荀彧写信与曹操说：“今军食虽少，未若楚、汉在荥阳、成皋间也。是时刘项莫肯先退，先退者势屈也。”荀彧还在信中指出，曹操以十分居一之众扼制在官渡，阻挡了袁绍的进攻，相持已半年，袁军意志已经沮丧，不久会发生内讧，正是“用奇之时，不可失也”。曹操深然其计，奇袭乌巢袁军屯粮，赢得了官渡之战的胜利。袁绍谋士许攸家犯法，审配收其妻子，许攸怒而叛绍，促成了袁军的崩溃。袁绍兵败，无颜回邺，冤杀田丰，一一为荀彧所言中。

第五次，官渡之战以后，曹操欲南下袭刘表。荀彧说：“今绍败，其众离心，宜乘其困，遂定之；而背兖、豫，远师江、汉，若绍收其余烬，承虚以出人后，则公事去矣。”曹操于是重新屯兵黄河，趁袁绍病死，绍二子袁谭、袁尚不睦之机，扫荡河北，统一了北方。

第六次，公元204年曹操打破邺城，领冀州牧。趋炎附势之徒建言曹操借恢复古代九州制度，扩大冀州地域，使天下臣服。荀彧劝谏曹操，如实行古制，河东、冯翊、扶风、西河、幽州、并州等都包括在冀州境内，夺人之地众多，将引起关西诸将的疑心，恰好让袁谭、袁尚钻空子，刘表更稳坐荆州，恐怕天下要纷乱了。荀彧建议曹操乘胜“先定河北”，然后“南临荆州”，待到天下安定，再议古制也不晚。曹操因之改变了主意。

第七次，公元208年，曹操已平定塞外乌桓，灭了袁尚、高干，再无后顾之忧，决定大举南下，问计于荀彧。荀彧说：“显出宛叶，而间行轻进，以掩其不意。”就是大造声势，从宛城、叶县进兵，而实际上用奇兵从空虚之处迅速插入，迫降荆州。曹操从其计，果然兵不血刃下荆州。

以上七计，仅举其大要。荀彧从公元191年到213年，前后23年在曹操营垒中出谋划策，主持政务，举荐贤才，所立功勋，卓越无比。曹操曾高度评价荀彧的功劳，说：“天下之定，彧之功也。”又说：“谋殊功异，臣所不及也。”①

荀攸画奇策十二　荀攸字公达，荀彧侄儿，长彧六岁。建安元年（公元196年），曹操迎献帝都许，由荀彧推荐，曹操征荀攸为尚书，与语大悦，恨相见之晚，委为军师。《三国志·荀攸传》载，“公达前后凡画奇策十二，唯繇知之，繇撰集未就，会

① 《三国志·荀彧传》裴注引《荀彧别传》。

薨，故世不得尽闻也”。裴注引《魏书》记载，曹操取冀州，荀攸姑子辛韬曾问荀攸计谋何出，荀攸严肃地说：“佐治为袁谭乞降，王师自往平之，吾何知焉?”① 荀攸不肯说出他的谋划。从此没有人再敢问荀攸，因此十二奇策鲜为人知。《三国志》荀攸的本传载有六策。

第一次，公元198年，曹操南征张绣。荀攸对曹操说，张绣与刘表合力成为强敌，张绣为客依赖刘表供食，表不能供，“势必离”，“不如缓军以待之，可诱而致也；若急之，其势必相救”。曹操不听，张绣、刘表果然合力对抗，曹操打了败仗。曹操对荀攸说：“不用君言至是。”于是设奇兵复战，在安众大破张刘联军。

第二次，公元198年，曹操征刘表、张绣还，荀攸建言曹操立即东进攻灭吕布。曹操依计亲征，连败吕布，俘获了吕布的骁将成廉，并将吕布围困在下邳城。吕布坚守，曹操久攻不下，军队乏食，打算退军。这时荀攸与郭嘉同时进言，趁吕布连吃败仗锐气消沉，陈宫尚未定谋之际，“进急攻之，布可拔也”。荀郭二人又献计引沂、泗灌城，城溃生擒吕布。此役胜利，使曹操赶在袁绍破公孙瓒之前灭了吕布，赢得了时间部署官渡之战，意义无比重大。

第三次至第五次是公元200年袁曹官渡决战，荀攸连出奇计。其一是解刘延白马之围，画策斩袁绍名将颜良、文丑；其二荐徐晃截击袁绍粮饷，烧其辎重；其三与贾诩两人向曹操画计奇袭乌巢，大破袁绍军。曹操在官渡赢得胜利，荀攸为前线第一谋主，功在郭嘉、贾诩之右。

第六次，公元203年，荀攸劝曹操接受袁谭请降，趁袁谭与袁尚争冀州内讧的时机，消灭二袁，认为“此时不可失也”。当时曹操左右都主张先平刘表，利用二袁相攻之机南下。荀攸认为，刘表坐保江汉并无四方之志，而二袁相斗，其势不两全，“若有所并则力专，力专则难图”。曹操采纳荀攸的建策，先北后

① 《三国志·荀攸传》裴注引《魏书》。

南，假意与袁谭和亲，挑动二袁加剧混斗，坐收渔人之利平定了冀州。曹操表封荀攸为陵树亭侯，并在嘉奖封令中说："军师荀攸，自初佐臣，无征不从，前后克敌，皆攸之谋也。"

荀攸善谋，更善于自防，他深知曹操忌疑，故谋谟帷幄而从不自矜，这和许攸恰成鲜明对比。许攸与曹操少小相知，后为袁绍谋士。官渡之战，许攸投归曹操，出卖袁绍军中虚实，加速了曹军的胜利。曹操平冀州，许攸也参与谋划。于是许攸自恃勋劳，在曹操面前也妄自尊大，戏呼曹操小字，曰："某甲，卿不得我，不得冀州也。"曹操一脸奸笑，回答说："汝言是也。"而心实不平，借故杀了许攸①。荀攸则大智若愚，把自己谋划的奇计都推给了曹操，曹操非常高兴，称赞荀攸说："公达外愚内智，外怯内勇，外弱内强，不伐善，无施劳，智可及，愚不可及，虽颜子、宁武不能过也。"曹操视荀攸为社稷之臣，对世子曹丕说："荀公达，人之师表也，汝当尽礼敬之。"荀攸也与曹丕深相结纳。荀攸卧病，曹丕问疾，独拜床下。

二、程郭筹策

程昱字仲德，东郡东阿县（在今山东阳谷县）人，公元 192 年从曹操为寿张令。程昱是继荀彧之后最早投归曹操的谋士，他与荀彧共谋保全兖州三城而被曹操视为心腹之臣；他又劝曹操据三城，绝袁绍，自图霸业而功著群僚。郭嘉字奉孝，颍川阳翟县（在今河南禹县）人，公元 196 年与荀攸同时为荀彧所荐为曹操司空军祭酒。曹郭两人一见如故，论天下大事心灵相通。曹操说："使孤成大业者，必此人也。"郭嘉也十分高兴，称赞曹操："真吾主也。"计破吕刘，剿除二袁，荡定乌桓，多有郭嘉之谋。曹操对程郭两人的倚重，不亚于二荀。曹操出征，程昱留守为荀彧之副，郭嘉随从参谋与荀攸并为左右手。程郭与二荀在曹操势

① 《三国志·崔琰传》裴注引《魏略》。

力发展的关键时刻，都曾起过关键作用。

程昱的最大功绩是佐助荀彧，在曹操危急时刻，保住了兖州三城。公元194年，曹操二次东征徐州，陶谦倾巢出动，兖州空虚，遇到吕布偷袭，因张邈、陈宫等内应，兖州郡县纷纷响应，只有鄄城、东阿、范三县未动。这时，陈宫领兵攻东阿，派汜嶷取范城，豫州刺史郭贡率众数万兵临鄄城。吏民震恐，三县危在旦夕。荀彧与程昱计议，要恢复兖州，必须保有三城。荀彧亲自身入虎穴，游说郭贡中立，保全了鄄城。东阿和范两城，荀彧交给了程昱。荀彧对程昱说："君，民之望也，归而说之，殆可！"程昱受令，身入危城，说范令靳允认清形势，选择良主而依。程昱为靳允剖析利害，分辨曹操与吕布之高下，称曹操为"命世"之才，说吕布不过为"匹夫之雄"，劝靳允固守范，立田单之功。靳允依从，计杀汜嶷，保住了范县。程昱至东阿，东阿令枣祗已率吏民，拒城坚守。曹操回军，幸有三城为根基，避免了覆亡。曹操紧握程昱的手说："微子之力，吾无所归矣。"曹操虽有三城，但兵少粮缺，与吕布数战不利，陷于困境。袁绍想趁机吞并曹操，他派朱灵救援曹操，并以"连和"为名，要曹操"迁家于邺"，接受控制。曹操进退维谷，答应了袁绍的要求。程昱得知此事，进谏曹操，说："今兖州虽残，尚有三城。能战之士，不下万人。以将军之神武，与文若、昱等，收而用之，霸王之业可成也，愿将军更虑之！"曹操听后，如梦初醒，拒绝了与袁绍连和，同时还争取朱灵投归了自己。

程昱认定曹操是一代明主，以身相许，尽心辅佐，故能在曹操处境困难，意志沮丧之时，清醒地替他分析形势，保持独立，建王霸之业。曹操统一北方后，追忆这段历程，拍着程昱的背说："兖州之败，不用君言，吾何以至此？"程昱本名程立，少时曾做梦上泰山，两手捧日。兖州反叛，程昱助荀彧保有三城，并把少时之梦告诉荀彧，荀彧转告曹操。曹操听后，知道程昱以此忠心，于是亲切地对程昱说："卿当终为吾腹心。"遂在"立"字上加一个"日"字，为其更名为昱。从此，程立就名程昱。

官渡之战，程昱领七百兵守鄄城，独当一面，收山泽亡命，得精兵数千人。曹操曾打算给程昱增兵二千，程昱推辞了。他对曹操说："袁绍拥十万众，自以所向无前。今见昱兵少，必轻易不来攻。若益昱兵，过则不可不攻，攻之必克，徒两损其势。愿公无疑！"于是曹操没有给程昱增兵，袁绍也果然不攻鄄城。曹操对程昱的见识胆气佩服不已，曾对贾诩说："程昱之胆，过于贲、育。"

郭嘉足智多谋，屡出奇计，替曹操规划灭吕布、破刘备、斗二袁、讨乌桓，为统一北方做出了重大的贡献。公元198年，曹操灭吕布，郭嘉与荀攸参决谋议，已如前述。吕布灭后，又是郭嘉献策，曹操进兵河内杀眭固，建立了对抗袁绍的河上基地。建安四年冬十二月（公元200年1月），曹操亲率大军屯驻官渡迎击即将南下的袁绍。这时刘备在徐州杀了曹操的徐州刺史车胄，屯兵于沛（今江苏沛县）反曹，宣布了汉献帝的衣带诏。曹操避免两线作战，打算趁袁绍大军还未南下之时，迅速出兵击败刘备，但又担心袁绍从背后杀来，犹豫不决。曹操问计于郭嘉。郭嘉分析说："绍性迟而多疑，来必不速。备新起，众心未附，急击之必败。此存亡之机，不可失也。"[1] 曹操拍手称"善"，坚定了信心。建安五年（公元200年）正月，曹操亲率大军从官渡出发东征刘备，出其不意一举击败刘备，获其妻子，生擒关羽。刘备全军覆没，曹操稳固了后方。正如郭嘉所料，曹操胜利回军官渡，袁绍才慢腾腾地杀来。

官渡战后，曹操乘胜进兵河北，连战皆捷。公元202年，袁绍病死，诸将劝曹操大举进兵，企图一口吞掉袁谭、袁尚。郭嘉力排众议，独建奇谋。他分析二袁之间的矛盾，认为二袁兄弟各拥重兵，各有谋臣，二人争为冀州牧而互不相容，急则相助，缓则相争，"不如南向荆州若征刘表者，以待其变，变成而后击之，可一举定也"。曹操采纳了郭嘉的建议，亲率大军南进至西平（今河南西平县西），做出了一副南下荆州的样子。二袁果然为争

① 《三国志·郭嘉传》裴注引《傅子》。

冀州大打出手，袁谭被袁尚击败。派辛毗向曹操乞降。曹操抓住战机立即北进，各个击破，灭了袁谭，袁尚败逃走入乌桓。曹军轻而易举取得了冀州，郭嘉被封为洧阳亭侯。

袁尚逃入乌桓是曹操南下的隐患。曹操打算乘胜追击袁尚，讨平乌桓，诸将不从，怕刘表派刘备袭击许昌，曹操再一次沉吟难决，问计于郭嘉。郭嘉冷静地分析了全国形势，指出讨平乌桓对于巩固河北地区的重大意义。郭嘉说："袁绍有恩于民夷，而尚兄弟（袁尚、袁熙）生存。今四州之民，徒以威附，德施未加，舍而南征，尚因乌丸之资，招其死主之臣，胡人一动，民夷俱应……恐青、冀非己之有也。"郭嘉又从军事上分析，远征乌桓虽险，但出其不意必能获胜。刘表平庸无能，不敢把重兵交给刘备北犯。郭嘉对曹操说："虽虚国远征，公无忧矣。"曹操这才宽心地北征乌桓。战事的发展，完全如郭嘉所料，曹军大获全胜，斩了乌桓大君长蹋顿，胡、汉降者二十余万口。袁尚兄弟逃往辽东被公孙康所杀。袁氏残余势力被彻底清除，曹操统一了北方。

郭嘉的多次神机妙算，使得曹操倾心折服。公元207年，郭嘉随曹操平定乌桓，在回军途中不幸患病，不久病死，年仅三十八岁。曹操亲到灵堂吊祭，悲痛万分，上表朝廷追赠郭嘉的封邑。表文全面回顾了郭嘉的功绩，作了高度评价。表文说："故军祭酒郭嘉，忠良渊淑，体通性达。每有大议，发言盈庭，执中处理，动无遗策。自在军旅，十有余年，行同骑乘，坐共幄席，东禽吕布，西取眭固，斩袁谭之首，平朔土之众，逾越险塞，荡定乌丸，震威辽东，以枭袁尚。虽假天威，易为指麾，至于临敌，发扬誓命，凶逆克殄，勋实由嘉。"① 公元208年，曹操赤壁败还，无限感慨地说："郭奉孝在，不使孤至此。"并连声叹惜说："哀哉奉孝！痛哉奉孝！惜哉奉孝！"② 由此可见，郭嘉之早丧，对曹操的统一事业是一个重大的损失。

---

① 《三国志・郭嘉传》裴注引《魏书》。

② 《三国志・郭嘉传》裴注引《傅子》。

三、二荀程郭与曹操的关系

二荀程郭是曹操智囊团的骨干，他们都是北方士人中第一流的智士。曹操之所以用兵如神，仿佛孙吴，就是因为有二荀程郭等一大批智士相辅。曹操在艰难创业中，每走一步都有众多智士的合谋。二荀程郭是曹操的心腹，不仅参决机要，而且患难与共。因此，分析二荀程郭与曹操的关系，对于评价曹操和他们本人的历史地位，都有重要意义。

二荀程郭，个性各异，年龄参差，为前后相交的三代人，他们在曹操的统领下同僚共事，相处得十分和谐。若把四人作为一个集体来看，恰似曹操庞大智囊团的一个缩影。

程昱最年长，寿最高，他生于公元 142 年死于公元 221 年，目睹了魏国之建立，享年八十岁；次荀攸，他生于公元 157 年，死于公元 214 年，享年五十八岁；再次为荀彧，他生于公元 163 年，死于公元 213 年，享年五十一岁；郭嘉最少，而又早夭，他生于公元 180 年，死于公元 207 年，年仅三十八岁。曹操生于公元 155 年，死于公元 220 年，享年六十五岁。二荀程郭与曹操相较，程昱长操十三岁，荀攸小操两岁，荀彧小操八岁，郭嘉小操二十五岁。二荀与曹操为同辈人，程昱为长辈，郭嘉为晚辈。程昱比郭嘉长三十八岁。二荀程郭的年龄结构，可以说是老中青三结合。从个性来看，二荀持重内向，荀彧“清秀通雅”，荀攸“外愚内智”，二人有君子之风，王佐之才。程郭刚直外向，程昱“与人多迕”，郭嘉“不治行检”，二人与同僚不睦，常受人抨击。曹操把不同年龄、不同性格的人才都吸引在自己的周围，组成一个运转自如的参谋班子，这正是曹操雄才大略的表现。袁绍、刘表也聚合了一些人才，但矛盾重重，互相内讧，围绕诸子各有彼此，消减了力量。曹操的智囊团却团结一致，凡军国大事，均共谋心通，形成一股力量。曹操驾驭人才，确实胜人一筹。

但是二荀程郭在曹操手下并未人尽其才。他们替曹操出谋献计都处于被动地位，曹操听与不听，他们很少谏诤。曹操没有把他们敬为王者之师，而是君临其上，隶皂使之，荀彧的悲剧结局，十分典型。

荀彧替曹操出谋献策，共事二十余年，亲密无间，具有智囊领袖的地位，经常与曹操一起讲论治乱之道。荀彧不仅在曹操微时投归，而且竭诚相辅，还给曹操推荐了大批人才。史称："前后所举者，命世大才，邦邑则荀攸、钟繇、陈群，海内则司马宣王，及引致当世知名郗虑、华歆、王朗、荀悦、杜袭、辛毗、赵俨之俦，终为卿相，以十数人。取士不以一揆，戏志才、郭嘉等有负俗之讥，杜畿简傲少文，皆以智策举之，终各显名。"[①] 钟繇比荀彧为颜渊，司马懿推重荀彧是几百年以来才出现的奇才。荀彧少时就被何颙称赞为"王佐才也"。曹操也十分倚重荀彧，两人结成了儿女亲家。曹操女安阳公主是荀彧长子荀恽的妻子。如此特殊的关系，只因荀彧表示了一点真正的反对意见，曹操就毫不迟疑地逼迫荀彧至死。

关于荀彧之死，史料记载有许多歧异。《三国志》荀彧本传载，建安十七年（公元 212 年），曹操讽喻董昭等建言进爵为魏公，加九锡。荀彧表示了不同意见，他认为曹操"本兴义兵以匡朝宁国，秉忠贞之诚，守退让之实；君子爱人以德，不宜如此"，曹操"由是心不能平"，很不满意。于是曹操就在第二年借出征孙权之机，让荀彧参丞相军事，上表请他出都劳军。以往曹操出征，荀彧便留守许都，这次要他出都劳军，觉得十分意外，感到了曹操对他的不信任。荀彧怀着不安的心情出许，到了寿春，曹操又不让他到前线濡须去劳军。荀彧恐慌，不知所措，忧愁而死。裴注引《魏氏春秋》则说，曹操赠送点心给荀彧，打开一看是空的，示意一场空，荀彧吞药自杀。裴注引《献帝春秋》曾记载了当时的民间传说。据说伏后与其父伏完书，指责曹操杀董承，要伏完除掉曹操。荀彧知情不举，后事败露，曹操深恨之。就命荀彧去杀伏后，彧不从，于是自杀。这些不同的记载都说明

① 《三国志·荀彧传》裴注引《荀彧别传》。

荀彧死得突然，内情隐秘。荀彧死年五十一岁，正当年富力强之时，怎么会突然死去呢？无论是忧愁而死，还是吞药自杀，荀彧被逼而死是事实。荀彧有如许大功，仅仅表示了一点反对意见，就招来杀身之祸，这深刻地反映了曹操的忌疑之心，他对智囊只是利用，而不是尊重。

荀彧死后一年，荀攸谢世。郭嘉早夭。程昱德高望重，他是在曹操遭吕布袭夺兖州而面临绝境之时，立有大功的人，仍是战战兢兢立于庙堂。他效留侯张良引退。一天，他召集族人，大摆酒宴，对众说："知足不辱，吾可以退矣。"于是上表致仕，归还兵权，闭门不出，以避猜忌。

曹操如此忌防智囊，因为蒙受了汉家四百年基业之恩泽的士人，很多人不愿称臣于曹氏，加重了曹操的猜忌心理，荀彧就是一个代表人物。随着曹操逼宫步骤的加紧，荀曹之间裂痕逐渐加深，最后演出了逼杀事件。荀彧之死，没有改变曹操进逼汉室的野心。但是，荀彧不同于孔融。孔融旗帜鲜明地反对曹操；而荀彧却是曹操的首席谋士，因此荀彧之死给曹操代汉带来很大的心理影响。所以曹操只好做周文王，而让其子曹丕来登基了。

【说明】本篇凡未注出处的引文，皆分别引自《三国志》二荀程郭等人的本传。

论凉州智士贾诩

贾诩，字文和，是东汉末三国时著名的凉州智士，武威郡姑臧县人。姑臧，即今甘肃武威市。贾诩成长于乱世，周旋于汉末军阀角逐之中，胸藏韬略，以智计安身，善画奇谋，算无遗策。他审时度势，不失时机地归附了曹操，参决谋议，不离左右，辅佐曹操统一北方，作出了重大的贡献。陈寿的《三国志》把贾诩与荀彧、荀攸合传，载《魏书》卷十，给予了崇高的评价，称誉为良、平之亚。陈寿的评论是否允当，这就是本文所要讨论的中心。

一、陈寿论评　松之不韪

三国战乱，风云突变，在干戈纷扰中锤炼了一批又一批英雄豪杰。曹操以他的英发雄姿积聚了时代的精英，参决谋议的智士，特出众异者就有荀彧、荀攸、贾诩、程昱、郭嘉、董昭、刘晔、蒋济等人。陈寿为这班谋士分别作了两个传，取舍分合，寓有深意。贾诩与二荀合传，程昱以下别立一传，称《程郭董刘蒋刘传》，载《魏书》卷十四。蒋济以下之刘，即刘放，并有孙资附传，年辈略小。荀彧、荀攸是叔侄二人，他们是颍川大族。荀彧祖父荀淑是党人领袖王畅、李膺的老师。荀彧父荀绲，官济南相。荀绲兄弟八人，世称八龙。荀彧、荀攸年少知名，二人为曹操谋主。曹操征伐在外，荀彧守尚书令，常居中持重。凡军国大事，曹操皆与二荀相商。贾诩、程昱、郭嘉等乃寒士特起，似不宜与二荀相提并论。尤其是贾诩，育于边鄙，青年时更不为人所知，只有汉阳（郡名，治冀县，即今甘肃甘谷县）人阎忠了解他的才干，认为他具有张良、陈平那样的奇才。阎忠只官至信都（今河北冀县）县令，人微言轻。因此贾诩不为时所重，走过一段曲折的道路，曾委身董卓，又为张绣谋主，对抗过曹操。无论是世资，还是职重，贾诩似乎更不能与二荀相并列。可是陈寿恰恰以贾诩与二荀合传，并且将三人相提并论，给予了崇高的评价。陈寿说：

> 荀彧清秀通雅，有王佐之风，然机鉴先识，未能充其志也。荀攸、贾诩，庶乎算无遗策，经达权变，其良、平之亚欤！①

陈寿的评价引起了后世史家的不满。《三国志注》的作者裴松之就提出了如下的批评：

> 臣松之以为列传之体，以事类相从。张子房青云之士，诚非陈平之伦。然汉之谋臣，良、平而已。若不共列，则余无所附，故前史合之，盖其宜也。魏氏如诩之俦，其比幸多。诩不编程、郭之篇，而与二荀并列，失其类矣。且攸、诩之为人，其犹夜光之与蒸烛乎！其照虽均，质则异焉。今荀、贾之评，共同一称，尤失区别之宜也。②

① 《三国志·荀彧荀攸贾诩传》陈评。
② 《三国志·贾诩传》裴松之按语。

裴松之所说的良、平共列，前史合之，指的是班固《汉书》中的《张陈王周传》，即张良、陈平、王陵、周勃四人合传。裴松之认为贾诩只应与程昱、郭嘉等列，不当与二荀并编。也就是说，裴松之只认可二荀才能与良、平相比拟，贾诩是不配的。他甚至说，荀攸是一颗夜光珠，贾诩只不过是一支蒸烛，简直有天地之差。至于裴松之说贾诩属程、郭一流，这本是陈寿的观点。陈寿说：

> 程昱、郭嘉、董昭、刘晔、蒋济，才策谋略，世之奇士，虽清治德业，殊于荀攸，而筹画所料，是其伦也。刘放文翰，孙资勤慎，并管喉舌，权闻当时，雅亮非体，是故讥谀之声，每过其实矣。①

这里显示了陈寿论人的严谨，同传人物刘放、孙资是别作论断的。而程昱、郭嘉、董昭、刘晔、蒋济等，陈寿明白指出他们是“世之奇士”，其“才策谋略”与荀攸同类。在陈寿看来，不仅贾诩，而且程昱、郭嘉都与荀攸是同类的，但又为什么将程昱、郭嘉分出另编呢？陈寿说他们的“清治德业，殊于荀攸”，这又显然地指出，贾诩的不仅“才策谋略”，而且“清治德业”与荀攸同伦了。当然陈寿并不认为贾诩、程昱、郭嘉等人与荀攸如同夜光与蒸烛之差，那么，陈寿所说的“清治德业”寓意何在？裴松之又为什么作如此尖刻的评论？他褒贬人物的尺度究竟与陈寿有什么不同？两人对贾诩的评价谁是谁非？这些问题待我们考察了贾诩的一生行事后再来议论。

二、委身董卓　护持汉室

董卓是一个凶残的军阀，他擅专废立，倾覆汉室，直接引发了汉末之乱，穷凶极恶，罄竹难书。贾诩委身，岂不是为虎作

① 《三国志·程郭董刘蒋刘传》陈评。

依，何以说他护持汉室呢？看似矛盾，而事实却又如此。这是因为，江河泛滥，泥沙俱下，洪流汹涌，难分清浊。贾诩之委身董卓，实由汉末的黑暗政治造成了贤愚错位，智士穷迫，无所措手足，而一时之失。

贾诩生于桓帝建和元年，即公元 147 年，正是东汉政治进入黑暗的时代。他二十岁那年，即公元 166 年桓帝延熹九年，兴起了第一次勾党之狱，天下善士，皆被株连。就在这一年，贾诩被地方举为孝廉，在宫中为郎。贾诩眼见仕途危艰，于是在灵帝建宁三年（公元 170 年）称疾告退，回归家园以观时变。贾诩邀集了几十个人，从洛阳入关西行，来到汧县（旧治在今陕西陇县南）地界，在翻越陇山途中被氐人包围。贾诩泰然自若，从容对氐帅说："我段公外孙也，汝别埋我，我家必厚赎之。"[①] 段太尉就是安羌名将段熲，与贾诩是同乡，武威姑臧人。段熲英勇善战而怀集羌众，因此名震关西，这时又迁为太尉，深为氐、羌大众敬服。贾诩临危不惧，借段熲声威慑服氐人，表现了他的应变才智。果然氐人放了他，其余全被活埋。当年，贾诩二十四岁。

灵帝中平元年（公元 184 年），贾诩已经三十八岁，默默无闻地在家乡度过了十几个春秋。他不但未见天下清，而且朝政日坏，终于爆发了黄巾大起义。凉州羌、胡大众联合暴动，响应黄巾。随后，这支力量被金城人边章、韩遂所利用，割据金城，对抗朝廷。东汉政府派司空张温督中郎将董卓往讨。董卓本是凉州陇西临洮人，少时就与羌豪相通。他利用这次出征韩遂的机会，收编了一支羌胡部队，成了他日后乱政的资本。但此时的董卓却是堂堂的政府官兵将领。贾诩见世道日乱，为保身家计，以凉州智士投身在凉州将领董卓军中为幕僚，这是自然的理性。

中平六年（公元 189 年），董卓入京洛阳，把持朝政，杀何太后，废少帝刘辩，改立献帝刘协，自官太尉，用贾诩为太尉掾，迁平津都尉。关东兵起，又迁贾诩为讨虏校尉。董卓劫帝入

① 《三国志·贾诩传》。下面凡未注出处的引文均引自贾诩本传，为了使行文精练畅达，部分引文撮述译意。

关，以婿中郎将牛辅屯陕（今河南陕县），拒关东军，贾诩为其谋主。王允诛杀董卓，贾诩为李傕等运计，攻入长安，为尚书，主典选。后来，李傕、郭汜在长安交兵，关中大乱，献帝蒙尘，东还洛阳，凉州兵散亡。张济南走南阳，攻穰（今河南邓县），被流矢所中，死，其侄张绣统领其众，屯驻南阳。建安元年（公元 196 年），贾诩往依张绣为其谋主，张绣事之如父。

从公元 184 年到公元 196 年，这十余年间，是贾诩在政治上所走的一段曲折道路，委身董卓，为李傕画计，这就是裴松之贬抑贾诩的根本原因。可是陈寿却不这样看。他认为贾诩固然投身非所，然而他在凉州军阀乱政期间，极力维护汉室，护佑大臣，做了许多好事。陈寿称赞说："拜诩尚书，典选举，多所匡济"。又说："出天子，佑护大臣，诩有力焉。"据裴注所引刘芳《献帝纪》和王沈《魏书》的记载，贾诩典选举，多引用旧臣。郭、李倾轧，贾诩从中调解，维持献帝的地位。李傕召羌、胡数千人，许以宫女、御物为奖酬，驱使他们去进攻郭汜。羌、胡豪帅闯至宫门索取宫女。贾诩暗中召羌、胡豪帅宴饮，给予封爵重宝，解散了这支军队，这才使汉献帝免遭危难。从此，李傕势衰，减轻了长安的战乱。献帝东出，李傕追击，掳掠了汉大臣司徒赵温、太常王卫、卫尉周忠、司隶荣邵等，李傕打算全部斩杀，又是贾诩劝止。这些行事说明了贾诩的思想基础仍是忠勤汉皇室的。他之所以替李傕画计攻长安，是因为王允诛杀董卓后，志骄意满，不赦李傕等罪恶，刚愎自用，逼反了凉州兵。李傕进入长安，论功拜贾诩为尚书仆射，贾诩说："此救命之计，何功之有。"辞而不受。这就更加看出王允诛董卓后的善后失计了。贾诩的目的，是想借李傕等人之力，"奉国家以征天下"。但这些丧心病狂的军阀，见利忘义，鼠目寸光，争锱铢之利而互相残杀，贾诩就不能控制了。但他却尽了最大努力来维持汉室。当李傕把汉献帝劫往营中为人质时，张绣邀贾诩走南阳。贾诩说：李傕劫持天子，是非义行为。"吾受国恩，义不可背，卿自行，我不能也"①。贾诩

① 《三国志·贾诩传》裴注引《献帝纪》。

冒着危难留了下来，多方营救献帝，并且瓦解了李傕的势力。只是后来他看到大势已去，才转而支持曹氏，这和程昱、郭嘉等人一起家就追随曹操图汉天下有所区别。这就是陈寿所隐喻的“清治德业”，故不把贾诩与程、郭等人同传，而升格与二荀并编。荀彧反对曹操倾移汉祚，而被逼死，董昭等人却是上劝进表的趋炎人物。陈寿评曰“清治德业，殊于荀攸”固当。荀彧“机鉴先识，未能充其志”，表现了陈寿的无限惋惜！

三、审时度势 说绣归操

张绣在南阳与刘表连和，谋取许昌，成为曹操的心腹之患。建安二年（公元 197 年），曹操率众南征张绣，贾诩说张绣降操。曹操淫乱张济妻，张绣反操，乘其不备，掩杀其营。曹操亲军都尉典韦阵亡，折了长子曹昂，侄儿曹安民。曹操本人也伤了右臂，失了战马，差点儿被活捉，大败亏输，损兵折将而回。偷袭曹营，亦为贾诩所画。曹操退还许昌，连年征讨，不克。建安三年（公元 198 年）曹操再度起兵亲征，围攻张绣于穰。刘表救绣，断曹归路。田丰说袁绍欲袭许昌，劫掠天子，因此许昌告急，曹操退兵，却故意徐行诱使张绣追击，企图在运动中消灭他。贾诩识破曹操计谋，劝绣不追。张绣不听，率精兵追操，在安众中伏大败。贾诩再对张绣说，“赶快整军追击，这次一定能打胜仗”。张绣于是收合散卒，果真得胜而回。张绣不解，问贾诩说：“我用精兵追击退兵，吃了败仗；随后用败兵追击胜兵，反而得胜，一一应验了你的预言，是何道理?”贾诩说：“这是明摆着的道理。曹操亲征将军，志在必克。交战方酣，他突然退兵，必定许昌有急。曹操老谋深算，防止将军追击，必亲自断后。将军虽然善战，但不是曹操对手，所以追击必败。曹操打了胜仗，放下了对将军的戒心，一定轻装速回，留诸将断后。而曹操诸将却不是将军对手，所以将军打了胜仗。”张绣更加折服，言听计从。公元 199 年，袁绍发动官渡之战，派使者联络张绣，并致书贾诩。贾诩却在接待绍使的宴会上公然对使者说："回去替我道谢袁本初，自家兄弟不能相容，怎么能容得下天下的国士呢?"贾诩的这一番言论，杜绝了张绣投袁的去路，并说绣归操。张绣大惊说："袁强曹弱，我和曹操又有深仇大恨，怎么能去投他呢?"贾诩说："正因为袁强曹弱，才是归操的时机。袁绍势大，只不过想利用我们，并不把我们看在眼里。曹操力弱，正是用人之时，此时投操，必得重用。他有王霸之志，不会计较个人的私怨。"张绣听计，率众归操。曹操举行盛大宴会欢迎，与张绣握手言欢，结为儿女亲家，替第二十二子曹均娶绣女为妻。张绣在官渡之战中，奋勇战斗，建立了大功。曹操更是器重贾诩，握着他的手说："使我的威信能够传扬天下的人，是你的功劳啊!"曹操立即表拜贾诩为执金吾，封都亭侯，遥领冀州牧。河北平定后，曹操自领冀州牧，迁贾诩为太中大夫，使贾诩参决谋议，不离左右。

当曹操欲用武力征服时，贾诩为张绣划策连破操兵。当曹操危困之际，他不失时机地说绣归操，建功立业。贾诩为什么要说绣归操呢？他晋见刘表，尽管受到了隆重的接待，但他对张绣说："刘表在盛世中可以为三公，但多疑无断，处在乱世，没有什么作为。"[①] 争天下，不但君择臣，臣亦择君，正如郭嘉所说："一个有智谋的人，在选择主人的时候，要考虑每做一件事情都能成功，才可以建立功名。袁绍只是想效法周公礼贤下士，但不懂得用人之道，好谋无决，想和他一起拯救天下的大难，建立王霸的事业，是办不到的。"[②] 曹操用人，可以释仇解恨而亲张绣；袁绍官渡败亡，恼羞成怒而冤杀谋士田丰，两相比较，高下自见。官渡之战前夕，袁绍最强，据有幽、冀、青、并四州之地，大河以北，尽为绍所有，兵势盛强，带甲十万。刘备又反曹于徐州，黄巾余众策应于汝南。曹操腹背受敌，形势危殆，大有朝不保夕之势。智能之士，却能审时度势，知能者必将化险为夷，转

① 《三国志·贾诩传》裴注引《傅子》，这里撮述译意。
② 《三国志·郭嘉传》，这里撮述译意。

危为安，因而不失时机地选择明主。贾诩说绣投操，他所选择的时机，大胆的行动，投操的形式，都显示了他与众不凡的气质和无双的智计，说他是一个天下奇士，毫不过分。

贾诩投操后，自知非曹氏旧将，又才智卓绝，为避免遭忌，杜门自守，不与文武大臣交接。贾诩男女嫁娶，不攀高门。他在曹氏父子间尤能善处。曹昂死后，曹丕居长，为五官中郎将，是曹操合法的继承人。而临菑侯曹植文名最盛，深得曹操喜欢。曹丕、曹植各树党羽。曹操屏人问贾诩，议欲夺宗。贾诩默然不对。曹操问曰："与卿言而不答，何也?"贾诩回答说："正巧我在想问题，所以没有即刻回答。"曹操说："想什么?"贾诩说："我在想袁本初、刘景升父子的事。"曹操大笑，于是打消了夺宗的念头，终于定下曹丕为太子。所以曹丕即位后，感念贾诩之功，"进爵为魏寿乡侯，增邑至八百户"。袁本初是袁绍的字，刘景升是刘表的字。袁绍爱少子袁尚，废嫡子袁谭；刘表爱少子刘琮，废嫡子刘琦，结果兄弟争位，自相残杀，倾覆了家室。贾诩借历史旧事以点悟曹操，克制感情偏见，实在高明。所以，天下的人们都称赞贾诩的智计高人一筹。

四、运筹帷幄　算无遗策

袁曹官渡之战从建安五年（公元 200 年）二月一直相持到十月，未决胜负。袁绍兵强粮足，有十余万众。曹操只有兵七八万，粮饷不足，难以持久。曹操问计于贾诩。贾诩说："您的英明超过了袁绍，勇敢超过了袁绍，用人超过了袁绍，当机决断超过了袁绍，但是相持半年未能取胜，这是因为您在敌强我弱的形势下打消耗战，阵地相持以求万全。只要您下定决心，不失战机，以奇取胜，胜负立决。"贾诩和荀攸建议曹操奇袭袁绍粮屯。曹操顿悟，采纳了这一建议，偷袭乌巢，焚绍粮屯，果然一战功成，袁绍大溃，从而奠定了统一北方的基础。

建安十三年（公元 208 年），曹操率三十万众南下荆州，不战而降刘琮，追败刘备于长坂，并荆州水军，声势大振。曹操欲一举下江东，以建立盖世功勋，早日移迁汉祚。未作休整，迅急东进，号八十万众，恐吓东吴。贾诩进谏曹操说："明公昔破袁氏，今收汉南，威名远著，军势既大，若乘旧楚之饶，以飨吏士，抚安百姓，使安土乐业，则可不劳众而江东稽服矣。"曹操不听，果然吃了大败仗。从而葬送了统一天下的大好时机，奠定了三分天下之局。裴松之认为贾诩此谋，不合当时之宜。裴松之说："（曹操）既新平江、汉，威慑扬、越，资刘表水战之具，藉荆楚楫櫂之手，实震荡之良会，廓定之大机。不乘此取吴，将安俟哉？"裴氏对曹操赤壁战败的解释是："至于赤壁之败，盖有运数。实由疾疫大兴，以损凌厉之锋，凯风自南，用成焚如之势。天实为之，岂人事哉？"① 裴氏的批评和解释都不符实际。我们看诸葛亮和周瑜是怎样对孙权分析形势的吧！诸葛亮和周瑜总括了曹操必败，其因有四：（一）北土未安，操有后患；（二）北方士卒，不习水战；（三）战线太长，供应不济；（四）不习水土，必生疾病。上述曹操的这些败因，都不是根本性的。曹操之败，失在于急。若曹操纳贾诩之策，休养士众，先定关西，储粮荆州，训练士卒，缓进江东，阻止孙刘结盟，是有可能不劳众而江东稽服的。曹操另一谋士程昱也提出了警告，他认为冒进东吴，将推动孙刘结盟。事势之变，果然与贾诩等人的预见符合，这就说明曹操发动赤壁之战，的确是失策的。

建安十六年（公元 211 年），贾诩年已六十五岁，随曹操进军关中。关中诸将马超、韩遂等会集羌胡大众及关中十部大军封锁潼关。关西兵多羌、胡勇骑，善使长矛，悍勇难敌。曹操为了避敌之长，击敌之短，决定用智计破敌。他先集大军于潼关以外，和马超夹关相持，吸引敌军的注意力。然后派出徐晃、朱灵两员勇将，率精兵从蒲坂津偷渡黄河，在黄河西岸建立滩头阵地。接着曹操挥师北上，从蒲坂津从容地渡过了黄河，造成从侧背袭击潼关的态势，打乱了马超的阻击计划，迫使他放弃潼关，

① 《三国志·贾诩传》裴松之按语。

收缩战线在渭南华阴一线。曹操进军渭北与马超相持，布设疑阵，又取得了偷渡渭水的成功。这样，曹操就避免了同关西羌、胡悍兵拼正面的消耗而突进了关中。马超自知不是曹操对手，要求派送质子，割地求和。曹操问计于贾诩，贾诩说：将计就计，“离之而已”。曹操用其计，假意许和，约韩遂在阵前谈判条件。韩遂和曹操是同年孝廉，有旧交情。曹操在阵前与韩遂交马谈论，只是叙旧，不及军事，并握手欢笑。韩遂回营，什么也说不出，马超心疑。过了几天，曹操又投书韩遂，摹拟韩遂手笔，多所点窜，使马超更加心疑，防范韩遂图己，不能齐心作战。曹操乘此马、韩不合之机，进兵会战，大破关西军。马超、韩遂逃奔羌中，虽据守凉州以喘岁月，而关中尽归操所有。此役，贾诩与谋，多有力焉。

曹丕建魏，拜贾诩为魏太尉。曹丕问贾诩说：“我想统一天下，吴、蜀两国，当先征伐哪一国呢?”贾诩说：“魏国初建，首先是建本树德，搞好内政，以待天下之变，则统一之功并不难。吴、蜀两国虽小，但刘备有雄才，诸葛亮善治国，孙权识虚实之要，陆议善用兵，魏国群臣中，还没有与刘备、孙权相抗衡的人。用兵的妙诀，就是事前预计，有必胜的把握，然后才打仗。想打胜仗，就要估量敌人，了解双方指挥将领的素质，这样才能做到算无遗策。”贾诩的这一席议论，表现了他对即将出现的三国鼎立未来形势的发展估计得是多么准确。他有着高度的军事理论的素养，知彼知己，而后用兵，自然是算无遗策了。曹丕与贾诩的这次君臣问对是在魏初建的黄初元年。黄初六年（公元 225 年），曹丕大举伐吴，亲临大江，果然无功而还。

贾诩卒于魏黄初四年，即公元 223 年。公元 147 年至公元 223 年，贾诩享年七十七岁。

五、千秋功罪　谁与评说

依本文上述考论，不难看出，陈寿与裴松之论人的尺度，基本标准是一致的，即汉末战乱，一个人的行事对汉王室的态度是个人德业的重要内容。东汉政权已经腐朽，天命已移，为什么两位史家还要维护汉室呢？从古人信奉的儒家正统理论上说，臣犯君就为不道，何况献帝始终是一个傀儡，并未为恶。从实践上说，汉天子名义上仍为天下共主，臣下犯阙，意味着冒天下之大不韪，必然引起天下动乱，凉州军阀一个比一个野蛮残暴就是明证。从这个意义上说，陈寿、裴松之的论人尺度，无可厚非。但同一个贾诩，二人评论又为什么大相径庭呢？这是因时势不同，为时论所需。陈寿仕晋，他作《三国志》以魏为正统，替西晋政权受禅说制造合法舆论，故评论隐喻其词，以人物列传分合的义例示意。裴松之仕刘宋，当时的舆论以蜀汉为正统，为偏安的南朝制造合法舆论，所以裴氏对贾诩不能不多所讥评。我们今天评论，自应抛弃古人的正统理论，只依其人物行事来论说了。

《诗·大雅·烝民》有言："既明且哲，以保其身。"孔子说："笃信好学，守死善道。危邦不入，乱邦不居。天下有道则见，无道则隐。"① 孟子亦云："无一不是命运，但顺理而行，所接受的便是正命；所以懂得命运的人不站在有倾倒危险的墙壁之下。尽力行道而死的人所受的是正命，犯罪而死的人所受的不是正命。"② 这是古代最高哲人立身处世的理论。一个人应在乱世中守道正命，明哲保身，这实在是不容易的。三国时有多少英雄豪杰，死于非命，不可胜计。而贾诩处在这样的昏乱世界中，不是消极避世，而是见用于世，却能既明且哲，守道正命。他本意欲维护汉室以匡救天下，观其势不能，却又机鉴先识，审时度势，不失时机以择明主。贾诩能智、能愚、能言、能为，陈寿谓为良、平之亚，堪称笃论。

（原载《西北史地》1983年第3期）

① 《论语·泰伯》。

② 《孟子·尽心》，引文据杨伯峻《孟子译注》译文。

论诸葛亮

诸葛亮，字孔明，人称卧龙，东汉末徐州琅邪郡阳都县（今山东沂南县）人，三国时期杰出的政治家、军事家和外交家。诸葛亮品德高尚，恪守诺言，扶弱抑强，忠于职守，在他身上充分体现了中华民族高尚、智慧、勤劳、勇敢的品格，赢得了世世代代人们的敬仰，成为家喻户晓的历史人物。在历史小说《三国演义》中，诸葛亮之忠诚与曹操之奸诈，正好形成了鲜明的对照。两人是一对一正一反互相衬映的历史人物。尽管依历史的本来面目，诸葛亮并不如是之好，曹操也不如是之坏，但历史的大节却是曹操要谋篡汉室，诸葛亮要兴复汉朝，这一奸一忠也是他们自己的选择。本文的结语中将两人作一些比较，应当是有意义的。

一、以兴灭继绝复兴汉室为己任

诸葛亮生于汉灵帝光和四年，死于蜀汉后主建兴十二年，即公元 181 年至公元 234 年，享年五十四岁，他出生的第四年，即公元 184 年就爆发了黄巾大起义。公元 190 年，关东诸侯起兵讨董卓，天下分裂，军阀割据混战了三十多年，到公元 220 年曹丕称帝建魏，公元221年刘备称帝建蜀，公元222年孙权称吴王建元，天下三分，才走向了相对的统一。诸葛亮就是在这干戈扰攘的乱世中涌现出来的一位不凡的政治家，可与曹操、刘备、孙权三个开国之主相提并论。在引导历史走向三分的人谋因素中，诸葛亮是一个举足轻重的人物。

公元207年，刘备三顾茅庐，请计于诸葛亮。诸葛亮精辟地分析了天下的形势，提出了统一天下，应走鼎足三分，联孙抗曹的道路，这就是著名的《隆中对策》。这既是诸葛亮为刘备提出的一条正确的政治路线和军事路线，也是诸葛亮一生行动的纲领。从此刘备的事业才出现了转机，终于建立了蜀汉政权。事势的发展证明了诸葛亮的伟大规划与预见，他无愧于一位远见卓识的政治家和战略家。

诸葛亮提出隆中路线，时年二十七岁，正当年轻有为之时，他不北走曹操或南归孙权，偏偏慨然允诺辅佐刘备打天下，这本身就是一个非常之举。无论从个人的主观愿望，还是从当时的客观形势，诸葛亮的选择，都是一条荆棘丛生的险途。

诸葛亮避乱荆州，不仕刘表，隐居隆中，也和避乱荆土的群士一样，目的是“待时凤翔”①，正如诸葛亮自己所说，在乱世之中，“天下英雄喁喁，冀有所望”，“智能之士思得明君”②。公元207年，形势是曹、孙势力强大，而刘备尚无立锥之地，寄人篱下，为荆州牧刘表看守北方的大门，屯驻新野，兵微将寡。当时刘备已四十七岁，行将半百，除了曹操、孙权、鲁肃等有识之士，一般人似已把他遗忘。刘备屯驻新野六七年，却没有南来北往的士人去依附他。颍川士人杜袭、繁钦、赵俨、石广元，汝南孟公威等人，当曹操挟天子都许以后都纷纷北还。石广元和孟公威都是诸葛亮的好友。待时荆州的北方士人，只有颍川徐庶一人依归了刘备。徐庶向刘备推荐诸葛亮，刘备三顾茅庐。此时孙权已提兵西上，行营柴桑，正在征讨黄祖，眼看曹操也要大举南

① 《三国志·杜袭传》。
② 《三国志·诸葛亮传》。以下引本传者不再注。

下，荆州就要腹背受敌。为免祸计，为前途计，都要慎重选择。刘表手下的文武部属韩嵩、蒯越等人劝表“举州以附曹公”①。诸葛亮恰在此时毅然出山，辅佐刘备兴复汉室。这本身就与众不凡。

一生谨慎的诸葛亮为何要选择这样一条荆棘丛生的政治道路？裴松之作了如下的分析：

> 老氏称知人者智，自知者明，凡在贤达之流，固必兼而有焉。以诸葛亮之鉴识，岂不能自审其分乎？夫其高吟俟时，情见乎言，志气所存，既已定于其始矣。若使游步中华，骋其龙光，岂夫多士所能沈翳哉！委质魏氏，展其器能，诚非陈长文、司马仲达所能颉颃，而况于余哉！苟不患功业不就，道之不行，虽志恢宇宙而终不北向者，盖以权御已移，汉祚将倾，方将翊赞宗杰，以兴微继绝克复为己任故也。

裴松之这段话见于《诸葛亮传》所引《魏略》后的按语。《魏略》载，盖公威北还，诸葛亮对他说：“中国饶士大夫，遨游何必故乡邪！”裴松之针对这话分析诸葛亮不北依曹操的本心。裴氏认为诸葛亮不是畏惧北方士人的竞争，不是愁没有官做，而是要兴复汉室，他依归曹操达不到这个目的。因为“权御已移，汉祚将倾”，曹氏篡权之心，已昭然若揭。裴松之的这个分析是正确的。诸葛亮自比管仲、乐毅就说明了这个问题。管仲辅佐齐桓公尊王攘夷，九合诸侯，一匡天下。乐毅辅弱燕报强齐，一举下齐七十余城，几乎灭亡了齐国。诸葛亮要干一番事业，自比管仲、乐毅，不仅表明了他兼有将相之才，而且表现了他不苟且许身的抱负。他以兴微继绝兴复汉室为己任，这是他的志趣。

但是，兴复汉室，谈何容易，自黄巾起义喊出“苍天已死，

① 《三国志·刘表传》。

黄天当立"[1] 的口号以来，"汉祚已尽"就逐渐成为了当时人们的普遍观念。早在公元184年，汉阳（今甘肃甘谷）人阎忠就谏说中郎将皇甫嵩，劝他趁战胜黄巾之声威，结束黑暗的东汉统治，迁移汉祚。阎忠说："夫木朽不雕，世衰难佐，将军虽欲委忠难佐之朝，雕画朽败之木，犹逆坂而走丸，必不可也"。[2] 董卓乱政，东汉已名存实亡。诸葛亮立志兴复汉室，并不是要维护东汉的黑暗统治，而是要兴高帝之业，重走光武中兴之路。刘备屡遭挫折而壮心不已，并从失败中吸取教训，访求人才，三顾茅庐。诸葛亮"由是感激，遂许先帝以驱驰"。诸葛亮自述说："臣本布衣，躬耕于南阳，苟全性命于乱世，不求闻达于诸侯。"[3] 他在《诫子书》中又说："非淡泊无以明志，非宁静无以致远。"[4] 这都是真实思想，与自比管仲、乐毅的功业思想也不矛盾。公元195年，诸葛亮十五岁时跟随叔父诸葛玄到了荆州。公元197年诸葛玄死，诸葛亮结庐隆中，到公元207年他已隐居隆中整十年。这期间世事发生了很大的变化，诸葛亮既不出仕刘表，也不往依其兄诸葛瑾，过江辅孙权。如果没有刘备的三顾草庐，或者刘备虽三顾茅庐而非英雄，诸葛亮宁可终老黄泉，也是不会出山的。"亲贤臣，远小人，此先汉所以兴隆也；亲小人，远贤臣，此后汉所以倾颓也"[5]。诸葛亮深知东汉政治之腐败。所以他不辅佐刘表，因刘表亲小人，远贤臣。而刘备，"王室之胄，英才盖世"，且"信义著于四海，总揽英雄，思贤如渴"[6]，具有兴复汉室以成高帝之业的主观条件，这就是诸葛亮慨然允诺，出山相辅的原因。正由于诸葛亮有淡泊之志，也才具有"士为知己者死"的高尚情操。所以他不辞危难辅佐刘备，把报答知遇之恩与匡救天下的抱负统一起来，从而选择了一条前途多艰的政治道路。

---

① 《后汉书·皇甫嵩传》。

② 《三国志·贾诩传》裴注引《九州春秋》。

③⑤ 《三国志·诸葛亮传》所载《前出师表》。

④ 《诸葛亮集》卷一。

⑥ 《三国志·诸葛亮传》所载"隆中对策"。

二、引导历史走向三分再求统一

陈寿所写《诸葛亮传》是《三国志》最优秀的篇章之一。在诸葛亮一生的活动中，传文着重记载了他的“隆中对策”、出使江东、挥师北伐这三件大事。“隆中对策”与出使江东是谋求三分鼎立；出师北伐是力争统一。让我们先来研究诸葛亮是如何引导历史走向三分的。

刘备在未得诸葛亮之前，转战了二十多年，先后依附过公孙瓒、陶谦、曹操、袁绍、刘表，两次得徐州，又两次失掉徐州，没有立锥之地，势单力弱，寄人篱下。公元 207 年，刘备三顾茅庐，请计于诸葛亮。诸葛亮为刘备设计了兴复汉室的可能道路，发表了“隆中对策”。诸葛亮隐居隆中，密切注意时局的发展，所以对天下形势了如指掌。按照古代政治家总结的历史经验，要统一天下，须得占有天时、地利、人和，这三者缺一不可。“隆中对策”就是根据这一理论分析天下大势的。从天时，即当时的形势来看，曹操统一北方，三分天下有其二，人力、物力、财力都占了压倒的优势，“此诚不可与争锋”。孙氏据有江东，已历三世，“此可以为援而不可图”。也就是说，南北已成对峙之局，但孙氏不足以单独对抗曹操，而占有地理形胜的荆、益尚在庸主手中。因此，诸葛亮的规划，统一天下分两步走。第一步，刘备要避实击虚，不失时机地夺取荆、益建立根据地，在地利上造成三分天下的均势。第二步，依靠“人和”与“人谋”的努力来等待天下之变，实现统一。诸葛亮把“人和”与“人谋”强调为首位，可以说是“隆中对策”的主旋律。所谓“人和”有三方面的内容。第一，是“贤能为之用”，要总揽英雄，赢得天命攸归，使众士慕仰，若水之归海。第二，是“国险而民附”，即内修政理，和抚夷越，使人民归附。第三是“外结好孙权”，壮大力量，才能抗衡曹操，以待天下之变，两路北伐。如果真有这一天，则“霸业可成，汉室可兴”。总起来说，隆中路线就是顺应时势，依靠人谋，这是唯物主义的认识路线，符合客观的实际，所以能规划和预见历史之变。

公元208年，曹操大举南下，兵不血刃下荆州，刘备败于长坂。诸葛亮"受任于败军之际，奉命于危难之间"，出使江东，联结孙权。如果联盟不成，刘备只能步田横的后尘，远遁苍梧。本来孙氏集团的既定方针是极长江之险与曹操抗衡。孙权大将周瑜、鲁肃、甘宁等人主张进伐刘表，渐窥巴蜀，据襄阳以蹙操，北方可图。公元208年春，孙权移营柴桑，亲自统兵抢先发动了争夺荆州之战。孙权是要吞并荆州，而不是联合荆州。显然，刘备若不占有荆州，就没有联吴的资本。所以隆中对策发表后，刘备并无联孙的行动，他在等待时机夺取荆州。可是深谋远虑的曹操是不允许刘备从容占有荆州的。他不失时机地发动了荆州战役，使刘备成了丧家之犬，几乎使诸葛亮的隆中路线化为泡影。当时曹操声威远播，江东震动。孙权的柴桑行营，一片主和声。曹操又给孙权投去战书，并提兵东进。孙权在和与战之间犹豫不决。在这种危急时刻，诸葛亮出使江东，订立同盟，共拒曹操，实际上是引江东之兵击退曹操，为刘备夺荆州。这是多么艰难的使命！若果孙权降操，诸葛亮将被扣为人质，成为曹操的俘虏。所以，诸葛亮出使江东，不只是任务艰巨，而且前途多凶，要有大智大勇。诸葛亮冒难而行，并且圆满地完成了使命。孙权答应，打败曹操，荆州归刘。这显示了诸葛亮不凡的外交才干。

诸葛亮在江东是怎样说动孙权的呢？首先，他分析形势，"今操芟夷大难，略已平矣，遂破荆州，威震四海"，如今提兵而东，是对着孙权而来。"将军量力而处之：若能以吴、越之众与中国抗衡，不如早与之绝；若不能当，何不案兵束甲，北面而事之！今将军外托服从之名，而内怀犹豫之计，事急而不断，祸至无日矣！"彻底揭开了险恶的形势，江东首当其难，使孙权不可存侥幸之心。接着，表明了刘备的立场："刘豫州王室之胄，英才盖世，众士慕仰，若水之归海，若事之不济，此乃天也，安能复为之下乎！"这既是激使孙权振奋，同时又是警告孙权不能屈抑刘备，要联合必须是平等的联合。共抗曹操，就要承认刘备是荆州的主人。最后分析敌我友三方实力，指出共拒曹操的前景。曹军虽众，远来疲弊，已成强弩之末。刘备尚有精甲二万，文有诸葛，武有关羽、张飞、赵云，又是荆州人望，是一支不可轻视的力量。诸葛亮说，孙刘联盟必破操军。“操军破，必北还，如此荆吴之势强，鼎足之形成矣。成败之机，在于今日。”好一个“荆、吴之势”，“鼎足之形”，这是隆中路线的坚定原则，诸葛亮在极端困难的条件下，立此原则与孙权谈判，订立平等的双边同盟，而不是附庸顺从。孙权英睿明智，在大敌当前，认识到“非刘豫州莫可以当曹操者”，果敢地作出了让步，同意鼎足三分，发兵拒操。可以说这是诸葛亮出山以后所取得的第一个辉煌胜利。事隔二十年后，诸葛亮在《出师表》中回顾江东之行说，“受任于败军之际，奉命于危难之间”，犹有惊心动魄之叹！

在缔结刘孙联盟的过程中，具有战略远见的政治家鲁肃发挥了重要作用。早在公元 200 年，鲁肃就对孙权说：“为将军计，惟有鼎足江东，以观天下之衅。”鲁肃还强调说：“规模如此，亦自无嫌。”[①] 所以曹操大军压境，鲁肃力主联刘，赤壁战后，又劝孙权借荆州给刘。由此可见，引导历史走向三分，鲁肃也是一个重要人物。

但是，鲁肃预见的鼎立，与诸葛亮的隆中路线有本质的不同。鲁肃替孙权规划，“竟长江所极”以拒曹操，若事势发展不利，退而求其次，鼎立江东。诸葛亮的隆中路线替刘备规划，只有鼎立，刘备才能生存。孙、刘两家战略基点的不同，从而孕育了后来孙、刘两家争夺荆州之战。但是，正因为孙、刘两家都有着鼎立的预想，所以曹操进逼，孙、刘两家在危难之际结成了同盟。假如曹操采纳了贾诩、程昱之计，不急于东进，先巩固对荆州的占领，抚纳刘璋及关西诸将，是完全有可能统一天下的。又假如赤壁之战，曹操胜利了，那末曹氏统一天下也是必然之势。曹操败北，孙权不借荆州给刘备，这又有两种可能：或者孙权控

① 《三国志·鲁肃传》。

制了刘备，完成了“竟长江所极”，划江分治成为南北朝；或者孙、刘火并，曹操再度南下，渔人得利，完成一统。如果周瑜不死，这两种可能性都是存在的。如上分析，诸葛亮提出隆中路线，与其说是预见三分，勿宁说是依靠人谋来引导历史走向三分。因为当时形势，历史走向统一，存在着多种可能。由于三分的实现，所以我们说诸葛亮预见了三分，准确地说，应是规划了三分。先前，刘备失败，只是依附别人，站不高，看不远。刘备得诸葛亮，胸藏天下三分规划的隆中路线，眼界豁然开阔。他尽管败于长坂，走投无路，但并不去依附孙权，而是派出诸葛亮去联合孙权，订立双边同盟，共拒曹操。诸葛亮运用他的智慧，巧妙地利用曹操东进，孙权不甘屈膝的形势，因势利导，争得了刘备立足荆州的地位。所以我们说：在引导历史走向三分的人谋因素中，诸葛亮是一个举足轻重的人物①。

三、兴复汉室何以未能成功

诸葛亮的隆中路线只实现了一半，完成了三分，而没有完成兴复汉室。公元 219 年，刘备取得汉中，跨有荆、益具备了两路北伐的条件。关羽出兵攻襄阳，大败曹军，威震华夏，曹操曾议迁都避羽。这只是一路北伐，竟有如此威力，因许昌以南拥汉反曹的暗流相当强大。这说明兴复汉室仍然具有可能性。这一可能性是怎样丧失的呢？简略地回答，有两方面的原因。第一，事势的发展，难可逆见，主要是吴国背盟，关羽失荆州。第二，刘备和诸葛亮都不是完人，不仅隆中路线有失着②，而且在执行隆中路线时一再犯错误，带来了形势逆转。

① 这里是单一思维评价诸葛亮的作用，如果作一横向联系的比较，三国时期导引历史走向三分的人，有三人所起作用最大，第一是孙权，第二是诸葛亮，第三是鲁肃，请参阅本书《三国形成时期的外交》和《论孙吴儒将》两文。

② 隆中路线的失着，请参阅本书《蜀失荆州并非“重益轻荆”》一文。

先看刘备之失

隆中路线执行之初，刘备处于逆境，十分小心，人谋总能依循客观的形势。就拿夺取荆、益来说，这本是隆中路线的既定方针。但是刘备打着“兴复汉室”的口号收揽人心，向同姓手中夺地盘，同室操戈，于理不顺。因此刘备采取了谨慎的态度。他得荆州、夺益州都是后发制人，于是获得了成功。赤壁之战的胜利，一方面是曹操未在荆州站稳脚跟，就冒险东进，推动了孙、刘结盟；另方面是孙权识大体，顾大局。刘备、诸葛亮因势利导，实现了隆中路线的第一步。但是当刘备取得荆、益和汉中以后，势力鼎盛，两路北伐的基地已经形成，他却利令智昏，急于求成，在条件未备之时令关羽北伐，犯了曹操冒进赤壁的同样错误，葬送了隆中路线有可能实现的大好条件。荆州是吴国的上流门户，刘备得益州后，孙权全力来争，诸葛亮和刘备都低估了孙权的决心。刘备得益州，不立即北进汉中，而东下与孙权争江南三郡，既失联吴信义，又失夺取汉中的战机。后来虽得汉中，费了九牛二虎之力，只得其地而不得其民。此其一失。刘备得汉中后，还未站稳脚跟，就盲目地命关羽北伐，又调走驻守宜都的孟达，使荆州成了一座空城，被孙权袭夺。此其二失。夷陵兵败，耗尽国力，乃是三失。蜀汉小国，一失再失而三失，于是元气大伤，几乎亡国。痛定思痛，诸葛亮在《后出师表》中说：“先帝东连吴越，西取巴蜀，举兵北征，夏侯授首，此操之失计而汉事将成也。然后吴更违盟，关羽毁败，秭归蹉跌，曹丕称帝。”假若诸葛亮和刘备没有这三失，不与孙权争荆州江南三郡，则可早日得汉中，蜀汉力量将大增。如果刘备进一步把四战之地的荆州还给吴国，命关羽、孟达退守宜都、上庸一线，两国协同北伐，刘备必得关中，三国局势当是另外一番面貌。荆州既失，刘备能忍，保持国力，诸葛亮的北伐，或许也能蚕食魏境。当然这些推论不能代替历史，但诸葛亮北伐的失败，刘备要负主要责任，应无疑义。这大概是后世人们对诸葛亮的失败抱同情与惋惜的主要原因吧！

再看诸葛亮北伐之失

诸葛亮北伐，前后六次，五次进攻，一次防守。后以失败告终，这并非意外。因为战争是政治、经济、军力的综合较量，无论哪一个方面蜀汉都是劣势。但战争又不能单以强弱之势论成败。曹、孙、刘三方最初都是以弱胜强，力挫群雄，才争得了三分之势。诸葛亮北伐仍有一线成功的希望。这希望就在第一次出师，曹魏关中空虚，“朝野恐惧”，陇右三郡叛魏应亮。假若诸葛亮采纳魏延之策，第一次直指长安，一举奄有关中，则天下震动，中原人士旋踵西归，吴人拼力北进，强弱形势不是不可以易位的。只可惜诸葛亮过于谨慎，“虑多决少”①，不敢用奇，丧失了这一取胜的机会。“出师未捷身先死，长使英雄泪满襟”②。可慨也夫！

陈寿评论诸葛亮“奇谋为短”，尽管遭到了后人的讥议，但他的评论却是公允的。陈寿认为诸葛亮之才，“于治戎为长，奇谋为短，理民之干，优于将略”③，是很有分寸的。陈寿在传文的总评中又说，诸葛亮“可谓识治之良才，管、肖之亚匹”，而“应变将略，非其所长”，都是有根据的。诸葛亮不仅第一次北伐兵多于敌，又得三郡响应失败了；而且最后一次北伐，两军相持，缺乏高招打破僵局，也是明证。从总体战略上来看，诸葛亮平取陇右是错误的。诸葛亮的战略是“蚕食雍、凉，广拓境土，徐图中原”。具体实施，第一步夺取凉州，第二步夺取关中，积小胜以为大胜。这就是诸葛亮北伐，先用兵于祁山而后转向关中的原因。诸葛亮这一战略形成了弱蜀与强魏打消耗战，必败无疑。以弱胜强，必须用奇，或者乘虚出其不意。诸葛亮第一次出师兼有用奇和乘虚之势，未能用奇已气已夺；乘虚而败说明力不如人。既如此，就应闭关息民，蓄养国力。诸葛亮连年动众，虚耗国力，加速了蜀汉的灭亡，也是失策的。曹魏本来的方针是先灭吴，后取蜀。后来看到蜀国衰弱，才改变方针，先灭蜀，后灭

① 《晋书·宣帝纪》司马懿语。
② 杜甫《蜀相》诗。
③ 《三国志·诸葛亮传》所载陈寿《进诸葛氏集表》。

吴。蜀二世而亡。

纵观历史过程，隆中路线的夭折，已萌芽于刘备与孙权南争江南三郡。蜀臣廖立批评说：

> 昔先帝不取汉中，走与吴人争南三郡，卒以三郡与吴人，徒劳役吏士，无益而还，既亡汉中，使夏侯渊、张郃深入于巴，几丧一州。后至汉中，使关侯身死无孑遗，上庸覆败，徒失一方。是羽怙恃勇名，作军无法，直以意突耳，故前后数丧师也。[①]

三分鼎立，外连孙吴，乃是刘备生存和发展的基础。刘备不识大体，与孙权南争江南三郡，导致吴蜀交恶，关羽毁败，形势发生了逆转。诸葛亮出师北伐在不具备两路北伐的条件下，只有靠主观努力了。而且刘备迟得汉中，丧失了北伐的时机。等到诸葛亮出师，北方早已建立了魏国，"兴复汉室"已成了过时口号。诸葛亮出师秦川，尽管"百姓安堵，军无私焉"，但"箪食壶浆以迎王师"的预想成了泡影。诸葛亮病逝五丈原，"杨仪等整军而出，百姓奔告宣王"[②]。由此可见，隆中路线引导历史走向三分，是因为历史事势具有三分的可能；诸葛亮北伐，是在兴复汉室已无可能性的情况下作主观努力，虽有十诸葛，也是无能为力的。

四、如何评价诸葛亮的历史贡献

诸葛亮北伐失败，兴复汉室的目的没有实现，但他不失为三国时期第一流的政治家和军事家，也是杰出的外交家。因为他是在极端困难的条件下辅佐刘备，实现三分，且把弱小的蜀国治理得最有条理。范文澜在《中国通史简编》中对诸葛亮治蜀有比较

① 《三国志·廖立传》。
② 《三国志·诸葛亮传》裴注引《汉晋春秋》。

公允的评述。兹依范书所述，参以己意，条列为如下五个方面[①]。

（一）和吴 公元223年，刘备死后，诸葛亮执政所办的第一件大事，就是派邓芝使吴，劝孙权绝魏，专与蜀汉和好。公元229年，孙权称帝，诸葛亮力排众议，又派陈震使吴恭贺，并订立了吴蜀中分天下的条约，表明了蜀国已奉行现实的灵活外交。尽管这个条约只是一纸空文，可是在心理上使吴蜀消除了成见，达到了比较巩固的同盟。诸葛亮北伐，不仅无东顾之忧，还取得了吴国北进的呼应。

（二）和夷 公元225年诸葛亮进兵南中，采用马谡“攻心为上，攻城为下，心战为上，兵战为下”的建议，七擒七纵孟获，终于使南夷诚心归服，达到了安定后方的目的。

（三）明法 刘备得了益州以后，驻兵汉中，专力征伐，而以诸葛亮坐镇成都理国。诸葛亮选用贤吏，以严法治国。诸葛亮对法正说，由于刘璋闇弱，“德政不举，威刑不肃”，故“今威之以法，法行则知恩，限之以爵，爵加则知荣；荣恩并济，上下有节。为治之要，于斯而著”[②]。显然，诸葛亮的严法是针对汉末政治腐败，豪强自恣的现实提出来的，目的在于整顿吏治，抑制豪强，刷新政治，因而取得了成功。陈寿评论说：“诸葛亮之为相国也，抚百姓，示仪轨，从权制，开诚心，布公道；……终于邦域之内，咸畏而爱之，刑政虽峻而无怨者，以其用心平而劝戒明也。”又说：“亮为丞相，……科教严明，赏罚必信，无恶不惩，无善不显，至于吏不容奸，人怀自厉，道不拾遗，强不侵弱，风化肃然也。”

（四）治军 陈寿评论诸葛亮长于治戎，称赞他出师北伐，“戎阵整齐，赏罚肃而号令明”；又说诸葛亮“推演兵法，作八阵图，咸得其要”。蜀兵在诸葛亮的训练下，纪律严明，战斗力强，以弱抗强，在秦岭山中自来自去，强大的魏军反而采取守势。诸葛亮长于巧思，创造了新式的连弩箭元戎，设计了减轻人力的运

① 范文澜：《中国通史简编》（修订本），第二编第205—208页。
② 《三国志·诸葛亮传》裴注引《蜀记》所载郭冲五事之一。

输工具木牛流马，制造了锋利的钢刀。器械的改进，进一步增强了蜀军的战斗力。

（五）正身 孔子说，“其身正，不令而行；其身不正，虽令不从”[①]，诸葛亮是恪守这一格言的典范。诸葛亮正身突出地表现在两个方面。第一，是虚心纳谏。第一次出兵北伐失败，诸葛亮向全军发出《劝将士勤攻己阙教》；又向后主上表《街亭自贬疏》，自贬三等。第二，是不增殖财产，诸葛亮在军，“随身衣食，悉仰于官，不别治生，以长尺寸”，与士卒共甘苦。他曾上表后主说：“若臣死之日，不使内有余帛，外有赢财，以负陛下。”诸葛亮正身，一般官吏也不敢公然贪污，这对人民是有益处的。

诸葛亮二十七岁走出隆中辅佐刘备，五十四岁病逝，恰好半生操劳。诸葛亮以“鞠躬尽瘁，死而后已”的精神，效忠蜀汉到生命的最后一息，不折不扣地实践了自己的诺言。诸葛亮公忠体国的精神，有如屈原效忠楚国的精神，“虽九死其犹未悔”[②]，赢得了世世代代人民的广泛称颂。其实，诸葛亮并非完人。他误用马谡，迁就李平，就失知人之明和用人之明。魏延、杨仪不相能，诸葛亮没能调和。关羽骄恣，诸葛亮不能喻以大义。蜀国偏于西陲，人才本来就少，诸葛亮没能竭力开发。《前出师表》推荐的贤才，除张裔一人为蜀中人士外，全皆为追随诸葛亮的荆土人士。诸葛亮斤斤于亲己之二流贤才，不能不说气度有些褊狭。诸葛亮立国于蜀而不能取用蜀地之才，李平、彭羕、廖立等一流人才均以过失废锢，更是不能容忍的失误。诸葛亮死后，蜀中发生魏、杨火并，自相摧残，蜀中无大将，廖化作先锋，诸葛亮是有责任的。

若以诸葛亮比于曹操，无论事功，还是用人、治政、用兵等各个方面，都要逊色一筹。但人们对诸葛亮却作了过誉的评价，而曹操却遗臭后世。这是因为两人的品格根本无法相比。曹操奸

① 《论语·子路》。
② 屈原赋《离骚》。

险诈伪，残忍好杀，他躲在汉献帝背后来完成曹氏的基业，既是曹操政治上的成功所在，也是他品格上的卑劣所在。评价历史人物，不能只看事功而不计其品格。诸葛亮公忠体国，竭其力而死的精神，是激发人们向上的宝贵文化历史遗产，这是曹操所无法比拟的。

（原载《甘肃社会科学》1986 年第 1 期）

论孙吴儒将

所谓儒将，就是会打仗的知识分子。儒将不同于骁将，不以马背突击为长，而用谋略争胜于疆场。风流儒雅，谈笑间使敌虏败阵。儒将也不同于智囊，不仅善于画计，参谋帷幄，而且还善于驭将练兵，重威仪，令行禁止，胆略超群。儒将都具有大政治家的气质，不仅懂得用兵之法，而且还懂得用兵之理，不穷兵黩武，深固根本，维护民生。儒将，大都具有高强度的理智，越是危急关头，越能沉着冷静，因而能充分发挥其智谋转危为安。儒将，多能重去就之节，扶微济困，志存靖乱，性行忠纯。三国时诸葛亮，长于治国，又善驭戎机，羽扇纶巾，是最典型的儒将。此外，数吴国多士，有五儒将：周瑜、鲁肃、吕蒙、陆逊及其子陆抗。周、鲁、吕三人合传，为孙吴开国名将；陆逊专传，附其子陆抗，父子二人为吴国中、后期中流砥柱。

一、周　瑜

周瑜的主要功绩是赤壁鏖兵，挫败了曹操，为孙权开拓了荆州之土。这一战役奠定了三国鼎立的基础。周瑜以少胜众，在中国军事史上创立了奇勋。孙权论功，推周瑜为首，这是公允的。赤壁之战事隔二十二年之后，孙权即皇帝位，还满含缅怀之情，对群臣说："孤非周公瑾，不帝矣。"[①]

周瑜佐孙策披荆斩棘，是江东基业的奠基人之一。孙权初统事，年少威轻，周瑜为武将之冠，尽心相辅，对于稳定局势也起了重要作用。

赤壁战后，周瑜乘胜进击，经过一年多的激战，取江陵，据夷陵，奄有荆州。于是诣京见权，提出了全据长江的战略。周瑜对孙权说："今曹操新折创，方忧在腹心，未能与将军连兵相事也。乞与奋威俱进取蜀，得蜀而并张鲁，因留奋威固守其地，好与马超结援。瑜还与将军据襄阳以蹙操，北方可图。"[②] 孙权采纳了这一战略，命周瑜回江陵整治行装。周瑜在攻江陵时曾受箭伤。由于鞍马征劳，伤创复发，行至巴丘病卒，时年三十六岁。

在赤壁之战后，刘备尚有精甲二万，但他只派关羽、张飞带兵二千尾随在周瑜之后，自统大军，也不听周瑜调遣，保存实力。周瑜欲为孙吴拓土，也不想让刘备染指。刘备见周瑜领兵三万拒敌，认为兵少。周瑜对刘备说："此自足用，豫州但观瑜破之。"[③] 赤壁战后，周瑜让刘备去取江南，自己与曹仁争江陵，北敌曹操，又欲西进巴蜀，力图实现全据长江的战略。周瑜反对借荆州给刘备。他甚至给孙权献计，趁刘备到京口借地之机，把刘备软禁起来，待以上宾之礼，不让他回荆州。周瑜说，只要孙权留住了刘备，他就有办法控制关羽、张飞为东吴效劳。周瑜此计甚毒，而气魄却十分宏大。孙权恐难以羁縻刘备，又怕曹操乘隙卷土重来，没有采纳。孙权虽放还了刘备，却允许周瑜取蜀。当时刘备在公安，受困于江南，无力制止周瑜西进。如果周瑜不死，赤壁战后前景难以预料。周瑜死后，刘备才借得了荆州。我们说赤壁之战，奠定了三国鼎立，这句话不够完整，还应加上一句周瑜之死。一代英才，不幸早逝，直接影响了东吴事业的发

① 《三国志·周瑜传》裴注引《江表传》。

② 《三国志·周瑜传》。引文中的奋威指孙权从弟奋威将军孙瑜。

③ 《三国志·先主传》裴注引《江表传》。

展，是孙权创业的一大损失。难怪孙权痛哭流涕，临丧致哀曰：“公瑾有王佐之资，今忽短命，孤何赖哉。”①

周瑜之死，无疑是刘备一大福音。

二、鲁　肃

鲁肃有三大功绩：一论帝王之业；二定联刘抗曹之策；三建言以土地资刘备，树操之敌。鲁肃三策，奠定了孙吴的立国基石。

论帝王之业　公元 200 年，鲁肃二十九岁，初见孙权，就建此奇谋伟略，大为孙权所赏识。当时江东形势危急，孙策新亡，权方视事，所据江东六郡，庐江公开背叛，仅有五郡之地，不仅山越屡动，而且江东士众及士大夫与孙权未有君臣之固，随时都可能土崩瓦解。这时孙权，只求“尽力一方，冀以辅汉”，“欲思桓文之功”，问计于鲁肃。鲁肃答曰：

> 昔高帝区区欲尊事义帝而不获者，以项羽为害也。今之曹操，犹昔项羽，将军何由得为桓文乎？肃窃料之，汉室不可复兴，曹操不可卒除。为将军计，惟有鼎足江东，以观天下之衅。规模如此，亦自无嫌。何者？北方诚多务也。因其多务，剿除黄祖，进伐刘表，竟长江所极，据而有之，然后建号帝王以图天下，此高帝之业也。②

鲁肃认为汉室已“不可复兴”，曹操乃当今项羽，孙权“欲尊事义帝”是不可能的。英雄乘时，应“建号帝王以图天下”，兴高帝之业。鲁肃并非大言，他从天时、地利、人和各个因素考虑，提出了具体规划，分为三个步骤。第一步“鼎足江东，以观

① 《三国志·周瑜传》裴注引《江表传》。

② 《三国志·鲁肃传》。下引本传不再注。

天下之衅”，此为据江东地利以立根本，视形势变化见机而作。第二步，借北方多务之时，“剿除黄祖，进伐刘表”，“竟长江所极，据而有之”，成南北之局与曹操抗衡。这第二步与周瑜的战略相同。第三步，“建号帝王以图天下”，因人成事，逐鹿中原，一决雌雄。鲁肃论帝王之业的三步规划，周密细致，可以说是东吴君臣的“隆中对策”，可称之为“江东对策”。孙权长史张昭等重臣，深不以为然，他们诋毁鲁肃“年少粗疏”，“谦下不足”。张昭等人的妄自尊大，适足以暴露了他们自己的目光短浅，无损于鲁肃的卓识远见。

定联刘抗曹之策 赤壁之战，军事指挥，归功周瑜；而战略决策，则首推鲁肃。没有鲁肃定联刘抗曹之策，就没有赤壁之战。鲁肃定此策谋，冒了很大的风险。

公元208年春，孙权已重兵西移，并一举歼灭黄祖。正当孙权进克刘表之时，曹操已率大众南来，发动了声势浩大的荆州决战。刘表被吓死，二子又不协，荆州危在旦夕。面对新形势，鲁肃及时劝孙权改变策略，联合荆州共抗曹操。鲁肃说：刘备，“天下枭雄，与操有隙”，“肃请……说备使抚表众，同心一意，共治曹操，备必喜而从命”。鲁肃断言：“如其克谐，天下可定也。”并警告说：“今不速往，恐为操所先。”孙权智睿明断，立即采纳了鲁肃的策谋，派他去联络荆州。

在历史的转折关头，一刻千金。曹操自是不凡，他轻骑追刘备，一日一夜行三百余里。尽管鲁肃日夜兼程，也迟了一步。等到鲁肃与刘备相会之时，刘备已兵败长坂，凄惶无所依归，失去联吴资本。这时，鲁肃并未动摇联刘决心。他用政治家敏锐的眼光，看到刘备是荆州人望，挫败曹操，必须联刘。他在兵荒马乱之中，宣达孙权旨意，陈说江东力量，劝刘备与孙权并力。这正符合隆中路线，刘备喜不自胜。他放弃了远走苍梧的消极主意，进兵樊口，向孙权靠拢。鲁肃还对诸葛亮说：“我子瑜友也。”[①]表示了他联刘的真诚，并邀诸葛亮过江，共商联盟大计。

---

① 子瑜，即诸葛亮兄诸葛瑾，字子瑜，时为孙权长史。

这时曹操乘胜向东推进，并遗书孙权，扬言“今治水军八十万众，方与将军会猎于吴”。孙权得书以示群臣，“莫不响震失色”①。又是以张昭为首，坚决反对鲁肃的联刘策略，主张降迎曹操。而对急转直下的险恶局势，孙权也狐疑起来，拥兵柴桑，听天由命。在这千钧一发的紧急时刻，鲁肃力排众议，再次以帝王之业的战略宏图为孙权“廓开大计”，晓以利害。鲁肃对孙权说：“今肃迎操，操当以肃还付乡党，品其名位，犹不失下曹从事，……累官故不失州郡也。将军迎操，欲安所归？愿早定大计，莫用众人之议也。”鲁肃情切辞恳，分析入微，终于打动了孙权，坚定了联刘抗曹的决心。接着鲁肃又荐周瑜为前敌统帅。这时诸葛亮也来到了柴桑。周瑜和诸葛亮一起为孙权进一步分析形势，指出“成败之机，在于今日”②，挫败曹操，成鼎足之形，机不可失。孙刘联盟，终于大功告成。

建言以土地资刘备，树操之敌　诸葛亮在柴桑订盟，明确指出，刘备王室之胄，决心守义兴汉，绝不为人之下，因此联合抗操，目的是成鼎足之势，要孙权承认刘备是荆州的主人。诸葛亮对孙权说：“今将军诚能命猛将统兵数万，与豫州协规同力，破操军必矣。操军破，必北还，如此，则荆、吴之势强，鼎足之形成矣。”③ 打败曹操，荆州归刘，这是孙权许下的订盟诺言。成大事者，不得负义。鲁肃劝孙权借地资刘备，“多操之敌，而自为树党，计之上也”④。所谓借荆州，仅指南郡而已。孙刘联盟抗曹，刘备要求有一个与敌曹操邻接的前沿阵地，也是名正言顺的，设若孙权不借地给刘备，曹操在襄阳，刘备在公安，江陵腹背受敌，如何能守得住？孙权借地，既是信义，也是形势使然⑤。借地之后，曹操震惊。由此可见，鲁肃的第三策，也是很高明的。

① 《三国志·吴主传》裴注引《江表传》。

② 《三国志·诸葛亮传》。

③ 诸葛亮语，引自《三国志·诸葛亮传》。

④ 《三国志·鲁肃传》裴注引《汉晋春秋》。

⑤ 周瑜不死，因有赤壁盖世之功，或许能震慑刘备。周瑜死后，若孙权不借南郡，不能排除刘备用武力夺取，故曰形势使然。

后来孙权与刘备争荆州，形势转化，以此品评鲁肃三策，以前二策为长，后一策为短，此不得视为确论。此外，鲁肃作军，屯营不失，令行禁止，而又不苛酷，也是值得肯定的。鲁肃还有一长，好荐人才，孙权将他比之邓禹。鲁肃荐周瑜，赢得赤壁大捷；鲁肃荐吕蒙，吴得荆州。

最后，我们来比较一下诸葛亮和鲁肃各为其主谋划策略的长短，鲁肃的论帝王之业，似乎比诸葛亮的隆中对策更具灵活性。“规模如此，亦自无嫌”，这两句极有深味。细细推敲，语含双关，一是隐蔽战略意图，避免成为众矢之的；二是讲求实际，相机行事。因为北方曹操势大，鲁肃方之项羽，认为江东之众，难以单独抗衡，需要寻求盟友，鼎足而立。这个盟友是谁，鲁肃建策之时，形势并不明朗，只不过是以求万全的备用方案。江东是立国根基，若能趁北方多务，极长江之所有，则是划江而治，成南北对峙；若形势有变，则鼎足而居，联结同盟以抗曹操。孙权争荆州，有理有节，极有节奏。刘表与孙权有不共戴天之仇，加之荆州本身战略地位又极其重要，孙权志在必得。当曹操南下，大敌当前，孙权立即化敌为友，派鲁肃去联络荆州。赤壁战后，借给刘备以为资。公元 214 年孙权讨还荆州，以江南三郡为限，所取时机是曹操进兵汉中，刘备受敌之时。公元 219 年袭杀关羽，趁的是曹刘战斗正酣之时，得以乘间偷袭。孙权接受曹丕封爵也正援引高帝受项羽之封以为先例。毫不夸张地说，孙权的灵活外交与机变战略，得益于鲁肃方略的灵活性，绝不过分。反之，刘备死守隆中路线建立荆、益两路北伐基地的战略，不能随形势变化作适当修正，一味死争荆州，连连败北，使蜀国大损。由此可见，人谋规划，应留有灵活余地，执行规划，更要有灵活性，这对于争取胜利有重要意义。

综上所述，恰如其分论鲁肃，临阵决机，鲁肃逊于周瑜、吕蒙、陆逊等儒将；筹策谋画，鲁肃在诸儒将之上，接近于大政治家，可与诸葛亮比肩。公元 217 年，鲁肃四十六岁，在他不该离世的时候，他辞世了。鲁肃之死，是孙刘两家的损失，却是曹魏之福。设若鲁肃晚死数年，绝不会有吕蒙擒杀关羽之事发生，至少也要推迟事件的发生。那么三国的局面又将是怎样呢?

三、吕　蒙

吕蒙用兵，常出奇制胜，而又勇猛顽强，他从未打过败仗，是东吴的常胜将军。吕蒙最大的功绩是夺取荆州，在争江南三郡和擒杀关羽两役中显示了他的非凡才干。陈寿评曰:“吕蒙勇而有谋断，设军计，谲郝普，擒关羽，最其妙者。”①

公元214年，吕蒙受命统兵二万去夺取关羽镇守的荆州江南三郡。吕蒙大造声势，用政治攻心战收降了长沙、桂阳两郡，但零陵太守郝普却坚守待援。这时刘备率五万大军出川，屯兵公安，命关羽统兵三万进驻益阳争江南三郡。孙权连忙赶到陆口，命鲁肃将兵万人敌关羽，急召吕蒙回援，放弃攻零陵。吕蒙盘算着要在撤军之前降服郝普，故早有准备。他预先挑选四百精兵，分别埋伏于零陵城四门。他请来郝普的好友南阳人邓玄之进城去做说客。吕蒙封锁了刘备下公安的消息，却虚张声势，说孙权赴陆口挡住了关羽;又说曹操已进兵汉中拖住了刘备，劝郝普不要慕忠义虚名，作无益于城守的牺牲，赶快出城议降。等到郝普刚一出城，四百精兵趁机突入。就这样，吕蒙不费一箭，不伤一卒，片刻工夫，占领了零陵。

关羽为蜀国上将，智勇双全号万人敌。公元219年，他进兵讨樊，在后方公安、南郡留有重兵，沿江设有哨所，提防东吴。关羽对吕蒙惧怕三分，处处警惕。但吕蒙却道高一尺。他借病回吴，荐陆逊代己，麻痹关羽。果然关羽中计，大发兵讨樊，公安、江陵成了空城。吕蒙见时机成熟，统兵偷袭荆州。他选派精兵乔装成商人前行，至关羽所置江防哨所，以迅雷不及掩耳之势，将哨兵全部抓获。紧接着大军后继，神不知鬼不觉到了荆州城。荆州守将士仁、糜芳出降。吕蒙进城，严肃军队，秋毫无

① 《三国志·吕蒙传》陈评。

犯。荆州府库，悉数封藏，旧时官吏，依旧任职。吕蒙还亲自存恤耆老，维护治安，比关羽还要细心。荆州士民，人人安堵。关羽回军，人无斗志，全军溃散，父子被擒，为孙权所斩杀。身经百战，叱咤风云的关羽，就这样出人意料地败在了吕蒙手下。

吕蒙在对曹战役中也一再取胜。赤壁之战，他是周瑜的重要帮手，曾献计救甘宁于夷陵，败曹仁于江陵，于是从中郎将升为偏将军。孙权拜吕蒙为寻阳令，经营江北防线。孙权于公元 214 年破皖城，擒朱光；公元 216 年濡须之役战曹操，吕蒙都立了头功。

吕蒙起自行伍，本是一员骁将。他青年时粗重少文，果于杀戮。孙权劝他读书，他在鞍马征劳中笃志不倦，自学成才，具有儒将风度，学识英博，深为孙权、鲁肃所钦佩。

吕蒙积劳成疾，带病征荆州。战争结束后吕蒙就病倒了。吴国君臣为感激他取荆州的奇功，待他特别恩厚。孙权迎请吕蒙在内殿治病，每天隔着墙洞察看他的病情。吕蒙病势转重，孙权夜不成寐，食不甘味，身子瘦了一半。孙权悬赏千金为吕蒙求名医，又命道士在星辰下替吕蒙请命。吕蒙死后，孙权大哭，极为悲痛。吕蒙遗命，所得金宝赏赐，在他死后全部上交国库。孙权知道后，更加悲痛。

吕蒙早逝，年仅四十二岁。

四、陆逊、陆抗

陆逊是一位优秀的战略家，同时也是一位杰出的政治家。他文能安邦，武能经略，出将入相，“董督军国”，身兼内外，为孙吴政权第一人。

在军事上，陆逊主要战功是夷陵大捷，全歼蜀主刘备的东征军。此役是三国形成时期继官渡之战和赤壁之战的第三大战役，对历史有深远的影响。三国鼎立局面的形成，地理均势是一个重要因素。赤壁之战，奠定了鼎立之形；夷陵之战，形成了三分的地理均势，这样才确立了鼎立之势。对于吴国生存，这两次战役都是至关重要的，任何一役失败，孙吴将不复存在①。赤壁败曹操，夷陵败刘备，三国的开国英主，曹、刘均败于孙权之手，这极富有戏剧性。孙权论人，以陆逊继周瑜，十分允当。周瑜、陆逊是照映吴国一前一后的双星。

陆逊不仅能临阵决战，而且善于洞察全局，预料形势，提前谋划，也从未打过败仗。夷陵之战前，他助吕蒙取荆州，率部为前锋，乘胜夺取了蜀国的宜都、固陵两郡，占领了整个三峡地区，破蜀兵数万。陆逊认为夷陵是兵争要害，国之关限，重兵驻守，营建城郭，为他在夷陵败刘奠定了基础。夷陵战后，陆逊及时回师，加强江防，使曹丕三路伐吴的江陵之役无功。这都说明了陆逊极有远见。

此外，陆逊在军事上还有两役值得称述。一是公元 228 年他在夹石设伏，大败曹休，增强了孙吴长江北岸的江西防务。次年孙权迁都建业，即皇帝位。二是公元 234 年，孙权三路大举伐魏，陆逊与诸葛瑾为西路攻襄阳：孙韶、张承为东路向广陵；孙权自率大军为中路围合肥新城。由于曹叡亲征，魏军大出，吴兵东中两路迅速撤退，陆逊与诸葛瑾西路独进，眼看陷入曹魏的重兵包围，形势危急。尤其是孙权所下撤军命令被曹魏截获，所以陆逊之军更陷入困境，虚实已为敌方掌握，更加危急。诸葛瑾十分惊慌，催陆逊快撤。陆逊却镇定自若，派士兵去种萝卜和大豆，他与诸将下棋如故，就像没事一般。然后陆逊部署撤退，他命诸葛瑾去整理舟船，自率大队向襄阳出击。曹军不知底细，仓皇撤军守城，陆逊抓住这机会，迅速引军就船，安全撤离了险境。

在政治上，陆逊崇儒，重礼轻刑，爱民恤农。魏、蜀两国皆崇尚法术，染申、韩之习，吴独济之以宽仁。王夫之评论说："自汉末以来，数十年无屠掠之惨，抑无苛繁之政，生养休息，

---

① 赤壁之役，若曹操取胜，可一鼓定江南。夷陵之战，若刘备取胜，虽不能吞吴，而曹魏将乘势取利，吴必不保。故此两役对于吴国的生存，都是至关重要的，只能胜不能败。

唯江东也独。”[①] 陆逊镇荆州二十余年，保境安民，没有大的战事，当时吴国不具有吞魏的条件，陆逊也不贸然发动战争。曹魏慑于陆逊威名，也不大举南下。逊子陆抗继镇荆州，遵父成规，二境交和，直至吴亡，荆土安堵，百姓乐业。当陆逊、陆抗镇守荆州之时，北方曹魏和西晋镇守许昌、襄阳的将领，先后为司马懿、羊祜、杜预等名将。双方力均智侔，故互不为寇略。夷陵之战以后，吴与魏晋对峙近六十年，荆州没有发生大的战役，应归功于陆氏父子的威名和保境安民的战略思想。

陆逊、陆抗虽在边镇，但父子二人时时关心国政，不断上书吴主以民事为本。陆逊曾上书孙权说："国以民为本，强由民力，财由民出。夫民殷国弱，民瘠国强者，未之有也。故为国者，得民则治，失之则乱。"[②]

主张百姓安居乐业，不应生事兴利。陆逊劝谏孙权停止远略夷州和辽东，主张"蓄力而后动"。他上书孙权说："农桑衣食，民之本业，而干戈未戢，民有饥寒。臣愚以为宜育养士民，宽其租赋，众克在和，义以劝勇，则河渭可平，九有一统矣。"陆逊还建议诸将增广农亩。他这样说，也这样做，与诸葛瑾屯田江夏、沔口，以缓解民困于役。

孙权晚年"果于杀戮"，陆逊冒死力谏，上书说："峻法严刑，非帝王之隆业；有罚无恕，非怀远之弘规。"主张宽刑法，恕小过。孙权终于采纳了这一建议，下令主管官员把法律条文书写出来，特派郎中褚逢送给陆逊和诸葛瑾审定，"令损益之"[③]。

陆抗和陆逊一样，也是一个十分关心民生的政治家。他不时向孙吴末主暴君孙皓上书，亲贤远佞，并条陈时政十七条。

陆抗在军事上也建有奇功。公元272年，西陵督步阐降晋，陆抗迅速调兵三万平叛。他先不攻城，而是在城外选择有利地势筑长围，内以围阐，外以御寇，日夜催切，如迎大敌。西晋以襄阳镇将羊祜统兵八万救步阐。羊祜以五万大军直趋江陵，遣荆州

---

① 《读通鉴论》卷十。

② 《三国志·陆逊传》。下面几段未注出处的引文均引自陆逊本传。

③ 《三国志·吴主传》

刺史杨肇统兵三万救阐。陆抗分析形势，认为西陵失守，晋兵顺流而下，江陵不保，不但荆州丢失，吴国亦将灭亡。如果保住西陵，即使羊祜攻下江陵也站不住。于是他集中兵力围西陵，因筑了长围，晋军进不了城，城中叛军又出不了长围。结果，晋军和叛军被陆抗分割歼灭。杨肇兵败，羊祜退走。晋一代名将羊祜竟坐贬为平南将军，杨肇被免为庶人。此役胜利，使吴国又苟延残喘了七八年。

陆逊在夷陵战后，威名大著，成为孙吴攘外安内的重臣，被孙权倚为腹心柱石，不次擢升，历官上大将军、右都护，最后继顾雍为丞相。由于荆州为吴国上流门户，既防魏又镇蜀，故陆逊虽为丞相，仍留镇武昌。逊死子继，陆氏父子为孙吴镇守荆州 53 年。公元 245 年逊卒，享年 63 岁。公元 274 年陆抗卒，享年 49 岁。孙吴五儒将，唯陆逊长寿。但他晚年却是因政见与孙权不和，多次强谏，被切责忧死，带悲剧色彩。在封建社会，君臣关系是主仆的关系，开国之主与功臣多是只可共患难，不可共安乐。正如古代俗谚所说："狡兔死，良狗烹；高鸟尽，良弓藏；敌国破，谋臣亡。"[①] 陆逊功高震主，虽忧死，亦算善终，可谓万幸。

孙吴五儒将，陆逊功最多，历任最久，位极人臣，生前最殊荣，但死时最凄惶。周瑜、鲁肃、吕蒙都寿短早夭，正待用人之际而溘然长逝，故其死时最恩荣！

五、孙吴儒将的历史地位

孙吴五儒将，为三国时代之精英，他们都文武双全，智勇兼备，堪称第一流的杰出人物。三国横向比较，除曹操、孙权、刘备、诸葛亮外，恐怕就要数孙吴五儒将最风流。曹操、刘备手下的谋臣虎将，均难以比肩并论。孙氏江东政权，主要为五儒将所

① 《史记·淮阴侯列传》。

创建，当然他们是在孙策奠基的基础上创建的。换句话说，孙吴五儒将是推进三国鼎立的重要人物。他们成就了孙氏事业，可是对于曹操、刘备来说，却是阻滞他们统一或兴汉的最大障碍。

陈寿赞叹孙吴五儒将为奇才，又盛赞孙权识才，所以能成济大事。曹孙刘三家争荆州，曹操、刘备、关羽，三个当世枭雄，皆败于孙吴五儒将之手。荆州终归孙权，成了最后的胜利者。

周瑜、鲁肃、吕蒙、陆逊相继引荐，同心协力辅佐孙权，好像是造物主在冥冥中有意安排似的，不然，他们前赴后继，何以这样集中归于孙权？原来周鲁吕陆四人，均东南江淮间人，他们集中归于孙氏旗下并不是偶然的。周瑜，庐江舒县人，在今安徽庐江县西南；鲁肃，临淮东城人，在今安徽定远县；吕蒙，汝南富陂人，在今安徽阜南县；陆逊，吴郡吴县人，在今江苏吴县。汉末战乱，袁术据淮南，周瑜、鲁肃、吕蒙都在袁术治下。周瑜曾为袁术居巢长，鲁肃曾为袁术东城长，他们观察袁术终无所成而另择明主。孙氏本袁术旧将。吕蒙为孙策部属。孙策渡江，又得陆逊相辅，于是周、鲁、吕、陆均归孙氏麾下。当然，孙策、孙权慧眼识英雄，给他们创造了用武的条件。至于吕蒙更是孙权一手培养简拔出来的。可以说这是难得的君臣际会。

东吴五儒将，具有盖世奇才，何以未能辅佐孙权统一天下？这有着复杂的历史原因。一是曹刘两方英才尚多，对手不凡。汉末人才三分，是三国鼎立的一个重要因素。二是五儒将错落用世，未形成集中的力量，尤其是周瑜、鲁肃的过早陨落，是孙权事业的一个极大损失。三是封建社会，人主猜忌，孙权亦不例外，限制了五儒将展力。赤壁之战，周瑜领兵三万；吕蒙争荆州，领兵二万；夷陵之战，陆逊统众五万，兵力单弱，难以尽其才。孙权出征，往往统众十万或七八万。曹操、刘备东征西讨，也总是自统大众。乱世纷争，军权就是政权，所以诸将出征或独守方面，都要受到许多限制。吴国亡时，有兵二十余万，而陆抗守荆州，偌大战区不足八万，机动兵力才三万。大军集于京师，人主自驭，可以说是战力的浪费。为了维护一家一姓之天下，不能不如此。此外，还有最重要的第四点原因，五儒将虽生逢用武之时，得以建立功名，但却错过了一个有利的天时。这天时，就是鲁肃所说："北方多务"。孙吴要趁北方多务之时，剿除黄祖，进伐刘表，竟长江所极以图天下。天赐孙吴的大好时机在公元200年。当时袁曹相持于官渡，孙策厉兵秣马，欲轻骑袭许，夺取汉天子以令诸侯，不幸遇刺陨命，丧失了时机。当然，孙策偷袭许昌，未必就能如愿；但孙策不死，可以预料，曹操南下之前，孙氏已据荆州。由于孙策早死，孙权年少统事，山越内叛，用了五六年时间才安定了江东。正待孙权西进之时，曹操已统一北方，南下荆州，于是有孙刘联盟的赤壁之役，使得荆州归属复杂化，演成了后来鼎立的事态。

英才用世，在纷乱之时展力易收奇功，这是因为纷乱之时人心未定，谁能先觉因势利导，谁就能取得胜利。等到局势已定，人心已固，角力争胜，双方实力就成了主要的因素。曹孙刘三方都起自微弱，终成大业，就是利用了纷乱的天时。当曹操统一北方，大势已定，孙吴五儒将能取得荆州已属不易，自然更谈不上统一中国了。

论曹魏屯田

在中国屯田史上，曹魏屯田规模之大，剥削之酷，对社会及历史影响之深，可以说是空前绝后，历来是学术界研究的重大课题。论述文章很多，分歧也较大。屯田始于西汉武帝开边，利用戍卒、弛刑徒在国疆边缘地带屯垦，生产边防用粮，节省军费运输开支。历代屯田无不与国防与用兵相联系。三国时魏、吴、蜀三家都进行屯田，在对峙的沿边地带，如曹魏之于淮南、淮北、陇右，吴之于长江中、下游，蜀之于汉中，均为屯田的中心地带。所以研究屯田必须与战争这一主题联系起来，才能把握要领。本文着重讨论曹魏的民屯。

一、曹魏屯田的历史背景

大规模屯田的先决条件，既要有物质的，也要有社会的，两个方面缺一不可。物质条件是土地、耕牛、农具和劳动力，其中土地和劳动力两者是最重要的因素；社会条件是形势的需要和强有力的组织，其中组织力是最重要的因素。这些条件，由于黄巾大起义和东汉末的军阀大混战，都被创造了出来，这就是曹魏屯田的历史背景。

东汉时代，由于世家豪族势力的发展，土地高度集中，加上东汉后期宦官专政，政治极端腐败，所以黄巾大起义表现出比秦末和西汉末的农民大起义有一些新的特点。第一是声势浩大，领导者利用宗教对农民作了充分的动员和组织，有计划，有纲领，鲜明地喊出了“苍天已死，黄天当立”的口号，要推翻刘姓政权，因而“天下一时俱起”，其势如暴风骤雨，席卷全国。第二是很快失败，但此起彼伏，持续不断地举行起义达二十余年，而且规模都很大。计其大者有：公元 191 年，公孙瓒破渤海境内青州黄巾三十余万众；公元 192 年，曹操破兖州境内青州黄巾一百余万众；公元 193 年，袁绍连破河北黑山农民军，累计数十万；公元 195 年，曹操破汝南、颍川黄巾军各数万；公元 205 年，曹操降黑山军余众十余万。从公元 184 年黄巾大起义，到公元 205 年黑山军降曹，前后二十二年。如此大规模的农民起义，在中原地区持续二十余年，造成劳动力与土地的分离运动，破坏生产力的严重程度，就可想而知了。

黄巾起义，规模大，失败快，屡败屡起，持续时间长，反映了阶级斗争异常激烈和残酷。东汉统治阶级一致协同镇压黄巾。东汉政府开释党禁，调整了内部关系，多路政府军迅速作出反应，残酷镇压，不接受黄巾军的投降。朱儁围南阳，对其部众说：“兵有形同而势异者，昔秦、项之际，民无定主，故赏附以劝来耳；今海内一统，惟黄巾造寇，纳降无以劝善，讨之足以惩恶。”① 东汉政府还大力号召地方及豪强组织武装镇压黄巾。史称“灵帝末，黄巾起义，州郡各举义兵”②。例如孙坚就是以郡司马募精勇，组织军队；刘备则以交结豪侠，由富商资助组成军队。各地豪强以宗亲宾客佃户组织部曲。一方是起义规模大，一方是镇压力量强，形成了革命与反革命的大混战、大屠杀，造成人口锐减，生产停滞。在大混斗中产生了无数拥兵自重的军阀，随后

① 《后汉书·朱儁传》。
② 《三国志·先主传》。

形成了更大的混斗，使人口锐减、生产停滞成了恶性循环。董卓乱两京，使洛阳成为废墟，使关中无复人迹。青州殷实，户至百万，大战之后，“州遂萧条，悉为丘墟”[①]。曹操征徐州，“谦兵败走，死者数万”[②]。当时京师遭董卓之乱，中原人民东流，多依彭城间，曹操兵至，“坑杀男女数万口于泗水，水为不流”，操又“引军从泗南攻取虑、睢陵、夏丘诸县，皆屠之，鸡犬亦尽。墟邑无复行人”[③]。袁术据淮南，“江淮间空尽，人民相食”[④]。袁绍与公孙瓒相争于幽、冀，“幽、冀饥荒”[⑤]。荆州号鱼米之乡，但自赤壁战后，“荆州荒残，人物殚尽”[⑥]。

大凡初期的军阀混战，多无远虑，惟以烧、杀、抢、掠为能事，因此，愈是富庶的地方，为害愈烈。如陈留、颍川两郡，全盛时，陈留户十七万七千，口八十六万九千，颍川户二十六万三千，口四十三万六千[⑦]，董卓将李傕等掳掠“陈留、颍川诸县，杀掠男女，所过无复遗类”[⑧]。涿郡全盛时，有户十万，口六十三万[⑨]，到了曹魏时，只“领户三万”[⑩]。鄢陵郡旧有民户五六万，大乱之后，只有民户数百[⑪]。故史称“天下户口减耗，十裁一在”[⑫]。王粲《七哀诗》说：“出门无所见，白骨蔽平原。”曹操也在《蒿里行》诗中说：“白骨露于野，千里无鸡鸣；生民百遗一，念之断人肠。”直到曹丕称帝以后，陈群、杜恕还在上疏中说：魏虽奄有十州，“计其户口，不如往昔一州之民”[⑬]。这话看似有些夸张，实际生动地反映了中原的萧条情况，也大体近于事实。据《后汉书·郡国志》载，东汉永和五年（公元140年），南阳

① 《三国志·袁绍传》裴注引《九州春秋》。

② 《三国志·陶谦传》。

③ 《三国志·荀彧传》裴注引《曹瞒传》。

④ 《三国志·袁术传》。

⑤ 《三国志·卢毓传》。

⑥ 《三国志·庞统传》裴注引《九州春秋》。

⑦⑧ 《后汉书·郡国志》。

⑨ 《后汉书·董卓传》。

⑩ 《三国志·崔林传》裴注引《魏名臣表》。

⑪ 《晋书·庾峻传》。

⑫ 《三国志·张绣传》。

⑬ 《三国志·陈群传》及《杜畿传》附《杜恕传》。

郡户五十二万余，口约二百四十四万；汝南郡户四十万四千余，口二百一十万余。公元263年，魏灭蜀，通计民户九十四万三千余，口五百三十七万余①，减去蜀境户二十八万，口九十四万②，曹魏境内只有户六十六万余，口四百四十三万余，这已是曹操统一北方后近半个世纪了。若黄初初年以三分之二计，曹魏境内户约四十四万，口约三百万，只当东汉一大郡。西晋统一吴国，太康元年（公元280年），全国有户二百四十五万余，口一千六百一十六万余，不足东汉全盛时户口数的三分之一。东汉桓帝永寿三年（公元157年），有户一千六十七万余，口五千六百四十八万余③。公元263年魏蜀通计口五百三十七万余，再加吴境口二百四十万④，总计不足八百万；三国鼎立之初以三分之二或四分之三概算，大约五至六百万人口，的确只有东汉极盛户口的十分之一。

综上所述，东汉末年人口，在长期战乱、瘟疫、流亡等的耗损下，达到了空前的惊人程度。秦末、西汉末战乱，人存十之二三；东汉末人存十之一二，可见战乱酷于以往。

人口锐减，生产大破坏，必然是粮食的极端匮乏，全国普遍闹粮荒。长安谷一斛五十万钱，豆、麦二十万钱，“人相食啖，白骨委积”⑤。北方幽州谷一石，钱十万，“岁岁不登，人相食，有蝗旱之灾，民人始知采稆，以枣椹为粮”⑥。邺中大饥，芋一亩，钱二万⑦。公元196年，献帝车驾还洛阳，“是时，宫室烧尽，百官披荆棘，依墙壁间”⑧。稆，是一种野生的谷物。公卿百官采野谷，平民百姓就更惨了。《三国志·阎温传》裴注引《魏略》有一则记载人相食的惊人场面，读之使人心骇。兹引如下。

① 《后汉书·郡国志》注引《帝王世纪》。

② 《三国志·后主传》。

③ 《晋书·地理志》。

④ 《晋书·地理志》载，吴赤乌五年（公元224年）有户五十二万三千，口二百四十万。

⑤⑧ 《后汉书·献帝纪》。

⑥ 《太平广记》卷三五引王粲《英雄记》。

⑦ 《大平御览》卷三五《时序部》。

鲍出字文才，京北新丰人也。少游侠。兴平中，三辅乱，出与老母兄弟五人家居本县，以饥饿，留其母守舍，相将行采蓬实，合得数升，使其二兄初、雅及其弟成持归，为母作食，独与小弟在后采蓬。初等到家，而噉人贼数十人已略其母，以绳贯其手掌，驱去。

在人相食的情况下，军阀无可虏获，也极端缺粮。《三国志·武帝纪》裴注引《魏书》云：

自遭荒乱，率乏粮谷。诸军并起，无终岁之计，饥则寇略，饱则弃余，瓦解流离，无敌自破者不可胜数。袁绍之在河北，军人仰食桑葚。袁术在江、淮，取给蒲蠃。民人相食，州里萧条。

刘备在广陵，“饥饿困败，吏士大小自相啖食”[①]。曹操与吕布相持，操军乏食，程昱“略其本县，供三日粮，颇杂以人脯”[②]。

在整个社会都极端缺粮的情况下，组织粮食生产是头等大事。早在公元192年，曹操初临兖州之时，毛玠就建议“修耕植，畜军资”[③]。随后东阿令枣祗组织军民恢复生产，支援了曹操与吕布争兖州的战争。公元195年，公孙瓒被袁绍击败以后退守易京，“开置屯田”，得以与袁绍相持达数年之久。徐州牧陶谦更早重视耕植，当他击破黄巾之后，便表陈登为“典农校尉，乃巡田土之宜，尽凿溉之利，杭稻丰积”[④]。

地方豪强也率领宗族宾客自保，从事耕植。他们凭借坞壁，据险立寨，且田且守。如无终人田畴率宗族及他附从数百人，“入徐无山中，营深险平敞地而居，躬耕以养父母。百姓归之，

① 《三国志·先主传》裴注引《英雄记》。
② 《三国志·程昱传》裴注引《世语》。
③ 《三国志·毛玠传》。
④ 《三国志·张邈传》附《陈登传》裴注引《先贤行状》。

数年间至五千余家”[①]。谯国人许褚，“聚少年，及宗族数千家，共坚壁以御寇”，因缺粮，曾用牛与黄巾换粮[②]。

避乱隐居的士人，也要参加耕作。琅邪人承宫“尝在蒙阴山中，耕种禾黍”[③]。河内人司马芝避乱荆州，“居南方十余年，躬耕守节”[④]。诸葛亮躬耕隆中，更是大家所熟知的故事。

至于黄巾，他们随带耕牛、农具及家小，且耕且战。

综上所述，当军阀混战，造成人口剧减，粮食极端匮乏之后，社会要生存下去，组织生产是当务之急。当时志存远图的军阀、地主豪强、流动作战的黄巾都走上了且战且守的道路，进行生产的恢复。至于那些采稆采桑葚仰赖自然果腹的流民，在死亡线上挣扎，只要给他们一块土地，又保护他们免受战乱之苦，让他们到屯田点上去充当农奴，在这一特殊环境下，自然也是接受的。

曹魏的大规模屯田就在这样的社会背景下应运而生了。

二、曹魏屯田的组织形式

曹魏屯田，分民屯和军屯两种组织形式。民屯始于建安元年（公元196年）枣祗、韩浩之议；军屯始于建安十八年（公元213年）司马懿的建言。下面重点讨论民屯。

民屯史料，最要者有如下三则：

其一，《三国志·任峻传》载：

> 是时岁饥旱，军食不足，羽林监颍川枣祗建置屯田。太祖以峻为典农郎中将，募百姓屯田于许下，得谷百万斛，郡国列置田官，数年中所在积粟，仓廪皆满。

---

① 《三国志·田畴传》。
② 《三国志·许褚传》。
③ 《三国志·钟离牧传》裴注引《续汉书》。
④ 《三国志·司马芝传》。

又云：

“军国之饶，起于枣祗而成于峻。太祖以峻功高，乃表封为都亭侯。

其二，同传裴注引《魏武故事》载曹操封爵枣祗子并祀祗令云（以下简称“褒祀枣祗令”）：

故陈留太守枣祗，天性忠能，始共举义兵，周旋征讨。后袁绍在冀州，亦贪祗，欲得之。祗深附托于孤，使领东阿令。吕布之乱，兖州皆叛，惟范、东阿完在，由祗以兵据城之力也。……及破黄巾定许，得贼资业，当兴立屯田，时议者皆言当计牛输谷，佃科以定。施行后，祗白以为僦牛输谷，大收不增谷，有水旱灾除，大不便。反复来说，孤犹以为当如故，大收不可复改易。祗犹执之，孤不知所从，使与荀令君议之。时故军祭酒侯声云：“科取官牛，为官田计。如祗议，于官便，于客不便。”声怀此云云，以疑令君。祗犹自信，据计画还白，执分田之术。孤乃然之，使为屯田都尉，施设田业。其时岁则大收，后遂因此大田，丰足军用，摧灭群逆，克定天下以隆王室。祗兴其功，不幸早没，追赠以郡，犹未副之。今重思之，祗宜受封，稽留至今，孤之过也。祗子处中，宜加封爵，以祀祗为不朽之事。

其三，《三国志·武帝纪》载，曹操于建安元年破汝南、颍川黄巾，众各数万。又载：“是岁用枣祗、韩浩等议，始兴屯田。”裴注引《魏书》载屯田令云：

夫定国之术，在于强兵足食，秦人以急农兼天下，孝武以屯田定西域，此先代之良式也。

《魏书》于令下又云：“是岁乃募民屯田许下，得谷百万斛。

于是州郡例置田官，所在积谷。征伐四方，无运粮之劳，遂兼灭群贼，克平天下。”

以上资料，对曹魏民屯的起始时间、管理形式和剥削方式、推广的范围和效果都作了大致的描述，逐层辨析于下。

曹魏屯田的起始时间，学术界有争议。上引资料说得十分清楚，建安元年募民屯田许下。许下，即许县，曹丕篡汉改为许昌。其议由枣祗、韩浩提出，利用破汝南、颍川黄巾之资业，耕牛、农具、劳动力。是年，曹操迁献帝都许。为了加强对许都供给，故羽林监枣祗提议在许都屯田试点。“羽林监”不仅仅是说明枣祗的身份，而且也是建安元年始屯田之证。因羽林监，只能是献帝迁许都以后才授予枣祗的新官职，在这之前他为东阿令。

学术界近年来有两种新意见。一为高敏先生在《关于曹魏屯田制的几个问题》[①] 一文中，提出的公元 192 年说。高敏先生以毛玠建议“修耕植，畜军资”为屯田之始，即公元 192 年。是年曹操破青州黄巾一百万。史载曹操收黄巾精壮之兵，号青州兵，没有记载屯田，不能凭空推论。当时兖州人口密度较大，不具有屯田条件。随后曹吕争夺兖州，战斗激烈也不具有屯田条件。夏侯惇被吕布射伤左目，领陈留、济阴太守。当时大旱，蝗虫起，“惇乃断太寿水作陂，身自负土，率将士劝种稻，民赖其利”[②]。夏侯惇率军修水利种稻，纯是劳役形式的耕植，并非屯田。据《水经注·鲍邱水注》的记载，曹魏嘉平二年（公元 250 年），刘靖导高梁河，造戾陵堰，使用千人军士作劳动力。西晋元康四年（公元 294 年）重修戾陵堰，使用军士两千作劳动力。使用军队作劳役耕植与制度化的屯田是两回事，不得混为一谈。与夏侯惇同时，枣祗在东阿亦修耕植，接济曹操战胜了吕布，主要是劝民耕植，因枣祗是东阿令。韩浩为夏侯惇部将。建安元年，屯田议由枣祗与韩浩两人提出，并非偶然。因他们二人在兖州劝农，积累了经验。二为黎虎先生在《曹魏屯田始于何年》[③] 一文中提出

① 载《史学月刊》1981 年第 1 期。

② 《三国志·夏侯惇传》。

③ 载《学术月刊》1983 年第 3 期。

的曹操屯田始于195年说。黎虎先生。所据材料是《三国志·武帝纪》裴注所引的《魏书》。记载如下：

> 于是兵皆出取麦，在者不能千人，屯营不固。太祖乃令妇人守陴，悉兵拒之。屯西有大堤，其南树木幽深。布疑有伏，乃相谓曰："曹操多谲，勿入伏中。"引军屯南十余里。明日复来，太祖隐兵堤里，出半兵堤外。布益进，乃令轻兵挑战，既合，伏兵乃悉乘堤，步骑并进，大破之，获其鼓车，追至其营而还。

黎虎先生认为这是一段十分宝贵的屯田资料，据以推定，曹操的这个基地是驻守乘氏的一个"屯营"或"屯"，周围有防御性女墙，即"陴"；屯外有麦田；屯营中有兵士，有家属；兵士既要作战，又要收麦；还说这个屯营点一二千人。这些推论，似嫌根据不足。曹兵外出取麦，是去抢民田之麦，故离屯营较远，守屯者不足千人。若兵士是收取屯田之麦，距离屯营就不会太远。这个屯营是一个兵营据点，在巨野附近，并非屯田之营点。曹操军队也不止一二千，只是因外出抢麦留守不足一千罢了。守陴妇女乃巨野县民。这一战在巨野，也不在乘氏。请看《武帝纪》的记载：

> 二年（兴平二年，公元195年）夏，布将薛兰、李封屯巨野，太祖攻之，布救兰，兰败，布走，遂斩兰等。布复从东缗与陈宫将万余人来战，时太祖兵少，设伏，纵奇兵击，大破之。布夜走，太祖复攻，拔定陶，分兵平诸县。

裴注引《魏书》是对巨野战役的补充。兖州为吕布所袭据，曹操是收复失地。兴平二年夏，曹操进兵巨野，斩杀吕布将薛兰而据有巨野，正值麦熟，分兵收麦。这时吕布又率兵万余来战，于是才发生了"设伏，纵奇兵"破布的战斗。《魏书》就是对设伏的描写，哪是什么屯田据点。

曹魏民屯的管理机构，《后汉书·百官志·大司农》注引《魏志》云：

> 曹公置典农中郎将，秩二千石。典农都尉，秩六百石，或四百石。典农校尉，秩比二千石。所主如中郎。部分别而少，为校尉丞。

这个系统隶属于大司农，可见民屯收入成为国家的经济支柱之一。郡设典农中郎将、典农校尉，县设典农都尉。中郎将、校尉、都尉均系武官之名，表明屯田之民是用军事编制进行组织。各级农官副职称丞，属官有功曹、上计吏。都尉之下属官有干佐以及专门吏员。《邓艾传》就记载，邓艾为都尉学士，因口吃不得为干佐，而被署为守丛草吏。又《三国志·梁习传》载，梁习在并州作刺史，表置“屯田都尉二人，领客六百夫”，说明一都尉率屯田民三百人。《晋书·食货志》载晋武帝咸宁元年（公元275年）诏，以奚官奴婢代田兵屯田，“奴婢各五十人为一屯，屯置司马，使皆如屯田法”。可见民屯的基层单位叫屯，屯置司马，五十人为一屯。一都尉率屯民三百人，管理六屯。屯田民称为田客①，又称典农部民②。

典农系统与地方行政系统平行，互不统属。《贾逵传》载，贾逵作弘农太守，疑屯田都尉藏匿地方逃避兵役的编户之民，与之交涉，“都尉自以不属郡，言语不顺”。地方郡太守管不了县级的典农都尉，因其没有隶属关系。农官也不与地方官同城治事，机构设在屯田区内，既减少与地方行政官的牵扯，也便于就近管理屯田客。这可以从《水经注》的济水注、洛水注和颍水注的记载得到证明。荥阳、洛阳、许昌三个重要的典农都尉的治所分别为垂陇城、宜阳旧市邑、颍阴县故城，都距郡治二三十里③。

现在我们来讨论屯田租率，亦即剥削方式。由于资料缺乏，

① 《三国志·赵俨传》。
② 《三国志·邓艾传》。
③ 赵俪生：《中国土地制度史》，齐鲁书社1984年版，第203页。

这是学术界争议最大的问题，前引《魏武故事》所载褒祀枣祗令，可知，屯田收租有两种方式，最初草拟的条文为“计牛输谷”，枣祗主张实行分成租的“分田之术”。但两种租率都无具体内容的记载，只能用间接材料来推证。

计牛输谷 《晋书·食货志》载，晋武帝咸宁元年（公元275年）采纳杜预上疏，将政府所养四万五千头官牛拨出三万五千头贷与兖、豫二州将吏士庶，头责三百斛（应为二百斛），每年可得成谷七百万斛。七百万斛，以三万五千头平均，每头二百斛。这可以看作是曹魏“计牛输谷”的成法。

分田之术 分田之名，始见于《汉书·食货志》，“豪民侵陵，分田劫假，厥名三十，实什税五也”。颜师古注曰：“分田，谓贫者无田而取富人田耕种，共分其所收也。假亦谓贫人赁富人之田也。劫者，富人劫夺其税，侵欺之也。”汉代田税收三十分之一。许多无地贫民租种国家公田，或富人私田，交地租则十分之五。国家公田贷与贫民耕种，中间插入了豪民承包转租，故谓劫假。名义上农民享受三十税一的轻田租税，实际上无地贫民种地要交出十分之五的租率。“分田”即是分成地租，按土地份地的肥脊，定有一个常量，按常量交百分之五十。汉代田税三十税一，也当有一个常量。如果不是常量，而是根据丰歉实产的变量分成，手续十分复杂，在分散耕种的小农中是无法推行的。按常量交租，大收不增，大旱国家颁令复除。

曹魏初期屯田，无主荒地很多，而耕牛、劳动力奇缺。曹操利用黄巾的资业，即耕牛、劳动力来屯田，为了鼓励屯民多垦荒，所以“计牛输谷”，不以土地计课。屯民为了充分利用牛力，拼命多垦殖，所以侯声说：“科取官牛，为官田计。”但计牛输谷有许多问题，不仅大收不增谷，而且一旦有水旱灾便全部免除，此外，不用官牛以私牛或人力垦殖者又怎样输谷？又屯民超负荷使用耕牛，造成耕牛负累死亡又如何补偿？更有甚者，生产恢复以后，大量流民归农，又何以安置？因为黄巾的资业是有限的，不可能在全国范围推广。卫觊在关中，就提出政府实行盐业专卖，所得盐利购牛以贷给归农的流民。为了充分尽地力，枣祗提出了分田之术，鼓励屯民在份地上精耕细作。分田之术的租率，持官牛者官取六分，屯民得四分；持私牛者，官民五五分租。即分田之术，以土地计课，官家可以坐收十分之六或十分之五的收获物，遇到大收还可增谷。所以侯声说："如祇议，与官便，于客不便。"因为分成租与计牛输谷相比，显然降低了当时奇缺的耕牛的价值，而实际上扩大了屯田租率的范围。由于租用官牛，要多交一成的田租，无疑会鼓励私牛的繁殖，保护了生产力。

排除官牛因素，五五分租是两汉以来的成例。由于屯民是军事编制，集体劳作与分散管理相结合，生产置于农官控制之下，所以枣祗建言的分成租，不是份地的定额分成，而是一个变量分成，按实际产量分租。建安元年许下屯田应是计牛输谷，从褒祀枣祗令文中的"科佃以定"、"施行后"云云可证。建安元年屯田，已是十月以后之事，当年得谷百余万斛，实指建安二年获得收获物。枣祗为陈留屯田都尉进行分成租试点，当在建安三年，此后分成租形式的屯田制在全国范围推广。

关于枣祗建言分成租率的资料，保存在《晋书·食货志》傅玄疏中。傅玄疏在晋武帝泰始四年（公元 268 年）上奏，其言云：

> 旧兵持官牛者，官得六分，士得四分；自持私牛者，与官中分，施行来久，众心安之。今一朝减持官牛者，官得八分，士得二分；持私牛及无牛者，官得七分，士得三分，人失其所，必不欢乐。臣愚以为官佃兵持官牛者与四分，持私牛与官中分，则天下兵作欢然悦乐，爱惜成谷，无有损业之忧。

曹魏民屯已于咸熙元年（公元 264 年）废止，但军屯未废。从傅玄疏可知，曹魏民屯与军屯的分成租是一致的。分成租率官取份额越来越大，到西晋初，持官牛者已是二八分，不持官牛者三七分，剥削率提高了百分之四十。

最后，补充一点，分田之术，既以土地计课，鼓励屯民在份地上精耕细作，这实质带有“授田”的性质，由于文献不足，我们不得其详。有人认为“分田之术”就是屯田制中的“授田”之法，其授田数量可以从西晋田制中找到旁证，大约是一夫一妇（即一户）百亩[①]。直接把“分田之术”说成是“授田”之法，虽然是本末倒置，但这一看法很有意义，值得深入探讨。

屯田民除交纳地租之外，是否再服兵役与徭役，亦是学术界争论的一个大问题。我们先看以下一段资料：

> 王者之治，崇本抑末，务农重谷。……方今二虏未灭，师旅不息，国家之要，惟在谷帛。武皇帝特开屯田之官，专以农桑为业。建安中，天下仓廪充实，百姓殷足。自黄初以来，听诸典农治生，各为部下之计，诚非国家大体所宜也。……今商旅所求，虽有加倍之显利，然于一统之计，已有不赀之损，不如垦田益一亩之收也。夫农民之事田，自正月耕种，耘锄条桑，耕熯种麦，获刈筑场，十月乃毕。治廪系桥，运输租赋，除道理梁，墐涂室屋，以是终岁，无日不为农事也。今诸典农，各言“留者为行者宗田计，课其力，势不得不尔。不有所废，则当素有余力”。臣愚以为不宜复以商事杂乱，专以农桑为务，于国计为便。[②]

这是大司农司马芝在明帝时的上奏，对于研究曹魏民屯是极重要的资料。第一，“武皇帝特开屯田之官，专以农桑为业”，目的就是为了生产军粮军帛，等于是专办的军需工厂，所以不服兵役徭役。第二，屯民除农桑之外，还要从事“治廪系桥，运输租赋，除道理梁，墐涂室屋”。此外，还要兴修水利，有人把这些劳作称为杂役，显然是误解。司马芝说“以是终岁，无日不为农事也”，说得很清楚，这些劳作均属农事。就拿“运输税赋”来说，即便是现代，农民上公粮，也是义务送到政府仓库，何况屯田之

① 施光明：《释曹魏屯田制中的“分田之术”》，载《许昌师专学报》1985年第2期。

② 《三国志·司马芝传》。

民。第三，黄初以后，屯田民一部分被典农调出从事商业转卖，以增加政府收入，而“留者为行者宗田计，课其力”，即那些从事商贾之事的屯民，他们应耕的屯田由留者分担耕种。无疑，这增加了对屯田民的剥削。但这是黄初以后的变化，同时也是打着为农增加收入的旗号进行的。可以说是一种苛碎，但不是徭役。《晋书·文帝纪》载，司马昭在正始中为洛阳典农中郎将，曾“蠲除苛碎，不夺农时，百姓大悦”。这些苛碎，都是屯田民的种种集体劳作，但不能叫做法定的徭役。

曹魏屯田民是用军事部伍组织起来，平常要从事大量的集体劳作，垦荒、水利、修路、治廪、建屋、输租等等。在非常时刻还要从事战斗。例如，建安二十三年（公元218年）太医令吉本等反叛，“攻许，烧丞相长史王必营”，王必与“颍川典农中郎将严匡讨之”[1]。在与吴蜀，特别是与吴沿边的屯田点则是且耕且战，与军屯没有多少区别了。例如朱光率数万口屯皖，蕲春典农谢奇领田客与吕蒙战，但这些屯守或战斗不是兵役，而是自卫守屯，或掳掠对方而进行的战斗。曹魏全境，领有十二州，幽、并、雍、凉、青、徐、荆、扬八州为边州；兖、司、豫、冀四州为内地。曹魏民屯集中于兖、豫、司、冀四州[2]，这些是不受战争侵扰的腹地，屯民专为军国生产粮饷，没有战斗任务。

如上论证，屯田民没有兵役，徭役，国家又资以土地，助以耕牛、农具。且五五分租又是两汉以来的成例，人民可以安居乐业了。此其大谬不然，屯民虽然没有名义上的兵役、徭役，而实际上按军事编制，遇有战事要打仗，遇有大徭役仍要服役，至于平时各种苛碎的集体劳作，无法枚举。他们是没有丝毫自由的农奴，无需法定兵役、徭役。他们所受超经济的压迫，比五五分租剥削更沉重。所以“民不乐，多逃亡”[3]。江淮间民怕内徙为屯

① 《三国志·武帝纪》。

② 见于史料记载的主要民屯点，集中于许昌、颍川、洛阳、荥阳、原武、弘农、河东、河内、野王、汲郡、襄城、汝南、梁国、沛国、谯郡、巨鹿、上党等腹心地带。参见王仲荦《魏晋南北朝隋初唐史》曹魏屯田制度一节及注。

③ 《三国志·袁涣传》。

民，“十余万众皆惊走吴”①。于是曹操用严刑峻法来管束。“士亡法”规定，军士或屯田士逃亡，罪及妻子，乃至灭族。如合肥军士鼓吹宋金亡去“金有母妻及二弟皆给官，主者奏尽杀之”。由于丞相理曹椽高柔启奏减刑，曹操“止不杀金母、弟”仍杀其妻②。又亡士妻白等，始适夫家数日，未与夫相见，大理奏：“弃市”③。“士亡法”是残酷的军法。屯田民既以军事部伍，亦受此法约束。在军事编制之下的屯田民，命运十分悲惨。可以说屯田点是不折不扣的劳动集中营。其劳力来源，主要是“招募”，实即强征的流民和黄巾遗民，其次是徙民。如曹操从汉中退出时，“拔汉中民数万户，以实三辅”④，杜袭督汉中，又徙民实洛、邺者，“八万余口”⑤，汉中民空。魏明帝时，司马懿“表徙冀州农夫佃上邽”⑥。人民被大规模强募或迁徙屯田，不用军事编制是不可想象的，因此屯民遭受高压是必然之势。

曹魏军屯置于与吴蜀前沿地带。与吴邻近的军屯布列于淮河南北。与蜀邻近的军屯布列在关中的槐里、陈仓，以及凉州的上邽等地。军屯以营为单位。邓艾著《济河论》，建议在淮水流域屯田，“五里置一营，营六十人，且佃且守”⑦。军屯的规模较大，生产率比民屯要高。司马懿依邓艾之议在淮水屯田，淮北屯二万人，淮南屯三万人，“十二分休，常有四万人，且田且守”，“水丰常收三倍于西，计除众费，岁完五百万斛以为军资。六七年间，可积三千万斛于淮上，此则十万之众五年食也”⑧。四万人，每年可积粮五百万斛，平均每个田兵生产余粮一百二十五斛。三倍于西，指比淮南西边的许昌民屯生产效率高出两倍。据此，每一个民屯田客，一年生产余粮四十斛。因田兵十二分休，即百分之二十的田兵轮休守望，百分之八十的人集中生产，劳力精悍，

①② 《三国志·高柔传》。
③ 《三国会要》卷一八。
④ 《三国志·张既传》。
⑤ 《三国志·杜袭传》。
⑥ 《晋书·宣帝纪》。
⑦ 《晋书·食货志》。
⑧ 《三国志·邓艾传》。

组织严密，生产条件也比民屯好，所以效率高。田兵“秋冬习战阵，春夏修田桑”①。

曹魏军屯始于建安十八年（公元213年）。《晋书·宣帝纪》载，魏国既建，司马懿迁为军司马，言于魏武曰：

昔箕子陈谋，以食为首。今天下不耕者盖二十余万，非经国运筹也。虽戎甲未卷，自宜且耕且守。

于是“魏武纳之”，“务农积谷，国用丰赡”。咸熙元年，司马昭废民屯，军屯不废。西晋初，羊祜镇荆州襄阳，分半兵垦田八百余顷，大获其利。“祜之始至也，军无百日之粮，乃至季年，有十年之积”②。

三、如何评价曹操兴屯田的功过

曹操兴屯田，是在汉末生产大破坏、人口锐减的特殊历史条件下进行的，带有必然性，所以在客观上起了进步作用。主要有：（一）组织生产，恢复了社会秩序。由于黄巾起义与军阀混战交织，造成社会大动荡，流民问题十分严重。当时，青徐士庶，流入幽州者，“百余万口”③；关中人口流入荆州者，“十余万家”④，南阳、三辅之民，流入益州者，“数万家”⑤；活动于各地的黄巾军，实质上是武装的流民群。曹操用军事编制，把流民安置在土地上，使劳动力与土地相结合，既恢复了生产，又稳定了社会秩序，一箭双雕。（二）屯田增强了曹魏的实力，也为北方统一南方奠定了物质基础。像筑道路、修水利这些大工程，在整

① 《晋书·安平献王传》。
② 《晋书·羊祜传》。
③ 《后汉书·刘虞传》。
④ 《三国志·卫觊传》。
⑤ 《三国志·刘璋传》裴注《英雄记》。

个社会凋敝的情况下，用征发徭役的方式进行是很困难的。曹操利用屯兵屯民来进行，就比较顺利。司马孚兴河内水利，刘馥兴扬州水利，都很有成效。此外，屯田充实了仓廪，也使得曹魏对编户齐民减轻剥削成为可能。曹魏对自耕小农实行“收田租亩四升，户出绢二匹、绵二斤”，大体与西汉的三十税一加口赋、算赋与更赋的负担相接近。如果没有屯田民的贡献，这是不可能的。

但是，曹操的主观意图，并不是为了恢复生产，休生养息，而是为了兼并群雄，生产军粮，所以对屯民实行残酷压榨，超负荷剥削，加强了人身依附，把历史拉向了倒退。中古社会封建农奴制的普遍推广，肇端于曹操的屯田，这是无法隐讳的。

当流民在死亡线上挣扎，他们能获得一块土地进行生产是很高兴的。因此屯田之初，产量很高。分成租推行后，屯民在份地上精耕细作，创造了“白田收至十余斛，水田收数十斛”的高产[①]。当然，这与田园长期荒芜，蓄聚了地力有密切关系，但初期屯民的生产热情是第一性的。

随着社会的安定，生产的恢复，农奴化的屯田终于扼杀了生产者的积极性。曹魏后期，分成剥削率提高为二八分租与三七分租，加之各种苛碎劳作的剧增，屯民更无生产积极性可言。到了咸熙元年（公元 264 年），司马氏篡魏，为了争取民心，解散了屯田[②]。屯田瓦解有种种原因，而这种集中营式的奴役劳作制不符人情，不符历史的进步，则是屯田瓦解的根本原因。

三国时，蜀国只在汉中地区有军屯，没有民屯。吴国有军屯，有民屯，而且规模也很大。吴国的军屯、民屯有许多制度与曹魏不同，如民屯典农与地方合一，军屯及兵制无士亡法等等。但总的屯田制度是仿曹魏。整个社会实行大规模的屯田，只存在于三国时期的魏吴两国，虽然有急功见利之效，但这一制度本身是阻滞生产力发展的，是历史的一种倒退，所以魏吴两国都不能

---

① 《晋书·傅玄传》。

② 《三国志·陈留王纪》载，咸熙元年，“罢屯田官以均政役，诸典农皆为太守，都尉皆为令长”。从建安元年至此，曹魏实行屯田达六十九年，整整奴役了两代人。

带来治平。曹魏因政酷而亡于司马氏，吴国亦因其政酷而只能偏安江南。因此，我们对于屯田恢复生产的历史作用不能评价过高。说得准确一些，大规模民屯实质是古代的一种战时经济体制。我们说魏吴两国的民屯带有必然性，正是从战时经济体制的角度说的。如果曹操是一个言行一致的雄主，哀矜百姓，如同他自己在《蒿里诗》中写的那样，“生民百遗一，念之断人肠”，致力于恢复生产，休养民力，就不应取民屯形式，而是扶植小农。如果逐鹿中原的初期，不得不屯田，那么统一北方后，就应立即改弦更张，解散民屯，劝课农桑。张既为京兆尹，“招怀流民，兴复县邑，百姓怀之”；苏则为金城太守，招抚流民，亲自“教民耕种”，旬月之间，流民归者数千家，并日益增多；杜畿为河东太守，“课民言牸牛、草马，下逮鸡豚犬豕，皆有章程”，“百姓劝农，家家丰实”；郑浑为下蔡长、邵陵令，课民耕桑，民怀其德，“所育男女，多以郑为字”；仓慈为敦煌太守，“抑挫权右，抚恤贫羸，甚得其理”，卒官后，“吏民悲感如丧亲戚，图画其形，思其遗像”[①]。从未有一个典农中郎将或屯田都尉有过惠政，这就生动地说明了屯田制度本身的超经济强制，使官民极端对立，不可能有清官。

前引史料，青徐民流入幽州、关中民流入荆州、南阳民流入益州，当时的幽州牧刘虞、荆州牧刘表、益州牧刘璋，他们也招抚流亡，却并未取屯田形式，而社会安堵。刘虞成绩最大，《后汉书》本传称：“虞务存宽政，劝督农植”，对青徐流入的百余万口流民，“皆收视温恤，为安立生业，流民皆忘其迁徙”。即使有溢美之词，亦可说明，用小农经济形式安抚流亡、恢复生产才是正途，才能顺应民情。学术界一般认为曹操兴屯田迅速恢复了北方经济，上述例证，可以反证这种说法是不能成立的。

最后，我们必须指出，曹魏屯田，军屯的作用大于民屯，生产效率也较民屯为高。因为军队是精壮男子组成，他们服役有一定的年限，且军队本身的组织有高度的纪律性，利用军队打仗、

① 以上见《三国志》各本传。

屯田，不得视为强制的人身依附。军队的生活节奏与一般百姓的生活节奏，不能相提并论。所以司马氏废民屯而不废军屯是有道理的。但是，曹魏对军队实行士家制度，世袭为兵户，称“士家”、“士息”、“士籍”，这意味着人身永无自由之日，实质是把一部分社会自由民转化成为军事农奴，可以说这也是一种逆历史前进方向的残酷制度。

（原载《汉中师院学报》1988 年第 1 期）

论孙吴部曲兵制

孙吴部曲是在特殊历史条件下产生的一种与土地与宗族乡党相结合的兵制，它既是战斗组织，又是生产组织。孙吴部曲人数多，约占总人口的三分之一，因而形成了一个阶层。研究三国历史，曹魏屯田与孙吴部曲是两个重大课题。孙吴部曲又是孙氏政权立国的基础，对中世纪的历史发展有着深远的影响。

一、汉末部曲的性质与扩大

为了论述孙吴部曲的性质、作用以及历史地位，有必要对汉末部曲的性质与扩大，以及部曲的含义与演变作一简明叙述，以便前后比较，即所谓原始察终。

部、曲原是西汉时军队的两级建制。《后汉书·百官志》将军下云：

将军，不常置。……其领军皆有部曲。大将军营五部，部校尉一人，比二千石；军司马一人，比千石。部下有曲，曲有军候一人，比六百石。曲下有屯，屯长一人，比一百石。其不置校尉部，但军司马一人。又有军假司马、假候、皆为副贰。

据此，大将军领军有五部，部的长官称校尉，副长官称军司马，有时不置校尉，则军司马为长官，军假司马为副长官。部下有曲，曲的长官称军候，副长官为假候。曲下有屯，屯的长官称屯长。《汉书·赵充国传》："步兵九校，吏士万人。"可见一校约一千余人。《三国志·乐进传》载，乐进为曹操募兵，"得千余人，还为军司马"。军马司即一校之长官，这也可证一校之众约千余人。

部曲连用成一普通名词，与部伍一词等同，指军事建制。《史记·李将军列传》载李广行军"无部伍行阵"，《汉书·李广传》作"无部曲行阵"。部曲又转而为军队、士卒的代称。《后汉书·邓禹传》载，邓禹杀汉中王刘嘉相李宝，"宝弟收宝部曲击禹，杀将军耿䜣"。又《后汉书·任光传》称徐州牧力子都，"为其部曲所杀"。这两例部曲均泛指部属或士兵。

东汉末年，"天下大乱，豪杰并起"，当此时，"家家欲为帝王，人人欲为公侯"①，各种武装力量都可统称部曲。广义的部曲泛指将领所带兵众，包括官军和私军，狭义的部曲只指各种各样的私兵部曲。私兵部曲类型多种多样，名称也各异，有家部曲、乡部曲、乡党、乡曲、义从、家兵、亲兵、宗兵、宗部、宗伍等等。这些名称反映了汉末私兵部曲与宗族和乡党有密切的关系。部曲的主要任务，是跟随主人作战，同时从事耕作，保护主人的经济和政治利益。部曲与主人的关系是隶属附从关系，并与土地相结合。

西晋南北朝时期，纷乱的社会逐渐得到相对的安定和统一，战事减少，拥有武装部曲的世家大族，更紧密地与土地结合，部曲私兵逐步加深沦为地主庄园的佃客。《梁书·张孝秀传》载："孝秀居于东林寺，有田数十顷，部曲数百人，率以力田。"到了

① 《三国志·王粲传》裴注引《文士传》。

隋、初唐，佃客也被包括在部曲之中。在《唐律》里用部曲取代了佃客这一名词，并与奴婢并举。这说明，汉末三国时的私兵部曲，经历南北朝逮于隋唐，完全演变成了依附于豪族土地上的耕作隶农了。

现在我们回到汉末部曲上，看看北方和南方的部曲是怎样随战乱而扩大，又是怎样随地域而形成多种类型的。

（一）召募流民组成军阀武装　首先是各地豪强、官吏为镇压黄巾而组织武装。史称“灵帝末，黄巾起，州郡各举义兵”[①]。刘备结交豪侠少年，在富商资助下召募起一支武装，用以镇压黄巾。这支武装就是刘备的私兵部曲。孙坚以吴郡司马身份召募精勇“得千余人”[②]，与州郡合讨黄巾。这募得的一千余人就是孙坚起家的部曲。随后，关东兵起，“于是大兴义兵，名豪大侠，富室强族，飘扬云会，万里相赴”，而“山东大者连郡国，中者婴城邑，小者聚阡陌，以还相吞灭”[③]。曹操始起兵于己吾（在今河南宁陵县西），后更募于扬州，曹仁召聚于淮、泗。当时人民流离失所，极易召募。公元200年，刘备失落徐州，投奔袁绍，密遣赵云“募得数百人，皆称刘左将军部曲”[④]。各地大大小小的军阀，主要兵源来自召募。例如益州牧刘璋，他拥有的基干力量就是召募流入益州的数万家南阳、三辅流民，号曰“东州兵”[⑤]。军阀召募的兵源中有许多豪族世家的私兵部曲。

（二）地方豪族世家组织的私兵部曲　这类武装是汉末部曲的主体，遍布全国各地，成分最复杂。有宗兵，有部党，有亲兵、义从，有召募。宗兵以宗室亲族为主体，部党以乡里附从为主体，亲兵、义从以宾客或豪侠少年为主体，召募以流民或强附的平民为主体。这些各色部曲，《三国志》及裴注，史不绝书，兹择录数例如下：

---

① 《三国志·先主传》。
② 《三国志·孙坚传》。
③ 《三国志·文帝纪》裴注引魏文帝《典论·自叙》。
④ 《三国志·赵云传》裴注引《赵云别传》。
⑤ 《三国志·刘璋传》裴注引《英雄记》。

《曹洪传》："扬州刺史陈温素与洪善，洪将家兵千余人，就温募兵。"

《曹真传》裴注引《魏略》："兴平末，袁术部党与太祖攻劫。"

《李典传》："典从父乾，有雄气，合宾客数千家在乘氏。初平中，以众随太祖。"乾死，"太祖使乾子整将乾兵"；整卒，李典"将整军"，迁离狐太守。时太祖与袁绍相拒官渡，"典率宗族及部曲输谷帛供军"。

《李通传》：李通与陈恭共起兵于朗陵，火并另一支豪族周直，"众二千余家"。

《吕虔传》：曹操在兖州，虔为从事，"将家兵守湖陆"。

《许褚传》："汉末，聚少年及宗族数千家，共坚壁以御寇。"

以上各例是中原地区的私兵部曲，以宗族为核心，结合附从的宾客、乡党组成，称霸一方，筑坞自保。由于战乱，自耕小农宁愿以人身依附为代价投入世家大族的武装集团沦为部曲。所以这些部曲以家为计数，不脱离生产，且耕且战。这些拥有宗兵、部党的豪强，投靠大军阀就成为大将。吴、蜀地区亦然。如魏延，荆州义阳人，"以部曲随先主入蜀"[①]。益州土著，刘璋从事贾龙，"领家兵数百人在犍为东界"[②]。又汉中地区，申耽、申仪兄弟在西平、上庸间"聚众数千家"[③]。江东吴郡顾、陆、朱、张等大姓亦拥有宗兵、部党。孙坚举事，小弟孙静"纠合乡曲及宗室五六百人为保障"[④]。

（三）啸聚山林的部党　《杨俊传》载，河内人杨俊，认为河内处四达之衢，必为战场，"乃扶老弱诣京、密山间，同行者百余家"。《田畴传》载，右北平无终人田畴，"率举宗族他附从数百人"，入徐无山中，守山自卫，数年间至五千余家，这是大家所熟知的一个典型。又《朱然传》裴注引《襄阳记》载，夷王

---

① 《三国志·魏延传》。
② 《三国志·刘焉传》。
③ 《三国志·刘封传》裴注引《魏略》。
④ 《三国志·孙静传》。

梅敷兄弟三人，部曲万余家屯布在中庐宜城西山鄢、沔二谷中，“土地平敞，宜桑麻，有水陆良田，沔南之膏腴沃壤，谓之租中”。这一类型的部党，江南地区，遍地林立，称为宗部、宗伍、宗贼。刘表为荆州刺史，“江南宗贼大盛”，刘表用蒯良、蒯越之计，利诱宗贼，“至者五十五人，皆斩之，袭取其众，或授部曲”，又说降拥众据襄阳的张虎、陈生，于是“江南遂悉平”[①]。扬州地区，《太史慈传》裴注引《江表传》云：“鄱阳民帅，别立宗部，阻兵守界，不受子鱼所遣长吏。”又云：“海昏有下缭壁，有五六千家相结聚作宗伍，惟输租布于郡耳。发召一人，遂不可得，子鱼亦睹视之而已。”子鱼即汉豫章太守华歆。鄱阳在今江西鄱阳县，海昏在今江西建昌县属华歆领属区。这里的宗部、宗伍，依仗武装保境自守，只向政府输租布，抗拒服徭役。

（四）寒族豪侠召聚少年为僮客、义从　《甘宁传》载，甘宁巴郡人，“少有气力，好游侠，招合轻薄少年，为之渠帅”。裴注引《吴书》曰，“宁将僮客八百人就刘表”，归吴时，“招怀亡客并义从者，得数百人”。所谓轻薄少年，即地方上的流氓亡命之徒，他们聚合起来成为绿林豪侠。《刘晔传》载，“扬士多轻侠狡桀，有郑宝、张多、许乾之属，各拥部曲”。这类部曲多是以打劫为生的乌合之众，既无根底，又无远图，或为豪家所并，或依附豪家，从而成为豪族世家部曲的组织成分。孙策渡江只有一千多人，后迅速壮大为两万多人，就是吸收了许多这样的部曲。

（五）扬州山越宗部　山越遍布于扬州各郡山岭地区，人口居扬州之半。山越以农耕为生活，“白首于林莽”不入平地，不进市邑，不对长吏，不输租赋。汉末大量逃避赋役与避罪的汉民，即所谓“逋亡”“宿恶”，逃入山区与山越结合，推举宗帅，恃险自守，抗拒向政府交纳租赋和服徭役。山越是西汉内迁的半汉化了的越人后裔，还带有浓厚的氏族制遗俗与封建性，形成同一宗族、同一乡里聚居的习惯。他们以“宗”为组织骨干，故称宗部，部曲称宗伍，首领称宗帅，贬称“宗贼”。山越宗部与逋

① 《后汉书·刘表传》及《三国志·刘表传》裴注引《魏略》。

亡、宿恶结合，大者往往有数万之众。他们为了张大声势，接受曹操所派间牒授予的印绶。如鄱阳彭绮、尤突，丹杨费栈，就接受曹操所封印绶，众数万。福建境内的宗部，如洪明、洪进、苑御、吴免、华当等五人，“率各万户”，吴五、邹临各有六千户①。

曹操统一北方，挟天子以令诸侯，抑制部曲发展，世家豪族的私兵部曲被统编在国家控制的士籍或屯田民中。例如田畴就“尽将其家属及宗人三百余家居邺”②。附从田畴的五千余家成为政府的编户齐民。李典有宗族部曲三千余家，一万三千余口徙居邺③。田畴、李典率宗族部曲居邺，就如同秦汉时豪强被移居关中一样。孙权立国江东，由于起自寒微，没有什么凭藉，他依靠江东江北的大族支持打天下，同时要征服山越宗部，所以采取了与曹操相反的政策，大力扶植部曲发展，施行特殊的封授领兵的制度，部曲人数迅速膨胀，发展成为一个且战且耕的兵户阶层，为两晋南北朝江南世族地主庄园的发展铺平了道路，对历史产生了深远的影响。

二、孙吴扶植部曲与镇抚山越是立国的两项基本国策

公元200年，孙权统事，着手建立吴国。《吴主传》有如下一段记载：

> 待张昭以师傅之礼，而周瑜、程普、吕范等为将率，招延俊秀，聘求名士，鲁肃、诸葛瑾等始为宾客。分部诸将，镇抚山越，讨不从命。

---

① 《三国志·吴书》陆逊、贺齐、周鲂等传。
② 《三国志·田畴传》。
③ 《三国志·李典传》。

这段话概括起来是两项基本国策：一是扶植部曲，二是镇抚山越。分述于下。

（一）扶植部曲 据《三国志·吴书》所立人物专传，将孙氏宗室除外，共五十九人。北方立传人物三十一人，其中徐州九人：张昭、诸葛瑾、步骘、张纮、严畯、鲁肃、徐盛、吕岱、诸葛恪；豫州六人：程秉、薛综、吕蒙、吕范、胡综、楼玄；青州五人：刘繇（子基仕吴）、太史慈、是仪、刘惇、滕胤；幽州二人：程普、韩当；兖州二人：潘璋、濮阳兴；司州一人：赵达；扬州江北六人：周瑜、蒋钦、周泰、陈武、丁奉、王蕃。南方立传人物二十八人，其中荆州二人：黄盖、潘濬；益州一人：甘宁；交州一人：士燮；扬州江东二十四人，其中吴郡十四人：顾雍、陆逊、陆绩、陆瑁、陆凯、朱桓、朱据、张温、凌统、吾粲、全琮、周鲂、韦曜、华覈；会稽八人：阚泽、虞翻、贺齐、贺邵、钟离牧、董袭、骆统、吴范；丹杨二人：朱治、朱然。上述五十九人可分为三个系统：一是江东大族，如吴郡吴县之顾、陆、朱、张四姓，钱唐之全，阳羡之周，丹杨之朱，会稽之虞、贺。二是北方南渡的大族，有张昭、张纮、诸葛瑾、步骘、周瑜、鲁肃、严畯、程秉、薛综、胡综等人。三是追随孙氏的南北庶族将领，如吕蒙、吕范、程、黄、韩、周、陈、董、甘、凌、徐、潘、丁等人。孙氏立国江东，故江东大族是其基础。在战乱之中，这些大族希望有一个强大的军事集团来保护他们的利益，孙氏势力在江东的迅速发展成了他们的理想人物。北方南渡世族是投奔孙氏而来。鲁肃南渡时就对其部曲说："中国失纲、寇贼横暴，淮、泗间非遗种之地，吾闻江东沃野万里，民富兵强，可以避害，宁肯相随俱至乐土，以观时变乎？"[①] 其属三百余人皆随鲁肃南渡。至于追随孙氏起事的诸将，他们是孙氏的部曲将，正如周瑜所说，"是烈士攀龙附凤驰骛之秋"[②]，希望得到一个前程。在孙权立国之初，南渡世族及部曲诸将，急需有一个立足点，他

① 《三国志·鲁肃传》裴注引《吴书》。
② 《三国志·周瑜传》。

们更富有进取性。张昭、周瑜、程普、吕范、鲁肃、诸葛瑾等，均北方人物，所以成为孙权创业时的骨干。三方人物成鼎立之势，而江东大族占了主导地位。孙权为了取得这三个系统人物的支持，用授兵与镇抚山越的办法，大力扶植部曲，使诸将皆领兵，这就是孙吴部曲迅速发展的根本原因。换句话说，为了共同的政治经济利益，江东大族与江北世族、孙氏部曲联合起来组成了江东政权，外御强敌，内抚山越。孙氏江东政权的这一性质，在陆凯的上疏中说得十分清楚。陆凯说："先帝外仗顾陆朱张，内近胡综、薛综，是以庶绩雍熙，邦内清肃"。[①]

孙权还用联姻的手段来巩固世族的联盟。孙权将孙策二女嫁与陆逊和顾邵。顾、陆两族是江东最大的两姓，他们之间亦联姻。孙权步夫人与步骘同族，生二女，长女鲁班，字大虎，前配周瑜子循，后嫁全琮；少女鲁育，字小虎，前配朱据，后嫁刘纂。周瑜有两男一女，女配太子登，男循尚公主。这种以婚姻关系为纽带的拉拢、联结，使江东、江北大族与皇权之间，大族与大族之间的关系更加密切，有利于孙吴封建政权的巩固，也有利于世家部曲势力的发展。《朱治传》载，"公族子弟及吴四姓多出仕郡，郡吏常以千数"。《孙綝传》载，皇族丞相孙綝，"一门五侯，权倾人主"。《世说新语·规箴篇》载，大族陆氏，一家出二相，五侯，将军十余人。

（二）镇抚山越　孙权大规模镇抚山越，从公元200年起到公元242年钟离牧讨福建山越止，长达四十二年。孙权镇抚山越目的，在陆逊的建议中有露骨的表述。陆逊说："方今英雄棋跱，豺狼阙望，克敌宁乱，非众不济。而山寇旧恶，依阻深地。夫腹心未平，难以图远，可大部伍，取其精锐。"[②]《张温传》载骆统疏亦云："宿恶之民，放逸山险，则为劲寇；将置平土，则为健兵。"目的十分明确，就是掠取山越人为兵，扩大部曲力量，诸葛恪在丹杨围剿山越，下令说："山民去恶从化，皆当抚慰，徙

① 《三国志·陆凯传》。
② 《三国志·陆逊传》。

出外县，不得嫌疑，有所执拘。”[①] 臼阳长胡伉将出降的宿恶民缚送丹杨，诸葛恪将胡伉以违令斩首，以此向山民表示“官惟欲出之而已”，于是老幼相携而出，三年得甲士四万。计《吴书》所载，孙吴征讨山越的将领有四十人之多，他们是：太史慈、孙瑜、孙贲、徐矫、孙邻、孙辅、张承、顾承、周瑜、吕蒙、程普、黄盖、韩当、蒋钦、周泰、陈表、董袭、步骘、凌操、凌统、徐盛、潘璋、朱治、朱然、吕范、吕据、朱桓、吾粲、陆逊、贺齐、全琮、吕岱、周鲂、胡综、唐咨、钟离牧、陆凯、诸葛恪、丁固、诸葛靓等，这些将领征讨山越时大都兼任郡守或县令县长，以便安置被驱略的山越，“强者为兵，羸者补户”。《吴书》有生动的记载，略举十余条以示例。

（1）《贺齐传》载公元207年，贺齐讨福建山越，“斩首六千级，名帅尽禽，复立县邑，料出兵万人”。

（2）《周瑜传》载，公元206年，周瑜讨麻、保二屯山越，“囚俘万余口”。

（3）《贺齐传》载，公元208年，贺齐讨丹杨黟、歙山越，“凡斩首七千”。

（4）公元213年，贺齐又讨豫章山越，“拣其精健为兵，次为县户”。

（5）公元216年，贺齐与陆逊讨鄱阳尤突，“斩首数千”，“丹杨三县（陵阳、始安、泾县）皆降，料得精兵八千人”。

（6）《陆逊传》载，公元217年，陆逊讨丹杨费栈，“遂部伍东三郡（丹杨、新都、会稽），强者为兵，羸者补户，得精卒数万人”。

（7）《张昭传》附《张承传》载，公元219年，张承为长沙西部都尉，“讨平山寇，得精兵万五千人”。

（8）《凌统传》载，凌统讨山越，“得精兵万余人”。

（9）《全琮传》载，全琮讨山越，“得精兵万余人”。公元228年，全琮领东安郡太守，“招诱降附，数年中，得万余人”。

① 《三国志·诸葛恪传》。

(10)《诸葛恪传》载，公元234年，诸葛恪自荐讨山越，孙权以恪为丹杨太守，围讨山越，至公元237年，三年得甲士四万，“恪自领万人，余分给诸将”。

(11)《顾雍传》附《顾承传》载，公元237年吴郡西部都尉顾承配合诸葛恪抚平山越，“得精兵八千人”。

(12)《陆逊传》载，公元237年，陆逊讨鄱阳、豫章、庐陵三郡叛民，“料得精兵八千余人”。

(13)《钟离牧传》载，公元242年，钟离牧讨福建山越，“贱帅黄乱、常俱等出其部伍，以充兵役”。

以上十三例中有十一例具体记载了斩杀、俘获、诱纳的数字，山越被斩杀者两万余人，被强掠为兵者十五六万人。除第七例张承讨长沙山越外，均为扬州山越。以一兵一户推计，山越被编为兵户者前后十余万户，占扬州户口二分之一。据《晋书·地理志》扬州条载，公元280年晋灭吴后统计，扬州有户三十一万一千四百。山越户居扬州之半。诸将征讨所得，孙权即承认为征讨者的部曲。难怪孙吴大大小小的将领都去征讨山越，这可以说是利益均沾。孙权扶植部曲与镇抚山越这两项基本国策，实为一体。

三、授兵奉邑制与复客制

授兵、奉邑、复客是孙吴部曲领兵制的三个环节，即一套连环制度。

(一) 授兵制　授兵，又称为给兵，《吴书》中有大量记载。

《太史慈传》：孙策署慈门下督，“还吴授兵，拜折冲中郎将”。

《孙破虏吴夫人传》：建安八年，吴景卒官，其子备，“授兵为将，封新亭侯”。

《周瑜传》：建安三年，孙策授周瑜建威中郎将，“即与兵二千人，骑五十匹”。

《程普传》：程普随策征讨江东，“普皆有功，增兵二千，骑五十匹”。

以上四例代表四种类型的记载。太史慈，拜将授兵，未载授兵人数。吴奋拜将、封侯、授兵。周瑜拜将授兵，载明数额，二千人，骑五十匹。程普拜将授兵，所载为增加授兵，二千人，骑五十匹。授兵的例子很多，蒋钦、周泰、陈武子陈脩、董袭、甘宁、徐盛、朱然、吕范、朱桓、陆绩、骆统等传中都记载了拜将授兵的事例，数额不等。一般授兵二千人为最高限额，只骆统一人领武射吏三千人是例外。朱然、朱桓、陆绩等授兵二千。吕范、甘宁增加二千。陈脩、徐盛授兵五百。《孙休传》载，张惇被封为都亭侯，给兵三百人。此例说明封侯亦授兵。

宗室诸将授兵，一般比异姓将领为优，多以三千人为限。《宗室传》载，孙瑜领丹杨太守，为众所附，至万余人。《孙皓传》载，皓于凤凰二年、天纪二年，共立二十二王，“王给三千兵”。

江南、江北的世家大族，往往文武兼备，都有领兵。诸葛瑾父子领兵。陆逊父、子、孙三世领兵。张昭子张承、顾雍孙顾承，都各为将领兵。

文臣、文士只要加上将军、校尉、都尉之名，也都领兵。《虞翻传》载，虞翻，文士，孙权授以骑都尉。《王蕃传》载博览多闻的王蕃与贺邵、薛莹、虞汜等文臣，“俱为散骑中常侍，皆加驸马都尉”。《是仪传》载，仪“拜裨将军，后封都亭侯，守侍中。欲复授兵，仪自以非材，固辞不受”。这是说，是仪曾拜裨将军，领兵；后为侍中还兵，因封都亭侯，“欲复授兵”，仪辞不受。这一例证生动地说明了，只要拜将或封侯，都可授兵。

至于没有记载授兵的诸将，只是传文简略未载，实际都有授兵。《凌统传》未载授兵。凌统父凌操战死，统年十五，孙权以“操死国事，拜统别部司马，行破贼都尉，使摄父兵”。凌统死后，二子烈、封，年各数岁，孙权养在宫中，及八九岁，“追录统功，封烈亭侯，还其故兵”。后烈因罪免，孙权以“封复袭爵领兵”。凌统父子三代领兵，父死子继，兄终弟及。

（二）奉邑制　奉邑制是伴随授兵所划定的军赋食邑。《宗室传》载，孙皎，“始拜护军校尉，领众二千余人”，“黄盖及兄瑜卒，又并其军”，“赐沙羡、云杜、南新市、竟陵为奉邑，自置长吏”。孙韶，伯父孙河为将军，屯京城。河为部督所杀，孙权即拜韶为“承烈校尉，统河部曲，食曲阿、丹徒二县，自置长吏，一如河旧”。

奉邑和封爵采邑不同。封爵采邑是私邑；奉邑属国有，只是租税供军赋。领兵将领无奉邑者，往往兼领太守或县令县长。功多领兵多的将领既兼守令，又有奉邑。如甘宁，拜西陵太守，领阳新、下雉两县为奉邑。周瑜领南郡太守，以下隽、汉昌、刘阳、州陵四县为奉邑。奉邑随授兵的转移而更易其主。如周瑜死后，程普为南郡太守，鲁肃为奋武校尉，代瑜领兵，“瑜士众四千余人，奉邑四县，皆属焉”[①]。周瑜所领之职南郡太守与都督为程普、鲁肃分领，奉邑四县随领兵的归属而转移。鲁肃死后，兵归吕蒙，奉邑四县也随兵归吕蒙。奉邑长吏由兵主自行署置。

（三）复客制　复客是政府赐给兵主的私属，他们对国家不出租役，所以称为复客。《吕蒙传》载，孙权嘉蒙功多，“别赐寻阳屯田六百户，官属三十人”。蒙死，又赐“守冢三百家，复田五十顷”。《蒋钦传》载，钦死，“以芜湖民二百户，田二百顷，给钦妻子”。《潘璋传》载，潘璋死后，赐“复客五十家”。

复客是授兵奉邑制的补充或调节形式。因授兵与奉邑，在法令上是国有，国家有权随时收回。如将军朱异与大将军诸葛恪意见不和，“恪怒，立夺其兵”[②]。复客是国家赐予兵主的私家佃客。《周瑜传》载，孙权令曰：“故将军周瑜、程普，其有人客，皆不得问。”这条优惠法令说明了三个问题：第一，国家赐予周瑜、程普若干复客；第二，周瑜死后部曲及奉邑已转鲁肃，而复客因为私属，故仍属周瑜私家所有；第三，周瑜、程普家属私行招诱扩大编户民或私藏逋逃为自己的佃客，故特下令“其有人客，皆

① 《三国志·鲁肃传》。
② 《三国志·诸葛恪传》。

不得问”。这条法令不能解释为人客犯法不问，因周瑜之子周胤犯法被夺兵、罪徙，岂有人客犯法不问之理，所以只能解释为周、程两家私招佃客，超越国家定制，不予追究。

兵属国家，复客属私人，最典型的材料，见《陈武传》附子《陈表传》：

> 表以父死敌场，求用为将，领兵五百人。……初，表所受赐复人得二百家，在会稽新安县。表简视其人，皆堪好兵，乃上疏陈让，乞以还官，充足精锐。诏曰：“先将军有功于国，国家以此报之，卿何得辞焉？”表乃称曰：“今除国贼，报父之仇，以人为本。空枉此劲锐以为僮仆，非表志也。”皆辄料取以充部伍。所在以闻，权甚嘉之。下郡县，料正户羸民以补其处。

孙权给陈表赐复人二百家，陈表料取以充部伍，上表以闻，孙权另赐羸民二百户以为补偿。这条资料以家以户为计数单位，而不以人为计数单位，还说明了兵民分籍，所以才以户计数。

四、孙吴世袭领兵制的商榷及授兵部曲的性质

孙吴诸将领兵往往父死子继，或兄终弟及，《吴书》记载，不胜枚举。下列几则最为典型。

《宗室传》：孙皎，“始拜护军校尉，领众二千余人”，“黄盖及兄瑜卒，又并其军”，皎建安二十四年卒，“权追录其功，封子胤为丹杨侯。胤卒，无子。弟晞嗣，领兵，有罪自杀，国除”。“弟咨、弥、仪皆将军，封侯”。孙贲，为豫章太守，后封都亭侯。贲卒，子邻嗣，年九岁，“代领豫章，进封都乡侯”。

《周泰传》：周泰拜汉中太守、奋威将军，封陵阳侯，黄武中卒。“子邵以骑都尉领兵……黄龙二年卒。弟承领兵袭侯。”

《蒋钦传》：蒋钦卒，“子壹封宣城侯，领兵，……与魏交战，

临陈卒。壹无子，弟休领兵，后有罪失业”。

《陆逊传》：陆逊卒，子抗“拜建武校尉，领逊众五千人”；陆抗卒，子晏嗣，“晏及弟景、玄、机、云，分领抗兵”。

以上几则例证，都是父死子继，兄终弟及，陆氏三世领兵，与孙吴政权相终始。于是学术界认为孙吴实行的是世袭领兵制。但这一认识是值得商榷的。前节已论证，兵属国家，复客属私人；既然兵属国家，那就不能世袭。仔细分析上引几则例证，就存有疑窦。其一，《宗室传》载，“黄盖及兄瑜卒，又并其军”，恰好证明兵不得世袭，黄盖及孙瑜之兵，他们死后并入孙皎。其二，《宗室传》又载，孙贲死后，其子孙邻九岁“代领豫章”，于是有人认为“有时连太守之职也可世袭”。孙邻继父领豫章太守，只是一种恩遇，并不是制度世袭。这条材料恰好反证孙吴所谓的“世袭领兵”，只不过是一种普遍形式的恩遇，而不是世袭。其三，孙皎死后，诸子胤、晞、咨、弥、仪皆为将军，封侯领兵；陆抗死后，诸子晏、景、玄、机、云分领抗兵，这都与世袭宗子继承制不符。孙皎、陆抗，因其兵众，所以分散封授给诸子并领，以避免成尾大不掉之势。由于兵属国家，所以国家有权重新封授。

论者引《吕蒙传》所载，吕蒙为诸将子弟代请领兵以为世袭之证，也是一种误解。《吕蒙传》所载史例如下。

> 时蒙与成当、宋定、徐顾屯次比近，三将死，子弟幼弱，权悉以兵并蒙。蒙固辞，陈启顾等，皆勤劳国事，子弟虽小，不可废也。书三上，权乃听。

这条材料生动地说明了国君有权将诸将所领之兵改属他人。吕蒙代为三将子弟所请，不能说明“以夺兵为废黜”，“世袭为常例”，恰好说明，诸将代请正是为了维护已得的权利。周瑜子循拜兴业都尉，“授兵千人，屯公安”，因罪废徙庐陵郡，诸葛瑾、步骘、朱然、全琮相继表请，乞复授兵周循，也正是为了维护已得权利。《吕蒙传》载，吕蒙姐夫邓当死，张昭荐吕蒙代领其众，拜别部司马。孙权统事，“料诸小将兵少而用薄者，欲并合之”，吕蒙知道后赊贳钱财整饰兵械，“及简日，陈列赫然，兵人练习，权见之大悦，增其兵”。这也生动地说明了国君有权调整诸将领兵。

综合考查《吴书》各传所载，孙吴授兵不是世袭制，而恰恰相反，是与世家大族私兵部曲化争夺控制权的一种斗争形式。授兵，是诸将领兵的一种普遍形式。无论宗室、大族、行伍将领，皆统一由国家授兵。私家部曲和征讨山越料简的精兵，均通过授兵的形式纳入了国家的统编范围。授兵大都为终身所领。诸将死后，授兵收回重授，父死子继，兄终弟及，并不是一成不变地带领原有之兵。周瑜所领四千多精兵，在重授中归鲁肃所领，而周瑜子周循另拜兴业都尉，授兵千人。陈武死后，其子陈脩拜别部司马，只授兵五百人。脩死后，孙权收回授兵，脩弟陈表“以父死敌场，求用为将，领兵五百人”[①]。

汉末混战，部曲私兵化。孙坚死后，其子孙策向袁术讨索孙坚旧部，袁术不能不给，但袁术并没有将孙坚旧部尽数还给，只给兵一千余人。孙权将授兵加以制度化，也正是此意。国家在不断的封授中对之加以调整，并在法律上将私人部曲纳入国家编制。由于私兵宣布为国有，所以孙权用复客制来调节国家与部曲主之间的矛盾，避免激化。国家收回授兵，赐予复客。不过在实践上，世家大族原有的部曲，国家无法收回，所以形成事实上的父死子继，兄终弟及。但国家通过封授对世家大族加以限制，或分散，例如陆抗死后，诸子分领其兵。此外，国家通过封授，扩大皇族势力，限制诸将发展。授兵，使孙氏宗族子弟广泛领兵。孙皓末年，一下封了二十二王，每王授兵三千，总计六万余人，占全国总兵力的四分之一。而一般将领只授兵几百人，或一二千人。孙权又广泛授兵，这有点像汉武帝削弱诸侯王实行推恩分封的形式一样，众建诸侯而少其力。诸将征讨山越，或者召募，大约超过万人就到了最高极限。鲁肃领周瑜部曲，众四千余人，他经过数年召募，众增至万余人。贺齐、诸葛恪、陆逊等征讨山

① 《三国志·陈武传》附《陈表传》。

越，简选精兵数万，但自领都以万人为限，其余分给诸将。每逢大战役，由孙权临时调集诸将，委署大都督指挥。如赤壁之战以周瑜为大都督，夷陵之战以陆逊为大都督，两次争荆州之战以吕蒙为大都督。

孙吴用授兵制对私家部曲进行干预和控制，可以孙皓天纪三年（公元 279 年）郭马反叛事件作为典型例证。郭马本是合浦太守脩允的部曲督。由于允死后，“兵当分给，马等累世旧军，不乐离别”，于是郭马与部曲将何典、王族、吴述、殷兴等反叛，攻杀广州督。孙皓末年对部曲控制还如此严厉，这就足以说明，孙权的授兵制不是世袭制，而是以恩荣的形式达到控制私家部曲的目的。

授兵创自孙策。建安三年（公元 198 年）孙策给周瑜授兵二千，骑五十四，如同封侯一样，发布了隆重的封授令。文说：

> 周公瑾英俊异才，与孤有总角之好，骨肉之分。如前在丹杨，发众及船粮以济大事，论德酬功，此未足以报者也。①

分析这一令文，可以推断孙吴授兵的目的和性质。目的是限制诸将带兵数额；性质则是授以私属徒附，“论德酬功”。周瑜随孙策征讨，带有自己的亲兵部曲，在争战中迅速壮大。孙策渡江只有部曲一千余人，此时有众数万。以此推计，周瑜在未授兵之前，其众已不只二千。授兵二千，法定了周瑜带兵的数额，多余之兵，国家可以调出。又，授兵既要“论德酬功”，可见是作为一种财富授给诸将酬功。授兵是连同家口授给将领，并与土地相结合且耕且战。授兵的数额即是法定将领的部曲限额②。部曲由主将赡养，供其衣食，所以部曲终身依随主人，这就是重新封授时父死子继，或兄终弟及的经济基础。部曲由主将赡养，《三国

① 《三国志·周瑜传》裴注引《江表传》。

② 《顾雍传》裴注引《文士传》载，吴郡云阳殷礼起自微贱，父子四人有三太守、一无难督。次子殷巨“初为吴偏将军，统家部曲”。殷巨以所领之兵，直称“家部曲”，这说明了授兵既属国有，又属私有，具有双重依附的性质。

志·吴书》中有典型的事例。其一，《吕蒙传》载，吕蒙赊贳，“为兵作绛衣行縢”，应付孙权的检阅。其二，《朱桓传》载，朱桓“轻财贵义，兼以强识”，“部曲万口，妻子尽识之”，“爱养吏士，赡护六亲，俸禄产业，皆与共分”。《册府元龟》卷四四〇六《清俭》条载，“陈表为偏将军，北屯章坑，家财尽于养士”。但这并不是说，部曲士兵生活由主将的俸禄养活，而是指士兵的给养由主将负责，国家只是割取一定的奉邑租赋，大部则由士兵自己生产。这在《吴书》中有许多材料可以证明。

（1）《孙权传》载，黄武五年（公元226年），陆逊上表要“诸将增广农亩”，以解决粮食困乏。所谓“诸将增广农亩”，就是扩大兵士的屯垦面积，多打粮食。

（2）《诸葛瑾传》裴注引《吴书》载：“赤乌中，诸郡出部伍。新都都尉陈表、吴郡都尉顾承各率所领人会佃毗陵，男女各数万口。”所出部伍会佃而有男有女，这说明部曲士兵与家属一起参加屯垦。毗陵在今江苏武进县，是孙吴主要的民屯点。这次诸将会佃毗陵，可能是抽调诸将各一部部曲转移在毗陵进行民屯，或置军屯。

（3）《三国志·满宠传》载，青龙三年春（公元235年），“权遣兵数千家佃于江北”。这里佃兵称“家”，正说明孙吴部曲兵与民户分籍，兵与家属一起屯垦。庐江皖城，孙吴驻重兵防守，那里也是最大的军屯点。

（4）《陆凯传》载陆凯谏孙皓疏，条陈二十事，其中第十五事云：

> 先帝战士，不给他役，使春惟知农，秋惟收稻，江渚有事，责其死效。今之战士，供给众役，廪赐不赡，是不遵先帝十五也。

军队的主要任务是打仗。由于孙吴部曲具有徒附性质，拖家带口，所以且耕且战。孙吴政权同时施行奉邑制、复客制和封爵制，目的是为了确保国家对部曲拥有控制权。复客和封爵邑，法定为私属；士兵和奉邑，法定为国有。按律，诸将不得任意役使士兵。《世说新语·政事篇》载：

> 贺太傅作吴郡，初不出门。吴中诸强族轻之，乃题府门云："会稽鸡，不能啼。"贺闻，故出行，至门反顾索笔足之曰："不可啼，杀吴儿。"于是至诸屯邸，检校诸顾陆役使官兵及藏逋亡，悉以事言上，罪者甚众。陆抗时为江陵都督，故下，请孙皓，然后得释。

可见法定诸将不得任意役使士兵，以保证战斗力。而事实上，兵士既分授诸将，并由诸将赡养，因此诸将就可以任意役使。其实早在永安二年（公元259年）孙休就在诏书中指出：

> 夫一夫不耕，有受其饥，一妇不织，有受其寒；饥寒并至而民不为非者，未之有也。自顷年已来，州郡吏民及诸营兵，多违此业，皆浮船长江，贾作上下，良田渐废，见谷日少，欲求大定，岂可得哉。①

孙吴诸将役使士兵经商，这可与《魏书·司马芝传》所载司马芝上奏对照。魏黄初以后，诸典农将役使屯田客经商，造成农事萎缩。南方和北方的这一共同发展趋势反映了深刻的社会现实。客观原因是三国对峙以后，战事减少，生产恢复，社会需要商品流通。北方实行的屯田制，南方实行的部曲制，把社会劳动力统得很死，社会缺少自由商民，因而商品流通被掌握有大量劳动力的部曲将和典农将所控制。主观原因，部曲将和典农将既掌握有可供驱使的劳动力，积渐成势，超越法制规定任意役使，也就是必然之势。因此，孙吴国有之兵，逐渐转化成为领有者的田客僮仆，即地位降至与复客等同，这一发展趋向也就不是一纸诏书所能阻挡的了。

① 《三国志·孙休传》。

最后，我们必须指出，孙吴诸将部曲因其来源不同，内部结构较为复杂。孙吴部曲来源主要有四个途径：一是宗兵部党，二是召募，三是征讨山越，四是授兵。各种成分的部曲士兵与主将的关系亲疏不同，依附的程度应当具有不同的层次，只是史载疏略，不得其详罢了。宗兵部党与主将关系最为密切。韩综降魏，孙秀降晋，以及士徽反叛，依靠的都是宗兵部党。江南世家大族的部曲士兵以宗兵部党为骨干，他们在地方根深蒂固，所以割据性最强。北方南下士族的部曲以召募为主，寒门诸将部曲以授兵为主，他们的势力比较单薄，受国家控制的程度也较强。寒门将领的部曲在重新封授中，大都被国家收回，第二代以后就衰微了。

五、结　论

综上所述，对于孙吴部曲与授兵制，我们可以作出以下几点结论：

（1）孙吴建国于宗兵部曲林立的江南，因此施行特别的授兵制，既承认世家豪族拥有部曲的现实，同时也是限制大族领兵的数额，将其部曲纳入国家编制，以便控制；

（2）孙吴普遍授兵笼络诸将效命，并分世家豪族之势；

（3）孙吴士兵部曲化，加强了兵将联系，提高了军队的战斗力；

（4）授兵为国有，复客为私属，但实质授兵亦与土地相结合，等于是国家授给私家的徒附，因而成为事实上的私属部曲。但这种私属部曲，习惯上只限于终其生领兵。主将死后，国家重新封授，孙吴政权用此办法牢牢地控制了部曲。

（5）孙吴部曲且耕且战，客观上加强了对江南的经济开发，增强了国力。

上述几点结论，可以看出孙吴施行部曲化的授兵奉邑制，既限制和团结了世家大族，又扩大了立国基础，还加速了经济开发，是一箭三雕的政策。江南宗部林立，孙氏在这样的历史条件下立国，不能不依靠江东江北世家大族的支持，所以对于这些大族的宗兵部曲不能不予以承认。孙吴政权广泛地给诸将授兵，大力扶植部曲，扩大了孙吴的立国基础，同时分散了世家豪族之势。授兵制与复客制，奉邑制与封爵制，是相辅为用以加强中央集权的特殊制度。孙权创立这一制度，把林立于吴国的私家部曲控制在国家手中。孙吴政权承认私家部曲事实上的父死子继，但法律上属于国有，要由国家来重新封授，于是在重新封授中调节了诸将领兵。所以终吴之世，从未出现尾大不掉之势。

但是，孙吴政权大力扶植私家部曲，从长远的发展来看，本质上是与中央集权背道而驰的。《三国志·邓艾传》载，邓艾对司马师说："孙权已没，大臣未附，吴名宗大族皆有部曲，阻兵仗势，足以建命。"陆抗上疏孙皓，建议加强荆州上游防务力量，要给他配足八万精兵。孙皓没有采纳，却大封宗室王，以防方镇拥强兵，从而削弱了上游防务力量。所以西晋伐吴，势如破竹。孙吴大封宗室王的作法为西晋司马氏所效法，导致了八王之乱。只是吴国过早灭亡，还未来得及演出宗室之变罢了。此外，孙吴政权大力扶植部曲，兵源、劳力必须有补充，有来源。世家豪族既已根深蒂固，只能另谋出路，于是大规模地镇抚山越就成了一项基本国策。这一国策虽然保证了部曲的发展，同时也激化了阶级矛盾。由上分析，孙吴立国的两项基本国策，扶植部曲与镇抚山越，有得有失。这两项国策造成孙吴部曲迅速膨胀，既壮大了立国基础，同时又是导致孙吴速亡的祸因。如果孙权立国之初的客观形势不得不大力扶植部曲，那末在政权巩固以后则应当逐步削弱部曲的发展，走曹魏中央集权的道路，或者得多于失。这种分析，仅仅是提供一种思考，因不是历史现实，也就不必深究了。

最后，我们来核计一下孙吴部曲的人数。《孙皓传》裴注引《晋阳秋》载，公元 208 年吴亡时所上图籍，此时吴境有民户五十二万三千，吏三万二千，兵二十三万，男女口二百三十万。吏三万二千，兵二十三万，均指户。民户、吏户、兵户三项合计七十八万五千。《晋书·地理志》载，平吴后荆扬交广吴境四州合计户七十三万六千六百六十八户，此是合兵民吏之户的统计数。《晋志》所载比吴所上图籍少了四万七千余户，这是因为一场大战后有迁徙有流散之故。两项统计资料比勘核计，更可证，吴兵二十三万即兵户二十三万，也就是孙吴部曲阶层户二十三万，约占吴境七十余万户的三分之一。我们还必须看到，孙吴五十二万民户中，还包括有大量的屯田户和诸将复客户，这些民户地位与部曲兵户是同一阶层。也就是说，孙吴部曲户、屯田户、复客户三项相加，总数应超过三分之一。这三分之一是人身依附极强的阶层。两晋南北朝时江南地主庄园的大发展，就是因为这一阶层奠定了庄园依附隶农的物质基础。

论孙吴政权对江南的开发

《隋书·地理志》记述扬州人物之盛云："丹阳旧京所在，人物本盛，小人率多商贩，君子资于官禄，市廛列肆，埒于二京。……宣城、毗陵、吴郡、会稽、余杭、东阳数郡川泽沃衍，有海陆之饶，珍异所聚，故商贾并凑。其人君子尚礼，庸庶敦庞，故风俗澄清，而道教隆洽，亦其风气所尚也。"又云："南海、交趾，各一都会也，并所处近海，多犀象瑇瑁珠玑，奇异珍玮，故商贾至者，多取富焉。"唐代江南得到了进一步的开发，中唐以后江南经济更是唐王朝的命脉。隋代是一个短暂的王朝。显然，南北朝时期，宋齐梁陈各代由于政治重心在江南，因此对于江南的开发起了重要作用。但两汉之后开始在江南立国的却是孙吴政权。虽然两汉及先秦的楚国对江南的开发作出了贡献，但开发江南而出现较大的飞跃的发展，不能不归功于孙吴政权。

一、两汉对江南的开发是孙吴立国的基础

统一的西汉王朝在先秦吴楚立国的基础上，对江南有了进一步的开发，使之成为一个有发达都会的经济大区。《史记·货殖

列传》有生动的描绘。司马迁将统一的西汉王朝全国经济发展态势分为四大区：江淮以南谓之江南；江淮以北分为山东、山西两大区，中以华山为界；龙门、碣石一线以北为北方区。在每一个大区之下又分为若干小的经济区。山西区分为关中区、巴蜀区和陇西区。山东区分为三河区、燕赵区、齐鲁区、梁宋区。江南区分为东楚区、西楚区、南楚区、岭南区。北方区基本上以畜牧为主，比较单一，未分小区。各区之下的经济中心是都市。司马迁列举了18个经济中心的城市：长安、洛阳、巴、蜀、扬、平阳、温、轵、邯郸、燕、临淄、陶、睢阳、江陵、寿春、合肥、吴、番禺。全国12个经济小区，江南有4个；全国18个经济都市，江南有5个。从数量上，江南经济，约占全国1/3，当然实际上江南经济还没有达到这一程度。广大的岭南及浙闽越人聚居地还很少开发。汉武帝移越人于江淮间，说明整个江南还是地广人稀。

江南经济落后，《史记·货殖列传》亦有生动描述："总之，楚越之地，地广人稀，饭稻羹鱼，或火耕而水耨，果隋蠃蛤，不待贾而足，地势饶食，无饥馑之患，以故呰窳偷生，无积聚而多贫。是故江、淮以南，无冻饿之人，亦无千金之家。"古代社会，农业是经济的命脉，由于江南地广人稀，火耕水耨，所以经济落后，不足以对抗统一的经济发达的北方。项羽垓下失败后就自刎乌江，刘邦几乎是不战而下江南，长沙王吴芮"和平"归服中央。东汉时，安徽庐江一带，还没有推广牛耕，由太守王景教以犁耕之法，从此"垦辟倍多，境内丰给"[①]。王景还在庐江兴水利，整治芍陂，灌田万顷，又推广蚕织，促进了这一地区的经济发展。会稽太守马臻在镜湖也大兴水利。《太平御览》卷六十六引《会稽记》说："镜湖在会稽、山阴两县界，筑塘蓄水，水高丈余，田又高海丈余，若少水，则泄湖灌田，如水多，则闭湖，泄田中水入海，所以无凶年，堤塘周围三百一十里，都溉田九千余顷。"[②] 卫飒、茨充相继为桂阳太守，大力发展农业和手工业。卫飒动员民众开山

① 《后汉书·循吏王景传》。

② 马臻创设镜湖灌溉，又见《通典》卷二《水利田》。

通道五百余里，又在耒阳设置铁官，“岁所增入五百余万”；茨充教民“种殖桑柘麻纻之属，劝令养蚕织屦，民得利益焉”。任延为九真太守，铸作田器，推广牛耕，“田畴岁岁开广，百姓充给”①。中国南方经济的发展，东汉一代的开发具有重要意义，为孙吴立国江南奠定了经济基础。就拿人口一项来说，荆扬两州的人口，由西汉的六百七十九万余，增至一千零五十三万余。

但是，从全国总的经济发展来看，江南仍是薄弱的地区，开发地区只限平川和交通发达的地区。江南半数以上的人口是山越和蛮夷，他们多居住在深山，还保持着氏族制的落后习俗，易动难安。长沙、零陵、武陵等地蛮夷在桓帝时就曾发生了很大的骚乱，攻城杀长吏，聚众以万计②。如果没有东汉末年的大战乱使北方经济遭受严重破坏，同时大量北人南移加强了南方，孙权是不能在江南立国的。学术界用经济均衡的观点来解释三国鼎立是历史的必然，这种经济机械论固属简单化，但南北经济均衡也是不容忽视的一个重要因素，它是导致三国鼎立诸多因素中的物质因素。经济是基础。北方地大人多，经济恢复比南方要快，曹魏逐渐占了优势而兵强马壮，同时采取各个击破的策略，先蜀后吴，统一了南方，经济优势最终起了主要作用。但北方随后又遭五胡乱华的大破坏，南方经过孙吴的开发经济有了飞跃的发展，在动乱的南北朝时期，南方经济一度超过北方，如刘宋元嘉时期就是如此。当时南朝被目为正统所在，不仅仅是南方为汉人政权，而且经济文化占有优势。从宏观的历史发展来看，孙吴政权对江南的开发为东晋及南朝在南方立国奠定了物质基础。至于孙吴经营台湾，那就更具有深远的历史意义。

二、北人南移和越汉、蛮汉人民的融合

东汉末，中原大乱，荆扬二州相对安定，北人南移，带来中

① 卫飒、茨充、任延事迹见《后汉书·循吏传》各本传。

② 《后汉书·南蛮传》。

原的先进文化与耕作技术，这是江南经济得以飞跃发展的先决条件。南下的北方人口大都是质量较高，这是战乱的客观条件所决定的。愚钝无能的人大多就地待死，只有远见卓识而又富于冒险的人才能远徙。董卓入京，颍川名士荀彧不愿为京官，求出补吏，拜亢父县令。荀彧弃官归乡，对父老说："颍川，四战之地也，天下有变，常为兵冲，宜亟去之，无久留。"[①] 结果，乡人多怀土，没有人跟随荀彧出走，后来被董卓将李傕兵临颍川时所杀略。荀彧率宗人北依冀州袁绍，后投曹操。但北方更多的人是南走渡江。临淮鲁肃南下时就对宗亲父老说："中国失纲，寇贼横暴，淮、泗间非遗种之地，吾闻江东沃野万里，民富兵强，可以避害，宁肯相随俱至乐土，以观时变乎？"[②] 江南地广人稀，物产丰富，被中原士大夫视为避乱待时的"乐土"。当然，北人大规模的南迁是形势所迫，本身是一场灾难，大量人口在移动中死亡。依《三国志》的记载，北人南移，主要有以下五种方式：

其一，士大夫举宗避难南迁 前举鲁肃南渡是其例。琅邪诸葛瑾、诸葛亮兄弟、彭城张昭、汝南吕范等都是避难南渡，后为吴蜀大臣的。士大夫南迁，不仅举宗而走，往往带动许多人依附。如汝南名士王儁，"避地居武陵，归儁者一百余家"[③]。鲁肃南渡，率其所从三百余人。汝南名士许靖，率宗亲南渡依会稽太守王朗，后辗转到了交趾。孙吴桂阳太守全琮召士，"是时中州士人避乱而南，依琮居者以百数"[④]。全琮在偏远的桂阳，一人就接纳避难的中原士大夫以百数，可见数量之大。刘表坐镇荆州时，保境安民，兴学校，讲儒术，"关西、兖、豫学士归者盖有千数"[⑤]，于是在汉末形成了一个以綦毋闿、宋忠、司马徽等人为首的荆州学派。士大夫南迁，意味着中原学术南下，这对于江南

① 《三国志·荀彧传》。
② 《三国志·鲁肃传》裴注引《吴书》。
③ 《三国志·武帝纪》裴注引皇甫谧《逸士传》。
④ 《三国志·全琮传》。
⑤ 《后汉书·刘表传》。

的开发有深远影响。

其二，逐鹿中原失败的军阀南下，带有大量部曲和裹胁的男女人口　献帝兴平二年（公元195年），曹操征陶谦，徐土不宁，陶谦部将笮融裹胁军民男女万余口南渡豫章，后被扬州刺史刘繇所灭[①]。建安元年（公元196年），凉州军阀董卓残部张济、张绣叔侄率众自关中走南阳，依附刘表[②]。建安五年（公元200年），刘备退出中原逐鹿，率残部南依刘表，屯驻新野。建安十三年（公元208年）曹操南下，刘备南走江陵，荆楚群士及人民从之如云，“比到当阳，众十余万”。赤壁战后，刘备占有荆州江南四郡，“庐江雷绪率部曲数万口稽颡”[③]。

其三，流民南下　这是底层劳动人民最大量的南迁，无法计数。史载关中之民“流入荆州者十万余家”[④]，即达四五十万口。

其四，战争掳掠　建安四年（公元199年），孙策破皖，掳掠袁术残部“百工及鼓吹部曲三万余人”，又收得刘勋“兵二千余人”[⑤]。次年，孙权讨庐江太守李术，再破皖城，“枭术首，徙其部曲三万余人”[⑥]。建安十三年（公元208年）孙权西征黄祖，虏江夏“男女数万口”[⑦]。建安十九年（公元214年）孙权进兵淮南，破皖城，“获庐江太守朱光及参军董和，男女数万口”[⑧]。孙权嘉禾五年（公元236年），陆逊遣将击曹魏江夏石阳，“斩首获生，凡千余人”[⑨]。次年，诸葛恪“轻兵袭舒，掩得其民而还”[⑩]。

其五，曹魏民逃避政苛刑酷而南渡，以及叛将南投　主要有两次。建安十八年（公元213年），淮南民反对内迁，庐江、九江、蕲春、广陵等郡“户十余万皆东渡江，江西遂虚，合肥以南惟有皖城”[⑪]。十余万户则有四五十万口。孙吴五凤二年（公元

① 《后汉书·陶谦传》。
② 《三国志·武帝纪》及《张绣传》。
③ 《三国志·先主传》。
④ 《三国志·卫觊传》。
⑤ 《三国志·孙策传》裴注引《江表传》。
⑥ 《三国志·吴主传》裴注引《江表传》。
⑦⑧⑪　《三国志·吴主传》。
⑨ 《三国志·陆逊传》。
⑩ 《三国志·诸葛恪传》。

255 年），魏淮南镇将毌丘俭、文钦起兵反司马师，兵败，文钦降吴，“淮南余众数万口来奔”①。

上列北人南移的五种类型十七项，有数字记载的十项，累计数一百四、五十万口，这还仅仅是一部分，数量十分惊人。南下的人口，有士兵，有农民，有百工技艺之人，也有文化修养很高的士人，可以说是整个社会的大迁移。孙吴政权对江南经济的开发，南下的北人是最重要的一支生力军，他们作出了不可磨灭的贡献。

江南土著居民过半数是山越和蛮夷。山越主要分布在扬州各郡，荆州西部有武陵蛮，交州有南越。山越和蛮夷以血缘关系结成大大小小的宗部林立于江南各地的山区，与逃亡的宿恶民纠合在一起，在曹操派遣的间谍煽动下对抗孙吴政权，成为心腹大患。孙权采取全面的军事镇压，强迫山越和蛮夷下山，“强者为兵，羸者补户”。孙吴兵半数是山越人，孙吴的屯田民和编户民山越人当有相当比重。孙吴对山越和蛮夷的镇抚政策，实质是强制同化政策，这也是为了适应战争的需要而强行组织越蛮之民进行兼并战争。客观上加速了越汉与蛮汉人民的融合。山越和蛮夷对于江南经济的开发起了重要作用。

以上两个方面，北人南移与越汉、蛮汉人民的融合，可以说是三国鼎立的对峙战争推动了江南经济的开发，它通过孙吴政权的组织而实现。

三、孙吴政权对江南的开发

主要有六个方面，分述于下。

（一）统治阶级重视农业，诸将领兵，且耕且战 孙皓时丞相陆凯上疏说：“先帝战士，不给他役，春惟知农，秋惟收稻。

① 《三国志·孙亮传》。

江渚有事，责其死效。”[①] 由此可知，孙吴诸将领兵，且耕且战。孙权黄武五年（公元 226 年），陆逊上疏，欲令诸将增广农亩，孙权报曰“甚善”。孙权在报令中表示带头耕种，以示劝励，曰：“今孤父子亲自受田，车中八牛以为四耦，虽未及古人，亦欲与众均等其劳也。”[②] 孙吴将领世袭领兵，实行复客制、奉邑制，与且耕且战是密切联系的。国家给将领授兵，同时也授给土地、复客或奉邑，将领负责所领部曲的装备及生活。史载朱桓“部曲万口，妻子尽识之。爱养吏士，赡护六亲，俸禄产业，皆与共分。及桓疾困，举营忧戚”[③]。这是将领爱护部曲的例子。所谓共分俸禄产业，实质就是奖率全军耕作屯垦，生产自给。

（二）扩大垦辟面积，兴修水利，提高产量 江南地广民稀，有大量未开垦的处女地。孙权组织南下的北人和强征的山越人，进行大规模的军屯、民屯，垦辟土地，扩大耕地面积。孙权赤乌年间，新都都尉陈表、吴郡都尉顾承“各率所领人会佃毗陵，男女各数万口”[④]。这是大规模的垦辟。陆逊黄武五年上疏，也就是要孙权敕令诸将扩大垦田。

孙吴十分重视水利建设，将运输与灌溉两种功效结合起来。孙权开凿了从建业至钱塘的运道，灌溉两岸。清阮元赞叹说：“今吴江、石门、仁和（今杭州）数百里内，皆为沃土，惟一清流，自北新关通漕达于吴江。”[⑤] 吴兴西湖水利溉田三万顷[⑥]，张昭所建娄湖（在今江苏昆山县）周回七里，溉田数十顷[⑦]。孙权赤乌年间在建业城东开直渎，源出方山，东北流经直渎山，北入长江[⑧]。又在湖北引长江支流巴水、富水以溉田[⑨]。孙休永安三年

---

① 《三国志·陆凯传》。

② 《三国志·吴主传》。

③ 《三国志·朱桓传》。

④ 《三国志·诸葛瑾传》裴注引《吴书》。

⑤ 阮元：《诂经精舍文集》卷十《浙江即岷江非浙江考》，见《丛书集成初编》第 1837 册。

⑥ 《太平寰宇记》卷三四《江南东道》。

⑦ 《元和郡县图志》卷二六《江南道》。

⑧ 《嘉庆江宁府志·山水》。

⑨ 《水经注·江水注》。

（公元260年）修浦里塘保护丹阳湖田[1]。有的水利直接用于军事目的，如孙权和诸葛恪所筑东兴堤遏巢湖以利水师；陆抗在江陵作大堰遏水以阻止晋军侵边等。

《汉书·地理志》引《禹贡》说，在先秦时，扬州田下下，荆州田下中，兖州田中下，豫州中上，即荆扬田比起兖豫田要差三四个等级。经过孙吴的开发已将差距拉平。西晋束皙在《上广农疏》中就将荆扬与兖豫等列，称“荆、扬、兖、豫，汙泥之土，渠坞之宜，必多此类，最是不待天时而丰年可获者也”[2]。西汉时，“百亩之收，不过百石”[3]，东汉时大抵亩收三斛[4]，孙吴时江南水乡已亩产四五斛。如钟离牧在会稽永兴垦田二十余亩，产稻得米六十斛，以稻谷得米七成计，合稻谷九十余斛，平均亩产四斛半[5]。

（三）屯田 大规模屯田是孙吴解决军粮和城市民粮的支柱。记载孙吴屯田的最早资料，见于《陆逊传》，说陆逊年二十一，“出为海昌屯田都尉，并领县事”。以此推导，其时在建安八年，即公元203年。孙吴的实际屯田时间当比这更早。孙吴也设置了屯田的管理机构和农官，以典农校尉、典农都尉管理军屯，督农校尉、屯田都尉掌管民屯。孙吴屯田以军屯为主。屯田地区，最初限于江东一隅，伴随孙吴政权统治区的扩大，屯田事业逐步扩大到长江中下游一带。长江是吴国抗拒曹魏的天堑。孙吴沿千里江防设置许多屯田点，保卫冲要，强兵足食。规模最大的军屯在江北庐江郡的皖城（今安徽安庆市）地区，孙吴名将诸葛恪曾“自领万人”实行屯耕[6]。孙皓天纪二年（公元278年），十月晋军破皖城，“焚其积谷百八十余万斛，践稻田四千余顷，毁船六百余艘”[7]，可见规模之大。民屯主要分布在新建的郡县和落后地

① 《三国志·孙休传》及《濮阳兴传》。
② 《晋书·束皙传》。
③ 《汉书·食货志》。
④ 《后汉书·仲长统传》引《昌言·损益篇》。
⑤ 《三国志·钟离牧传》。
⑥ 《三国志·诸葛恪传》。
⑦ 《资治通鉴》卷八〇。

区，安置北来流民和强掠补户的山越人。孙吴政权养有很大一支手工业工人，特别是造船业以维持强大的水军和商船队，这些百工市民的用粮很大一部分当来自民屯。州郡编户民的租赋，大部割给了州郡将领为军食，国家仓储征自民租的部分不会太多。因此，屯田既是孙吴政权的经济支柱之一，也是开发江南一个极其重要的方面。

三国屯田是特定历史环境下的产物，它强使劳动人民农奴化，从阶级观点来看可以说是历史的一种倒退，它直接影响着魏晋以后封建人身依附的加强。孙吴屯田又与其特殊的领兵制度相结合，促进了大地主土地私有制的发展。一个屯田点，就是一个大地主田庄。诸将领兵，名为国有，实为私属。《抱朴子·吴失篇》就有着生动的描写："势利倾于邦君，储积富乎公室，僮仆成军，闭门为市，牛羊掩原隰，田池布千里，……金玉满堂，伎妾溢房，商贩千艘，腐谷万庾，园囿凝上林，馆第僭太极，粱肉余于犬马，积珍陷于帑藏。"但是，从历史主义观点来看，孙吴屯田比曹魏屯田起了更积极的作用。这是因为南北经济发展不平衡，江南山越蛮夷过半数，经济落后，孙吴屯田所推进的大土地私有制进程，在这样一个落后经济区应该说是进步的。其次，孙吴以军屯为主，曹魏以民屯为主，这也是孙吴屯田比曹魏屯田进步的地方。

（四）建置大规模的官营手工业作坊发展手工业 冶铁、烧瓷和造船是孙吴的三大官营手工业，主要是满足军需。《水经注·江水注》记载："大江右岸有厌里口安乐浦，从此至武昌，尚方作部诸屯相接。"武昌地区是孙吴的冶铸业中心，主要生产兵器支援长江上流的军事重镇江陵的军需。陶弘景《刀剑录》记载，孙权黄武四年（公元225年），"采武昌山铜铁，作千口剑万口刀，各长三尺九寸，刀头方，皆是南钢越炭作之。"由此可见生产规模之大，技术之精。江南的会稽、丹杨、豫章等郡都产铜铁，所在均设置"冶令"，负责生产。建康的金银制造业也很发达。孙亮在宫中以金银作"小船三百余艘"[①]，孙皓"使尚方以金

① 《三国志·孙琳传》。

银作华燧、步摇、假髻以千数”[1]。

孙吴制瓷业的中心在浙江地区。孙吴瓷器在汉代釉陶的基础上有显著提高，瓷器的胎质、釉色、纹饰以及烧制技术都臻于完善，尤其是青瓷制造技术更为成熟。五十年代在南京光华门外赵士岗出土的青瓷虎子，上有“赤乌十四年上虞师袁作□”的铭文，可见制瓷工业有专门的技工队伍，制作认真，才在瓷器上刻下匠师名字。近年江苏镇江孙吴墓、浙江衢州市孙吴墓出土了近百件精美青瓷器，为我们研究孙吴的制瓷业提供了丰富的实物资料。

孙吴的造船业中心在建安郡侯官（今福建闽侯县）、临海郡永宁县（今浙江温州市）、横藇船屯（今浙江平阳县）、南海郡番禺县（今广州市）等港口。孙吴设置典船都尉，专门管理船厂工场。孙吴所造的船主要为军舰，其次为商船，数量多，船体大，质量高。最大的战舰可载三千士兵，有上下五层，雕镂彩画，非常壮丽。载马八十匹的海船称为小船。航行在南海上的商船，“大者长二十余丈，高去水三、二丈，望之如阁道，载六、七百人，物出万斛”[2]。孙吴武装船队一百余艘出海，随行将士一万余人，北上辽东、高句丽（今朝鲜），南下夷州（今台湾），这说明孙吴的造船技术和航海技术都是很发达的。孙吴灭亡时有舟船五千余艘。

此外，孙吴的铜镜业、丝织业、制盐业，也都十分发达。此不赘述。

孙吴发达的手工业，需要大量的劳动力和技艺工人。当时的战争提供了条件。一是南迁的百工之民，二是战争掳掠。建安四年（公元199年），孙策破皖城掳掠了袁术的部曲、鼓吹及百工之人三万余口。孙吴后期主要靠征发。孙休永安六年（公元263年）一次就征发交趾手工千余人送建业，从而激起了一次兵民的

① 《三国志·孙和何姬传》裴注引《江表传》。
② 《太平御览》卷二六九。

反抗[①]。至于造船业则使用大量的谪刑徒[②]。由此可见，孙吴大规模的官营手工业工场是用高压政策来维持的。

（五）兴建城市和交通 孙吴政权初起时在吴（今江苏苏州市），赤壁战后迁都京口（今江苏镇江市），筑京城。建安十六年（公元211年），孙权又迁都秣陵（今南京市），建石头城，改名建业。公元221年，孙权为夺取荆州，自建业徙都鄂，改名武昌（今湖北鄂州市）。从此，吴县、京口、建业、武昌四城成为孙吴的四大重要城市。孙权固有荆州后，又还都建业。孙吴修建的水陆交通以建业为中心向江南展开。在水利建设中从建业至钱塘的运道，就是隋代江南运河的前身。孙权赤乌八年（公元245年）凿破冈渎，使用屯田士及作士（工程兵）三万人凿句容中道，“自小其（今江苏江宁县境内）至云阳（今江苏丹阳县）西城，通会市，作邸阁”[③]。这条水道用以通吴会船舰，以避大江之险。又“凿城西开沟入秦淮，通吴越运船”[④]。

（六）大力发展商业 江南水运便利，孙吴造船业又发达，所以孙吴以水运为主的商业十分活跃。吕蒙偷袭荆州就用商船队作伪装，可见吴蜀两国的水上贸易规模很大。史载，建安二十四年（公元219年），孙权“遣校尉梁寓奉贡于汉，及令王惇市马”[⑤]。蜀汉建兴元年（公元223年），蜀邓芝使吴，“致马二百匹，锦千端，及方物”；吴“亦致方土所出，以答其厚意焉”[⑥]。吴魏也有大宗交易。孙权嘉禾四年（公元235年），“魏使以马求易珠玑、翡翠、玳瑁，权曰：此皆孤所不用，而可得马，何苦而不听其交易？”[⑦] 武昌是三国的贸易中心。孙权用江南方物及南海贸易之物交易吴蜀两国之马，用以补吴之所乏。马是重要的军事物资。孙吴最发达的商业中心是以都城建业为中心的长江中下游。建业城内有建业大市、建业东市、建业北市。孙吴的海外贸

---

① 《三国志·孙休传》。

② 《资治通鉴》卷八〇。

③⑤ 《三国志·吴主传》。

④ 《三国会要》卷七引《建康实录》。

⑥ 《三国志·吴主传》裴注引《吴历》。

⑦ 《三国志·吴主传》。

易以交、广二州为基地与古代南海林邑、扶南等数十百国交通。吴臣朱应和康泰曾率船队出使林邑、扶南等国，两人回吴后述其所闻，朱应撰《扶南异物志》，康泰撰《吴时外国传》。这些著作是古代中国人观察海外世界最早的著述。

四、孙吴时期的江南文化

由于北方士人的大量南迁，传统儒学在孙吴时期的江南迅速发展起来。彭城人张昭，少好学，善隶书，博览群书，与赵昱、王朗齐名。彭城人严畯，善《诗》、《书》、《三礼》及《说文》，与琅邪诸葛瑾、临淮步骘齐名。汝南人程秉，为郑玄弟子，博通五经。沛郡人薛综，从刘熙学，学识规纳，为吴良臣。汝南人胡综，博有文采。平原人刘惇，著名天文学家，著书百余篇。河南人赵达，擅长算学。南方士人，会稽虞翻、广陵张紘、吴郡韦曜（即韦昭）、华覈、会稽贺循都是大学者。丹杨唐固、吴郡陆逊、会稽阚泽也都是饱学之士。这些众多的南北士人，大都在孙吴中央枢要任职，有若群星灿烂，表明了孙吴政权十分重视知识文化，比较重用知识分子，在三国中推为第一。文人受重用，对于推动江南文化的高涨有着深远的影响。

孙吴政权十分重视教育，培养人才。孙休永安元年（公元258年）诏称："古者建国，教学为先，所以道世治性，为时养器也。……其案古置学官，立五经博士，核取应选，加其宠禄，科见吏之中及将吏子弟有志好者，各令就业。一岁课试，差其品第，加以位赏。使见之者乐其荣，闻之者羡其誉。以敦王化，以隆风俗。"① 这时吴国已在走下坡路，而对教育仍如此重视，在中国古代封建王朝中是少有的。在孙吴政权的大力推倡下，吴国的官学、私学都很发达。

孙吴学士著述如林，最值得一提的是天文历法。除刘惇、赵

① 《三国志·孙休传》。

达外，陆绩、王蕃、阚泽都是精通天文历法的学者。史称陆绩“博学多识，星历算数无不该览”[①]，著有《浑天仪说》，分周天为三百六十五又四分之一度，一百零七万一千里。王蕃著有《浑天象说》，纠正陆绩在理论上的舛误[②]。阚泽著《乾象历注》以正时用[③]。孙吴采用的是当时最先进的《乾象历》。

孙吴时期，江南文化的发展超过了北方，不仅缩短了南北差距，而且为尔后南朝学术的发展超过北方奠定了基础。

综上各节所述，孙吴政权对江南的开发，在江南经济文化发展史上是承先启后的。客观因素是汉末战乱和三国鼎立给江南的起飞创造了特殊的条件，例如高质量北方人口的大量南迁，孙吴的强制民族融合政策，都是战争的产物。主观因素，是孙氏立国江南，有一个中央集权的政治中心带动了对江南的开发。孙策、孙权都是聪明睿智的开明之主，重用人才，促进了历史的发展。陆机在他所作的《辩亡论》中对此有高度的赞扬，这是大家所熟知的，就不在此引述了。

（原载《兰州学刊》1988 年第 3 期）

① 《三国志·陆绩传》。
② 《全三国文》卷七二。
③ 《三国志·阚泽传》。

论三国时期的民族政策

三国时期曹孙刘三方都面临着复杂的民族问题，各自执行着不同的民族政策。大体说来，蜀汉以怀柔为主，孙吴以征讨为主，曹魏则两手交替使用，本文略述如次。

一、曹魏的民族政策

曹魏在北方，国境线长，民族问题最复杂。从东到西，国境内有乌桓、匈奴、氐、羌；塞外有鲜卑及东夷、西域诸民族。乌桓、匈奴、氐、羌还有一部分散居塞外。曹魏对国境内的乌桓、匈奴、氐、羌采取先征服，而后迁徙分散，调其租赋，征其兵役的政策，可称之为强制同化政策。对塞外的鲜卑实行分化怀柔和招诱内附的政策，历史上称为羁縻政策。曹魏对东夷、西域各部族国家主要用赐与贡的经济外交手段使之宾服，在鞭长莫及之地也辅以征讨迁徙。公元 246 年，幽州刺史毌丘俭征讨高句丽，就移其降民数百家于荥阳①。

① 《晋书·江统传·徙戎论》。

曹魏施行强制同化的民族政策，征调其兵役租赋增强国力，效果立竿见影。这一政策是曹操在统一北方的过程中制定并付诸实践的。其后田豫、梁习、牵招等人在推行中也获得了很大的成功。

乌桓　乌桓与鲜卑同为东胡，居东北塞外。东汉时乌桓内附，散居北方沿边诸郡。东汉末，乌桓种落繁衍，辽东、辽西、右北平三郡乌桓就有一万余落，数万之众。辽西乌桓大人蹋顿总摄三郡乌桓为袁绍后援，是一股很大的扰边力量。袁氏覆灭，袁尚、袁熙率残部奔逃三郡乌桓，“欲凭其兵力，复图中国”①。曹操为解除后顾之忧南下荆州，于公元207年亲征三郡乌桓，大破蹋顿于柳城，“斩蹋顿及名王已下，胡、汉降者二十余万口”②。随后曹操迁幽并两州沿边诸郡乌桓一万余落于内地，“帅从其侯王大人种众与征伐。由是三郡乌桓为天下名骑”③。

公元218年，并州代郡乌桓叛，曹操遣鄢陵侯曹彰征讨，“大破之，斩首获生以千数”，“北方悉平”④。

匈奴　东汉时南匈奴内附，居西河、北地、朔方、五原、云中、定襄、雁门、代郡等地，当今宁夏、陕北、晋北一带。东汉末匈奴种落繁衍，并州境内匈奴最盛强，有三万余落，十余万众，乘乱寇掠河内诸郡。汉末著名女诗人蔡文姬就在这时被匈奴掠去，公元192年曹操大破於扶罗单于于内黄（在今河南内黄西北）。公元195年于夫罗死，弟呼厨泉立为单于，助袁绍打内战。公元202年，曹操使钟繇围攻匈奴单于庭于平阳，呼厨泉归附曹操。公元206年曹操吞灭了并州牧高干，以梁习为并州刺史。梁习采取了一系列控制匈奴的措施。史称：

> 习到官，诱谕招纳，皆礼召其豪右，稍稍荐举，使诣幕府；豪右已尽，乃次发诸丁强以为义从；又因大军出征，分

① 《后汉书·乌桓传》。
② 《三国志·武帝纪》。
③ 《三国志·乌丸传》。
④ 《三国志·曹彰传》。

请以为勇力。吏兵已去之后，稍移其家，前后送邺，凡数万口；其不从命者，兴兵致讨，斩首千数，降附者万计。单于恭顺，名王稽颡，部曲服事供职，同于编户。边境肃清，百姓布野，勤劝农桑，令行禁止。[①]

从上可以看出，梁习是抚剿并施。首先，吸收匈奴上层豪右参与地方政府供职，使其脱离本兵；第二，征调匈奴壮者为“义从”、“勇力”，分发各地驻防和出征，弱者令为农，输纳课税；第三，迁其义从及勇力之家属凡数万口于邺城以为人质，施以教化；第四，兴兵讨其不服。

公元216年，呼厨泉单于入朝，曹操把他留在邺城，而使右贤王去卑回平阳监领匈奴部众。曹操更进一步分而治之，分匈奴为五部：左部一万余落居兹氏县（今山西汾阳县南）；右部六千余落居祁县（今山西祁县东南）；南部三千余落居蒲子县（今山西蒲县）；北部四千余落居新兴县（今山西忻县）；中部六千余落居大陵县（今山西文水东北）。每部立一匈奴贵族为大帅，另选汉人为司马以监督之。各部帅家属集中居于晋阳，诸侯王以下部众都下降为编户齐民[②]。这样一来，匈奴的部落组织实际上牢牢地控制在曹魏政权手中，加速民族的融合。魏末部帅改称都尉，进一步降低了职号。

氐、羌　两汉时期，氐人居于武都（郡治在今甘肃徽县）、汧陇（今陕西千阳）一带。羌人居于青海高原，东汉时内附的羌人大部居凉州东部各郡称东羌。汉末凉州的韩遂、关中的马超就以氐、羌为基干力量割据关中陇右。曹操讨平马超、韩遂及汉中张鲁后，“徙氐五万余落出居扶风、天水界”[③]。齐王曹芳正始元年（公元240年）又令雍州刺史郭淮徙氐人三千余落于关中。

鲜卑　鲜卑为东胡之一部，汉末兴起，尽据匈奴故地，东西万二千里，南北七千余里，是北方塞外最大的民族。曹魏对鲜卑

① 《三国志·梁习传》。
② 《晋书》卷九七《北狄匈奴传》及卷一〇一《刘元海载记》。
③ 《三国志·张既传》。

采取分化利用和招抚怀柔的政策。步度根、轲比能、池归泥、素利、弥加、厥机等大人均受封为王，听从持节护乌桓校尉节制。公元212年，河间郡田银、苏伯趁曹操西征关中之机发动起义，乌桓校尉阎柔使轲比能率三千鲜卑骑兵配合魏军镇压，很快平息了这次起义。魏文帝时田豫为乌桓校尉，解散鲜卑各部盟约，扶弱抑强，支持素利等部抗击轲比能，使其不相为一，互相攻伐①。轲比能用汉人为谋主勒御部众，习中国文字，用汉人教作兵器，日渐强大，时叛时附，有“控弦十余万骑”②。公元224年，田豫出塞，一度大破轲比能。后幽州刺史王雄领乌桓校尉，遣勇士韩龙刺杀轲比能，其后部众衰落。

曹魏还注意对边地各民族的教化工作。雁门太守牵招，择民有才识者诣太学受业，“还相授教，数年中庠序大兴”③。这无疑大大推动了边地各族人民接受先进汉文化的影响。西晋时匈奴左部都尉刘渊，自称汉高帝外孙之后，冒姓刘氏，后来建国号汉。刘渊曾“师事上党崔游，习毛诗、京氏易、马氏尚书，尤好春秋左传、孙吴兵法，略皆诵之，史、汉、诸子，无不综览”④。

二、蜀汉的民族政策

蜀汉的民族政策早在立国之前就确定了为和抚的方针，即“西和诸戎，南抚夷越”⑤。诸葛亮制定的民族政策是针对蜀汉的地理环境和民族地区经济文化条件提出的。蜀汉的统治中心在四川盆地，四围都是险峻的山地，居住着各种民族。益州东部与荆州交接的山区，即今川黔湘鄂交界一带地区有百蛮，总称五溪蛮夷。荆州西部的武陵郡最为集中，史称武陵蛮。巴、蜀以西以北有

① 《三国志·田豫传》。
② 《三国志·鲜卑传》。
③ 《三国志·牵招传》。
④ 《晋书·刘海元载记》。
⑤ 《三国志·诸葛亮传》。

西夷，主要为氐、羌；以南即今云贵地区和川西南今西昌地区有南夷，总称西南夷。南夷地区的民族有青羌、叟、嶲、僚、濮等多种民族，史称南中。蜀汉北伐秦川，西边的陇右是氐、羌的聚居地。蜀汉无论是立国，还是待天下之变出师北伐都面临着复杂的民族问题，所以诸葛亮在隆中对策中把和抚夷越作为建国大纲提出，是很有远见的。越人在荆州之南的交州，即今两广地区。蜀汉随着荆州的丢失，交州为吴所并，所以没有与越人发生关系。

西南夷地区，山峦起伏，交通不便，夷人被地理环境分割成许多互不统属的部族。汉武帝开通西南夷，虽然设置了郡县，终因交通阻隔，汉文化难以深入夷人村寨，所以大体是依其“故俗治”①。诸葛亮的和抚政策，实质仍是依其“故俗治”，具体做法即是以夷治夷，笼络夷人上层人物赐以王侯印号，使之归附。公元 222 年，先主刘备伐吴，遣马良入巴巫、武陵“招纳五溪蛮夷，蛮夷帅皆受印号，咸如意旨”②。刘备夷陵战败，武陵蛮被孙吴讨平，良亦遇害。

蜀汉建国之初，北与曹操争汉中，东与孙吴争荆州，对南中地区虽有邓方、李恢的经营，但还没有建立起巩固的统治关系。刘备死后，由于孙吴的策动，南中夷人豪帅与蓄意分裂的汉人大姓联合反对蜀汉。牂柯郡（今贵州六枝一带）太守朱褒，越嶲郡（今四川西昌）夷王高定，益州郡（今云南晋宁）大姓雍闿与夷王孟获等联通一气，于后主建兴元年（公元 223 年）同时叛乱。雍闿流益州郡太守张裔于吴。诸葛亮面对这一局势，没有立即进兵征讨。他首先安定内部，又和好于吴，切断叛者的外援。诸葛亮经过两年的充分准备，于建兴三年（公元 225 年）亲率三路大军南征，“五月渡泸，深入不毛”，三路大军会于滇池，“其秋悉平”③。

诸葛亮这次声势浩大的征讨，目的不在报复和剿杀叛乱，而是志在安抚，如同西汉宣帝时赵充国安羌，使夷人心服。声势浩大，在于迅速平定南中，施加深远的政治影响。诸葛亮采用了马

① 《史记·平准书》。
② 《三国志·马良传》。
③ 《三国志·诸葛亮传》及裴注引张俨《默记·后出师表》。

谡“攻心为上，攻城为下；心战为上，兵战为下”[①] 的策略，七擒七纵孟获，终于使他心服。孟获对诸葛亮说：“公，天威也，南人不复反矣。”[②]

诸葛亮平定南中以后，乘战胜之威，施行了一系列的安抚和改革，加强了对南中的统治。第一，“南中平，皆即其渠率而用之”，不留汉人做基层地方官，不留汉兵防夷人，既取得了夷人的信任，又节省了行政开支和免运军粮。第二，改划郡县，增置云南郡和兴古郡，分割叛乱夷人，加强控制。改益州郡为建宁郡以示永远太平。第三，削弱南中大姓、夷帅的势力，诸葛亮采取了如下措施：一是徙“南中劲卒青羌万余家于蜀”，加强蜀国兵力，号“飞校”[③]，二是将其留下的“羸弱”分配给大姓焦、雍、娄、爨、孟、量、毛、李等作部曲，并设置五都尉加以统管[④]；三是征其豪俊到蜀汉政权中做官。建宁爨习，朱提孟琰、孟获后来都随诸葛亮北伐，爨习官至领军，孟琰官至辅汉将军、虎步监，孟获官至御史中丞。第四，选用循吏和抚夷人。先后任来降都督的李恢、马忠和越西太守张嶷都是深得夷汉拥戴的循吏。第五，发展南中生产，赋出叟、濮及耕牛、战马、金银、犀革等人力物力充实军资，“国以富饶”[⑤]。

南中地区是蜀汉的大后方，诸葛亮治平之后解除了北伐的后顾之忧，“终亮之世，南方不敢复反”[⑥]。诸葛亮的和抚政策还使敌境曹魏陇右的氐胡羌夷也深受影响，倾心蜀汉。诸葛亮建兴六年（公元 228 年），首出祁山，大举北伐，平取陇右，目的就是安抚凉州羌戎，壮大实力，再取关中。果然，诸葛亮一出，魏国的南安、天水、安定三郡叛魏应亮。由于马谡不遵亮节度，失守街亭，使蜀军败回，但诸葛亮的和夷政策是有影响的。翼县人姜维归蜀。据近人顾颉刚先生考定，姜维为天下羌族之杰[⑦]。姜本

---

① 《三国志·马良传》附传《马谡传》裴注引《襄阳记》。

② 《三国志·诸葛亮传》裴注引《汉晋春秋》。

③④ 《华阳国志·南中志》。

⑤⑥ 《华阳国志·南中志》及《三国志·诸葛亮传》。

⑦ 《从古籍中探索我国的西部民族——羌族》，载《社会科学战线》1980 年第 1 期。

是羌人之姓。史称“西羌之本，出自三亩，姜姓之别”[①]。

诸葛亮死后，姜维为镇西大将军，领凉州刺史，继承诸葛亮的北伐事业。姜维多次出兵陇上，战洮西，进兵西平，始终活动在氐、羌等民族的聚居区，正是“自以练西方风俗，兼负其才武，欲诱诸羌、胡以为羽翼，谓自陇以西可断而有也”[②]。公元247年，姜维与魏将雍州刺史郭淮战于洮西，陇西、南安、金城、西平诸羌饿何、烧戈、伐同、蛾遮塞等响应，胡王治无戴等举部落降。由于蜀汉小弱，姜维多次出兵，劳而无功，甚至削弱了蜀汉的守备力量。但姜维的主观努力和北伐壮志是值得肯定的。他的和戎政策也是成功的。

三、孙吴的民族政策

孙吴据有荆、扬、交三州之地。少数民族，荆州西部有武陵蛮，交州有南越，扬州有山越。武陵蛮和南越是孙吴的边远地区，腹心地带主要是山越。孙吴统治中心地在扬州，山越人数也最多。孙吴不断设置新郡，目的是“立郡县以镇山越”[③]，高压征服，强取掠夺，以充军实和编户齐民。所以研究孙吴的民族政策，主要是研究对山越的征服和掠夺。

孙吴政权对山越的基本政策是高压征服，从孙策奠基到孙皓亡吴，始终如此[④]。这一政策是和吴国所处地理位置及其立国基础相适应的。吴国奠基于扬州，而山越居扬州人口之半，攘外必先安内，所以孙吴君臣都不遗余力镇抚山越。孙吴政权靠拥有部曲兵制的功臣宿将的支持而建立，这些功臣宿将往往父死子继领兵，他们补充部曲，主要对象就是掠夺山越。

① 《后汉书·西羌传》。

② 《三国志·姜维传》。

③ 《三国志·孙皓传》裴注引孙皓置郡诏。

④ 孙吴对荆州蛮夷采取同样政策，许多将领都参与了征服蛮夷的活动，但比起山越是一个次要问题，不赘述。

所谓山越，实际是半汉化了的越人后裔，遍布于江东各郡的山岭地区。在战国秦汉之际，我国东南沿海地区是越人的聚居地。在浙闽地区有东越和闽越，两广地区有南越和骆越。秦始皇统一中国，移中原秦民五十万于岭南与越人杂处。汉武帝平两越，在越人地区设置郡县，又大量移徙东越、闽越于江、淮间。经过西汉四百年的长期统一与融合，越人生活逐步汉化而成为封建王朝的编户齐民。但是，居于山岭地区的越人后裔，“白首于林莽”①，不入平地，不进市邑，不输租税，不服徭役，处于与世隔绝状态。还带有浓厚的氏族制遗俗，聚宗而居。这些山民史称“山越”、“山夷”、“山民”，或贬称“山寇”、“山贼”。山越之名始见于《后汉书》，到了《旧唐书》偶有提及，《三国志》、《晋书》、《南史》等书记载较多，这说明魏晋南北朝是山越的活动时代。《三国志·吴书》记载最活跃。这是因为汉末战乱，许多平原之民也逃入深山，壮大了山越的数量。

山越人民以农耕为生活，种植谷物，自织自帛。他们能用自出的铜铁铸造生产工具和兵器，说明有相当的技术水平。山越聚族而散居山中，所以史书又称山越为“宗民”，“宗部”，他们的部伍称“宗伍”，而称其豪首为“宗帅”、“大帅”。他们长年累世生活在深山，体壮剽悍。史称：“俗好武习战，高尚气力，其升山赴险，抵突丛棘，若鱼之走渊，猿狖之腾木。”②《凌统传》载，凌统就以山越“人多”而又“壮悍”，“可以威恩诱也”，而“得精兵万余人”。所谓的“威”，就是强力征讨，迫使山越壮者为兵，补充诸将部曲；所谓的“恩”，就是驱略山越人民下居平地为编户齐民，或为屯田民。

孙吴视山越为心腹大患，又欲驱略其民服兵役和垦田，所以自始至终贯彻了一条强征压服的路线，而不是招抚。主要策略是分割郡县，用能征惯战的高级将领去担任郡守县令，将山越分割征讨。如黄盖“凡守九县，所在平定”③。贺齐讨丹杨黟、歙山越，

①② 《三国志·诸葛恪传》。

③ 《三国志·黄盖传》。

孙权分歙县为始新、新定、黎阳、休阳和歙五县，加黟县共六县置新都郡，以贺齐为太守。孙权黄武五年（公元226年）所立东安郡就是分割丹阳、吴、会稽三郡险要地设置的，黄武七年罢置。江东五郡，经孙权、孙亮、孙皓相继分置，共有十四郡，即丹阳、吴、会稽、吴兴、新都、东阳、临海、建安、豫章、鄱阳、临川、安成、庐陵、庐陵南部。郡县增多，分割山越，便于控制。

诸葛恪在丹阳，采取芟刈禾稼的策略，长期包围山越，迫使其下山投降。史称他："罗兵幽阻，但缮藩篱，不与交锋，候其谷稼将熟，辄纵兵芟刈，使无遗种。旧谷既尽，新田不收，平民屯居，略无所入，于是山民饥穷，老幼相携而出。"[①] 由此可见，孙吴的招抚也是以高压逼迫为前提。比较而言，诸葛恪的围逼招降，比起贺齐等人的征讨掠杀算是轻一等的压迫。孙吴山越的地位，正如马克思所说的步利丹驴子所处的地位："它不是在两包干草之间，选择那一包较好，而是在两阵棒打之间，选择那一阵打得更痛。"所以诸葛恪的围逼招降比所有将领的征讨收效都大，三年间得甲士四万。

孙吴的高压掠夺政策，给山越人民带来深重的苦难，激起山越人民不断反抗。他们凭借深山险阻，经常揭竿而起，攻没郡县，杀掠官吏豪强。据林惠详《中国民族史》的统计，山越反抗孙吴政权的斗争，地域范围先后有六十余县，遍及江东各郡。反抗首领称"帅"的有十二人，称"名"而无衔的有二十三人，不出名的首领有十人。鄱阳彭绮自称将军，众数万。山越的反抗常常牵制了孙吴问鼎中原的力量。公元200年，孙权继父兄之业统领江东，曹操表为讨虏将军。孙权"分部诸将，镇抚山越，讨不从命"[②]，用了五六年的时间才巩固了统治。公元203年，孙权西征黄祖，"破其舟军，惟城未克"，由于"山寇复动"[③]，只好功亏一篑，还军讨山越。公元207年和公元208年，孙权行营柴桑，又两次亲征黄祖，虽然力征歼灭了黄祖，仍然由于山越的牵制，而未能动摇荆州。后

① 《三国志·诸葛恪传》。

②③ 《三国志·吴主传》。

来孙权与刘备争荆州，卑词侍魏，称臣纳贡，一方面是避免曹魏来攻，两线作战，再一方面就是山越反抗。所以陈寿在《贺全吕周钟离传》后评论说："山越好为叛乱，难安易动，是以孙权不遑外御，卑词魏氏。"吴蜀重新结盟，孙权令吴国使臣张温对诸葛亮解释说："若山越都除，便欲大构于丕。"① 这也说明讨服山越是孙吴内政的头等大事。孙权迟至公元 229 年才正式称帝，这时山越问题才算基本解决，国内政治较为稳固，孙吴力量增强。

对孙吴的民族政策，我们还须指出，山越已经是半汉化的民族，所以吴国以汉民政治和生活习俗直接施之于山越也就有了现实的基础，民族融合也就容易得多。换句话说，孙吴的民族高压政策，主要内容是阶级压迫。此外，山越反抗吴国的斗争夹杂着汉族豪族利用和曹魏的挑动，所以随着孙吴国势的发展和统治的巩固，山越反抗的事件和规模也就日渐减少和减弱。建安二年（公元 197 年），曹操表孙策为讨逆将军，封吴侯，领会稽太守，令其渡江北讨袁术；同时，曹操又表屯驻海西的吴郡太守陈瑀为安东将军，密令他趁孙策渡江后偷袭会稽、丹阳。陈瑀遣都尉万演等持印三十余纽与丹阳大帅祖郎、焦己及乌程严白虎等，策动山越内应②。又，孙权时，鄱阳尤突，丹阳费栈受曹操印绶，扇动山越反叛③，这些反叛不能视为反压迫起义。三国时互相策反，颠覆敌国是外交斗争的一部分。诸葛亮招诱鲜卑轲比能遥应北伐，与曹魏策动山越反吴都是同一的外交手段。魏、吴镇压受利诱的反叛者是完全正常的。陈寿评论"山越好为叛乱、难安易动"，尽管颠倒了主次，但也不能全盘否定。古代良史的直笔精神，难能可贵。

四、魏蜀吴三国民族政策之得失及其影响

三国时期，魏蜀吴施行了不同的民族政策，都获得了成功，

① 《三国志·张温传》。

② 《三国志·孙策传》裴注引《江表传》。

③ 尤突见《三国志·贺齐传》，费栈见《三国志·陆逊传》。

各方的民族政策基本上适宜于各自的国情，这是最值得珍视的历史教益。三国鼎立，生存竞争的严峻形势逼使各国统治者都要施行成功的民族政策。我们评价三国的民族政策要着眼于当时各自的国情，着眼于各自的得失和对后世的影响来看它是否成功，不能用一个尺度来比较孰优孰劣，当然更不能简单地只从民族压迫的轻重而言其得失成功，这才符合历史唯物主义观点。

从阶级观点来看，蜀汉的民族政策最成功，曹魏次之，吴国最劣。诸葛亮征服南中，不留汉官汉兵，民族压迫最轻。他采取的"攻心战术"使南夷心悦诚服归附蜀国，从而较为彻底地解除了北伐的后顾之忧。蜀国弱小，而能举行多次北伐，很大程度上应归功于诸葛亮民族政策的成功，造成了举国一致抗击曹魏的局面。姜维屡次北伐，更形成了蜀国与西北陇右各民族联合抗魏的局面。曹魏内迁北方各族与汉人杂处，实行分化强力控制的政策，也取得了很大的实效，边境稳定，国力增强。曹魏征调内迁各族服役纳课，同时也保留他们的部族组织形式，民族压迫重于蜀轻于吴。吴国征讨山越施行彻底的压服政策，解散山越的宗族组织，迫使下山为编户齐民，强者补兵，弱者补户，民族压迫最重。所以吴国遭到山越的强力反抗，起义此起彼伏，接连不断。尽管如此，孙吴国力仍然得到了很大的增强，吴兵半数是山越。前述孙吴诸将征讨山越简选精兵的数字就是生动的证明。黄盖在赤壁之战中写给曹操的诈降信也提供了证据。黄盖说："顾天下事有大势，用江东六郡山越之人，以当中国百万之众，众寡不敌，海内所共见也。"[①] 孙吴不仅兵源不足，而且劳力缺乏，所以把山越作为掠取的对象。几十万山越人民被编入部曲或郡县户籍，无疑也增强了吴国的经济实力。

从历史主义的观点来看，孙吴的民族政策最有利于民族融合，对后世产生了积极的影响。山越从山上被迁入平地，宣告了他们原先分散、闭塞、隔绝于世、老死林莽这一落后保守生活习俗的结束，客观上有利于山越民族的进步、进化。山越人民强者

① 《周瑜传》裴注引《江表传》。

为兵，弱者补户，使其社会组织与汉族化为一体，十分有利于语言习俗的交流，加速了民族融合。两族人民混一杂居，有利于生产技术的交流，共同推进了对江南地区的经济开发。不能说吴国的民族政策不成功，失败的说法更不能成立。诸葛亮的和抚政策，基本上不触动民族原有的落后习俗和社会组织，延缓了民族融合的进展，从历史的发展来看最不成功。这一点诸葛亮也十分清楚，他认为“纲纪粗定，夷汉粗安”①，不得不如此。明清时期对西南地区的改土归流，才是更加符合历史发展的民族政策。但在当时蜀国弱小的条件下，诸葛亮的和抚政策是最明智的。

北方的民族最复杂，曹操的内迁政策给西晋时期的五胡乱华播下了种子，产生了极为严重的后果，如何评价较为复杂。汉末战乱，中原人口锐减，曹操大量内迁边境民族，既稳定了边境，又增强了国力，是一箭双雕的收获。但是移民过多，打破了农耕文化的汉族与游牧文化的北方各族杂居人口比例的平衡，必然带来消极影响。和平的自然融合，先进文化的民族在人口上要占绝对的优势才有可能。奔逃入戎狄区域的少数汉民，只能是变服化戎，而不能化戎为汉。战国时楚庄蹻入滇，“变服，从其俗，以长之”②，就是证明。先进文化的征服者由于人口数量的绝对劣势，只好从俗化戎。元朝、清朝的统治民族被汉人同化，不仅仅是落后文化的征服者被先进文化的被征服者所同化，而且还应看到蒙古和满人进入汉族人口的汪洋大海，没有这一个条件大概是不可能的。汉末大乱，沿边汉民逃入乌桓、鲜卑、匈奴者不少，但他们在民族聚居地是绝对的少数，也就化为了乌桓、鲜卑、匈奴。三国西晋时，过量的北方各族迁入内地，造成了北方民夷杂处的人口比例失调，注定了不可能有和平的自然融合，一场大规模的民族冲突迟早要爆发。西晋的五胡乱华就是在这样的背景下发生的。当时具有卓识远见的政治家、军事家早有所陈，并提出了徙戎的解决办法。曹魏的邓艾，西晋的郭钦、江统都提出了徙

① 《三国志·诸葛亮传》裴注引《汉晋春秋》。
② 《史记·西南夷列传》。

戎的主张。邓艾说："羌胡与民同处者，宜以渐出之。"[1] 郭钦具体条列了分步徙戎的办法，并提出了徙汉民实边的主张，改变民夷杂处的人口比例失调[2]。江统的徙戎论重点论述了人口比例问题。他指出："关中之人，百余万口，率其多少，戎狄居半。"[3]并州大略也相当，而沿边诸郡，胡狄甚至过半。在古代，大规模的人口迁徙是司空见惯，江统等人的徙戎主张绝非空谈。从邓艾的"渐出之"，郭钦的分步移徙，以及江统的"传食"供给，都可证明他们的徙戎主张着眼于改变民夷的人口比例失调，是从安定社会有利各族人民和平相处提出的施政措施，而并不是出于民族主义的偏见。江统还指出曹魏"徙武都之种于秦川"，目的是"欲以弱寇强国，扞御蜀虏"。江统认为，"此盖权宜之计，一时之势，非所以为万世之利也"[4]。这是符合当时历史实际的。那种认为曹操对五胡乱华没有任何责任的说法，不是历史主义的观点；而不承认五胡乱华，更不是历史主义的观点。当然江统等人的徙戎论确也夹杂着民族主义的偏见，这是历史的局限，不必讳饰，不过我们不会因为泼污水把初生婴儿也一起倒掉。对江统等人的徙戎论应作实事求是的分析，才能符合历史唯物主义。

但是，西晋五胡乱华的主要责任不应由曹操来承担，而主要是西晋昏庸腐败的统治者造成的。晋武帝不采纳徙戎倒也无可厚非，但他好大喜功，不但不注视夷民杂处的人口比例失调，反而继续不断地大规模内移塞外民族，那是非常错误的。晋武帝先后四次迁徙塞外匈奴人居塞内，总计二十万余口，使塞内匈奴人口膨胀两倍，而又无曹操驭众的雄才大略，严重恶化了北方的民夷杂居形势。其后八王之乱，直接成了民族冲突的导火线。

五胡乱华给各民族都带来了深重的灾难，汉文化受到严重的摧残，是中国古代史上的一个黑暗时期。但是从历史辩证的观点来看，这只不过是中华民族发展史上的一个迴流。确切地说，这是人类历史在前进中必然付出的沉重代价。五胡乱华，轮流坐

① 《晋书·北狄匈奴传》。
②③④ 《晋书·江统传·徙戎论》。

庄，加速了民族融合的历史进程。如果说春秋战国时代的民族大融合造就了秦汉盛世；那么魏晋南北朝时期的民族大融合则揭开了隋唐盛世的序幕，可以说这又是历史的进步。鲜卑人不入主中原就不会产生北魏孝文帝的改革，这是无须证明的。我们再从历史发展的广阔地理环境来看，魏晋南北朝时期的民族斗争和民族大融合显然是历史的必然。中国是广阔亚洲大陆的一部分，这就注定了中国从古以来就是一个不断进行民族融合的多民族国家。由于中国在亚洲的东南角，东面和东南面是浩渺无际的大洋，西南面有高拔万仞的横断山脉阻隔，西面是青藏高原，北面塞外是辽阔万里的蒙古草原。在北方万里高原上，各种游牧民族像暴风雨般地飘忽来去，他们兴起后南下中原就成为中国严重的边患。一场民族斗争还没有结束，另一场新的民族斗争又接踵而来。而魏晋南北朝时期的民族斗争和民族大融合锤炼了中华民族，使之更加坚强、壮大和丰富多采。从这个角度来看，五胡乱华，客观上推进了历史的进程。民族斗争是民族融合的前提。小斗争小融合，大斗争大融合，这是一条必然的规律。只不过魏晋南北朝时期的民族大融合，各民族付出的代价略为沉重了些，本来是可以少付一些的。

最后，我们从三国民族政策的内容上来比较，曹魏的民族政策远比蜀吴两国充实，“怀柔”与“征讨”两手政策并行与交替使用，把北方复杂的民族问题处理得井井有条，所以我们说曹魏的民族政策比蜀吴两国都高明。五胡乱华，曹操徙戎内地之初，还不能掐指先知，所以不能过多地去追究曹操的主观责任，这是不言而喻的。假定曹操生当晋武帝之世，他一定会执行相反的政策，采纳徙戎论。因为像曹操这样的雄略人物，决不会乱兆已萌而熟视无睹的。

（原载《西北民族学院学报》1986 年第 1 期）

论诸葛亮出师

一、问题的提出

三国鼎立形成后，诸葛亮辅佐蜀汉后主，从公元223年到234年执掌朝政十一年。这期间魏蜀两国在大西北的关陇一隅先后进行了六次战争，因是诸葛亮发动的攻魏之战，故史称“诸葛亮出师”[1]。又因诸葛亮第一次出兵的主攻方向是陇山之西的天水祁山（今甘肃礼县东北），故讲说三国史的说书人称诸葛亮出师为“六出祁山”。所谓六出，实际上是五出攻魏，一次防御。六次战争，有四次在陇山以西的甘肃境内进行，只有两次在关中。按照《隆中对策》制定的战略，诸葛亮北伐应兵向秦川，须有荆州之兵攻向宛、洛呼应。但在实际执行时，诸葛亮出师的重心却在陇山之西，又无荆州之兵相配合，所以连战皆北，可谓劳而无功。以一生谨慎之诸葛亮，行此劳师疲民的无益之战，似未得计。这就难免引起后世史家的各种评议。与诸葛亮同时稍后的吴大鸿胪张俨所作《默记》，其中《述佐篇》[2] 比较司马懿与诸葛亮

---

① 《通鉴纪事本末》卷一〇。

② 《三国志・诸葛亮传》裴注引。

之优劣，设难问对，就对诸葛亮作了两种评议。

其一曰：

> 孔明起巴、蜀之地，蹈一州之土，方之大国，其战士人民，盖有九分之一也，而以贡贽大吴，抗对北敌，至使耕战有伍，刑法整齐，提步卒数万，长驱祁山，慨然有饮马河、洛之志。……若此人不亡，终其志意，连年运思，刻日兴谋，则凉、雍不解甲，中国不释鞍，胜负之势，亦已决矣。

其二曰：

> 或曰，兵者凶器，战者危事也，有国者不务保安境内，绥静百姓，而好开辟土地，征伐天下，未为得计也。诸葛丞相诚有匡佐之才，然处孤绝之地，战士不满五万，自可闭关守险，君臣无事。空劳师旅，无岁不征，未能进咫尺之地，开帝王之基，而使国内受其荒残，西土苦其役调。魏司马懿才用兵众，未易可轻，量敌而进，兵家所慎；若丞相必有以策之，则未见坦然之勋，若无策以裁之，则非明哲之谓，海内归向之意也。

两种评议，截然相反。前一种观点肯定诸葛亮北伐，称赞他以弱抗强。功业未成，归咎于诸葛亮早丧，非才不济。后一种观点，批评诸葛亮不能权衡事势，盲目用兵，非明哲之士。张俨裁断，赞成前一种观点，驳斥后一种议论，而又作了如下的发挥：

> 盖闻汤以七十里，文王以百里之地而有天下，皆用征伐而定之。……今蜀魏为敌战之国，势不俱王，自操、备时，强弱悬殊，而备犹出兵阳平，禽夏侯渊。……今仲达之才，减于孔明，当时之势，异于曩日，玄德尚与抗衡，孔明何以不可出军而图敌邪？昔乐毅以弱燕之众，兼从五国之兵，长驱强齐，下七十余城。今蜀汉之卒，不少燕军，君臣之接，信于乐毅，加以国家为唇齿之援，东西相应，首尾如蛇，形

势重大，不比于五国之兵也，何惮于彼而不可哉？夫兵以奇胜，制敌以智，土地广狭，人马多少，未可偏恃也。余观彼治国之体，当时既肃整，遗教在后，及其辞意恳切，陈进取之图，忠谋謇謇，义形于主，虽古之管、晏，何以加之乎？

细细推敲，张俨的评论却是自相矛盾。如果说操、备之时，强弱悬殊，而备犹出兵阳平，但是刘备却胜利了，他擒斩了夏侯渊，夺得了汉中。如果说诸葛亮出兵之时，强弱形势，异于曩日，优于乐毅之伐齐，有利蜀汉用兵，但是诸葛亮却失败了，未有尺寸之功，又该作何解释呢？既然“兵以奇胜，制敌以智”，而不应偏恃“土地广狭，人马多少”，但诸葛亮毕竟失败了，是“智”呢还是“不智”，这就不能自圆其说了。战争不只是军事的角力，而是政治、经济、军事、外交、谋略等等综合的社会力的较量。平心而论，上述各种观点都有合理的部分，然而都不免各有所偏。就以个人才智而论，有治国之才，有军事之才，有外交之才，也有数者兼善的全才。但全才毕竟不多，而任何一个全才也必有所短。曹操算是一个全才了吧？但他权诈奸猾，道德不济，影响了他完成统一大业，亦是一短。在三国人物中，诸葛亮也是一个全才，既能治国，又能讲武，更兼忠贞亮节无与伦比，但他过于谨慎，预事太细，总是一短吧？诸葛亮出师，蜀弱魏强，打消耗战绝无胜利的希望，这一客观形势非人谋所能补救。但以智奇制胜，化弱为强，如田单之攻燕，对于诸葛亮出师，也并非绝无这样的机会。陈寿评论诸葛亮长于治国，短于将略，不能说没有几分道理。陈寿盛赞诸葛亮治国，谓为“识治之良才，管、萧之亚匹”，而论其用兵则说：“连年动众，未能成功，盖应变将略，非其所长欤！”[①] 陈氏的评论，引起了后人的许多不平。《晋书·陈寿传》说诸葛亮斩马谡，寿父连坐被髡刑，寿挟私怨而贬抑诸葛亮，考其实，“此真无识之论也”[②]。在《三国志》中，

① 《三国志·诸葛亮传》陈评。

② 赵翼：《廿二史劄记》卷六。

《诸葛亮传》是最佳之传，评语对诸葛亮推崇备至，赞其治国刑赏得当，深得民心，至于“应变将略，非其所长”，也只是实录。

但是，若说诸葛亮不善用兵，他何能以一州之众，抗衡三分天下有其二的曹魏大国呢？“死诸葛走生仲达”[①] 并非虚构。甚至诸葛亮的对手司马懿，在诸葛亮病殁，蜀军退出五丈原后，案行其营垒处所，曰：“天下奇才也！”蜀军在秦岭山中自来自去，不仅曹魏诸将非诸葛之敌，而且即使司马懿也稍逊一筹。诸葛亮治军有方，训练有素，蜀军将弱兵强，临阵对敌，常占上风。诸葛亮还创八阵图，行军扎营，安静而坚重，即使退却，魏军也无隙可乘。魏军勇将王双，名将张郃还因追击蜀军而兵败身亡。诸葛亮善于用兵打仗，也是不容置辩的。

那么诸葛亮北伐，为什么屡出无功？应当怎样来评价诸葛亮出师的功过是非呢？又如何吸取诸葛亮出师的历史教训呢？这些就是本文下面所要讨论的问题。

二、诸葛亮出师时的形势及战略目的

蜀汉君臣的政治路线是混一天下，“兴复汉室，还于旧都”。如何实现这一理想，这就是要走三分天下的道路。这条路线是诸葛亮早在《隆中对策》中为刘备赞画的大计，可称之为隆中路线。对策是这样说的：

> 将军既帝室之胄，信义著于四海，总揽英雄，思贤如渴。若跨有荆益，保其岩阻；西和诸戎，南抚夷越；外结好孙权，内修政理；天下有变，则命一上将，将荆州之军，以向宛、洛；将军身率益州之众，以出秦川，百姓孰敢不箪食壶浆以迎将军者乎？诚如是，则霸业可成，汉室可兴矣。

---

① 《诸葛亮传》裴注引《汉晋春秋》。

兴复汉室，就要讨伐曹操，北定中原。由于曹操“拥有百万之众，挟天子以令诸侯。此诚不可与争锋”，所以不得不走曲折的道路，即东连孙权，北抗曹操。赤壁战后，刘备势力顺利发展，一步步实现着隆中路线。建安二十四年（公元 219 年），刘备取得汉中，建立了北出秦川的基地，势力鼎盛，眼看北伐的条件就要成熟。谁知事难逆料，接连发生了关羽丢失荆州之战，刘备东出夷陵之败，蜀汉的事业几乎毁于一旦。诸葛亮在《后出师表》中沉痛地总结了这一历史的教训。他说：“先帝东连吴、越，西取巴、蜀，举兵北征，夏侯授首，此操之失计而汉事将成也。然后吴更违盟，关羽毁败，秭归蹉跌，曹丕称帝。凡事如此，难可逆见。”① 诸葛亮制定隆中路线时，刘备还处在颠沛流离之中，所以头脑冷静，策略稳妥。隆中路线的核心是三分天下，联孙抗曹。但是，当蜀汉势力强大以后，贸然改变了隆中路线，不把孙吴放在眼里，轻躁冒进，造成两线作战，遭到惨败。假如关羽北伐与孙吴俱进，孙权是腾不出手来争荆州的。如果未能与孙吴协同步调，就不宜轻出，按兵守土，荆州是绝不会丢失的。痛定思痛，使诸葛亮认识到再不能轻躁冒进，联孙抗曹的路线不能有丝毫动摇。

夷陵战后，同盟破裂，曹魏坐收渔人之利，形成了蜀弱、吴孤、魏强的局面，蜀、吴两国处于被各个击破的危险境地。但是曹魏集团也未能利用好这一形势。曹丕既没有在吴蜀交兵时趁机伐吴②，也没有在夷陵战后乘蜀弱进兵汉中。刘备死后，曹丕又低估了诸葛亮治蜀，全力压迫孙吴，威逼孙权投降，纳贡质子。公元 222 年十月，曹丕亲率大军由许昌南下，屯驻南阳，指挥魏

① 《后出师表》载《三国志·诸葛亮传》裴注引张俨《默记》。清人厌恶表中“先帝虑汉、贼不两立，王业不偏安”之语，御用文人造出伪撰之说，理据无凭，今不取。

② 《三国志·刘晔传》裴注引《傅子》载，吴蜀相攻，刘晔言于曹丕曰：“今天下三分，中国有其八。吴、蜀各保一州，阻山依水，有急相救，此小国之不利也。今还自相攻，天亡之也。宜大兴师，径渡江袭其内。蜀攻其外，我袭其内，吴之亡不出旬月矣。吴亡则蜀孤。若割吴半，蜀固不能久存，况蜀得其外，我得其内乎！”曹丕不听，接受孙权称臣，失去了灭吴的战机。

军三路攻吴。曹休出洞口（安徽和县）临江（指向建业上流），曹仁出濡须（安徽巢县东南），曹真围南郡（湖北江陵）。孙权临江拒守，分路抗敌。同时，孙权卑辞上书，求自改厉，魏军退还。公元223年，曹仁又发动了攻吴的江陵之战。公元224年九月，曹丕再次亲率大军征吴，从广陵南下，直指建业，又命荆、扬州诸军并进，临江而还。曹魏连年攻吴，虽然未能逾越天堑，却压迫得孙权喘不过气来，在降与战的十字路口上徘徊。没有蜀国的声援，孙权深感孤立，也认识到吴蜀联盟是两国共存的生命线。正当吴国在十字路口上徘徊的时候，诸葛亮不失时机地主动遣使联吴，释怨修好，恢复了联盟。公元223年十月，邓芝使吴，用唇齿相依的道理说服孙权绝魏联蜀。公元224年四月，吴派张温使蜀，邓芝再次使吴，从此吴蜀两国信使往来不绝。公元229年孙权称帝，遣使来报，蜀汉议者主张与吴绝交。诸葛亮说："权有僭逆之心久矣，国家所以略其衅情者，求犄角之援也。……若就其不动而睦于我，我之北伐，无东顾之忧，河南之众不得尽西，此之为利，亦已深矣。权僭之罪，未宜明也。"[①] 于是遣卫尉陈震使吴，庆贺孙权称尊号，重申盟好，中分天下。徐、豫、青、幽属吴，兖、冀、并、凉属蜀，其司州之土以函谷关为界。从此，吴蜀两国建立了比较巩固的联盟，东西相应，迫使曹魏处于守势[②]，吴、蜀转为进攻。

诸葛亮在重修吴蜀盟好的同时，加强了内政的治理，整屯吏治，举贤任能。拔犍为太守功曹杨洪为蜀郡太守，起用广汉郡名士秦宓任别驾、左中郎将、长水校尉，调整了统治集团的内部关系，蜀中人士，大为欢悦。政治稳定后，大力奖励耕战，务农殖谷，治戎讲武。公元225年，诸葛亮进兵南中平叛，巩固了后方。他七擒七纵南夷酋长孟获，务在心服南夷，取得了预期的效

---

① 《三国志·诸葛亮传》裴注引《汉晋春秋》。

② 曹丕三次征吴失利，魏国谋臣贾诩、辛毗、鲍勋等均主张休兵息民先文后武。辛毗说："今日之计，莫若养民屯田，十年然后用之，则良役不再举矣。"魏明帝曹叡即位后，散骑常侍孙资再次提出守险致敌，疲弊吴蜀的策略。于是曹魏东戍合肥，南守襄阳，西固祁山，吴蜀轮番进攻，岿然不动，果如其计。见《明帝纪》及各传注。

果。诸葛亮和夷后，征收南中出产的金、银、丹、漆、耕牛、战马以给军国之用，还挑选了劲卒万人编入蜀军，号为“飞校”，加强了蜀汉的实力。

诸葛亮经过几年的励精图治，蜀国出现了“田畴辟，仓廪实，器械利，蓄积饶”[①] 的富强局面，还训练了一支近二十万人的精兵。吴蜀联盟巩固。此时北伐，万事俱备，只欠“天下有变”这一东风。东风一来，兵向秦川。于是蜀建兴五年（公元227年）三月，诸葛亮调整了蜀国的军事部署，留护军陈到驻永安，以防备孙吴，调前将军李严移屯江州（四川重庆）为后援，自己亲率大军北驻汉中。临发，诸葛亮上《出师表》陈述出师北伐的战略目的。他说：“今南方已定，兵甲已足，当奖率三军，北定中原，庶竭驽钝，攘除奸凶，兴复汉室，还于旧都。”又说：“愿陛下托臣以讨贼兴复之效；不效，则治臣之罪，以告先帝之灵。”可见诸葛亮充满了必胜的信心，他以完成天下的大业为己任，即所谓“慨然有饮马河、洛之志”。只是蜀汉已失荆州，没有荆州之兵以向宛、洛呼应，所以诸葛亮北伐，不是直出秦川，而是绕出陇右，先取凉州，次取关中，然后东向以争中原。诸葛亮的这一战略计划，从他首次出兵，不纳魏延进兵关中之策而西出祁山可以得到明证。本文将在下一节评述。

但是，由于诸葛亮几次出师均告失败，于是有一种观点认为，诸葛亮北伐，只是“以攻为守”，而“经略中原到这时已竟变成理想”[②]。这种鉴于失败的事势分析的观点，绝非诸葛亮的本志。因为“以攻为守”只可在两军决战中作为战术应用，而绝不可用为以弱抗强的基本国策。弱国对抗强国，“以攻为守”，不仅在理论上和实践上不能成立，而且在中国古代的分合历史演变中也找不到这样的实例，更与魏蜀对抗的史实不相符。《孙子兵法》云：“故善战者，致人而不致于人。”[③] 所以诸葛亮攻围祁山，魏

① 《三国志·诸葛亮传》裴注引《袁子》。

② 史念海：《河山集·论诸葛亮的攻守策略》。但最早提出“以攻为守”论点的是清人王夫之，见《读通鉴论》卷一〇。

③ 《三国志·明帝纪》裴注引《魏书》。

明帝说："亮阻山为固，今者自来，既合兵书致人之术，……破亮必也。"[①] 诸葛亮若是以守土偏安为国策，正确的策略是休兵息民，守险待敌，而绝不会在崇山峻岭之中去空劳师旅，疲敝兵民了。固"守战之力，力役参倍"[②]，攻不足则守有余。以一州之众的弱蜀抗衡强魏，"以攻为守"，何利之有？不仅诸葛亮的北伐不是"以攻为守"，而且后来姜维的连年动众也不是"以攻为守"。《三国志·姜维传》云："维自以练西方风俗，兼负其才武，欲诱诸羌、胡以为羽翼，谓自陇以西可断而有也。"所以姜维把进兵的基地从汉中移至沓中（今甘肃宕昌之西），全力夺取陇右以屏卫蜀汉，进而取关中，争中原。

汉中是蜀汉的北大门，进可攻，退可守。法正劝刘备进兵汉中之时就已制定了攻守策略。法正说："举众往讨，则必可克。克之之日，广农积谷，观衅伺隙，上可以倾覆寇敌，尊奖王室，中可以蚕食雍、凉，广拓境土，下可以固守要害，为持久之计。"[③] 退守策略乃是"固守要害，为持久之计"。"固守要害"就无须驻重兵，则可休兵息民，养蓄国力。延熙六年（公元 243 年），大将军蒋琬由汉中退屯涪城（四川绵阳），留兵三万守险。魏将曹爽在第二年率十余万大军进攻汉中不能取。蒋琬退涪，实际是放弃北伐，转为守土保民。费祎继任，坚决执行蒋琬的方针，截制姜维蚕食魏境，"与其兵不过万人"[④]。费祎对姜维说："吾等不如丞相亦已远矣；丞相犹不能定中夏，况吾等乎！且不如保国治民，敬守社稷，如其功业，以俟能者，无以为希冀徼幸而决成败于一举。若不如志，悔之无及。"[⑤] 诸葛亮死后的蜀汉，费祎采取守土保民的方针无疑是明智的，可惜姜维把它破坏了。费祎死后，姜维执掌军政大权，连年动众，消耗了国力，蜀汉不久也就先吴而亡了。

"先帝虑汉、贼不两立，王业不偏安，故托臣以讨贼也。以先帝之明，量臣之才，故知臣伐贼才弱敌强也；然不伐贼，王业

①② 孙资语，载《三国志·孙资传》裴注引《资别传》。

③ 《三国志·法正传》。

④⑤ 《三国志·姜维传》及裴注引《汉晋春秋》。

亦亡，惟坐待亡，孰与伐之？是故托臣而弗疑也。臣受命之日，寝不安席，食不甘味，思惟北征，宜先入南，故五月渡泸，深入不毛，并日而食。臣非不自惜也，顾王业不得偏全于蜀都，故冒危难以奉先帝之遗意也，……臣鞠躬尽力，死而后已，至于成败利钝，非臣之明所能逆睹也。”[1] 诸葛亮凄怆悲凉，念念不忘北伐中原，所以他的用兵绝不是“以攻为守”。诸葛亮驻屯汉中，采取的是进攻的策略，其战略是“蚕食雍、凉，广拓境土”，徐图中原。所以政治、经济、军事都执行的是战时体制。刘备在时，亲率大军督阵征讨，诸葛亮驻守成都，“足食足兵”[2]。现在由诸葛亮亲临前线，以副手蒋琬等统留府事，“足食足兵”[3]。蜀国政治、经济的第一要务是“足食足兵”四个字，即不断地保障供给前线，运送粮饷，补充兵源。用今天的话说，就是一切为了前线，一切为了战争。《后出师表》情调有些低沉，这是因为第一次北伐失败，形势起了变化。曹魏加强了关陇的防务，诸葛亮夺取雍、凉更加困难了。但是成事在天，谋事在人，诸葛亮明知“民穷兵疲”，但“事不可息”，所以抱着“鞠躬尽力，死而后已”的耿耿忠心来行事了。总上论述，说明诸葛亮出师，其战略目的并非“以攻为守”，而是要夺取雍、凉，广拓境土，增强蜀汉。终亮之世，屯驻重兵于汉中，最后出师秦川，病逝五丈原，虽然是“出师未捷身先死”，但诸葛亮夺取关中的用兵志略却是十分明显的。

三、诸葛亮出师经过及其失败原因

诸葛亮出师的汉中是一个地形险要的盆地，物产丰富，交通四达。汉中在关中的正南，中间横着一道秦岭。从汉中北出秦岭，兵下秦川可夺取关中，这是汉高祖因之以成帝业的出兵方

① 《后出师表》。
② 《三国志·诸葛亮传》。
③ 《三国志·蒋琬传》。

向。从汉中西出经武兴（陕西略阳），向西北迂回祁山（甘肃礼县东北）可断陇右。从汉中东出可直向宛、洛，或循汉水南下攻襄阳，或迂回武关取长安。但从汉中东出，被广袤的豫鄂山地所阻，道路险远，必须占领西城（陕西安康）、上庸（湖北竹山）、房陵（湖北房县）等汉水中上游的名城重镇作为前进的基地。诸葛亮很重视上庸基地的建立。公元 219 年刘备得汉中伊始，立即命令宜都太守孟达从秭归北上，命副军中郎将刘封从汉中东出，两路夹击上庸。魏将申耽、申仪兄弟降蜀。刘备加申耽征北将军，领上庸太守，以耽弟申仪为建信将军，领西城太守，刘封、孟达共守房陵。按隆中路线出兵，荆州之兵北向宛、洛，益州之众北出秦川，则上庸之师可居中策应。但事势的发展违背了诸葛亮的神机妙算。刘封、孟达二人是两员虎将。诸葛亮（以及刘备）命刘封、孟达共守房陵，主观愿望是加强上庸基地的建立，客观效果是两人大搞摩擦。所以关羽荆州败北向上庸求援，二人竟坐视不救。结果荆州丢失，孟达及申氏兄弟投魏，刘封败回成都，蜀汉丧失了上庸基地。诸葛亮北伐，从汉中东出的道路即被阻塞。退一步说，即使上庸在蜀汉手中，若无荆州之兵北上，这一路也不是正兵，只能是牵制曹魏河南之兵的一个侧翼。

堂堂之师，正正之旗，应当是北出秦岭，据有关中，扼守潼关，居高临下东向以争天下，则可稳操胜利之左券。西汉建国，隋、唐统一，李自成大顺军攻克北京，都是成功的例证。近的例证是董卓据长安，关东诸侯，无如之何。所以进据关中是诸葛亮北伐的战略目的。

从汉中北入关中，跨越秦岭，主要有三条谷道，由西向东为褒斜道、傥骆道、子午道。东道子午道最险远，有 660 里的高山险谷。这条通道，南段叫午谷，北段叫子谷。子谷谷口在长安之南。所以东道虽然险远，但可出其不意，直插长安。中道傥骆道最近，谷长 420 里。蜀军出中道，可陈兵武功，对长安的威胁也很大。西道褒斜道较为宽坦，有 470 里的山谷。南段叫褒谷，谷起褒城，在汉中郡治南郑北面。北段叫斜谷，谷口在陕西眉县西南三十里。褒斜道中段有一条西出折而向北的支道叫箕谷，往北经散关即达陈仓。蜀军出褒斜道，前据雍眉，可屏断陇右。从总的地理形势来看，关中有 800 里秦川，陈仓在川原之西，长安在川原之东，东西距离 500 余里，回旋余地大；而汉中只是一个狭小的盆地，三条通道如车辐之聚于车毂。因此，由北向南攻，可诸道并出，居高临下会聚汉中，任何一条通道都无被截断之虞。曹魏的几次攻蜀都是诸道并进。反之，由汉中北伐，三条通道呈辐射状，若诸道并进，出谷后因分散在秦川东西 800 里川原上不易集中，而且东道全线在魏境，因此，诸葛亮北出秦岭只能走中道或西道。建兴五年诸葛亮驻屯汉中，经过了一年的临战准备，又争取了魏新城（郡治即房陵）太守孟达归蜀，可藉以牵制曹魏河南军，诸葛亮认为时机已到，在建兴六年（公元 228 年）正月出师攻魏，发动了第一次北伐战争。

诸葛亮进军的部署是声东击西，扬言由斜谷取眉，而实际西出祁山，夺取陇右。诸葛亮只派出赵云、邓芝率领少量人马据守褒斜道中段的岔口箕谷作为掩护大军的侧翼。曹魏方面，全力伐吴，认为刘备死后，蜀汉“数岁寂然无声，是以略无备预”①，关中、陇右防务空虚。诸葛亮出师，“戎陈整齐，赏罚肃而号令明”②，兵力集中，声势浩大，曹魏“朝野恐惧，陇右、祁山尤甚”③，于是“南安、天水、安定三郡叛魏应亮”，蜀军顺利地进至天水地区。

但是，诸葛亮攻占祁山后，蜀军受到阻滞。陇西（郡治襄武，今甘肃陇西东南）太守游楚坚守，雍州刺史郭淮保据上邽（甘肃天水市）。当蜀军攻下上邽时，曹魏援军已诸道上陇。诸葛亮坐镇西县（天水市西南）为后援，命马谡督率诸军渡过渭水，据守街亭战略要地。于是魏蜀两军在街亭发生了一场争夺陇右的激战。

由关中入陇要翻越大陇山和六盘山，主要有两条大道。一条从长安沿泾河西上经甘肃平凉翻六盘山入陇，南下庄浪可达街亭。这条道路比较迂远。再一条从长安沿渭水西上，经雍（陕西

①②③《三国志·诸葛亮传》及裴注引《魏略》。

凤翔）、陇县翻越陇坻直下街亭，这是最近便的一条大道。魏将张郃率步骑五万西救祁山正是从此道而来。街亭即两汉之略阳古城，隋唐改称陇城，在今甘肃秦安东北九十里之陇城镇，是古代通往关中、天水、安定、金城的总路口，东距张川县六十里，南距天水一百二十里，北距庄浪七十里。街亭地势险要，古城坐落在一条狭长的川地上，南北二山夹川对峙。川原宽约一至四华里不等。略阳川水由东向西流贯其间。古城南托南山，北临河水，控扼着东西南北的交通。蜀军据守街亭，就可以阻断魏军入陇西，如果失去街亭就不能在渭水北立脚。马谡违亮节度，“依阻南山，不下据城”，张郃“绝其汲道，击，大破之”[①]。据守箕谷的赵云、邓芝军因兵少亦被魏大将军曹真击败。诸葛亮的第一次北伐就这样以失败而告终。

同年十二月诸葛亮第二次出师，北出散关，围陈仓。这是一次仓猝出征。因八月吴将陆逊大破魏军于石亭（今安徽潜山东北），魏军东下，关中虚弱，诸葛亮趁势出兵。但魏将郝昭已有准备，据城坚守，以千余精兵抗拒数万蜀军的进攻。诸葛亮围城二十余日不能拔，粮尽而还，斩魏追将王双。

建兴七年（公元229年）春，诸葛亮第三次出师，派将军陈式西出阳平关攻取魏武都（郡治在今甘肃成县西北）、阴平（郡治在今甘肃文县西北）二郡，获得一次小胜。曹魏的这两个边郡突入在蜀汉境内，正挡在益州通往汉中的大道之侧，诸葛亮全力以争，夺取二郡屏蔽汉中、益州。曹魏救援二郡，鞭长莫及。公元219年曹操退出汉中时就预知二郡不能守，迁其民氐人五万余落于扶风、天水界。所以诸葛亮这次出征是一次小胜。

建兴八年（公元230年），魏大司马曹真建言数道并伐蜀。九月，司马懿沿汉水向西城，张郃出子午谷，曹真出斜谷，郭淮出建威（祁山之南），会聚汉中。诸葛亮命李严从江州率军两万入援汉中，命魏延西入羌中（成县西北）截击郭淮，自己亲率大军屯驻成固迎敌。正巧天下大雨连绵三十余日，阻滞了魏军的行

① 《三国志·张郃传》。

进。九月魏明帝下令退兵。魏延击败郭淮于阳谿（甘肃渭源东北），得胜而还。

建兴九年（公元231年），诸葛亮第四次出师。这次是趁魏军无功退还之机，再出祁山。魏明帝命司马懿代曹真为大将军，督张郃、郭淮等迎击蜀军。魏蜀两军相持于上邽。蜀军运粮不继，退还汉中，张郃追击，在木门（天水西南）中伏毙命。

诸葛亮鉴于连年出师无功，决心进行更加充分的准备，然后大举北伐，“亮休士劝农于黄沙，作流马木牛毕，教兵讲武”①。驻屯汉中的士兵实行“十二更下，在者八万”② 的轮换制度，兼顾兵农。诸葛亮还改革了阵图、战法，创连弩、木牛、流马。又在斜谷建立邸阁预先屯粮，用木牛流马运。经过了近三年的准备，于建兴十二年（公元234年）二月，诸葛亮率十余万由斜谷大入，直指眉、雍，约吴同攻。四月，蜀军至眉，军于渭水之南原。司马懿已先期渡渭，也在南原背水为垒，短兵相持，阻止蜀兵渡渭。司马懿坚壁不出，以待蜀军粮尽退还时追击。诸葛亮也下定决心，持久相抗，“分兵屯田，为久驻之基”③。魏蜀两军相持百余日，八月，诸葛亮病逝五丈原，蜀军退还。诸葛亮出师北伐曹魏的战争，于此结束。

诸葛亮北伐，在战略上形成了与曹魏打消耗战，在外交上又未能取得吴国的配合，这就注定了蜀汉不能逃脱失败的命运。也就是说诸葛亮北伐失败的根本原因是魏强蜀弱。曹魏奄有整个黄河流域，兵强马壮，有带甲四五十万，人才济济，勇略兼备，应付东西两线作战而有余。蜀汉偏据一州，兵弱将寡。诸葛亮惨淡经营，才养成了一支不到二十万人的军队，又要留守后方，又要东防孙吴，又要维持运输粮饷，所以每次用兵不过十余万人，投入第一线的兵力只有数万，因此只能集中使用于一个方向，不能数道并出。难怪魏延请兵万人异道，诸葛亮都不允许，真是捉襟见肘。孙吴伐魏，魏伐吴、蜀，均是多道并进，尚不能取胜，何

---

① 《三国志·后主传》。

② 《三国志·诸葛亮传》裴注引郭冲五事。

③ 《三国志·诸葛亮传》。

况诸葛亮只用于一个方向！不致大败已属万幸，取胜的机会实在渺茫。蜀汉经济衰弱。诸葛亮出师运粮不继，不单是道路崎岖，人力单薄、牛马寡少更是主要原因。在政治上，魏明帝曹叡不失为一个明主。他刚毅果断，察纳雅言，决策正确，反应迅速，秦始皇、汉武帝之匹①，这是暗弱的刘禅不能比拟的。诸葛亮第一次出师，曹叡亲镇关中，迅猛地调兵遣将入援，挽救了关中不备的危局。诸葛亮第五次北伐，这是一次难得的吴蜀步调一致的协同作战。四月蜀军入秦川，五月孙权大举攻魏，亲率十余万大军向合肥，使陆逊、诸葛瑾向襄阳，孙韶、张承向广陵，三路齐出，来势凶猛。甚至智勇足备的魏将满宠也准备退出合肥以避吴锋。曹叡果断地采取了西守东攻的正确策略，使辛毗杖节监军，令司马懿坚壁不出，自己亲率大军东征。曹叡这一坚强有力的行动，使孙权闻风丧胆，不战而退，打破了吴、蜀的联合进攻。诸葛亮又陷入了孤军作战的困境，一筹莫展，积劳成疾而病逝五丈原。曹叡还采纳了臣下休兵息民，以逸待劳，疲弊吴、蜀的建议，养蓄国力，促进了政治、经济、军事实力的增长，为统一中国打下了坚实的基础。诸葛亮连年动众，北伐后期已是师劳民疲，陷于内外交困之境②，而曹魏越战越强，改变了先灭吴后灭蜀的方针而筹画着灭蜀的准备③。诸葛亮北伐失败，加速了蜀汉的灭亡，这是非始料所及的。

但是单从强弱之势以论成败也是片面的。曹孙刘三方最初都是以弱胜强，力挫群雄争得了三分，何以三分归一就不能以弱胜强呢？历史并没有注定非由曹魏来统一天下，后来不是被司马氏篡走了么！天命攸归，在于势力消长和人心所向两个方面。势力消长和人心所向是相辅相成的。天时、地利、人和是成功者所必

---

① 《三国志·明帝纪》裴注引《世语》载刘晔论明帝曰：“秦始皇、汉孝武之俦，才具微不及耳。”

② 《三国志·吕乂传》载，“丞相诸葛亮连年出军，调发诸郡，多不相救”，至于亮卒后，“士伍亡命，更相重冒，奸巧非一”。

③ 魏明帝欲伐蜀，朝臣内外皆曰不可，遂咨问司马懿，“二虏宜讨，何者为先”，懿对宜先灭吴，于是命司马懿屯宛。见《三国志·刘晔传》裴注引《傅子》及《晋书·宣帝纪》。

争所必守的条件。诸葛亮北伐仍有一线成功的希望。这希望就在他第一次出师，曹魏关中空虚。诸葛亮出兵，已使曹魏“朝野恐惧”，陇右三郡叛魏应亮，设若诸葛亮一举奄有关中，则天下震动，中原人士旋踵西归，吴人拼力北进，曹魏之危真是不待蓍龟了。这是天假蜀汉以难得之机，只可惜诸葛亮过于谨慎，“虑多决少”[①]，不敢用奇，丧失了这一取胜的机会，此后形成了与魏打消耗战，如前所述必败无疑。“出师未捷身先死，长使英雄泪满襟”，可慨也夫！

以弱蜀抗强魏，只能出奇制胜，化弱为强。才有取胜的希望。诸葛亮第一次出师丧失了出奇制胜的天时，未能发挥好主观的能动是根本原因。度其所失，有以下几个方面。

第一，战略之失 蜀将魏延善养士卒，勇猛过人，是一个难得的将才。《三国志·魏延传》及裴注引《魏略》载，诸葛亮与诸将计议出师，魏延分析关中形势，夏侯楙镇长安，怯而无谋，不知兵机。他建议大军出斜谷直趋秦川，自告奋勇请兵万人，从子午谷下长安，与诸葛亮异道会于潼关，如韩信故事。诸葛亮以为此计悬危，“不如安从坦道，可以平取陇右，十全必克而无虞，故不用延计”。从陇右三郡叛魏应亮来看，魏延之计可行。公元前206年韩信还定三秦，兵分两路：支兵从汉中西出武都北取陇右，主力则出其不意奇袭陈仓，雍王章邯仓猝迎战，连连败北而龟缩废丘。韩信留兵一部攻围章邯，再分出两路支兵掩护主力夺关出陕。一路西越陇山与汉中西出武都之兵形成钳形攻势，围困陇西。一路南出武关入河南吸引项羽的注意力。汉兵主力则置关中残敌于不顾，一路夺取潼关出陕。汉兵半年后平陇右，一年后才破杀章邯，而主力早已进入中原。韩信定关中的兵机谋略精妙奇绝。魏延之策是针对曹魏都洛阳这一形势灵活运用韩信之计，

① “虑多决少”，此司马懿语，指诸葛亮用兵谋略周全，但行动迟缓，不敢用奇。优点是“安静而坚重”，敌人不敢轻易冒犯，缺点是往往丧失最有利的战机，不能大胜。诸葛亮屯兵渭南，既未抢先占据北原，隔断陇道，又不能东出武功，依山而东迫使魏军决战。结果使十几万大军聚集于五丈原，受制于魏军，这些都是诸葛亮不能用奇之证，见《三国志·郭淮传》及《晋书·宣帝纪》。

不失为上策。诸葛亮认为此计悬危，可以不出子午谷，但主力实应直取陈仓或雍、眉，屏断陇右，方可十全必克，假若这样也不失为中策。诸葛亮虚张声势取眉，而不派一兵一卒阻断关陇大道，集中兵力用于一个方向，实在是一个最下策的战略。即使街亭不败，曹魏诸军上陇，诸葛亮“十全必克”的计划也是难以实现的。

第二，战术之失 魏将孟达反于新城，与亮书曰：“宛去洛八百里，去吾一千二百里，闻吾举事，当表上天子，比相反覆，一月间也，则吾城已固，诸军足办。则吾所在深险，司马公必不自来，诸将来，吾无患矣。”[①] 不料司马懿当机立断，不等奏报，立即亲提大军倍道兼程，八日就兵临新城，十六天就破斩了孟达。其时申仪扼守西城，孟达孤军作战，必然失败。诸葛亮没有派出有力的策应部队夺取西城，援救孟达，失去了牵制曹魏河南之兵的侧翼，大为失计[②]，此其一。韩信用兵，明烧栈道，暗度陈仓。诸葛亮扬声取眉，对于防务空虚的关陇无异于警告敌人。不使赵云、邓芝出谷，阻滞曹魏西援，反遭箕谷不戒之失，此其二。陇右三郡叛魏应亮，而蜀军行动迟缓，没有在陇右展开，及时阻断陇山道口，而命马谡街亭迎敌，亦为失计，此其三。陇西坚守，蜀军未能乘虚攻克，示人以弱，致使魏军克平三郡后对叛魏者血腥镇压；大加封赏陇西吏民，造成了严重的政治后遗症。此后诸葛亮出师，无有应者，此其四。这些战术失计，客观原因是“蜀兵轻锐，良将少”[③]，主观原因乃是诸葛亮过于持重。持重过分，正如袁子的分析：“亮，持本者也，其于应变，则非所长也，故不敢用其短。”[④] 所以陈寿评论诸葛亮“盖应变将略，非其所长”并非虚言。不过平心而论，诸葛亮以弱蜀抗强魏，在秦陇山区自来自去，计杀张郃、王双，仍不失为“天下奇才”。由于

① 《晋书·宣帝纪》。

② 《三国志·费诗传》载，费诗认为孟达是反覆之人，不同意诸葛亮策反孟达，亮不纳，与达通书。而孟达反后，“亮亦以达无款诚之心，故不救助也”。据此，诸葛亮策反孟达，借刀杀人，于战略无补，亦大为失计。

③④ 《三国志·诸葛亮传》裴注引《袁子》。

诸葛亮的对手司马懿、张郃、郭淮等人均智勇兼备，难于对付，才使得诸葛亮的神机妙算有些支绌罢了。

第三，用人之失 魏延是蜀中惟一的一员超群绝伦的上将，远在张郃、郭淮之上。刘备拔延为汉中督，“一军尽惊”①。魏延对刘备说：“若曹操举天下而来，请为大王拒之；偏将十万之众至，请为大王吞之。”② 这并非大言。他镇守汉中，“实兵诸围以御外敌”③，规画严密。延熙七年（公元244年），汉中守将王平依魏延成规，以三万之兵，抗御了曹爽十余万大军的进攻，使不得入平地。姜维改变魏延成规，钟会攻蜀，半月失汉中。可见魏延实在是一位难得的将才。王平也是一位智勇双全的大将。但诸葛亮未尽二人之才，不委以方面之任，使其领兵不过万人，致使魏延叹恨不已。不尽人之才，已是一失，又违众用马谡，此为再失。以诸葛亮之智，在用人上有此两失，千古而发人深省。

第四，用刑之失 街亭以后，诸葛亮诛了马谡，又杀了李盛，废了黄袭，正如蒋琬所说：“昔楚杀得臣，然后文公喜可知也。天下未定而戮智计之士，岂不惜乎！”④ 习凿齿评论说：“诸葛亮之不能兼上国也，岂不宜哉！今蜀僻陋一方，才少上国，而杀其俊杰，退收驽下之用，明法胜才，不师三败之道，将以成业，不亦难乎！”⑤ 习氏的评论是十分公允的。违众用马谡，主要责任在诸葛亮自己。再说马谡虽然短于临机决斗，却不失为一个参谋良将，原可以宽贷立功。又马谡失街亭在战略部署上也不能说有什么大误。诸葛亮的节度是让他扼守要塞，坚壁不出。马谡“依阻南山，不下据城”，摆出的是决战态势。无奈他本人只是一个书生儒将，不能上马冲阵，所以冲不开张郃的围攻。若是马谡有关羽、张飞之勇，未必就要丢失街亭。可以说马谡是志大才疏，有勇有谋而才力不继。诸葛亮本身是一个儒将，不能上马冲阵，故尔行动迟钝，而又用一个儒将去打先锋，失计之甚。追究

①② 《三国志·魏延传》。
③ 《三国志·姜维传》。
④ 《三国志·马谡传》裴注引《襄阳记》。
⑤ 《马谡传》裴注引习凿齿语。

责任，杀一马谡已“裁之失中”[①]，况又滥杀李盛，连坐黄袭乎！刘备杀蒋琬，诸葛亮说情宽贷终得用其才，而彭羕、廖立、李严等却藉法以废，终身禁锢，何亲之于彼而疏之于此也。

诸葛亮虽有上述四个方面之失，但不能否定他是三国时最杰出的人物之一[②]。对任何一个伟大的历史人物都不能求全责备，但也不应为尊者为贤者讳其所短。“浪淘尽千古风流人物”，今日评说诸葛亮之失，不过是引出历史的教训。诸葛亮最大之失是过于自恃，不能集思广益以补自己之短。《出师表》所荐贤才郭攸之、费祎、董允、向宠、陈震、张裔、蒋琬等七人，除张裔一人为蜀中人士外，余皆为追随诸葛亮的荆州士人。诸葛亮斤斤于亲已之贤才，不能不说气度有些褊狭。这些贤才都是二流人物。像魏延、马超、彭羕、廖立等一流大才人物，诸葛亮未尽其用。“尧虽贤，兴事业不成，得禹而九州宁。且欲兴圣统，唯在择任将相哉！唯在择任将相哉！”[③] 诸葛亮以一人之智掩一州之才，以个人之力抗天下之士，焉能不败！大约人之情性，在专制政体下，己有所短则忌人之长，是否如此，值得心理学家们研究。以诸葛亮之智，加之以鞠躬尽瘁之德，尚不能尽小国人士之才，这确实是够发人深省的历史教训。这根源何在，非本文所能胜任，谨提出这一问题以待贤者。

（原载《西北史地》1984年第4期，人大复印资料转载）

① 习凿齿语。

② 王夫之评诸葛亮，虽将略为短，而治国治军实为少有之奇才。其言曰：“军不治而唯公治之，民不理而唯公理之，政不平而唯公平之，财不足而唯公足之。”见《读通鉴论》卷九、卷十。

③ 《史记·匈奴列传赞》。

再论诸葛亮出师

诸葛亮北伐是三国史研究中的一个热点课题，也是一个老生常谈的论题。由于诸葛亮在“隆中对策”中提出了以人谋智计安天下的路线，替刘备规划了三分天下的蓝图，且经过十余年的征战，得以实现。诸葛亮被目为智慧的化身，认为他的“权智英略，有逾管晏”[①]。但后来诸葛亮北伐，手握重兵，却未建奇功，在当世就引起了人们的争论。吴国大鸿胪张俨所作《默记》，在《述佐篇》中就展开了肯定和否定两种绝对对立观点的论辩。肯定者认为，诸葛亮志在吞魏，饮马河、洛，只是死得太早，不然定会成功。否定者认为，诸葛亮处益州孤绝之地，战士不满5万，应闭关守境，蓄养士民，而连年动众，“使国内受其荒残，西土苦其役调”，空劳师旅，非明哲之士[②]。西晋时论者，多讥诸葛亮“托身非所，劳困蜀民，力小谋大，不能度德量力”[③]。明人王夫之提出了第三种观点，认为诸葛亮北伐是“以攻为守”，经略中原只不过是一个口号，一种理想而已。王氏论点经近人史念

① 《三国志·诸葛亮传》裴注引《蜀记》晋人郭冲语。

② 见张俨《默记》，为《三国志·诸葛亮传》裴注引。

③ 《三国志·诸葛亮传》裴注引《蜀记》。

海申证，差不多成了学术界的定论[①]。新中国成立以来直接和间接讨论诸葛亮北伐的论文有数十篇，但论者大多陈陈相因，基本未跳出张俨和王夫之所论说的藩篱，不仅缺少新意，而且对《三国志》及裴注现成史料多置而不论，凭己意立说，不得要领。这些就是本文新探的理由。为省篇幅，本文不作论难，直接引史立说，提出一家之言，引发思考。鄙意认为，"以攻为守"论不能成立，"兴复汉室"为诸葛亮北伐本志，但北伐动机，却有多种因素，"平取陇右"为失败之主因。依次评说于下。

一、"以攻为守"论不能成立

弱国对抗强国，"以攻为守"，主动挑起战争，在理论上和实践上都是不能成立的，不仅在中国古代的分合历史演变中找不到实例，而且与魏蜀对抗的史实不相符。在理论上，《孙子兵法》早就指出，"故善战者，致人而不致于人"[②]。魏明帝曹叡也指出："亮阻山为固，今者自来，既合兵书致人之术，……破亮必也。"[③]因守与战，兵力财物有三倍之差，攻不足则守有余[④]，以诸葛亮之明，不至于不懂得这个起码的军事常识。他在《后出师表》中明确说："今民穷兵疲，而事不可息。"[⑤] 可见北伐另有深意。在实践上，古代春秋战国，列国争雄，弱国总是依附强国苟延岁月，从未有弱国向强国挑起战争，"以攻为守"。宋楚泓水之战，是楚人伐宋，宋襄公以小敌大，为的是要继承齐桓霸业，与楚争霸。战国时，秦用连横之计瓦解六国合纵，东方六国争割地以赂秦，明知饮鸩止渴，乃是迫不得已而为之。诸葛亮以一州之众的

① 王夫之的论点见《读通鉴论》卷一〇。史念海的论说见《河山集·论诸葛亮的攻守策略》。

② 《孙子兵法·虚实篇》。

③ 《三国志·明帝纪》裴注引《魏书》。

④ 魏孙资曰："守战之力，力役叁倍。"载《三国志·孙资传》裴注引《资治通鉴》。

⑤ 《后出师表》，载《三国志·诸葛亮传》裴注引。

弱蜀进攻强魏，“以攻为守”，何利之有？不仅诸葛亮北伐不是“以攻为守”，而且后来的姜维北伐也不是“以攻为守”。姜维认为自己熟习西土风俗，自负有勇有谋，“欲诱诸羌、胡以为羽翼，谓自陇以西可断而有也”[①]。所以姜维把进兵基地从汉中移至沓中，全力夺取陇右，进而取关中，争中原。

“以攻为守”背离魏蜀对抗史实，也可从双方的战略目的和实际结果得到验证。我们先看曹魏一方的战略。

赤壁战后，孙刘联盟，东西相应，搞得曹操疲于奔命，西边丢了汉中，东边失了濡须，眼睁睁看着孙权巩固了江北防线。曹操后期，改变策略，挑动孙刘相争。夷陵战后，吴蜀同盟破裂，曹魏坐收渔人之利，形成了魏强、蜀弱、吴孤的局面，吴蜀两国处于被各个击破的危险境地。当吴蜀相攻时，魏谋臣刘晔言于曹丕曰：“今天下三分，中国有其八。吴蜀各保一州，阻山依水，有急相救，此小国之利也。今还自相攻，天亡之也。宜大兴师，经渡江袭其内。蜀攻其外，我袭其内，吴之亡不出旬月矣。吴亡则蜀孤。若割吴半，蜀国固不能久存，况蜀得其外，我得其内乎！”[②] 曹丕忙于篡汉固权，接受孙权称臣，不采纳刘晔的意见，失去了灭吴的战机。夷陵战后，曹丕才大兴兵伐吴，在公元222年、224年、225年三次攻吴，均无功而还。尽管魏国处于强国地位，但当时还没有力量一举吞吴并蜀，于是制定了休兵息民，增强国力，次第各个击破的战略。其计是先灭吴，后灭蜀。史载，魏文帝曾就统一天下的步骤问计于贾诩，说：“吾欲伐不从命以一天下，吴蜀何先？”贾诩认为吴蜀虽是小国，但依山阻水，统一时机尚未成熟，劝谏曹丕“先文后武”[③]。曹丕三次征吴失利，辛毗、鲍勋等均主张休兵息民，先文后武。辛毗说：“今日之计，莫若养民屯田，十年然后用之，则役不再举矣。”[④] 魏明帝曹叡即位，散骑常侍孙资再次提出守险致敌，疲弊吴蜀的策略，

① 《三国志·姜维传》。
② 《三国志·刘晔传》裴注引《傅子》。
③ 《三国志·贾诩传》。
④ 《三国志·辛毗传》。

重点防吴的战略更趋明朗。曹叡以战略方向问司马懿，“二虏宜讨，何者为先”，司马懿明确回答用水陆两路大举伐吴①。夷陵战后，魏国已不把蜀国看在眼里，“国家以蜀中惟有刘备。备既死，数岁寂然无声，是以略无备预”②。因蜀道险远，蜀国四塞为固，所以曹魏的方针先吴后蜀，重兵防吴，关中空虚。综上所述，曹魏休兵息民，重点防吴，对蜀国没有压力，诸葛亮“以攻为守”，岂不是无的放矢？

从蜀汉方面看，“以攻为守”成立，即是以守土偏安为国策，这与诸葛亮的本志是大相径庭的。蜀汉君臣的政治路线是联吴抗曹，以待天下之变，“兴复汉室，还于旧都”。这是诸葛亮的本志，早在“隆中对策”中就提出来了。诸葛亮对刘备说：

> 将军既帝室之胄，信义著于四海，总揽英雄，思贤如渴。若跨有荆、益，保其岩阻；西和诸戎，南抚夷越；外结好孙权，内修政理；天下有变，则命一上将，将荆州之军，以向宛、洛；将军身率益州之众，以出秦川，百姓孰敢不箪食壶浆以迎将军者乎？诚如是，则霸业可成，汉室可兴矣。③

如果说诸葛亮在夷陵战后放弃了“兴复汉室”的目标，收缩为偏安守土，那么他不会亲率三军北驻汉中，仅仅为了“以攻为守”而在崇山峻岭之中去空劳师旅，疲敝蜀汉小国的兵民。以诸葛亮之明，他当然懂得正确的策略应如同曹魏，休兵息民。诸葛亮的继任者蒋琬、费祎，对内保国安民，休养生息；对外通好吴国，停止北伐。公元243年，蒋琬退屯涪城，只在汉中留兵三万守险，标志蜀汉转攻为守，闭关息民。次年曹爽发动十余万大军攻蜀，王平乘险拒守，曹爽不胜而还。费祎执政，继续执行蒋琬守土保民方针，限制姜维蚕食魏境，与其兵不过万人。公元253

---

① 《晋书·宣帝纪》。

② 《三国志·诸葛亮传》裴注引《魏略》。

③ 《三国志·诸葛亮传》。

年，费祎被曹魏刺客郭循刺死，姜维执政，连年用众，大举伐魏，九次北征，消耗了国力，导致司马氏集团修改战略，先灭蜀后灭吴，加速了蜀国的灭亡。

上述蜀魏双方相斗的事势发展，有力地说明诸葛亮北伐是欲伸本志，兴复汉室，全国总动员，进行你死我活的拼斗，而绝非“以攻为守”。

二、“兴复汉室”与北伐动因

历史是一个复杂的动态系统，单向思维不足以洞察历史面目。“兴复汉室”是诸葛亮的本志，但北伐动因决非如此简单。“兴复汉室”，就要战胜曹魏，饮马河洛，而诸葛亮屡败屡战，固执而不罢手，其志欲何为？这就是我们要探讨的北伐动因。

诸葛亮北伐，背景复杂，原因诸多，择其大要有六，分说于次。

（一）兴复汉室，还于旧都，是根本原因　这一动因，诸葛亮在《前出师表》中有明确表述：“今南方已定，兵甲已足，当奖率三军，北定中原，庶竭驽钝，攘除奸凶，兴复汉室，还于旧都。”诸葛亮临表涕零，以情动人，他说：“此臣所以报先帝，而忠陛下之职分也。”当时魏吴蜀三方对诸葛亮的这一志欲和图谋，均没有疑义。魏明帝调司马懿防蜀，屯田上邽，固守祁山。后来司马氏集团调抗吴名将邓艾抗蜀。吴张俨《默记》所载论难的两种论者，均对诸葛亮灭魏兴汉的本志没有疑义。

（二）树立威望，凝聚蜀汉人心　蜀汉统治集团的政治结构，有益州土著，刘璋旧部，刘备荆州集团三大部分。如何凝聚三大部分人士，团结蜀汉士民，诸葛亮必须提出服众、威众的基本国策。“奖率三军，北定中原”，“兴复汉室，还于旧都”，既可作激励人心的口号，又可作压倒一切的最高政治路线。诸葛亮《前出师表》，开门见山摆出益州面临的艰难形势：“先帝创业未半而中道崩殂，今天下三分，益州疲弊，此诚危急存亡之秋也。”诸葛亮紧接着笔锋一转，说："然侍卫之臣不懈于内，忠志之士忘身于外者，盖追先帝之殊遇，欲报之于陛下也。"诸葛亮劝谏后主怎么为宜，怎么为不宜，用的是先帝权威，指出团结士民，就要"光先帝之遗德"，完成先帝"创业未半"的事业，那就是北伐中原。蜀汉君臣，举国上下，一切为了北伐，一切服从北伐，这是前后两个出师表的基调。诸葛亮北伐失利，群臣藉言纷纷，于是他在《后出师表》中说："先帝虑汉贼不两立，王业不偏安，故托臣以讨贼也。"北伐中原，攘除奸凶，这张王牌可以弹压一切异言。为了北伐所做的人事安排，诸葛亮推荐了郭攸之、费祎、董允、向宠、陈震、张裔、蒋琬等人，除张裔一人为蜀中士人外，余皆为追随刘备、诸葛亮的荆州士人。这些人才的大用，树立了诸葛亮的绝对权威。

（三）联吴外交，推动北伐　三国鼎立，蜀魏两国有正统与僭伪之分，因此不可调和。蜀汉国小力弱，只有结援孙吴才能生存和抗魏。孙吴是异军突起，可秦可楚，故孙权可以称臣于魏，也可以联蜀抗魏。吴国的地理处于不利的长江中下游，魏蜀地势均居高以临吴。由于魏强蜀弱，吴附魏只能称臣，联蜀才能立国，鼎立均势才是吴国生存和发展的最佳环境。孙权志欲联蜀，一是担心蜀报荆州之仇，二是认为蜀国小弱不足以抗魏。诸葛亮在公元 223 年十月主动派邓芝使吴，不失时机抓住曹丕大举伐吴的有利形势联吴。孙权狐疑不见，邓芝上书说："臣今来亦欲为吴，非但为蜀也。"孙权这才接见邓芝，说出心里话："孤诚愿与蜀和亲。"邓芝阐明"蜀有重险之固，吴有三江之阻，合此二长，共为唇齿"，这样"进可并兼天下，退可鼎足而立"[①] 的道理，孙权才下定决心，与蜀联盟，与魏断交。公元 229 年，诸葛亮已三次北伐，曹魏兵力西调，对吴压力减轻，孙权这才正式称帝。诸葛亮派陈震使吴庆贺，吴蜀两国签定中分天下条约，至此吴蜀联盟才得以巩固。如果诸葛亮不举兵北伐，吴蜀联盟就是一句空话。在联吴外交上，诸葛亮北伐与联盟是互为因果，相辅相成，

① 《三国志·邓芝传》。

形势使然。

（四）王业不偏安，北伐中原，死中求活　《后出师表》集中阐述“汉、贼不两立，王业不偏安”的道理。诸葛亮认为蜀汉不北伐中原，必然坐等待亡，与其“惟坐待亡”，不如“孰与伐之”，争一线生存希望。

（五）蚕食魏境，观衅伺隙　这一北伐战略早为法正劝刘备取汉中时所定。法正认为，攻克汉中，“广农积谷，观衅伺隙，上可以倾覆寇敌，尊奖王室，中可以蚕食雍凉，广拓境上，下可以固守要害，为持久之计”[①]。这就是说，汉中是蜀汉生存和发展的一块基地，固守汉中，可以持久，此为下策。以汉中为基地，兵出秦川，倾覆曹魏，此为上策。兵出陇右，广境拓土，是为中策。诸葛亮兵出祁山，即采法正之中策。出兵蚕食魏境，才能挑起事端，才能瓦解敌人阵线，也才能吸引兴汉的志士仁人，这叫“观衅伺隙”。诸葛亮在《后出师表》中进一步作了发挥。诸葛亮说：“自臣到汉中，中间期年耳，然丧赵云、阳群、马玉、阎芝、丁立、白寿、刘郃、邓铜等及曲长屯将七十余人，突将无前。”又说：“此皆数十年之内所纠合四方之精锐，非一州之所有，若复数年，则损三分之二也，当何以图敌?”由此显然可见，诸葛亮不愿闭关息民与曹魏开展“和平竞赛”，因曹魏大国，蜀汉仅有一州，双方休养生息，国力日益拉大差距，只有坐等待亡了。诸葛亮认为，趁开疆拓土的老一代还有人存世，及早与曹魏较量，或可有所为，这就是“今民穷兵疲，而事不可息”的原因之一。

（六）统一大业，非己莫属　刘备托孤，称诸葛亮之才十倍于曹丕。诸葛亮素来以管仲、乐毅自比。曹魏方面，曹操、曹丕、荀彧、荀攸、贾诩、程昱等等皆已凋零，而吴蜀两方，创业君臣孙权、诸葛亮尚存，此时不北向进取，更待何时？陈寿在《上诸葛亮集表》中对此有精彩评说。其言曰：

① 《三国志·法正传》。

当此之时，亮之素志，进欲龙骧虎视，苞括四海，退欲跨陵边疆，震荡宇内。又自以为无身之日，则未有能蹈涉中原，抗衡上国者，是以用兵不戢，屡耀其武。

这段话揭示了诸葛亮未便示人的又一本志，同时也是当时一代人的共识。费祎曾对姜维说："吾等不如丞相亦已远矣，丞相犹不能定中夏，况吾等乎！"[①] 诸葛亮以完成统一大业为己任，在《前出师表》中要求后主责其成效，"不效，则治臣之罪，以告先帝之灵"，完全是一副军令状的口气，表现了诸葛亮的恢宏志气和必胜决心。《后出师表》则称"臣才弱敌强，冒危难以奉先帝之遗意"，又说"民穷兵疲，而事不可息"，格调虽然凄怆悲凉，认为北伐胜败"难可逆见"，但仍认为，只要坚持北伐中原，尚有胜利的希望，自己一定要坚持北伐，"鞠躬尽力，死而后已"，大有效法圣人孔子"知其不可而为之"的执着精神。诸葛亮的这一精神和品格修养，已成为民族文化的精神财富，涵养了中华民族的奋发自强精神。公元 234 年，诸葛亮病逝于北伐军中，星落关中五丈原，结束了悲壮的北伐事业，"出师未捷身先死，长使英雄泪满襟"，可歌可泣。也许诸葛亮怀抱遗恨而去，但他留给人们的是无限的怀念，无限的敬仰，因为诸葛亮虽事业不成，而他不折不扣实践了"鞠躬尽力，死而后已"的诺言，成为民族精神和奋进力量，激励后世一代又一代的志士仁人为中华民族的生存和发展而奋斗不息。诸葛亮的精神比他的事功，还要传之久远。

三、"平取陇右"是北伐失败的主因

诸葛亮北伐，五次出征，一次御敌，共进行了六次战争。由于第一次出兵的主攻方向是陇山之西的天水祁山，故讲说三分历史的说书人为了渲染气氛，称为"六出祁山"，袁枢的《资治通鉴纪事

① 《三国志·姜维传》裴注引《汉晋春秋》。

本末》标目为“诸葛亮出师”，学术界研究通称“诸葛亮北伐”。

诸葛亮北伐以汉中为基地，北出秦川，中间横隔着一道秦岭。兵出秦川，即渭水，可夺取关中居高以争中原，这是汉高祖因之以成帝业的出兵路线。诸葛亮隆中规画的战略，也是兵出秦川，并有荆州之兵攻向宛、洛呼应。由于荆州已失，诸葛亮只能单向出兵，所以不是直出秦川，而是绕出陇右，夺取雍凉，蚕食魏境，诸葛亮称之为“平取陇右”，即不费大力气可稳取陇右之意。但恰恰是这“稳取”，使诸葛亮丧失了用奇取胜的战机，形成弱蜀与强魏在边界对峙打消耗战，中了曹魏的“致人”之术，魏守险，蜀攻坚，所以连战皆北，导致了星落五丈原的千古遗恨。

我们的这一看法是否有理据，一要分析魏蜀对抗的军事态势，二要对照古人的出兵路线，三要参考当时人的评价，论从史出，以得其平。

诸葛亮第一次北伐作了充分准备，他重修吴蜀盟好，使吴在东线遥应，权当荆州之兵。对内加强治理，整屯吏治，举贤任能，政治稳定。对外平定南中，使无后顾之忧。公元 227 年，诸葛亮就奖率三军北驻汉中，经过了一年的临战准备，又争取了魏新城太守孟达归蜀，可借以牵制曹魏河南军。诸葛亮还派人联络鲜卑轲比能，又策动陇右南安、天水、安定等郡反魏力量内应。曹魏重点防吴，关中空虚。诸葛亮认为出师时机已到，于公元 228 年正月誓师攻魏，发动了第一次北伐战争。

从汉中北入关中，跨越秦岭有三条谷道。由东向西有子午道、傥骆道、褒斜道。东道子午谷最险远，有 660 里的高山险谷，直通长安。中道傥骆道最近，谷长 420 里，通关中武功。西道褒斜道较为宽坦，谷长 470 里。褒斜道中段有一条西出折而向北的支道叫箕谷，往北经散关即达陈仓。从总的地理形势来看，汉中是小盆地，关中有 800 里秦川，三条谷道连接关中和汉中有如车辐之聚于车毂。由北向南攻，可以诸道并出，居高临下会聚汉中，任何一条道路都无被切断之虞。由南向北攻，诸道并进，出谷后将分散在 800 里秦川的东西川原上不易集中，因此北伐主力只能集中在一路。出征前，诸葛亮召开军事会议，讨论进兵策略。当时的汉中督、先锋大将魏延建议，自己领兵万人由子午谷直插长安，诸葛亮率大军出斜谷，趋长安会师，一举夺取关中。魏延认为曹魏长安守将夏侯楙胆怯无谋，他率精兵五千，负粮兵五千，循子午谷可出其不意十日到达长安，夏侯楙将弃城而逃。魏延保证留守 20 天，诸葛亮的大军可以赶到。由于当时子午道全在魏境，诸葛亮认为弄险，不如"安从坦道，可以平取陇右，十全必克而无虞，故不用延计"①。诸葛亮认为取陇右必克，次取关中，于是他声东击西，扬言由斜谷取眉，而实际西出祁山。诸葛亮只派赵云、邓芝率领少量人马据守褒斜道中段的岔口箕谷，作为掩护大军的侧翼，没有北出谷口切断关中通陇右的大道。魏将张郃率骑兵日夜兼程，毫无阻碍翻越陇山，与蜀军马谡争街亭，从某种意义上，倒把蜀军打了个措手不及。马谡失街亭，赵云败于箕谷，诸葛亮精心准备的北伐，在己方优势的态势下打了大败仗，故陈寿言诸葛亮"应变将略，非其所长"。

诸葛亮第一次北伐失败，第二次用数万人攻围陈仓，魏将郝昭只有千余人守城，蜀军争战 20 余日不能克，粮尽退兵。以后的几次战争，诸葛亮在劣势下与魏军打消耗战，已绝无取胜希望。战争是军力、政治、经济综合力的较量，蜀弱魏强这是诸葛亮北伐失败的根本原因。曹魏奄有整个黄河流域，兵强马壮，有带甲四五十万，人才济济，勇略兼备，并采用守险"致人"战术消耗蜀军，不作主力决战，诸葛亮是一筹莫展。诸葛亮惨淡经营，才养成了一支不到 20 万人的军队，既要留守后方，又要防吴，还要保证后勤运输，集中使用的战斗部队不足 10 万人，只能用于一个方向，赵云不敢出箕谷切断关中大道，显然兵力不足。诸葛亮不纳魏延之策，也因兵少不能分是一个因素。但是以弱抗强，不出奇兵，百虑安全取胜，古今中外无有一例，诸葛亮的失败是反面的生动例证。高帝还定三秦，韩信为大将，兵出陈仓，然后置章邯残敌于不顾，快速运动主力，东出潼关，又分出支军越陇山与从汉中向祁山的支军配合成钳形攻势取陇右。韩信

① 《三国志·魏延传》裴注引《魏略》。

用兵，看似弄险，实在奇妙无穷。两相对照，诸葛亮“将略为短”之论不无道理。

陈寿十分推重诸葛亮，评价很高，比为管仲、萧何。管仲佐桓公成霸业，有王子城父为将，萧何佐刘邦成帝业，有韩信为将，陈寿慨叹诸葛亮无城父、韩信相助，感慨之情，溢于言表，哪有半点贬责之意。陈寿纵论诸葛亮北伐失败，原因有五。其一，将略为短，非其所长；其二，攻战对手，时值人杰；其三，众寡悬殊，蜀弱魏强；其四，缺少辅佐，蜀无名将；其五，天命有归，不可以智力争①。平心而论，陈寿论评，条条中肯。诸葛亮的对手司马懿，机权干略，不在诸葛亮之下，何况部属张郃、郭淮等均强于蜀将。蜀中只有一魏延为超世之杰，刘备拔为汉中督，因用兵方略与诸葛亮不合受压制，不仅才干未尽，反而蒙冤而死。诸葛亮死后，蜀中无人，诸葛亮不能辞其咎。陈寿说“天命有归”，指人心向背。三国鼎立后，人心厌战，曹魏休养政策可得民和。诸葛亮出师，不见有箪食壶浆以迎王师的局面，失败不可避免。

诸葛亮第一次北伐丧失用奇战机，胜利无望，何以还要打消耗战，明知“民穷兵疲，而事不可息”呢？如前所述，诸葛亮北伐有六大动因，合成一股合力，使诸葛亮欲罢不能。六大动因中，第一动因“兴复汉室”是最根本的动因，起支配作用，诸葛亮要贯彻始终，只能做到“鞠躬尽力，死而后已”了。

（本题论诸葛亮北伐动因及失败原因，是前文《诸葛亮出师》的续篇，故语有重复，本是笔者 1996 年在广州师院的演讲，有人以《诸葛亮北伐新探》为题刊于《学术月刊》1997 年第 2 期。借此次论集再版收入以正名。）

① 陈寿评论见《三国志·诸葛亮传》评语及传中所载《上诸葛亮集表》。

论三国一统

天无二日，国无二主，这是华夏民族自秦汉统一以来所形成的心理观念。三国鼎立，曹孙刘三方都极力争夺统一的领导权，最终归一是历史的必然。三分天下曹魏有其二，吴蜀共得三分之一，按正常发展，以大吞小，曹魏统一天下，理所当然。但三国时代的风云变化，时时演化出出人意料的变局。三国归于司马氏，而曹魏的惨淡经营，只是为他人作铺垫。司马氏禅代曹魏，统一三国，司马懿是一个关键性人物。因此，本文除论述蜀吴灭亡的原因外，还立专节论述司马氏代魏，着重论司马懿。

一、三国鼎立形成后的形势发展

三国对峙，从公元220年曹丕称帝代汉起，到公元280年西晋灭吴止，前后61年，整整经历了两代人，但到北方发动统一战争，蜀吴两国都迅速灭亡。公元263年，曹魏灭蜀只用了两个月的时间，蜀汉就土崩瓦解了。公元280年，西晋灭吴，前后也不到四个月。蜀汉小弱，人才寡少，最先灭亡应在情理之中。但蜀汉处四塞之国，在复杂的对峙纷争中似又不应先吴而亡。蜀灭之后，吴竟能抗晋达 17 年之久。蜀吴之速灭和蜀先吴而灭，这一系列历史变局是本文着重探讨的内容。

历来史家都认为诸葛亮善治国，蜀国治理得最有条理。但蜀国何以最早最速灭亡，若单以蜀汉小弱以及诸葛亮之早死来解释，是不能圆通的。诸葛亮生时全力主持北伐，但未有尺寸之功，他即使晚死，也不能保证北伐成功。蜀国北伐不成功，就必然要灭亡。我们若把蜀汉灭亡之速与刘备取蜀之不易作一对照，更有意味。刘备取蜀有三大便利：第一，刘备已领精兵深入腹心，蜀之虚实尽知；第二，内有张松、法正为应；第三，外有诸葛亮率荆州之兵为援。但刘备却从建安十七年十二月（公元 213 年 1 月）到建安十九年（公元 214 年）六月，攻战达一年半之久才取得益州，还折了一个军师庞统。曹魏灭蜀之易和刘备取蜀之难，真是不可同日而语。钟会、邓艾不贤于刘备、诸葛亮；而姜维之勇却不减于刘璝、冷苞，为何难易竟如此颠倒，不能不发人久久思索。

纷争之世，人心无定向，人谋筹度，地利险阻，对于争天下事业的成败，具有重要意义。刘备戎马半生，得诸葛亮出山相助，事业才有了转机。人谋的作用，十分明显。刘璋在益州，庸懦无谋，虽得天府而不能守，这也是事理之必然。但刘璋在蜀，并无大恶，尚得蜀民拥护，故能以弱兵弱将抗刘备之精兵一年有余。后主末年，蜀民饥困，人心已不思汉，故邓艾之孤军深入，也能势如破竹。形势的变化，已成崩溃之势，那就非人力所能挽回了。所以姜维与钟会谋反，不终朝而灭。公元 270 年，孙吴镇军大将军陆抗向孙皓上疏条陈政事十七条，旨在修德养民，蓄力守备，指出地利不可恃。陆抗说：

> 臣闻德均则众者胜寡，力侔则安者制危，盖六国所以兼并于强秦，西楚所以北面于汉高也。今敌跨制九服，非徒关右之地；割据九州，岂但鸿沟以西而已。国家外无连国之援，内非西楚之强，庶政陵迟，黎民未乂，而议者所恃，徒以长川峻

山，限带封域，此乃守国之末事，非智者之所先也。[1]

陆抗在上疏中指出，若孙吴德政不修，长江天堑不能阻挡晋军的进攻。“德均则众者胜寡，力侔则安者制危”，这正是三国鼎立形成以后的局势。在三国鼎立局面未形成之时，形势错综复杂，风云变幻莫测，曹孙刘三方都有可能勃兴，问鼎中原。当时，“兴复汉室”还不失为一面号召士大夫和民众归附的旗帜。所以赤壁之战，曹操挟天子以令诸侯，刘备以正统自居，奉衣带诏讨贼，孙吴则以替汉家除残去秽用武，三方各执一词，人心向背难测，英雄有用武之地。孙刘联合，在政治上占上风，足以弥补力不足的劣势，故能赢得赤壁之战的胜利。三国鼎立形成之后，“兴复汉室”这面旗帜失去号召力，随着时间的推移，人们转移了天命的观念。这时，三国政治，谁家治理得有条理，谁家就能赢得民众的拥护，赢得士大夫的归心，谁的力量就会不断增强。在争取时间蓄积力量的竞赛上，蜀吴不敌曹魏，差距日渐拉大，北方统一南方就成为不易之局。

三国对峙，前期和后期，有一个很大的变化。三国前期，三方励精图治，各方都呈现了生气勃勃的局面。蜀、吴联合力量略占优势，故能多次北伐。曹魏取守势，蓄积力量。三国后期，三方政治都日益腐败，蜀吴为甚，力量日渐削弱，曹魏在政治、经济、军事各个方面都占了绝对优势，北方统一南方的条件也就日渐成熟。三国的政治发展不平衡。曹魏历文帝、明帝而鼎盛；蜀自诸葛亮卒后而走下坡路；孙吴在孙权当政晚年政衰。魏明帝卒于公元 239 年，诸葛亮卒于公元 234 年。魏国的前后期分界，当以公元 239 年为断限。蜀国的前后期分界，当以公元 234 年为断限。孙吴政治以赤乌年间的嗣子之争为一大事件，中外官僚将军大臣举国中分，孙权猜忌好杀，大臣由是莫敢言。赤乌八年，即公元 245 年，太子太傅吴粲下狱被诛，丞相陆逊忧死，大臣顾谭、顾承等遭流放。吴国前后期的分界，当以公元 245 年陆逊卒

① 《三国志·陆逊传》附《陆抗传》。

为断限。从总体上看，三国前后期，应以公元239年魏明帝之卒为断限。下面具体分析三国对峙，前后期形势发展的不同变化。

三国对峙，刘备力量很弱。但是刘备占有人和、地利，联合孙吴，发展最为迅速。所谓人和，即刘备具有正统地位，利用“兴复汉室”这面旗帜号召士大夫和民众，十分有利。所谓地利，即跨有荆益，居吴国上流。当刘备进军汉中，关羽北伐荆襄之时，连战皆捷，蜀汉大有跨越关陇、饮马河洛之势。刘备的发展，引起了孙权的猜忌，孙吴倒戈，联盟破裂，曹丕趁机篡汉。刘备不思更张，也自雄称帝，随后不顾大局，复仇东伐，不仅在军事上惨败，而且道义上也将正统地位丢失，蜀汉也就再无中兴希望。对此，王夫之有深刻的分析和猛烈的抨击。王夫之认为，刘备欲兴高帝之业，走光武中兴之路，但刘备不能与高帝、光武相比。高帝志在诛暴秦，光武意在诛王莽，而刘备却是“利曹丕之弑而己可为名”，曹操王魏，己王汉中，曹丕称帝，己亦称帝，而“承统以后”，未有“一矢之加于曹氏”，即位三月，“急举伐吴之师，……急修关羽之怨，淫兵以逞，岂祖宗百世之雠，不敌一将之私忿乎?”王夫之沉痛地指出：

> 先主甫即位而兴伐吴之师，毒民之以逞，伤天地之心，故以汉之宗支而不敌篡逆之二国。先主殂，武侯秉政，务农殖谷，释吴怨以息民，然后天下粗安，蜀汉之祚，武侯延之也，非先主之所克胜也。[①]

刘备夷陵之败，甚于袁绍官渡之失，而袁氏覆亡，蜀汉安固，正如王夫之的分析，蜀有诸葛亮治国，从失败中吸取教训，改弦更张，国以不亡。但刘备的失着，使蜀汉元气大丧，道义丢失，诸葛亮善治国也无能为力，因大势已去，独木难支也。公元229年，孙权称帝，诸葛亮遣使称贺，吴蜀订立中分天下盟约，蜀吴得以修好抗魏，唇齿相依。但是，对于蜀汉来说，承认孙吴建国

① 王夫之语见《读通鉴论》卷一〇。

而与之联盟，这说明“兴复汉室”的旗帜不仅在事实上，而且在道义上也丢掉了，魏蜀吴在义理上都成了平等的割据国家，三方角逐完全进入了德侔力均的竞赛中。所以诸葛亮后期的北伐和姜维北伐，以及吴将诸葛恪发动的淮南之役，都得不到民心的响应。吴蜀两国的北伐，徒劳士众，形成小国与大国拼消耗，不仅无功，反倒加速了自身的灭亡。

吴蜀交恶，给曹魏带来了休养生息的好时机。曹操退出汉中之后，就采取了守势，蓄聚力量，以逸待劳，消耗吴蜀力量。曹魏在毗连吴蜀的前沿地带设立军事重镇，东守寿春，南固襄阳，西守祁山，并兴军屯，五里一营，且佃且守，既利军粮供给，又促进了农业的恢复。曹魏在内地广开屯田，兴修水利，有刘馥、杜畿、仓慈、郑浑、张既等一大批地方良吏，安抚民众，奖励农桑，使黄河流域的农业生产有了较大的恢复和发展。史称“魏初课田，但务修其功力，故白田收至十余斛，水田收数十斛”[①]。当时洛阳至淮南一带，河渠纵横，引水灌田，“鸡犬之声，阡陌相属”[②]。关中、陇右的生产也得到了恢复，人口增加。三国后期，曹魏不仅在政治、经济、军事上与蜀、吴相较占了压倒优势，而且在政治上勃兴了司马氏集团。司马氏集团的兴起，竭力向外扩张，加速了统一的进程。曹魏末年，司马氏禅代的条件已经成熟，统一南方的条件也已成熟。公元 263 年，司马昭灭蜀；公元 265 年，司马炎代魏。按照司马昭的原定计划，灭蜀之后，三年灭吴。由于司马氏急于篡魏，又放慢了统一的进程。司马炎的过早篡魏，给孙吴带来了苟延残喘的时日，因而在蜀亡之后，还继续存在了十七年。

二、蜀汉灭亡的原因

蜀汉灭亡的原因，具体分析，主要有以下五个方面：

① 《晋书·傅玄传》。

② 《晋书·食货志》。

（一）人心向背已不思汉 人心向背是决定战争胜负的一个重要因素。列宁指出："谁的后备多，谁的人力多，谁在人民群众中更能支持得住，谁就能在战争中取得胜利。"[①] 刘姓汉朝四百年之基业，其流风余韵根植民间，所以汉末大乱，汉献帝仍是一面旗帜。刘备就是凭藉"兴复汉室"的旗号取得了荆益。公元219年，关羽北伐，荆襄震动。因为得到了淮、汉之民的广泛同情。曹魏宛城守将侯音，就借民心思汉而执太守东里兖叛魏应关羽。公元228年，诸葛亮一出祁山，曹魏关中震响，天水、南安、安定三郡叛魏应亮。但到了公元229年吴蜀订盟之后，"兴复汉室"这面旗帜已不再具有号召力。公元238年，曹魏又并灭了公孙渊，整个北方东西万里全纳入了曹魏版图。曹魏拥兵有五十万，是蜀军的五倍。后备、人力、军力、民心，魏蜀不可同日而语，灭蜀条件完全成熟。

（二）益州土著的背叛 蜀汉统治集团由三个系统组成：其一，追随刘备入蜀的旧部和荆州集团；其二，刘璋旧部及东州集团；其三，益州土著集团。刘备入蜀之初，以"兴复汉室"相号召，示虚怀大度，对刘璋旧部及益州土著都采取了笼络的政策，上层人物，"皆处之显任，尽其器能"，遂使"有志之士，无不竞劝"[②]。从《蜀书》立传人物来看，不计后妃宗室，立专传者共五十七人，刘备旧部及荆州集团二十二人，刘璋旧部及东州集团十三人，益州土著集团十九人，其他三人。土著集团占三分之一，数量不少。不过益州土著多为清职和地方官，难以进入中枢机构。犍为杨洪、建宁李恢，都有大功于蜀，但两人终其生只为地方郡守、都尉。杨洪，蜀郡太守，李恢，庲降都尉。许多益州人士采取不合作态度。巴西周舒、蜀郡杜琼公开宣扬，"当涂高者，魏也"，言魏当代汉。杜琼论证说："古者名官职不言曹；始自汉已来，名官尽言曹，吏言属曹，卒言侍曹，此殆天意也。"蜀郡张裕语人曰："岁在庚子，天下当易代，刘氏祚尽矣。"巴西谯周

① 《列宁全集》，第三〇卷，第56页。
② 《三国志·先主传》。

大肆加以发挥，著论说："先主讳备，其训具也，后主讳禅，其训授也，如言刘已具矣，当授与人也。"谯周又作《仇国论》抨击姜维北伐[①]。刘禅后期，宦官黄皓弄权于内，右将军阎宇协比于外，益州土著集团迅速上升，成为蜀汉严重的内患。邓艾入蜀，江油守将马邈不战而降，没有一个益州人士奋起抵抗，谯周则公开主张投降。当时姜维在剑阁挡住了钟会的大军，蜀名将罗宪以重兵据白帝，霍弋以强卒镇夜郎。邓艾孤军深入，蜀汉尚可背城一战。后主昏庸，受谯周蛊惑不战而降。王夫之深加贬斥，诛其心曰："人知冯道之恶，而不知谯周之为尤恶也"，"为异说以解散人心，而后终之以降，处心积虑，唯恐刘宗之不灭，憯矣哉！"[②]

（三）司马昭的战略调整，先灭蜀后灭吴　司马昭灭蜀之前，曹魏曾有三次大规模的伐蜀之战。第一次，公元219年，曹操与刘备争汉中，大败而还。第二次，公元230年，魏明帝曹叡命曹真、司马懿率师伐蜀，恰值霖雨三十余日，栈道断绝，中途退军。第三次，公元244年，齐王芳正始五年曹爽攻蜀，无功败还。魏兵攻蜀，要翻越秦岭，道路艰险，多次败北，视为畏途。公元262年，司马昭议兵灭蜀，魏朝臣仍"多以为不可，独司隶校尉钟会劝之"，甚至屯守陇右前线的征西将军邓艾也以为"蜀未有衅，屡陈异议"[③]。曹魏自曹操汉中败还以后，奉行的基本战略是西守东攻，先灭吴，后灭蜀。魏文帝曹丕就统一天下的步骤曾问计于贾诩，曰："吾欲伐不从命以一天下，吴蜀何先？"贾诩没有正面回答，主张休兵息民，养蓄国力，等待机会。但"文帝不纳，后兴江陵之役，士卒多死"[④]。公元220年，吴蜀交战，魏谋臣刘晔建言，魏与蜀并兵灭吴。这次曹丕虽然没有采纳刘晔建言与蜀并力灭吴，失去了一次战机，但曹丕先灭吴后灭蜀的基本战略方针没有改变，所以刘备夷陵败北，曹魏并没有乘吴之势，

---

① 谯周等人言论见《三国志·蜀书》各本传。

② 《读通鉴论》卷一〇。

③ 《资治通鉴》卷七八。

④ 《三国志·贾诩传》。

举兵伐蜀，相反却在公元 222 年、224 年、225 年，发动了三次攻吴之战。魏明帝曹叡即位后，仍是重点防吴，司马懿屯于宛，故关中空虚。公元 229 年，曹叡以战略方向又问计于司马懿，"二虏宜讨，何者为先"，司马懿明确回答用水陆两路大举伐吴。司马懿说："若为陆军以向皖城，引权东下，为水战军向夏口，乘其虚而击之，此神兵从天而堕，破之必矣。"[①] 曹叡深然其计，又将司马懿从御蜀的前线关中调屯于宛以御吴。到了公元 262 年，曹魏政权内部形势大变，勃兴的司马氏集团完全控制了朝政。司马懿、司马师、司马昭前后分别镇压了曹魏大臣王凌、毋丘俭、诸葛诞三次反叛，进一步巩固了司马氏的地位，司马昭篡魏之心路人皆知。他为了邀功于外，加速篡魏的步伐，锐意灭蜀，力排众议，调整了战略方向。司马昭分析吴蜀情况说："吴地广大而下湿，攻之用功差难，不如先定巴蜀。"[②] 从而确定了先蜀后吴的方针。事属突然，蜀汉君臣都不在意。司马昭为了隐蔽战略方向，公开制作战船，大造攻吴声势。钟会治兵关中，姜维在沓中，虽有觉察，并启奏后主刘禅，加强防务，但他本人也将信将疑，没有调整部署，仍将主力屯在沓中。等到魏兵全线发起了进攻，姜维才仓促应战，差点被困在沓中。灭蜀之战，长期运筹于权臣司马昭胸中，魏军出其不意，乘虚捣汉中，加速了蜀军的崩溃。

（四）姜维连年动众，蜀汉兵疲民困　姜维是蜀汉后期的中流砥柱，他维系蜀汉政权十余年，最后殉国而死，是一个值得肯定的历史人物。姜维感诸葛亮的知遇之恩，竭尽忠诚继承诸葛亮的遗志，主持北伐，大的用兵有九次，依时序排列如下：

第一次，公元 247 年，姜维率军讨汶山平康夷，又出陇西、南安、金城界，与魏将郭淮、夏侯霸等战于洮西，凉州胡王白虎文、治无戴等率众降，维"迎逆安抚，居之于繁县"。

第二次，公元 249 年，姜维出攻雍州，进围洮城，魏将邓艾

① 《晋书·宣帝纪》。

② 《资治通鉴》卷七八。

先自据城，不克而还。

第三次，公元250年，姜维出西平，欲诱羌胡以为羽翼，隔断陇西，不克而还。

第四次，公元253年，姜维率众围南安，不克而还。

第五次，公元254年，姜维出陇西，魏狄道长李简举城降，进围襄武破徐质军，乘胜“拔河关、狄道、临洮三县民还”。

第六次，公元255年，姜维复出陇西狄道，大破雍州刺史王经于洮西，“经众死者数万人”。

第七次，公元256年，姜维与镇西大将军胡济期会上邽，济失期不至，维被魏将邓艾大破于段谷，蜀军“星散流离，死者甚众”。

第八次，公元257年，姜维闻魏大将军诸葛诞反于淮南，姜维乘魏关中兵东调之机，率数万径出骆谷，魏将邓艾、司马望合兵相拒，坚壁不出，诸葛诞兵败，维引还。

第九次，公元263年，姜维出汉、侯和，进取秦州，为邓艾所破，还屯沓中。

姜维九次北伐，两次大胜，一次小胜；一次大败，一次小败；相拒不克四次。如果单从军事的成败论，姜维北伐胜败大致相当，胜略占优势。姜维面对的是强大魏军，坚固防线，而能给敌人以重创，尽了最大的主观努力。诸葛亮之后，蜀汉敢于北伐志存吞魏的人，姜维一人而已。姜维北伐的重心是夺取陇右。如果蜀取陇右就在地理形势上打破了曹魏对蜀汉的包围，而可以居高临下虎视关中。反之，曹魏固守陇右，不仅巩固了关中形势，还从侧翼包围汉中，并可出奇兵直插蜀中腹地。邓艾灭蜀正是以陇右为基地。陇右有如此重要的战略地位，因此成为魏蜀对峙中重要的战场，姜维自以为“练西方风俗，兼负其才武，欲诱诸羌胡以为羽翼，谓自陇以西可断而有也”[①]，因此不惜一切代价与魏反复争夺，使曹魏一度朝野震动。公元247年洮西战后，魏凉州刺史陈泰说，“维以战克之威，进兵东向”，“招纳羌胡，传檄四

① 《三国志·姜维传》。

郡（陇西、南安、天水、略阳），此我所恶也”[1]。公元255年第二次洮西战后，曹髦下诏自责说：“朕以寡德，不能式遏寇虐，乃令蜀贼陆梁边陲。洮西之战，至取负败，将士死亡，计以千数。”[2] 直到公元263年，司马昭兴兵灭蜀，还在讨蜀诏中称，“蜀，蕞尔小国，土狭民寡，而姜维虐用其众，曾无废志”，“蜀所恃赖，唯维而已”[3]。

历来史家，对姜维的评价是褒贬参半。晋干宝称赞姜维是“见危授命，投节如归”的“古之烈士”[4]。南宋胡三省称赞姜维之心，“始终为汉，千载之下，炳炳如丹”[5]。这些评论都是赞姜维的志节。对于姜维北伐，均持批评。第一个是蜀汉当朝光禄大夫谯周，他作《仇国论》，讥讽姜维“极武黩征”，造成蜀汉“土崩势生”[6]。陈寿师事谯周，袭用谯周观点也说姜维“玩众黩旅，明断不周，终致陨毙”[7]。北宋叶适更是激烈批评姜维“勤兵无名”，导致“隙开于内，衅起于外”，甚至把“国被覆灭之祸”也加在姜维头上[8]。

前已指出，姜维是蜀汉后期的中流砥柱，是他继蒋琬、费祎之后，支撑了蜀汉的危局。因此，把蜀汉之亡，归罪于姜维穷兵黩武，显然是不妥当的。但是姜维的连年征伐，吸引了曹魏重兵西移，消耗了蜀汉有限的人力、物力，使蜀兵疲民困，又加速了蜀汉之亡，也是不能辞其咎的。小国与大国拼消耗，从大局来看，是得不偿失。若把姜维与孙吴陆抗相较，就不如陆抗明智。陆抗上疏孙皓，反对诸将穷兵黩武，主张“力农畜谷”，安抚百姓以仁，而后“顺天乘运，席卷宇内”。也就是说无取胜把握就不用兵。陆抗反对无目的的边境战争，他说：“昔齐鲁三战，鲁人再克而亡不旋踵。何则？大小之势异也。况今师所克获，不补

① 《三国志·陈泰传》。

②③ 《三国志·少帝纪》。

④ 《三国志·姜维传》裴注引。

⑤ 《资治通鉴》卷七八胡注。

⑥ 《三国志·谯周传》。

⑦ 《三国志·姜维传》陈评。

⑧ 《习学记言》卷二八。

所丧哉?”又说：“诚宜暂息进取小规，以畜士民之力，观衅伺隙，庶无悔吝。”① 姜维则不然，段谷惨败之后仍用兵不止。汉中，蜀之门户，“失汉中则三巴不振”，“无汉中是无蜀也”②，战略地位极为重要。姜维重攻不重守，将主力置于沓中，造成汉中空虚，他又撤去汉中外围戍守据点，使得钟会直插平川，迅速攻陷汉中。姜维攻守失策，不保汉中，这也是蜀军失败的一个重要原因。

（五）蜀汉闭塞，人才寡少　王夫之对此，有沉痛的议论。王夫之说：“蒋琬死，费祎刺，蜀汉之亡必也，无人故也。图王业者，必得其地。得其地，非得其险要财赋之谓也，得其人也；得其人，非得其兵卒之谓也，得其贤也。”巴蜀、汉中，偏于西陲，处四塞之中，人才本来就寡少。但刘备和诸葛亮目光只盯在荆州和东川两个集团上，对益州士人采取限制和压抑的政策，所以败亡之日：“蜀士之登朝参谋议者，仅一奸佞卖国之谯周，国尚孰与立哉?”诸葛亮以举贤知名，但他所用皆二流人才，故魏延不平。又诸葛亮事必躬亲，也缺乏用人的雅量。魏延智勇兼备，未尽其才而亡，又蒙受反叛之恶名而遭族诛，沉冤千载，惜哉!

总之，蜀汉灭亡的原因是多方面的。曹魏的强大和蜀汉政治腐败是最根本的原因。上述五个方面是分析蜀汉灭亡的内部原因。在这些内部原因中，人心倒向和益州土著集团的叛卖又是主要的原因。谯周是叛卖集团的首领。从蜀汉的立场来看，谯周无疑是叛徒。但从历史观点来看，今天评价谯周不应苛责。谯周劝后主降魏，如同法正劝刘璋投刘备，其个人立场均属卖主求荣；但以事功论，他们所言皆中肯。蜀汉亡时，有“户二十八万，口九十四万，甲士十万二千，吏四万人”③，平均七户养一吏，九人

---

① 《三国志·陆逊传》附子《陆抗传》。

② 《读史方舆纪要》卷五六。三巴，指巴、巴西、巴东三郡，当今四川嘉陵江流域以东地区。

③ 《三国志·后主传》裴注引《蜀记》。

养一兵，人民负担沉重，“民皆菜色”[1]，这样的割据政权已无存在的价值。谯周劝降，早日结束战争，减少生灵涂炭，应给予恰当的评价。

三、吴国灭亡的原因

孙吴的灭亡，主要有以下三个原因：

（一）孙吴灭亡前的形势，双方力量对比悬殊　公元263年，司马昭定计灭蜀，谓其属曰：“今宜先取蜀，三年之后，因巴蜀顺流之势，水陆并进，此灭虞定虢，吞韩并魏之势也。”[2]邓艾灭蜀后上疏说：“今日平蜀之势以乘吴，吴人震恐，席卷之时也。”[3]邓艾提出了具体方略，认为大战之后，将士疲劳，须休息整屯，同时在政治上和军事上作好灭吴准备。政治上厚抚刘禅以致孙休，军事上在蜀境煮盐开矿，造作舟船，预顺流之事。按邓艾的估计，政治军事双管齐下，“须来年秋冬，比尔吴亦足平”。当时孙吴陆抗等人尚在，灭蜀之后，一年定吴未免不切实际。公元265年，司马昭死，其子司马炎代魏，邓艾也在内争中被杀，于是延缓了灭吴的计划。但邓艾虽死，他提出的灭吴方略却得到了全面的执行。西晋大举伐吴之时，已是“吴之将亡，贤愚所知”[4]，灭吴的条件完全成熟。

司马氏灭蜀后，国土辽阔，在地利上三面包围吴国，蜀又在吴之上流，吴所恃长江天险已与晋共之矣。在力量对比上，西晋大为增强。据《晋书·地理志》载，西晋平吴后，全国民户二百四十五万九千余户，吴境荆扬交广民户七十三万六千余户，占全国总户百分之三十；西晋境内户一百七十二万三千余户，占全国总户百分之七十。吴亡时，据《三国志·孙皓传》裴注引《晋阳

① 《三国志·薛综传》裴注引《汉晋春秋》。
② 《晋书·文帝纪》。
③ 《三国志·邓艾传》。
④ 《三国志·孙皓传》裴注引《襄阳记》。

秋》记载，吴有户五十二万三千，吏三万二千，兵二十三万，米谷二百八十万斛，舟船五千余艘，后宫五千余人。孙吴民、兵、吏分籍，兵二十三万，吏三万二千，既是兵吏之数，亦是兵吏之户，所以晋统一后通计吴境户口有七十余万户。西晋之兵在魏时已有五十万[①]，灭蜀后，又增兵近十万，即西晋拥兵约六十万。按上述统计，晋吴力量对比，晋兵是吴兵的两倍半，晋民户是吴民户的两点三倍，占有很大的优势。公元280年，西晋大举伐吴，兵分六路：

（1）镇军将军琅邪王司马伷自下邳向涂中（今安徽滁河流域）；

（2）安东将军王浑自扬州（州治在今安徽寿县）向江西（今安徽和县方向）；

（3）建威将军王戎自豫州许昌向武昌；

（4）平南将军胡奋自荆州向夏口；

（5）镇南大将军杜预自襄阳向江陵；

（6）龙骧将军王濬、广武将军唐彬率巴蜀之卒浮江东下。

六路大军，东西万里，一齐进击，水陆并进，使吴军不知所防，首尾不能相应。西晋最初出动的大军“东西凡二十余万”[②]，战斗进程中又追加兵力，司马伷、王浑、王濬三路大军会师秣陵，“凡二十万众”[③]，其余三路以半数计也有十万之众。西晋灭吴，前后用兵三十万，已为吴兵的一倍半。孙吴二十余万众，分守四方，力量分散。重兵防守的秣陵，也不过六七万，不当晋军一路之师。孙皓为阻止晋军渡江，命丞相张悌出战，好不容易才拼凑了三万人。张悌渡江，全军覆没，“吴人大震”[④]。王濬所部巴蜀之兵以水师为主力，其众八万，乘坐战船，顺江东下，旌旗

① 《晋书·文帝纪》载，司马昭平淮南诸葛恪之叛，上表曰：“今诸军可五十万，以众击寡，蔑不克矣。”《资治通鉴》卷七七载，司马昭此役用于第一线的兵力即达二十六万。

② 《晋书·武帝纪》。

③ 《晋书·王濬传》。

④ 《晋书·王浑传》。

器甲，属天满江，所过“攻无坚城，夏口、武昌，无相支抗”①。王濬军进逼秣陵时，孙皓组织了两支水军迎战。张象率舟军万人为前锋，两军相遇，吴军见晋军势大，不战而降。吴军后继陶濬军两万人，还未开赴出战，一夜之间全部逃散。孙皓坐守空城，只有投降一条路可走。

综上所述，晋灭吴之战，是一次力量对比悬殊的战争，吴国全境都没有作认真的抵抗就瓦解了。

但是，力量对比悬殊只是外因，吴国若早有反击措施，集中兵力应战，亦不可小视。孙氏割据江东八十余年，称帝也有五十二年，经历了两三代人，占地大江以南，算得上是一个根深蒂固的割据大国。孙吴亡时有兵二十三万，米谷二百八十万斛，舟船五千余艘，甲兵资实，力量可观。新造之晋进攻割据近百年的吴国，也如同灭蜀一样，势如摧枯拉朽，一战成功，其主要的原因还在于孙吴内部腐朽，即下述的第二三两点原因，一是政治腐败，二是内讧不已。

（二）孙皓的暴虐统治，激化了社会矛盾　孙吴后期政治腐败，原因是多方面的，孙权晚年政治已经开始走下坡路，但孙皓的暴虐则是孙吴政治腐败的集中体现。

公元264年，孙皓初立，“发优诏，恤士民，开仓廪，振贫乏，科出宫女以配无妻”，“当时翕然称为明主”。但即位不久，孙皓原形毕露，史称“皓既得志，粗暴骄盈，多忌讳，好酒色，大小失望”②。孙皓以忌疑心诛杀大臣丞相濮阳兴和右将军张布，又逼杀孙休朱夫人及孙休长子二人。孙皓喜怒无常，虐杀宫人，极其残忍，或剥人之面，或凿人之眼，是以上下离心，晋军兵临城下，“莫为皓尽力，盖积恶已极，不复堪命故也”。

孙皓又大兴土木，穷奢极侈。孙权所建太初宫，方三百丈。公元267年，孙皓新建显明宫，方五百丈，又在六月农忙之时起建，征发大量役夫，使农业荒芜。孙皓敕令，“二千石以下皆自

① 《晋书·王濬传》。

② 以上两段引文见《三国志·孙皓传》及裴注，本节以下凡引本传及裴注不具注。

入山督摄伐木”，“又破坏诸营，大开园囿，起土山楼观，穷极伎巧，功役之费以亿万计”。

孙皓移居新宫，整天纵情声色犬马，广采士女充填后宫。孙权时后宫才一百余人，孙皓“中宫万数”，直到吴亡时还有五千余人。这样多的坐食者，造成吴国“内有离旷之怨，外有损耗之费，使库廪空于无用，士民饥于糟糠”①。孙皓敕令，凡二千石大臣的女子年十五六岁的都得简阅入宫，简阅不中的才可出嫁。宦官奔赴州郡选美，“有钱则舍，无钱则取，怨呼道路，母子死诀”②。佞臣何定为了邀宠，“又使诸将各上好犬，皆千里远求，一犬至直数千匹”，至于已选入宫中的御犬，都戴上缨冠，“直钱一万”。

孙吴后期，府库空竭，加上孙皓的无尽消耗，更加空虚。孙皓为了弥补财政，加重对人民的压榨，在正常赋役之外，又沿引西汉旧制，加征“酤籴”、“算缗”。公元 276 年，会稽太守车浚、湘东太守张咏值郡荒旱，不出算缗，表求赈贷，皓谓车浚等欲树私恩，“就在所斩之，徇首诸郡”。尚书熊睦见皓酷虐，稍稍有所谏劝，“皓使人以刀环撞杀之，身无完肌”。

蜀国亡后，吴国上游失去屏障，防务空虚，交趾、九真二郡又叛。为了补充兵源，孙吴抽调屯田客万人为兵士，民屯遭到破坏。兵士原先只有耕战两项任务，而“今之战士，供给众役，廪赐不赡”③，战斗力大大削弱。

孙皓又虚狂妄想作中原天子。公元 272 年春正月，孙皓从降人口中闻知寿春有童谣，“吴天子当上”，佞臣刁玄妄论历运，孙皓认为是自己得天命。他即载母妻子及后宫数千人，西上洛阳作天子。“行遇大雪，道途陷坏，兵士披甲持仗，百人共引一车，寒冻殆死。”士兵苦不堪言，哗言倒戈，孙皓才返回建业，真是狂悖之极。

上行下效，吴国的统治集团以及世家大族都醉生梦死，生活

① 《三国志·贺邵传》。
② 《三国志·陆凯传》。
③ 陆凯上疏，见本传。

糜烂。孙皓宠幸的一个小官，司直中郎将张俶，“奢淫无厌，取小妻三十余人，擅杀无辜”。至于世家大族，则是“金玉满堂，伎妾溢房，商贩千艘，腐谷万庾”，“梁肉余于犬马，积珍陷于帑藏”[①]。当时一般人民，饥寒交迫，“家户贫困，衣食不足”[②]，“老幼饥寒，家户菜色”[③]，“父子相弃，叛者成行”[④]，阶级矛盾极为尖锐。公元266年，永安山越人施但等聚众数千人起义，直向建业进军，众万余人。公元279年，合浦郭马暴动，杀吴广州督虞授。

孙皓的倒行逆施，引起了孙吴有远见的大臣的忧虑。陆抗、陆凯多次上书谏，皓不纳。陆抗呈请加强长江上游防务，要求补充兵员到八万人，孙皓不听，却大封宗室王二十二人，人给三千兵，分散了吴国的兵势。公元272年，王濬在巴蜀大造战船，碎木顺流而下，建平太守吾彦取碎木上呈孙皓，请求增强建平守备，皓亦不从。孙皓放松了长江上游防务，而又听任边将邀功，一再攻掠晋地，耗损国力。公元279年，晋将杜预、王濬都上表伐吴，王濬说：“孙皓荒淫凶逆，荆扬贤愚无不嗟怨。且观时运，宜速征伐。若今不伐，天变难预。令皓猝死，更立贤主，文武备得其所，则强敌也。”[⑤] 中书令张华对晋武帝说：“吴主淫虐，诛杀贤能，当今讨之，可不劳而定。”[⑥] 于是晋武帝锐意伐吴。

（三）孙吴集团的内讧，削弱了力量 孙吴集团内讧始于孙权赤乌年间的嗣子之争，举国中分。孙权兴大狱，诛杀无辜大臣，行暴虐之政，影响深远。陈寿评曰：“其后叶陵迟，遂致覆国，未必不由此也。”[⑦] 继嗣之争，波及身后。公元252年，孙权病死，只有十岁的幼子孙亮继位，大权旁落辅臣诸葛恪和孙峻之手。二人争权，峻杀诸葛恪。孙峻骄矜，刑杀过差，百姓嚣然。

① 葛洪：《抱朴子·吴失篇》。
② 《三国志·华覈传》。
③ 《三国志·贺邵传》。
④ 《三国志·骆统传》。
⑤ 《晋书·王濬传》。
⑥ 《资治通鉴》卷八〇。
⑦ 《三国志·吴主传》陈评。

吴侯英、将军孙仪、张怡、林恂等相继谋杀孙峻，皆因谋泄被杀。孙峻死后，权移孙綝。孙綝与吕据、滕胤等争权，滕胤、吕据、华融、丁晏等大臣皆死，滕胤、吕据被夷三族。孙亮谋杀孙綝，谋泄，綝废亮，立孙休。孙休杀綝，下诏平反诸葛恪、滕胤、吕据。孙皓立，又逼反夏口督孙秀、西陵督步阐。阐，孙吴名将，据西陵要害，他出降西晋，使吴国招致晋人的大举进攻。步阐之叛虽被陆抗讨平，却大大削弱了长江上游守备，遗患无穷。

与孙吴政治衰败相反，西晋初晋武帝励精图治，锐意灭吴，一派兴旺气象。政治上，司马氏集团三世掌握曹魏大权，立九品官人法，笼络士族。灭蜀后，优诏益州士民"复除租赋之半五年"①，以慰蜀民之心。公元264年，司马昭封刘禅为安乐公，禅子孙及蜀降臣封侯者五十余人，用以招抚吴国君臣。司马炎即位后，又采纳文立的建议，对诸葛亮、蒋琬、费祎等子孙量才叙用，"一以慰巴蜀之心，其次倾吴人之望"②。司马氏集团还对吴直接采取了政治攻势，招怀吴人。早在公元258年，司马昭破诸葛诞于寿春，吴将唐咨、孙曼、孙弥、徐韶等穷迫率吴军步骑三万归降，诸将认为吴兵不可用，请坑之，司马昭说："就令亡还，适见中国之弘耳。"③ 于是徙之三河。晋荆州都督羊祜不犯吴境平民，约束军队不得妄取吴民财物。对降晋的吴人，任其去留；对被俘吴将，予以宽宥；对争锋中被杀吴将，厚礼殡敛，准予迎丧。因此，羊祜深得吴人之心，吴人"降者不绝"④。晋军南渡，吴人望风而降，羊祜的政治战，终收实效。经济上，司马氏废除曹魏民屯，使屯田民成为自耕农，不仅提高了生产者的积极性，还招徕了大批吴人。曹魏时渡江南迁的淮南之民，这时纷纷北还。司马炎还下诏奖励人口增殖，民女十七不嫁者，由地方长吏代择配偶。又下诏禁止游食商贩，奖励督劝开荒的地方官吏，大兴水利等。这些措施使北方经济进一步得到恢复和发展，许多流

① 《三国志·曹奂传》。
② 《晋书·儒林·文立传》。
③ 《晋书·文帝纪》。
④ 《晋书·羊祜传》。

民归农。公元263年灭蜀时，魏蜀通计户口九十四万三千余户，到了公元280年统一全国后，原晋国境内户口一百七十二万三千余户，十五年间增加了七十八万户，几乎增长了一倍，国力大增。军事上，已如前述，命王濬在巴蜀大造舟船，大练水军，弥补北军不习水战的弱点。西晋经过了这样的长期准备，赢得了天命攸归的舆论，又以大军伐吴，所以一战成功。

四、司马氏代魏的原因

司马氏经过司马懿、懿子司马师和司马昭、昭子司马炎三代人的经营，代魏而建立了西晋。三国归一于司马氏。虽然直接完成三国统一的人物是司马昭和司马炎，但正如曹操为魏国的建立奠定了基础一样，司马懿为西晋的建立奠定了基础，所以司马懿应是三国一统中的一个重要人物。司马懿如何代魏，是值得研究的。

（一）汉魏禅代的积极拥护者　司马懿字仲达，河内温县（旧治在今河南温县西南）人，出身于一个累世二千石的世家大族。祖司马儁，汉颍川太守；父司马防，汉京兆尹；司马懿兄弟八人，号称“八达”。懿兄司马朗、堂兄司马芝都受到曹操的重用，两人《三国志》中有传。司马懿生于公元179年，与曹操谋士郭嘉、刘晔等人是同辈人物。《晋书·宣帝纪》载，司马懿少时就被当时名士杨俊、崔琰赞为“非常之器”，获得“聪亮明允，刚断英特”[①] 的美誉。但司马懿却未急于用世，不受曹操征辟，坐作声价。直到公元208年，在曹操的威逼下才就征为丞相府文学掾。他被辟为文学掾后，与曹丕倾心相结，得到迅速提升：“迁黄门传郎，转议郎，丞相东曹属，寻转主簿。”公元219年，孙权与刘备争荆州，上书曹操称臣劝进，司马懿借题发挥，向曹操献媚说：“权之称臣，天人之意。”曹操不想蒙受“篡逆”

① 《晋书·宣帝纪》。下引本纪不再注。

之名，同时想缓和中原世家大族的反对，于是效周文王，让儿子曹丕来篡汉。司马懿积极倡导禅代，曹操就让他为曹丕的幕宾。早在公元 213 年，曹操称魏王时，司马懿就成为世子曹丕的谋臣，为太子中庶子，与陈群、吴质、朱铄同列，号为太子四友。

曹丕代汉，司马懿因率先劝进的拥戴之功，深得曹丕信任，加官尚书，不久又加督军御史中丞之职，监护诸将。公元 224 年，曹丕大举征吴，委司马懿为抚军将军、加给事中、录尚书事留镇许昌。曹丕十分倚重司马懿，视为腹心之臣，凡御驾出巡或征讨，都委司马懿为留守，并在诏书中誉之为曹魏的萧何。曹丕病危，司马懿与曹真、陈群三人受顾命之重为辅政大臣。曹真和陈群二人在政治上都不是司马懿的对手。就这样，司马懿经过曹丕的一手扶植，登上了曹魏统治集团最上层核心人物的地位。

（二）历仕四朝，手握重兵 司马懿生于公元 179 年，死于公元 251 年，享年七十三岁，是三国时代一个高寿的人物。他的一生，差不多与整个三国时代的动乱相终始，历仕曹魏武帝、文帝、明帝、齐王曹芳四朝，不仅在长期政治沉浮的斗争中积累了经验，而且在统军征战中手握重兵，这是他成功的条件之一。魏明帝时，曹真督军关中御蜀，司马懿镇宛城御吴，成为独当一面的督军大将。司马懿在宛四年，与吴国没有发生大的战争。司马懿在军事上显露锋芒是公元 227 年平定上庸孟达之叛。孟达原是蜀中名将，后降魏为上庸太守，与魏文帝曹丕关系密切。曹丕死后，孟达心不自安，诸葛亮得知消息，亲与达书，“数相交通”[①]，于是孟达叛魏，欲配合诸葛亮北伐，进攻洛阳。司马懿在宛城得知孟达叛魏的消息，先斩后奏，未经上奏魏明帝请诏，径直星夜提兵指向上庸。孟达估计司马懿自来，至少要一月时间，想不到司马懿八天就兵临城下，仓皇应战，兵败被杀。司马懿迅速果敢地平定孟达，打乱了诸葛亮的北伐部署，为魏抗蜀建立了大功。公元 231 年曹真死后，司马懿西调督兵关中，抗拒诸葛亮蜀军北

① 《三国志·费诗传》。

伐。当时曹魏最忌诸葛亮。司马懿担当此任，实际上就掌握了曹魏的军事大政，成为无可匹敌的重臣。司马懿在与诸葛亮的对阵中，采取了据险坚守、疲惫蜀军的方针，迫使诸葛亮退军。司马懿持重不与诸葛亮进行主力决战，因为诸葛亮足智多谋，蜀军又擅长山地战，所以他不肯弄险，怕万一失败以损自己威名。他抓住蜀军粮运不济的弱点，疲惫蜀军迫其退走，也就取得了胜利。司马懿在战场上也打的是政治仗，他有自己全局的方略。公元239年，司马懿兵伐辽东，情形就大不一样。由于对手平庸，司马懿速战速决，迅速平定辽东，胜利班师，进一步巩固了自己在朝中的政治地位。

（三）计高一筹，奠定西晋基业　公元239年，魏明帝病死，九岁的养子曹芳继位，司马懿与曹真之子曹爽共受遗命辅政。曹爽后生晚辈，才识平庸，无论是资望还是玩弄权术都不是司马懿的对手。但曹爽是皇族近亲，在政治上比异姓司马懿优越。所以司马懿与曹爽斗争，采取了后发制人的策略。

司马懿与曹爽同辅齐王曹芳，共执朝政。曹爽为大将军、假节钺、都督中外诸军事、录尚书事。司马懿为太尉、都督中外诸军事、录尚书事。司马懿与曹爽各统三千兵。曹爽最初“引身卑下”，对司马懿“恒父事之，不敢专行”①；司马懿则以曹爽为皇族，每事谦让。但这都是表面文章，双方暗地里都在图谋吃掉对方。司马懿经营多年，势力空前膨胀。郭太后是司马懿在宫中的代理人。中书监刘放、中书令孙资、吏部尚书卢毓、太尉蒋济等都是司马懿的死党。长子司马师为中护军，典武官选举。司马懿的门生故吏遍布朝野。曹爽为了对抗司马懿，陆续地把夏侯玄、何晏、邓飏、丁谧、李胜、毕轨、桓范、文钦等人引为腹心，委以重任。宫中傀儡皇帝齐王曹芳受曹爽控制。辅政未久，曹爽就以弟曹羲出面奏请转司马懿为太傅，明升暗降，解除对司马懿录尚书事职务，曹爽独揽政权，把何晏、丁谧、邓飏拉入了尚书省。不久，又免去卢毓的吏部尚书，刘放、孙资，以及司马懿集

① 《三国志·曹爽传》及裴注。

团的骨干傅嘏、何曾、孙礼等人皆被罢黜或病免。辅政的第八年。公元247年，曹爽奏请郭太后移居永宁宫，表面上曹爽集团取得了全胜。在曹爽步步进逼之下，司马懿先让一着，表示退避，最后称病装糊涂，竟瞒过了曹爽集团的智囊李胜，放松了对他的警惕。司马懿暗中却布置司马师"阴养死士三千，散在人间"，等待时机，发动政变，以便事发"一朝而集"①。曹魏嘉平元年（公元249年）正月，曹爽兄弟率禁军奉齐王曹芳出洛阳城往南郊拜谒明帝曹叡的陵墓高平陵，司马懿抓住时机发动政变，关闭洛阳城门，亲自带兵驻屯洛水，阻挡曹爽进城。司马懿以太后诏罢曹爽、曹羲、曹训兄弟三人兵权，派许允、陈泰告曹爽兄弟，只免官，仍以侯就第。司马懿又派曹爽兄弟素所信任的殿中校尉尹大目告爽，保证其不死。太尉蒋济也致书曹爽，担保其人生安全。曹爽兄弟天真地信以为真，认为虽罢兵权，犹不失作富家翁。大司农桓范替曹爽划策，挟天子南行许昌，征天下之兵以讨司马懿。但庸儒的曹爽不听，束手就擒，被司马懿残酷地夷灭了三族。随后司马懿倾全力翦灭曹爽集团的残余势力，打击皇族和拥曹派官员。嘉平三年（公元251年），司马懿又镇压了都督扬州诸军事的淮南镇将王凌的反抗，夷灭了参与者的三族，完全控制了曹魏政权。就在这一年司马懿病死了，议者咸云"伊尹既卒，伊陟嗣事"②，其子司马师以抚军大将军辅政，第二年迁大将军、都督中外诸军事、录尚书事。以后司马氏在门阀士族的拥戴下，历司马昭至司马炎而代魏，建立了晋朝。毫无疑问。司马懿粉碎曹爽集团，翦灭拥曹派，奠定了西晋建立的基础。

（四）世家大簇拥戴司马氏 曹爽集团的骨干是魏室姻亲和拥曹派功臣的后裔，代表皇族，成员多年少气盛，被称为浮华派。他们在政治上和军事上多不成熟，缺乏经验。司马懿集团多元老重臣，骨干大多是政治老手，可称之为持重派。曹爽败在司马懿手下，绝不是偶然的。曹操出身"赘阉遗丑"的宦官之后，在东汉末名声不好。东汉党锢之祸的罪魁就是宦官集团。受害党

①② 《晋书·景帝纪》。

人都是世家大族的名士。所以曹氏代汉受到世家大族的抵制。曹丕代汉施行九品官人法，才取得世家大族的支持。而司马懿本身是世家大族，阶级根基比曹氏优越。司马氏的姻戚也都是当时的世家大族。司马懿之妻张皇后，其母是河内山涛的祖姑母。懿长子司马师继室羊皇后，是蔡邕的外孙女。懿次子司马昭妻王皇后，其祖王朗、其父王肃，都是第一流的经学家。懿女婿京兆杜预，也是名宦之后，且是著名经学家。曹氏父子不仅出自"赘阉遗丑"，而且姻戚也都寒微。曹操妻卞皇后出自倡家。曹丕妻郭皇后原是铜鞮侯家女奴。曹叡妻毛皇后，其父"典虞"车工。两相比较，在当时世家大族眼里，自然是一个在天上，一个在地下。曹爽集团的夏侯玄曾与司马懿论辩，建议限制州都郡正品评论人的权力，只限于谱写官吏行状，将选拔官吏的权力收归吏部，继续曹操"唯才是举"的用人路线，以打破门阀的垄断。司马懿毫不犹豫地拒绝了夏侯玄的建议，大力推行九品中正制，维护门阀士族的利益，扩大司马氏集团的阶级基础。司马氏集团的胜利，可以说意味着世家大族在政治上的发展和门阀制度的确立。

（五）曹魏政权政苛刑酷，人心未孚　司马氏父子从公元249年至公元262年，在短短的十三年中屡诛大臣，三次镇压拥曹派镇将的反抗，轻而易举就把曹魏的政治势力彻底摧垮了。因为曹氏用权诈篡汉，又政苛刑酷，未能根植民心中。曹氏政权既得不到世家大族多数的支持，又失去民心的拥护，所以未到三国统一就灭亡了。

司马氏集团虽然是门阀地主的代表，但他们为了取代曹氏政权，不得不对内施行一些善政，如罢屯田，去苛碎，用以争取民心；对外积极筹划灭蜀、灭吴的战争，加速了统一的进程。尽管司马昭灭蜀后由于司马炎急于称帝而延缓了灭吴之战，但总的历史进程，却因司马氏集团的勃兴而加速了三国的统一。在经济上，司马懿建置军屯，以后司马师、司马昭又继续大力推行，在淮南、关中广储粮饷，为北方统一南方加厚了物质基础。

纵观司马懿，他的前半生没有多大建树，与他的同辈郭嘉、刘晔相比，似乎是大器晚成。他不同郭嘉、刘晔之为帝王师，他具有更深沉的政治思虑，也具有更大的野心。司马懿师法曹操而有更高的要求。但这不等于说司马懿少小就有帝王之志。他和曹操一样，野心随时局的变迁而不断膨胀。司马懿善于审时度势，他以拥护曹氏父子代汉而发迹于政治舞台，又倾全力与太子曹丕为友，把目光放在长远未来。曹操曾警告曹丕说："司马懿非人臣也，必预汝家事。"[①] 不幸被曹操而言中。曹操欲加害司马懿，曹丕"每相全佑，故免"[②]。可以说没有曹丕就没有司马懿。曹氏父子挟汉献帝号令群雄而取代了汉室，司马氏祖孙三代挟曹魏三少帝而经营了西晋的基业。汉、魏、晋的相继禅代，恰似螳螂捕蝉，黄雀在后。这种以权诈取政权的世风影响了宋齐梁陈，可谓深远。始作俑者曹操，继而师之者司马懿。毫无疑义，司马懿是继曹操之后最大的权谋家。在三国后期，司马懿在斗争中已成长为第一流的政治家和军事家。从汉末群雄纷争到三国归一统，曹操和司马懿是前后辉映的两个重要历史人物。因此，司马懿的名字，完全可以与曹操、孙权、刘备、诸葛亮等人并列，是一个对历史有贡献的时代英雄。

五、三国归一统是历史的必然

华夏民族经过春秋战国的长期战乱，走向了秦汉大一统，车同轨，书同文，形成了具有共同文化心理的民族，和平和统一才符合人民的愿望，战乱和分裂只能是短暂的历史现象。三国归一统是历史的必然。曹孙刘三方都是打着统一的旗号才得以立国的，这就是显证。

三国中曹魏政权最为酷虐，然而却是北方统一了南方，这也是值得探索的一个问题。本文前述各节论述蜀吴灭亡的原因和司马氏代魏，实际上已经涉及了这一问题，这里再作一简括的总

①② 《晋书·宣帝纪》。

结，以供讨论。

魏晋统一南方，也有着多因素的历史原因。其一，曹魏占有天下的过半，以大吞小；其二，曹魏具有高强度的政治集权，而曹操、曹丕、曹叡三世明主，政治上占有优势；其三，北方人口多于南方，生产技术进步，恢复被战乱破坏的经济比起南方开发经济要迅速得多，三国后期，北方经济占有很大优势；其四，北方占有地利，居高临下；其五，吴蜀政治腐败，而曹魏后期政权落入勃兴的司马氏集团之手，而这个集团不失时机地将蜀吴各个击破，统一了南方。此外，中原是正统文化所在，不仅人才众多，而且在民族心理上占有优势。这些条件的综合力大大超过了南方，所以三国归一，北方统一了南方。北方所占地理优势是一个不可改易的客观环境，而北方人口众多和正统文化的心理，在古代中国长时期占有优势，所以南北对抗，基本上是北方统一南方，不独魏晋为然。由于曹魏政权政苛刑酷，人心未孚，所以三国归一统，落于司马氏之手。

上述三国归一统的诸多历史原因中，政治和经济的原因占有主导地位。魏灭蜀，晋灭吴，北方所动员的军力、财力都占有压倒优势，蜀、吴两国连招架的力量都没有，更无还手之力，所以都迅速灭亡。此外，人谋的决策规画也具有重要意义，曹魏灭蜀大将钟会、邓艾，西晋灭吴大将杜预、王濬都是杰出的人才。三国鼎立，人谋规画起了决定性的作用；而三国归一统，则是北方占压倒优势的政治和经济起了决定性的作用，时移事变，不可拘执立论，这道理就毋庸赘述了。

论三国一统人物

公元 263 年，司马昭灭蜀，统兵大将为钟会、邓艾。公元 280 年，晋武帝司马炎平吴，灭吴晋师有六路大军，而居首功者为杜预、王濬。本文简论钟、邓、杜、王四人统一三国的功绩。

钟会　邓艾

钟会　字士季，颍川长社（今河南长葛县西）人，出身魏名公之后，父钟繇官至太傅。

钟会少而聪慧，勤奋好学，常夜以继日，博览群书，精通名理，尤喜读《易》，著有《道论》二十篇，与当时注《易》的少年名士王弼齐名。正始中为秘书郎，迁尚书中书侍郎。

钟会受到司马师的器重，两人曾作彻夜之谈。司马师握住钟会的手说："你真是王佐之才。"大将军曹爽被诛后，钟会更积极地投靠司马氏，与司马师、司马昭关系都十分投洽，成为司马氏集团的重要谋士。

公元 255 年，魏镇东将军毋丘俭和扬州刺史文钦，起兵反抗司马氏的专权。当时司马师为大将军录尚书事，执掌朝政，因刚割目瘤，不宜外出，钟会与河南尹王肃、尚书傅嘏等分析形势，劝司马师亲征淮南，迅速扑灭叛乱，以避免成燎原之势。司马师从其计，抱病出征，钟会随从，“典知密事”，很快平息了叛乱，钟会初立大功。

司马师班师，目疾加剧，病死于半道许昌，其弟司马昭总统六军。魏帝曹髦欲趁机剥夺司马氏军权，诏司马昭留镇许昌，令尚书傅嘏率诸军还洛。钟会谋谟帷幄，劝司马昭抗旨领兵还洛，不能丧失兵权。司马昭从其计，曹髦果然改命司马昭为大将军录尚书事，继续执掌朝政。司马昭封会为华武亭侯，迁黄门侍郎。

公元 257 年，淮南镇东大将军诸葛诞继毋丘俭、文钦起兵反司马氏。诞有鉴毋丘俭、文钦之败，南引孙吴为援。当时淮南、淮北屯田士有十余万，扬州新附四五万，诸葛诞悉以为兵，聚谷寿春，闭城自守。吴遣将全怿、全端、唐咨、文钦等为援，又发大众以继。司马昭督率诸军二十六万往讨，围城半年不克。这时孙吴将全怿兄子全辉、全仪因与其家内争讼，携母及部曲数十家奔魏。钟会借此献反间计，用全辉、全仪名义写信给全怿、全端，让全辉亲信带入寿春城，诡称“吴中怒怿等不能拔寿春，欲尽诛诸将家，故逃来归命”。全怿、全端等恐惧，率所部数千人出城降，于是城中震恐，发生内讧，很快被攻破。此役，钟会谋划居多，下诏褒奖，“亲待日隆”，时人誉为司马昭之“子房”，司马昭迁钟会为司隶校尉。

公元 249 年，司马懿诛曹爽，右将军夏侯霸降蜀，蜀人问霸，司马氏能否为害蜀国，霸回答说：司马氏“彼方营立家门，未遑外事”，但有个钟士季，“其人虽少，终为吴、蜀之忧”[①]。在两平淮南之役中，钟会充分显示了他的筹策奇谋。他又一贯主张灭蜀并吴，混一天下，并有一套战略方针。公元 262 年，司马昭讨论伐蜀，朝臣皆以为不可，征西将军邓艾也认为“蜀未有衅，屡陈异议”[②]，只有钟会独劝昭伐蜀，于是以钟会为镇西将军，都

① 《三国志·钟会传》裴注引《世语》及《汉晋春秋》。

② 《资治通鉴》卷七八。

督关中，筹划伐蜀方略。

公元263年五月，司马昭正式下诏伐蜀，征四方之兵十八万。八月，钟会率主力自洛阳出发，进军灭蜀。钟会治军严整。出兵时，他令牙门将许仪在前修治道路，因桥穿陷马足，会斩许仪。许仪为曹魏开国名将许褚之子，会以军法处斩，毫不宽贷，于是全军整肃。

九月，钟会按预定计划督军攻蜀。兵分三路：征西将军邓艾率兵三万自狄道（今甘肃临洮）向甘松（今甘肃迭部东南）、沓中进军，牵制姜维；雍州刺史诸葛绪率兵三万自祁山（今甘肃礼县东北）向武街（今甘肃成县西北）、桥头（今甘肃文县东南）进军，以切断姜维归路；钟会率主力十二万由关中分三路从斜谷、骆谷、子午谷直插汉中。汉中蜀军三万撤出外围险阻，收缩在乐城、汉城、阳安关。蜀将王含率军五千守乐城，蒋斌率军五千守汉城，傅佥率军二万守阳安关。这时姜维的主力还在沓中未拔出。钟会分兵围乐、汉二城，率主力越过二城直扑阳安关。阳安关守城副将蒋舒开门迎降，傅佥战死，关城失落。钟会马不停蹄，直奔剑阁，欲夺关进逼成都。正是千钧一发之际，姜维从沓中拔出，与成都赴援的廖化、张翼军会合，赶到了剑阁，遏止了钟会的进攻。

姜维以四五万之蜀军，凭高据险，阻扼了钟会的十余万魏军。两军相持月余，魏军粮饷不继，钟会欲退军休整，邓艾不从，上言曰："今贼摧折，宜遂乘之，从阴平由邪径经汉德阳亭趣涪，出剑阁西百里，去成都三百余里，奇兵冲其腹心"，"掩其空虚，破之必矣"①。邓艾欲与诸葛绪联兵自江油趣成都。绪不从，引兵东向与钟会合军。钟会欲专军势，借口诸葛绪贻误军机，槛车征还，军悉属会。邓艾率本部独进。

邓艾　字士载，义阳棘阳（今河南南阳市南）人，出身寒微，曾为屯田典农小吏，稻田守丛草吏，后为典农上计吏，因上计见太尉司马懿，受到赏识，辟为掾，迁尚书郎。邓艾受命按行

---

① 《三国志·邓艾传》。

淮南，著《济河论》，提出在淮南淮北引水灌溉，进行大规模的军屯，淮北二万人，淮南三万人，十二分休，常有四万人，且田且守，每年可生产五百万斛军粮，六七年间可积三千万斛于淮上，可供十万之众五年之食，司马懿采纳了邓艾的建议，在淮南大开屯田，为灭吴奠定了物质基础。公元 255 年，邓艾随司马师出征淮南毋丘俭和文钦，战功卓著，进位安西将军，继郭淮督军陇右，与姜维拒战，多次遏止了姜维的进攻，名震关陇，为抗蜀名将。灭蜀之战，在关键时刻，他不计个人成败，从阴平道行无人之地七百余里，凿山通道，至为艰险，“又粮运将匮，频于危殆”。军至马阁山（今四川平武东南），无路可通，邓艾身先士卒“以毡自裹，推转而下”，“将士皆攀木缘崖，鱼贯而进”[①]，越险直达江油。邓艾的奇袭，改变了全局战略，魏军像一把尖刀直插成都心脏，后主不战而降，蜀国也就灭亡了。

蜀亡之后，钟会因蓄异志，欲割据自王，厚结姜维以为援。邓艾尽心为国，先斩后奏，擅自处置后主及一班降人，以为灭吴作准备。姜维利用钟邓矛盾，欲假手钟会杀尽魏将，已再杀钟会恢复亡国。三雄相斗，同归于尽，酿成一场大悲剧，可以说是历史上的奇案。钟会之异心有如司马昭之心，路人皆知。司马昭遣钟会伐蜀，西曹属邵悌就对司马昭说：“钟会有异心，不可独任。”司马昭说：“众人皆言蜀不可伐，而钟会与我心意正同，只能派他统兵去灭蜀。灭蜀之后，他若反叛，中原将士都要思归，不会跟他走，只是自取灭亡罢了。”局势的发展，果如司马昭所料，钟会为乱兵所杀，身败名裂。姜维谋事不成，可谓杀身成仁，舍生取义。只是邓艾受诬，忠臣被戮，成为一大冤案。公元 273 年，晋武帝替邓艾平反昭雪。

杜预　王濬

杜预　字元凯，京兆杜陵（今陕西长安县东）人，出身世家

① 《三国志·邓艾传》。

望族，祖父杜畿在魏为尚书仆射，父杜恕任幽州刺史，杜预尚魏文帝曹丕之妹高陆公主，三世显于魏。

杜预少有壮志，博学多通，经学、礼制、历法、律令、算术、工程，无不通晓，朝野称美，号曰“杜武库”。

王濬 字士治，小字阿童，弘农湖县（在今河南灵宝西北）人，家世二千石。濬博涉坟典，具有广博的知识，但不修名行，为乡人所鄙。后改行励志，而有鸿鹄之思。

司马氏代魏，杜预为河南尹，受诏为黜陟使，改革官吏考课制度，改六年一评为每岁一考，使事不淹滞，人无失察，赏罚分明，用人合度。杜预后为度支尚书，奏立藉田，建安边之策，论军国之要。又制造新的农具，兴常平仓，定谷价，较盐运，制课调，共提出了利国救边的五十多项措施，都被采纳施行。杜预考核历法差舛，奏上《二元乾度历》，行于世。晚年精思著述，为《左传》作集解，归纳释例，又作《盟会图》、《春秋长历》，是西晋著名的经学家。

杜预患有大脖子病，又是一个书生，不能上马刺击，但长于军谋，善于打仗。西晋首创灭吴大计者为荆州都督羊祜。西晋灭吴之战，六路大军水陆齐进的战略方针就是羊祜规划的。杜预和王濬两人均为羊祜所荐。王濬曾为羊祜参军，故祜知其能，荐于晋武帝。公元 272 年，王濬为益州刺史，羊祜密表晋武帝令濬制作大船，训练水军。公元 278 年，羊祜病重，举荐杜预自代。祜卒，晋武帝拜杜预为镇南大将军、都督荆州诸军事。

杜预走马上任后，对孙吴发动了一场试探性的作战。东吴名将张政驻防西陵，杜预要搬掉这块拦路石。他选择时机，出其不意攻击张政，打了胜仗，由于吴主孙皓暴虐，杜预算定张政隐情不报。他特地把俘虏押送到建业归还孙吴，让孙皓知道。这位寡谋的暴君，果然中了杜预的离间计，把张政调离西陵，另派一个平庸将领留宪来守西陵。孙吴临敌易将，暴露了主上的昏庸，使得杜预感到灭吴时机成熟，旬月之间连上两表要求伐吴。杜预的上表得到了中书令张华的支持，从而坚定了晋武帝灭吴的决心。

公元 279 年十一月，晋武帝部署六路大军伐吴，以亲信大臣尚书令、侍中、车骑将军贾充为大都督，节制六路大军。王濬率巴蜀水师七万，是一支奇兵，也是一支主力。晋武帝诏王濬下建平，受杜预节度，至秣陵，受王浑节度。公元280年正月，王濬发自成都，率巴东监军、广武将军唐彬攻吴丹阳，克之，顺流而下，破西陵，杀留宪，接着又下荆门、夷道，一路顺风直逼江陵。这时杜预也累克城邑，完成了预定的攻击目标，杜预在王濬部来到乐乡之前，遣将周旨等率奇兵八百，泛舟夜渡，偷袭乐乡。杜预军并不强攻城邑，而是在乐乡郊区多张旗帜，起火巴山，出游军于要害之地，使吴军丧胆。乐乡都督孙歆作书与江陵督伍延说："北来诸军，乃飞渡江也。"① 吴军出降的男女有万余口。王濬大军进逼江陵，借杜预之势，先攻乐乡，切断江陵吴军的退路。孙歆遣军出拒王濬，大败而还。周旨早已埋伏在乐乡城外，随乱兵入城，直趋帅府，活捉了孙歆。江南的乐乡城破，江北的江陵成了一座孤城，晋兵不费力气就攻下了。至此，孙吴上游的防线被彻底摧垮。

杜预顾全大局，鼓励王濬直下江东。当王濬军到西陵时，杜预就作书送与王濬说："足下即摧其西藩，便当径取秣陵，讨累世之逋寇，释吴人于涂炭。……振旅还都，亦旷世一事也。"② 王濬见信十分高兴，上表晋武帝呈上杜预的信，随即麾师东下。与杜预相映成趣的是王浑，他打败了孙吴出战的主力张悌军，却不乘胜进击，屯兵江北等待王濬，要节制他的行动。王濬已逼近秣陵，经三山时，王浑召王濬议事。王濬因受到了杜预的支持和激励，所以不理王浑的阻滞，张帆直趋秣陵，只派人报告王浑："风大不得泊船"，王浑为了抢功，也尾随其后向建业进发。这时司马伷的一支军也从东边包围上来。三路大军，二十余万四面围困建业。孙皓见大势已去，向王濬、王浑，司马伷同时上降表。王濬军先入城，俘虏了孙皓，吴亡，王濬夺得了头功。这时杜预已深入交广，凡所斩及生获吴都督、监军十四，牙门、郡守百二

① 《晋书·杜预传》。

② 《晋书·王濬传》。

十余人，吴国全境投降。

在整个灭吴战役中，王濬水军扫荡三千里，建立了奇功，在封赏中邑万户，为襄阳县侯，功第一，杜预封当阳县侯，增邑至九千六百户，功第二。若全面论功绩，当推杜预第一，王濬第二。杜预在每一个关键时刻都发挥了重要作用。伐吴之始，晋武帝举棋不定，是杜预连上战表，才坚定了晋武帝的伐吴之志。战争进行到中途，王濬已克武昌，作为六军总指挥的大都督贾充却上表说："吴未可悉定，方夏，江淮下湿，疾疫必起，宜召诸军，以为后图。"贾充还召开军事会议，制造舆论："百年之寇，未可尽克。"① 又说什么雨期将至，疾疫必起，班师回朝，来年再举。如果听从贾充等人的意见，伐吴之举将功亏一篑。杜预奋起驳斥说："昔乐毅藉济西一战以并强齐，今兵威已振，譬如破竹，数节之后，皆迎刃而解，无复著手处也。"② 于是杜预部署群帅进讨，王濬奋勇向前，果真势如破竹，很快灭亡了吴国。

西晋灭吴，羊祜、张华、晋武帝都起了重要作用，而统兵克敌，临机进取，杜预、王濬建立了盖世之功。

---

① 《晋书·贾充传》。

② 《晋书·杜预传》。

新中国成立以来三国史研究述评[①]（1952—2001）

三国鼎立的历史，耐人思索，应当进行认真的研究。为了打开新局面，对新中国成立以来五十年（1952—2001）的研究成绩作一番回顾与反思，总结成绩，找出差距，是很有必要的。

一、总成果述评

三国史研究的总成果，有学术论著二十九种，文献研究三十五种，普及、中级的出版读物五十三种，以及其他论著总计二百零一种；有数百家报刊、学报及论文集发表学术论文三千三百零四篇，两项合计字数约四千余万言，数量不少。但从质量看，研究的广度与深度都不够，畸轻畸重，缺乏系统性和深入，没有达到应有的高度。这一现状，可以用两句话九个字来概括：成绩可观，但不尽人意。本文这样述评，并非妄自菲薄，而是以期引起

① 本文以1988《三国史研究》初版殿卷篇目《建国四十年来三国史研究述评》为基础加以补充而成，为2003年《三国史研究》第二版殿卷篇目。因基本观点尚未过时，本文入集未加改动。故论文篇目《索引》收录范围为1952—2001年。

学术界的进一步重视，作出更多更好的成绩。

先说成绩可观，分三个层次来谈。

（一）学术论文　三国史研究的学术论文，总量 3314 篇，两千多万字，可以说成绩显著。但发展很不平衡，以 1978 年为一分界，前二十六年（1952—1977）只有 383 篇，年平均论文约 15 篇；而后二十四年（1978—2001）有 2933 篇，年平均论文近 122.1 篇，是前一段的八倍多，三国史研究，逐渐走上系统化的轨道。研究水平大大提高，表现在三个方面。其一，三国的政治、经济、军事、外交、民族等重大问题受到重视，研究也不断深入；其二，出现了较多的发表组论文章的作者，中老年学者有高敏、何兹全、朱大渭、方诗铭、张大可、吴金华、马植杰、黄惠贤、杨耀坤等，青年学者有谭良啸、周国林、徐日辉、吴洁生、尹韵公、许盘清、何亚南等，以上是老中青三代学人的代表；其三，研究中批判思维的兴起。从方法论来看，第三点尤为重要。近二十年来对于曹操的研究，批判思维的理性反思是其主流。人们对诸葛亮的批判思维也不少，或说他的隆中路线犯有战略错误，或说他同曹操一样"讲权术，耍手腕"，或说他用人"嫉贤妒能"，甚至抨击他"德薄才平，过大于功"。各种观点，进行百家争鸣，无哗众取宠之意，无以势压人之嫌。多维的批判思维的兴起，是科学与民主的时代精神的反映，它标志着三国史研究进入了一个新阶段。

（二）学术论著与文献研究　各种学术论著计二十九种，约六百万言；文献研究三十五种，一千三百多万字，两项总计近两千万字。学术论著，首先是断代史研究，已出版了三本专门著作。一是马植杰的《三国史》，人民出版社 1993 年出版；二是何兹全的《三国史》，北京师范大学出版社 1994 年出版；三是张大可的《三国》一书，收入中国青年出版社 1995 年推出的"中国小通史"系列中，为断代分册之一。这三本断代史的出版标志着学术界把三国史作为一个断代来研究提上议事日程，应该是三国史跃上一个新台阶的标志。马著三十五万字，全书有二十七章，第一次成功地勾画了三国断代史的框架，受到学术界的好评。马著开其端，何书继其后，填补了学术空白。张著二十余万字，全书十一章，以三国鼎立形成的历史原因为主线，开拓了新领域。该书文笔简洁流畅，华文出版社2003年重印单册推出，更名为《三国史》，除原有的插图外又增加了几十位三国人物的画像，标示了作者的创作意图，要向广大读者普及三国史。该书的前身是作者的论文集《三国史研究》，甘肃人民出版社1988年出版。该书是建国以来第一本研究三国史的个人专集。全书收文24篇，分为六组，从不同的侧面系统地探讨了三国时期的政治、经济、军事、外交等问题，着重探讨了三国鼎立形成的历史原因，探其历史因果，很有现实意义，论集突出魏吴对峙的主线，评述了三国时期主要历史人物的贡献，形成一家之言。该书出版产生了较好的社会影响，2003年华文出版社再版，增文两篇，并增加了三篇附录，本次入集即据华文版。《三国史》是在《三国史研究》的基础上改写成的章节体三国断代史，以更通俗的形式讲说三分历史。因此张著的两部书是脉络贯通的姊妹篇。

专题性的论著有余鹏飞的《三国经济史》（河南大学出版社1992年出版）和徐日辉的《街亭丛考》（甘肃人民出版社2000年出版）。余著全面地考察了三国时代社会经济的破坏与恢复发展，是三国史研究的一个重大突破，迄今无后继者，值得重视。徐著作者亲临古战场考察，创获颇多。特别是作者对街亭地理位置的确定，可补正史记载含混的不足。

大型的人物评传，有朱大渭、梁满仓师生二人合作的《武侯春秋》（团结出版社1998年出版），余明侠的《诸葛亮评传》（南京大学出版社1996年出版），张作耀的《曹操评传》（南京大学出版社2001年出版）。这三部学术评传，不仅把对三国时代诸葛亮与曹操两个顶尖人物的研究推向了一个高峰，而且开拓了以人物演史的尝试，《武侯春秋》可以说是一部典范之作。

关于《三国志》的文献研究，文本的整理，1959年，中华书局出版了新式点校本，广为传播。中华书局1982年又出版了卢弼的《三国志集解》，是近人整理《三国志》的一项重大学术成果。近十余年来，出版界推出了多种前人和今人的《三国志》研究论著。前人论著出版了35种，多为补表、补志之作，今人论著有选注本和全注全译本多种。这里不多评述，重点讲学术研究方面的成果。吴金华教授的《三国志丛考》（上海古籍出版社2000年出版）与《三国志校诂》（江苏古籍出版社1990年出版）两书，站在了当前这一领域的前沿。吴教授长于文本与训诂的研究，在《三国志丛考》中探讨易培基的《三国志补注》与卢弼的《三国志集解》两本20世纪文献学家的立身之作，这是需要花大力气的。吴氏的研究为他下一步全面系统整理《三国志》文本与新注打下坚实的基础，这种踏实的学风令人钦佩。此外，李纯蛟的《三国志研究》（巴蜀书社2002年出版），着重探索了陈寿的史学思想，是作者日积月累花了毕生心血啃出来的，归纳《三国志》的著史宗旨、方法义例，创获颇多。作者还辨正了清人赵翼加给陈寿的许多不当观点，如"曲笔回护"，很有说服力。

崭露头角的青年学者何亚南推出了《三国志和裴注句法专题研究》（南京师范大学出版社2001年出版）的专著，表现了当代青年学者不畏艰难，坐得下来潜心精研的精神，可喜可贺。

2002年江苏古籍出版社推出了许盘清、周文业两位作者的《〈三国演义〉〈三国志〉对照本》的文本研究，作者经过一条一条资料对照，用计量分析方法，得出《三国演义》63%言之有据，与章学诚七实三虚的评估相接近，具有重大的理论价值。中国是一个史学发达的国家，演史小说有别于一般文学创作，它以文学之笔演说历史，虚虚实实，而大较为实，可以说细节虚主线实，枝叶虚主干实，而文学界研究古典小说的朋友，多数不重视历史，或不懂历史，又不肯下功夫，往往以"虚构"二字涵盖一切，真应该好好读一读许盘清同志的书，学一点许盘清同志的精神。

此外，还有兼及三国史研究的论著48种，关于三国史的部分有数十万字之多，兹从略。

（三）普及性的论著 有中、小册子五十三种，六百余万字。其中有七本中级读物较为引人注目。一是徐德嶙的《三国史讲话》（上海群联出版社1955年出版），二是柳春藩的《三国史话》（北京出版社 1981 年出版），三是王仲荦的《曹操》（上海人民出版社 1956 年出版），四五六分别是章映阁的《诸葛亮新传》、《曹操新传》、《孙权新传》（上海人民出版社分别于 1984 年、1989 年、1991 年出版），七是谭良啸、张大可主编的《三国人物评传》（陕西三秦出版社 1987 年出版）。

《三国史讲话》和《三国史话》是系统勾画三国发展史的论著。两书内容均从分析汉末阶级矛盾和统治集团内部矛盾入手，叙述三国的形成和发展，并以曹操、诸葛亮，以及刘备、孙权等人物事迹为主线，通过对人物的分析介绍，来揭示三国时期的历史面貌。对经济和文化，只在末章作了专题介绍。《三国史讲话》是教科书式的章节结构，全书六章，既有综合的叙述，又有分国的专章，编述体例精善，因此，篇幅虽小（全书十万零七千字），而蕴含的内容却比较丰富，基本上首尾完具地勾勒了三国鼎立发生、发展、结束的历史线索，有较高的学术价值。《三国史话》语言流畅，故事性强，是一本雅俗共赏的优秀读物。

王仲荦的《曹操》和章映阁的《诸葛亮新传》、《曹操新传》、《孙权新传》等四部是学术性较强的人物评传。这四部书的作者王、章二氏，视角都放得很开阔，通过评介曹操和诸葛亮两个历史人物，展开了对魏、蜀两国立国过程的描写，反映了广阔的历史背景。在《曹操》一书中，作者突出的是作为政治家和军事家的曹操形象，着重点是叙述曹操统一北方的功绩，因此，本书用了近一半的篇幅来叙述曹操进行的一系列战争；而对曹操的德行和文学建树没有叙述。章氏的三本新传是蝉联的姊妹篇，作者用力甚勤，确实写出了新的立意。其中《诸葛亮新传》最富有感情。该传全面而深刻地叙述了诸葛亮一生的功过，着重揭示了诸葛亮受到历代人民推崇的原因，因而对诸葛亮的德行有生动的描述，这就是作者在传统中所体现的“新”的精神。作者笔端饱含感情，赞颂了诸葛亮一生忠勤蜀汉的高风亮节，以及知难而进的顽强精神，很有几分文学形象。从“新”的角度看，作者对诸葛亮的历史局限评叙不够，仍带有传统的偏爱，形象似有所拔高。

《三国人物评传》共选三国历史人物五十人，分为六编，以探讨“人谋”在三国鼎立形成过程中的作用。六编的目录是：第一编，东汉末年的军阀；第二编，曹操和他的智囊团；第三编，曹魏名臣武将；第四编，蜀汉君臣；第五编，吴国君臣；第六编，一统三国人物。该书出版受到知识青年和中小学生的欢迎。主创作者张大可经过修订与重新编排，配上插图，以《三国人物新传》为题由华文出版社于2003年重新推出，以飨读者。

其次，说一说怎样的不尽如人意。我们只要对于三国史研究的总成果，试作简单的内容排比与数据分析，就可看出问题。

（一）研究内容，畸轻畸重 三国时期的政治，风云变幻，气象万千；三国时期的经济，变革重大，承先启后；三国时期的军事，金戈铁马，气势壮阔；三国时期的外交，纵横捭阖，奇峰叠出；三国时期的人物，英雄辈出，业绩昭著，要研究的内容很多。然而五千多万字的总成果，曹操和诸葛亮两人就占了近半数。在近53种中、小册子中，关于曹操的有11种，关于诸葛亮的有15种，两个人物就占了总量的半数。在3314篇学术论文中，曹操和诸葛亮两个人物929篇[①]，也约占总量的1/3。而研究三国政治、经济、军事、外交、民族等问题的论文总量才728篇左右。1987年以前，新中国成立以来近四十年，研究三国史的论文，关于政治、经济、人物三项的论文统计，研究曹魏的292篇，研究蜀汉的267篇，研究孙吴的56篇。蜀是小国，显得比重较大，而孙吴的研究最薄弱。在研究蜀汉的267篇论文中，关于人物评述占260篇，关于政治、经济的只有7篇，最失比重。总之，三国史研究，畸轻畸重，十分突出。20世纪80年代以来经二十余年的研究，这一状况有所改变，但仍没有取得质的突破，畸轻畸重，依然如故。

（二）缺乏系统性，重心未被重视 所谓缺乏系统性，就是绝大多数研究者没有把三国时期作为一个断代的单元，进行宏观

① 研究曹操的论文397篇，诸葛亮的论文582篇，两人总计979篇，参阅本书附录一与附录三司马朝军的计量分析论文与《索引》。

的研究，没有将这一时期的政治、经济、军事、制度、地理、外交、文化、民俗、人物等等作通盘考虑、横向比较、系统研究。三国史的重心，应是三国鼎立形成的历史原因、吴国对江南开发的业绩及历史意义、曹操篡汉及其所施行的一系列制度对历史的影响等问题，而这些问题都研究得很不够。理论的总结更薄弱。例如学术界用经济均衡论解释三国鼎立，用封建正统主义来解释曹操被歪曲的原因，这些理论显得十分贫乏而至今无进展，这是需要改变的。

（三）研究队伍涉猎者多，专精者少 新中成立以来半个世纪（1952—2001），学术界发表三国史与《三国志》研究论文3314篇，作者2032人[①]，人均仅1.6篇。九成以上的作者只是偶涉三国史，写一篇论文的客串作者1602人，占作者总量78.9%，所发论文1602篇，占论文总量48.3%；发文2—4篇的一般作者347人，占作者总量的17%，发文851篇，占论文总量的25.6%。两项合计，作者1949人，占作者总量的96%；发文2453篇，占论文总量74%。发文5篇以上的作者83人，占作者总量约4%，发文861篇，占论文总量的26%。也就是说，百分之四的作者，发表了论文总量的四分之一强，他们是三国史与《三国志》研究的核心作者。也就是四分之三的论文总量出自百分之九十六的客串与一般作者之手，所以说涉猎者多，专精者少。即便是核心作者群，集全力研究三国史的人，也屈指可数。由于专精者少，所以论题重复的论述较多，开发新意的论文比重较小。史学界的若干名流，只是卷入替曹操翻案的运动才作文的，包括翻案运动的发起者郭沫若、翦伯赞，都没有对三国史作系统的和深入的研究。

① 这里的数据统计，1978—2001年时间段，论文总量2931篇，作者1719人，见本书《附录一》中各表的统计。1952—1977年时间段，论文总量383篇，作者313人，见本书《附录三》论文《索引》的著录。具体数据如次：发文9篇者1人，5篇者1人，4篇者3人，3篇者10人，2篇者29人，1篇者236人，集体33篇，计为33人作者，总计313人。作者总数为1719加313人，共2032人，去其重约2010人，因相差甚微，为了计量方便，故作者仍按2032人计算比率。由于两个时间段的作者重复不多，也从另一个侧面看出，毕生以主要精力从事三国史研究的人不多，这就是专精者少的原因。

三国史研究，出现上述情况，有主客观的原因。客观因素有二。其一，资料较少，又缺乏系统的整理；其二，三国历史复杂，疏理起来较费力气，因此，涉猎者难以为功。主观因素也有两点。其一，极"左"政治思潮的冲击；其二，传统的民族心理影响。这两个主观因素在改革开放前的30年中尤为突出。在1978年以前关于曹操的论文239篇，其中148篇集中发表在1959年，显然是翻案运动带起来的。关于诸葛亮的论文恰与曹操相反，是1980年以后才形成的热潮。1978年以前二十六年总计45篇，而1978年至2001年二十四年就有537篇。曹操权诈雄略，诸葛亮智慧贤明，两人品性对立，因而对比两人的探讨在不同的政治形势下登台，这是很自然的。人们经过十年浩劫后痛定思痛，从而在宽松气氛下形成对诸葛亮研究的自发热情，而且是有褒有贬的多向思维，这是可以理解的。

二、关于基本问题研究的综述[①]

本节就20世纪50年代初至80年代末近40年的三国史研究关于政治、经济、军事、外交、民族、人物几个方面的主要论文的论点作简括的综述。关于曹操和诸葛亮的研究，各立专节述评。

（一）关于政治史的研究 主要论文约20篇，涉及三国政治各集团的阶级基础、吏治、兵制、选举、门阀、部曲等问题。柯友根《世族地主是曹魏集团的主要阶级基础》（《厦门大学学报》1983年第2期），分析了曹魏集团的构成和施政方针。柯文不同意曹操集团代表庶族和中小地主利益的论点，认为当时世族正处于上升发展时期，曹操又是依靠豪族大地主武装起家的，因此，以世族地主为主包括庶族豪强在内的大地主是曹操集团的阶级基

① 本节保留了原题《建国近四十年来三国史研究述评》的内容，基本问题综述到1987年。近十余年来的研究，量的突破较大，质的进展不突出，故本节文字予以保留。

础。李开元《浅谈蜀汉统治集团的社会构成》(《文史知识》1985年第6期),对比了三国的政治基础,认为孙吴建国,主要靠皖北和江东世族地主支持;曹操"唯才是举",实际上仍然是依靠中原地区的世族地主的支持;而刘备集团则是一个以豪侠武人、寒门下士为核心的政治集团。郑欣《如何评价门阀地主》(《文史哲》1985年第3期),不同意完全否定门阀地主的历史作用,认为门阀地主也有其产生、发展和衰亡的过程,它在前期是进步的,后期才走向反动。陈玉屏《三国士家制度商榷》(《西南民院学报》1982年第4期)、赵克尧《关于曹魏士家制度的几个问题》(《学术月刊》1985年第6期),两文对士家问题提出了一些新观点。陈文认为,士家身分并不低于平民,也可仕进,孙吴也存在士家制度。赵文认为,"士家"是指士兵的家属,其地位前后有变化,大体说来,"士家"地位在魏末有所提高,这就为晋武帝取消士家制度奠定了基础。宋刚刚《谈孙吴吏政》(《安徽师大学报》1982年第3期)、何兹全《孙吴的兵制》(《中国史研究》1984年第3期)、高敏《孙吴奉邑制考略》(《中国史研究》1985年第1期)等文,分别对孙吴的吏治、兵制和奉邑制作了较深入的探讨。宋文认为,吴国吏治在公元229年孙权称帝前比较清明,孙权用人唯贤,走向胜利;孙权称帝后,吏治日益腐败,一代不如一代,是吴国灭亡的一个重要原因。孙吴吏治腐败的表现是:官多、无能、佞谄、直臣受害、守旧不革新。何文论证孙吴兵制有两种。一种是常备兵、终身兵,与民户分籍,另有兵籍,一种是由郡县民征发来的兵,有事征发,事完复员为民,但实际上征来了,也就不复员。常备兵中一部分为诸将世袭领有,这一制度,可能是从部曲的私兵化和部曲的世代领有制发展来的。孙吴兵的来源,一部分是诸将原有的部曲、客,一部分是降附和招募,而半数以上是掳掠来的山越和宿恶。高文系统地考察了奉邑制的内容和特点,认为它在本质上是孙吴建国前实行的变相封爵食邑制与官吏俸禄制度的结合体,是一种带有权宜性的独特制度。

(二)关于经济史的研究 论文约45篇,重点是曹魏和孙吴的屯田。高敏《关于曹魏屯田制的几个问题》(《史学月刊》1981年第1期），对曹魏屯田起始年代、剥削方式、屯民负担等问题提出了一些新认识。高文认为，曹魏屯田萌芽于献帝初平三年，经历了一个历史过程才在建安元年确立和推行；其剥削方式先是“计牛输谷”，其后才实行了分成租；屯民负担不仅要服兵役、徭役，而且除纳租外，还要交税，并列举九例以证其说。高文强调，曹魏屯民负担沉重，因此对屯田制的作用不能估价过高。学术界对曹魏屯田的研究，无论制度本身还是评价，也都意见纷纭。黎虎《三国时期的自耕农经济》（《北师大学报》1984年第2期）、《略论曹魏屯田的历史作用与地位》（《四川师院学报》1985年第1期）两文，从另一角度对过去高度评价曹魏屯田制的看法提出了异议。黎文就屯田对支持战争、安置流民、保证曹魏政权的财政收入等几个方面所起作用与编户民的作用进行了比较，认为曹魏境内只有三分之一的郡有屯田，三分之二以上的土地为州郡编户所有，因此自耕农仍占主导地位，是国家财政收入的主要承担者。黎文还总结了曹魏政权恢复和发展自耕农经济的六项措施：一是迁徙边民，充实内地；二是招怀流民，兴复县邑；三是驱民务本，劝课农桑；四是繁殖耕牛，兴修水利；五是检括户籍，扩充编民；六是颁布租调制度，挫抑豪强兼并。韩国磐《曹魏的屯田》（《中国经济史研究》1982年第1期）则申证旧说。韩文考察了曹魏屯田的原因、条件、情况、措施、作用及其破坏等问题，认为曹魏屯田带动了水利建设，开垦了荒地，为统一奠定了物质基础，促进了中原经济的恢复，在历史上起了很大作用。施光明《释曹魏屯田制中的分田之术》（《许昌师专学报》1985年第2期）、郑欣《曹魏屯田客的兵役徭役负担问题》（《齐鲁学刊》1985年第5期）对屯田制度又提出新说。施文推论“分田之术”就是“授田之法”，其具体内容就是确定“给屯田民屯田土地的数量”，“大约是一夫一妇百亩”。郑文认为中央政府没有向屯田科派徭役、兵役，但屯田客却要为屯田官府服徭役、兵役。赵克尧、许道勋《略论曹魏的士家屯田》（《中国社会经济史研究》1984年第1期），首次提出曹魏在民屯、军屯之外的第三种屯田，即士兵家属的士家屯田。该文认为士家屯田早于民屯和军屯，创始于献帝初平三四年间，不应纳入军屯范围。士家屯田制度，是士家中的士兵多数充当现役军人，而以士兵的家属从事屯田并作质任。曹丕以后，用兵减少，士兵屯田日益增多，士兵家属从事屯田有所减少，随着士家的人身日益奴役化，士家屯田也就趋向破坏。王鑫义《邓艾与石鳖屯》（《安徽大学学报》1984年第2期），考察了邓艾在淮河下游屯田，填补了正史记载的缺略。

关于孙吴屯田，陈连庆《孙吴屯田制》（《社会科学辑刊》1982年第6期）、林志华《东吴屯田制探略》（《安徽大学学报》1984年第1期）两文作了系统的考察。陈文全面论述了孙吴屯田的始末和历史意义。陈文认为，孙吴屯田始于建安七八年之际，起初仅限于江东一隅，后来才逐渐扩大到长江中下游地区，其方式也有民屯和军屯之分。孙吴屯田对江南地区的开发，不仅解决了军粮的补给，巩固了孙吴政权，而且为西晋政权在江南实行占田制打下了物质基础。林文对孙吴屯田的时间和性质提出了新解。林文认为，早在孙权掌权以前，江东就已出现了屯田。孙吴屯田的目的在于为大族们瓜分土地和劳动力提供条件，它与孙吴的世袭领兵制、复客制、奉邑制有密切的内在联系，也就难免成为大地主土地所有制。林文还认为，三国时期的屯田制并不是封建经济发展的正常现象，它是一种特定的历史现象，严格地说，这是历史的倒退。特别是吴国，它成为豪族地主经济的一部分，在历史上所起的作用是极为有限的。

关于蜀汉的屯田，有林成西《论诸葛亮在北伐过程中的屯田》（《中国史研究》1985年第1期）。

关于经济史研究的其他重要文章有：王珍《三国时期曹魏经济的恢复和发展》（《史学月刊》1982年第1期）、张雷《曹操经济政策述评》（《许昌师专学报》1985年第4期）、徐明德《公元三世纪江南经济考略》（《浙江学刊》1984年第2期）等文。

（三）关于军事史的研究　论文约66篇，着重于三大战役中的赤壁之战与蜀汉北伐，两项各占23篇，合计占论文总量的70%。蜀汉北伐并入诸葛亮研究中述评，这里只综述三大战役，并以赤壁之战为主。

三大战役指官渡之战、赤壁之战和夷陵之战。20 世纪 70 年代以前出版的几种论述中国古代著名战役的小册子，包括三大战役，论文约五六篇，通常只是从战略战术上叙述以少胜多，以弱胜强，论述平淡，且疏于考实。近年来的研究，着眼于三大战役的规模、兵力多少、胜败原因、历史意义的探讨，打破了一些传统的看法，论述深化。例如夷陵之战，双方兵力就有不同意见。一种意见认为蜀方兵力四五万，吴方五六万，吴兵多于蜀兵；另一种意见仍持传统观点，蜀方十余万，吴兵五万。柯友根《夷陵之战决定三国分立局面》（《光明日报》1983 年 6 月 15 日），评述了夷陵之战的历史意义。李思普《试谈三国时的三大战役异同》（《历史教学》1980 年第 11 期）对三大战役作了比较研究。赤壁之战，由于《光明日报》在 1981 年 3 月 31 日发表了尹韵公《赤壁之战辨》一文，从而引发了一场全国范围内的讨论，从 1981 年到 1985 年，报刊陆续发表文章约 20 篇。尹文发挥清人地理学家杨守敬的观点，认为赤壁之战是曹操只用前锋五千人同孙刘联军打了一场小小的遭遇战，曹军败还。当时曹操大军还未集结，恰又碰上了疾疫流行，无法再战，曹操被迫烧船撤回北方。尹文还认为，《资治通鉴》记载的赤壁大战是司马光的歪曲和渲染。对尹文质疑的代表性文章有伊丁《赤壁之战析》（《青海社会科学》1981 年第 4 期）、谭绍鹏《赤壁之战，无需置疑》（《学术论坛》1981 年第 5 期）、施丁《论赤壁之战的几个问题》（《史学月刊》1981 年第 6 期）、韩国磐《资治通鉴如何记述赤壁之战》（《社会科学战线》1982 年第 4 期）、袁伯诚《从赤壁之战看资治通鉴的编纂方法》（《西北师院学报》1983 年第 3 期）等文。这些文章用丰富而翔实的史料论述了赤壁之战是中国历史上的一次重大战争，具有重要的历史意义，司马光在《资治通鉴》中记述赤壁之战确凿有据，并没有歪曲和渲染。袁伯诚的文章，具体考证了司马光引据的史书至今可按核的就有十余种，所查阅的史料不下十万字，而《资治通鉴》记载的赤壁之战仅有两千零六十五个字，可以说是字字落实。关于曹操战败的原因，众论纷纭。有疾疫说、骄伐说、周瑜所论四患说、荆州军民不服说、败于火攻说等等。关于赤壁之战的历史意义，张大可

《赤壁之战与三国鼎立》(《兰州学刊》1985年第2期)，运用历史纵横比较的方法，对学术界三国鼎立“必然性”的理论——南北经济均衡说提出了质疑，认为曹操过早发动赤壁之战，推动了孙刘结盟，葬送了统一之势，替诸葛亮的隆中路线创造了条件。

赤壁位置，也引起了讨论。总计有六说：一、汉阳县东临嶂山；二、汉川县西赤壁草市；三、苏轼《赤壁赋》记载黄岗县西北赤鼻矶；四、唐李吉甫《元和郡县图志》记载蒲圻西北赤壁山；五、《水经注》记载武昌县西南赤矶山；六、《大清一统志》记载赤壁山在嘉鱼县东北。第一二两说在南北朝隋唐时流行，以及苏轼的黄岗赤壁，因均在江北，与《三国志》记载不符，早为前人所否定，已无讨论价值。后三说在近年来的出版物中各执一说。1983年修订本《辞源》、《中国史稿地图集》主蒲圻西北说，《中国古今地名大辞典》主嘉鱼县东北说；1979年新版《辞海》主武昌县西南赤矶山说，又并存蒲圻西北说；八卷本《中国历史地图集》并存三说，不同的卷有不同的标注。报刊文章，争论激烈。冯金平《赤壁古战场考辨》(《文史哲》1978年第5期)、陈可畏《赤壁考》(《史学月刊》1985年第3期)，两文主蒲圻说，主要论据有四：其一，蒲圻赤壁与北岸乌林矶相对，与《三国志》记载相符；其二，这里形势险要，又恰在三国时江南军事重镇陆口之西，是联军理想的战场；其三，两军隔岸相峙，便于奇袭火攻；其四，有许多遗迹传说，如黄盖湖、黄盖山等。吴应寿、张修桂《赤壁考》(《复旦学报》1980年8月增刊)主武昌县西南赤矶山说，王剑英《赤壁考》(《史学月刊》1985年第6期)主嘉鱼东北说。武昌县西南即在嘉鱼县东北，实际上这两说区别不大，可视为一说。吴应寿、王剑英等人持论，引据了充分的文献，吴文还复原了古长江水道，与郦注相符，其说甚辨，理论上略占上风，但无法从军事学角度解释赤壁之战，结论颇难立脚[①]。据杨守敬《水经注疏》，郦注赤壁是依据刘宋人盛弘之的《荆州记》，其书《昭明文

① 吴应寿、张修桂、王剑英等人考证，赤壁峰，即赤矶山在武昌西南或嘉鱼县东北，仍然有学术价值，它对揭示赤壁之战的过程，即初战于赤矶山，决战于乌林提供了地理学的资料。

选》卷三十李善注引曰："蒲圻县沿江一百里，南岸名赤壁，周瑜、黄盖于此乘大舰，上破魏兵于乌林。乌林、赤壁，其东西一百六十里。"盛书说得十分明白，"蒲圻县沿江一百里"皆泛称"赤壁"，而真正的赤壁峰在乌林之东相距一百六十里，联军在此败曹，即《三国志·周瑜传》所载："初一交战，公军败退，引次江北。"联军上溯于乌林大破魏武兵，两军相持于蒲圻，于是因此战争而蒲圻沿江百里都称赤壁了。墨守文献，不考实际，是迂阔之论。《三国志》的记载乃是最原始文献，只是语焉不详，留下争议。从军事学考其实，两军相持于蒲圻赤壁，应无疑义，故宋人刻"赤壁"于此，以志其实。

（四）关于三国外交的研究 代表性文章有三篇。何干之《论三国时代刘孙联合抗曹的得失》，副题《关于统一战线的一个历史教训》（《新建设》1951年第3卷第4期），从统一战线角度论述刘孙结盟的得失，认为结成联盟，就是胜利和发展，这具体地表现于以小胜大以弱胜强的赤壁大战之中；相反，破坏联盟就是失败和灭亡，这具体地表现于关羽和刘备的败亡，表现于北伐战争中的失利。因此，刘孙联盟，"作为历史经验来看，有极深刻的意义"。尹韵公《从荆州争夺战看三国前期的外交斗争》（《文史哲》1981年第5期），从均衡外交角度立论，认为小国与大国联盟难于保持独立自主的地位，只有小国之间才有相同的命运，故吴魏难以为友，吴蜀却可以在金戈铁马之后握手言和。小国只有共为唇齿才能化劣势为优势，从而与强国保持一种政治格局上的均衡态势。三国外交的实践证明：一个小国或弱国，可以运用巧妙的外交斗争策略、方法、手段，达到增强实力与大国或强国争衡的地位。张大可《略论三国形成时期的外交》（《学术月刊》1987年第9期），从三国鼎立形成角度立论，认为曹操的强权外交断送了统一之势，刘备的僵化外交夭折了隆中路线，孙权的灵活外交导向三国鼎立。孙权在每一个历史转折关头，都作出了惊人的选择，他先是借荆州给刘备，树操之敌，屏蔽江东；继而称臣于曹操，不失时机夺回荆州，形成了三分的地理均势。因此，"诸葛亮隆中路线规划的三分蓝图只是一个剧目的脚本，导演三分戏成功演出的不是诸葛亮，而是孙权”。以上三文尽管立论角度不同，其主题却相通。即三国外交是形成三国鼎立的重要因素之一，研究三国外交能给人以深刻的反思，具有重大的现实意义。此外，王大良《孙刘联盟的历史考察和评价》（《南充师院学报》1984年第4期）一文，还认为孙刘结盟不仅起着保全吴蜀的作用，而且还促进了两国的政治改革和经济发展。

（五）关于三国民族政策的研究　综合性的有3文。朱绍侯《三国民族政策优劣论》（《河南师大学报》1981年第3期）、木芹《论魏蜀吴三家处理民族关系的特点》（《民族学与现代化》1985年第2期）、张大可《论三国时期的民族政策》（《西北民院学报》1986年第1期）。朱文概述和比较了三国民族政策的优劣，认为蜀国的民族政策最成功，高度评价了诸葛亮安抚南中的怀柔政策；指出曹魏对北方各民族采取先征服，后迁徙怀柔，收得了实效，劣于蜀而优于吴；吴国对山越始终采取杀掠高压政策，结果两败俱伤，最劣。张文提出评价三国民族政策孰优孰劣不能用一个尺度的观点，认为既要着眼于各国的国情和得失，还要看到对后世的影响。从阶级观点来看，蜀汉怀柔政策最成功，孙吴以征讨为主最劣，曹魏两手交替使用介于二者之间，均符合各自的国情而获得了成功。但从历史主义观点来看，孙吴民族政策虽带强制性，却是将山越从分散、闭塞、隔绝于世的山地移居平地与汉人杂处，最有利于民族融合，对后世产生了积极的影响。北方民族最复杂，曹操先征服后怀柔，大量迁徙内地，既稳定了边境，又增强了国力，是一箭双雕的收获，但移民过多，打破了内地民夷稳定秩序的比例，播下了西晋五胡乱华的种子，非始料所及。诸葛亮的和抚政策，基本上不触动民族原有的落后习俗和社会组织，延缓了民族融合的进程，从历史发展来看最不成功。

专论文章主要是评价诸葛亮的民族政策，主要文章有黎虎《蜀汉南中政策二三事》（《历史研究》1984年第4期）、杨剑虹《如何评价诸葛亮的民族政策》（收入《诸葛亮研究新编》论集，湖北人民出版社1986年出版）等文。黎文对诸葛亮进军南中持否定评价，认为是军事镇压，七擒孟获子虚乌有，平定南中后实行的是大民族主义的政策。杨文则针对黎文论点一一商榷。讨论东吴山越问题的专论有：杨国宜《东吴平定皖南山越战争的性质及其历史作用》(《安徽史学》1960年第2期)、吕锡生《山越在东吴立国中的作用》(《浙江师院学报》1984年第3期)、缪元朗《也谈东吴孙策、孙权时期的山越》(《浙江师院学报》，1985年第4期）等文。

（六）关于三国人物的研究 1985年以前，除曹操、诸葛亮外，有论文183篇，评论人物46人，论数量不算少，但系统评论人物的文章不多，大都是一些具体问题的探讨，如关于孙权的13篇论文，其中谈用人问题的就有7篇，因此值得评述的文章不多。又，人物研究畸轻畸重十分突出，魏国的曹植、王弼、王粲、华佗，蜀国的关羽等五人，论文84篇，几乎占了一半，在46人中最小的蜀国就占了三分之一，15人，而魏吴两国的主要谋臣武将，都没有人研究。值得提及的论文有以下九篇：关于刘备的三篇：林成西《重评刘备东征》(《史学月刊》1984年第6期)、谭良啸《天下英雄——刘备》(《成都大学学报》1986年第3期)、张大可《论刘备》(《成都大学学报》1987年第3期)，关于孙权的两篇：施守全、施建伟《重评孙权的历史地位》(《辽宁师院学报》1981年第3期)、陆振岳《略论孙权的用人》(《中学历史》1985年第2期)；关于鲁肃的一篇：王卓丰《鲁肃在鼎足三分中的作用》(《中学历史》1984年第1期)；关于汉末军阀的有三篇：张大可《试论董卓及其凉州兵》(《西北史地》1985年第4期)、方诗铭《世族、豪杰、游侠——从一个侧面看袁绍》(《上海社会科学院学术季刊》1986年第2期)、方诗铭《从汉末“英雄记”看公孙瓒》(《史林》1986年第2期)。这些文章议论清新，各具见解。如林成西认为刘备东征，并没有违背联吴抗曹的战略原则，其目的是为了争霸中原夺回战略要地荆州，只是缺少谋臣才打了败仗，这是不同于学术界的一家之言。谭良啸评论刘备起自市井，与曹操相比，缺少书卷气，缺乏政治远见和谋略，带有浓厚的侠义色彩和市井气。他打天下是靠信义创业、折而不挠、知人善任、待士以诚四点主观努力，并成就了三分之业，毋庸置疑是一位杰出的政治家。谭文的议论使人耳目一新。施守全、施建伟的文章评价孙权，不是一个“性多嫌忌，果于杀戮”的暴君，而是一个“聪明、仁智、雄略之主”。作者认为，评价孙权应着眼于他早年良好的政治风格及治理吴国的卓越成就，绝不能由于他晚年的过失将他先前的功劳一笔抹杀。王卓丰充分评价了鲁肃在赤壁之战中的重要作用，认为鲁肃的作用远在这一时期孙刘集团其他人之上，可称为杰出的政治家、战略家。方诗铭评价袁绍、公孙瓒应称为汉末英雄人物，不以成败论人，具有真知灼见。此外，刘京华《诸葛亮与鲁肃》（《成都大学学报》1986 年第 3 期），首次将诸葛亮与鲁肃作了比较研究，认为两人识见有着惊人的相似之处，说明正是时势造了英雄。

三、关于曹操评价的述评

曹操是历史上一个典型的双重性人物，有大功亦有大过，因此很难给予恰如其分的评价，至今仍是众说纷纭，一时不能作出定评。像曹操这样的人物，也不应有定评，由读者去判断，智者见智，仁者见仁，都能获得反思之益。

讨论和评价曹操的论文 397 篇，作者约三百余人。1978 年以前论文 239 篇，其中有 147 篇论文集中在 1959 年发表，作者不乏史学界名家，除郭沫若、翦伯赞外，名流有：王昆仑、吴晗、尚钺、郑天挺、周一良、何兹全、刘大杰、唐兰、田余庆、谭其骧、吴泽、束世徵、杨宽、刘节、杨荣国、唐长孺、冉昭德等。史学界讨论曹操的群英会是由于郭沫若、翦伯赞发起替曹操翻案而聚合起来的。讨论主要集中在曹操打黄巾、置屯田、征乌丸、统一北方等问题上。《人民日报》、《光明日报》、《文汇报》都发表了综述。1960 年三联书店汇集主要论文 37 篇出版，书题《曹操论集》。1978 年以来，讨论曹操的文章 158 篇，多为新人所作，除上述问题继续争鸣外，着重于曹操的用人路线，以及思想、文学成就等。

（一）关于曹操打黄巾　曹操镇压黄巾运动，不成其为问题，但由于郭沫若提出“曹操虽然打了黄巾，但并没有违背黄巾起义的目的”，而是“组织”和“继承了黄巾运动”这样的论点，从而成为讨论中心。郭论受到多数人的否定。否定者认为，曹操与黄巾是对立的阶级，双方利益不同，目的根本不同，曹操不可能继承黄巾运动。曹操改编了黄巾军队，就使农民军变质，成了他改朝换代的地主武装。曹操的成功正是建立在黄巾失败的基础上，这是他不可饶恕的罪过。也有支持意见，认为在客观作用上，曹操没有违背黄巾起义的目的。第三种意见，认为曹操被迫成为黄巾运动“遗嘱的执行者”。关于黄巾起义的目的，也有三种意见：翻案者提出为争取生存权利说，驳难者认为是基本要求土地说，第三种意见是为实现太平的社会理想说。

（二）关于曹操的屯田政策　郭沫若等人认为，屯田是曹操从古人学来的，是为了解决军粮和流民有土地有饭吃，得到黄巾农民的支持。赞同此论者，多数从客观作用上评价，认为屯田恢复和发展了北方经济，支持统一战争，对历史的发展起了积极的推动作用。另一种意见认为，打黄巾、杀人太多、屯田剥削太重、品质忌刻残忍是曹操的四大罪，屯田即其一。所谓屯田实际是一种军事手段，强制束缚军民在土地上进行官六私四或对半分的高额剥削，使军民都走了农奴化的道路。近年来，屯田成为专门研究课题，多数人认为对屯田的作用不能评价过高，有人认为，曹魏统治区，三分之二的土地为编户齐民，是他们承担了国家的主要财政。

（三）关于曹操打乌桓　郭沫若认为，曹操打乌桓是反侵略的战争，应该被称为一位民族英雄。此论没有得到响应。比较趋于一致的意见，认为曹操平定三郡乌桓，消灭袁氏残余势力，是统一战争的必然发展，不是反侵略的战争。还有一种意见，认为乌桓犯边是事实，但没有构成对整个汉民族的威胁，打乌桓具有外战与内战的双重性质。也有人认为，乌桓已是国内民族，打乌桓是兼并战争。

（四）关于曹操统一北方　这是曹操一生的主要功绩，评论普遍予以肯定。但也有一种反对意见，认为三国分立是有其社会经济原因的，即北方经济遭受严重破坏，南方经济自汉以来逐渐发展，南北呈现均势，曹操不可能统一中国，因而称曹操的南下为“扩张战争”。郭沫若抨击这种意见为“不读书，好求甚解”。毋庸置疑，曹操统一北方应予肯定，但评价的高与低却有很大的分歧。

（五）关于曹操集团的阶级基础与士族的关系 主要有四种意见。其一，认为曹操出身大豪强，与士族地主相勾结，残酷地剥削奴役人民。他虽然锄豪强、抑兼并，但有许多附加条件，人民没有得到好处。其二，认为曹操建立寒族地主政权，打击士族地主和地方豪右，他代表了地主阶级的改良派或开明派。其三，认为曹操代表的是整个地主阶级的利益，他虽然在经济上、政治上都执行了一些抑制豪强、大族、名士的措施，但也有联络豪族地主的一面。其四，认为曹操认真地执行了抑制豪强大姓的政策，说明他抓住了当时社会的主要矛盾，但他只局限在加强集权的限度内，丝毫未能触及豪族的根本利益。

（六）关于曹操用人及其他 普遍肯定曹操“唯才是举”的用人路线，这是近年来研究曹操的一个热门课题。但也有人认为，曹操忌才妒能而滥加杀戮，“唯才是举”未能真正实行。第三种意见，认为曹操用人，“唯我所用”，一些命世奇才在曹操那里，战战兢兢，未能充分发挥作用。

关于曹操的军事才能，普遍认为其是一位杰出的军事家。但近年也有人提出异议，认为曹操指挥的大战役，只有官渡之战获胜，而赤壁之战、汉中之战都打了败仗，说明他虽然注有“孙子兵法”，却不能以理论指导实践。

（七）应不应替曹操翻案的讨论 郭沫若等主张替曹操翻案，揭去奸臣的帽子。他们认为，因为曹操“篡”了汉，所以受到封建正统主义者们的贬斥，曹操形象被歪曲是宋代以后“正统”观念强化下的产物。驳难者认为，曹操被当作奸臣是他自己写下的历史，主要是他对人民犯了严重罪行，与封建正统主义无关。第三种意见认为，曹操本人品质恶劣，因此受到多数人的唾弃。

应如何评价曹操，两种意见尖锐对立。一种意见认为，应该全面看问题，从大节取其轻重，看他对于当时人民、对整个民族发展、文化发展有无贡献。当然曹操有不少缺点错误，但还是应该肯定。另一种意见则认为，曹操是当时反动统治阶级最能干的人，是镇压农民军的刽子手，摧残历史发展的新投机者之一，不是一个推动历史进步，对人民有功的人物。吴泽、谢天佑《关于历史人物评价的若干理论问题——论一年来评价曹操讨论中存在的问题》(《学术月刊》1960年第1期)，对1959年的讨论作了理论性的概括，可以视为第一种意见的代表。但近年来的实践，对曹操评价批判性思维占上风，但又不是第二种的极端意见。看来，评价曹操的理论问题并未解决。

笔者对此发表一点意见。首先，替曹操翻案是一场人为的运动。从陈寿的《三国志》到司马光的《资治通鉴》都实录了曹操一生的功过，褒多于贬。至于当代人所写的通史、断代史，对曹操只有溢美倾向而并无歪曲之嫌。所谓翻案，实质是要翻舞台上曹操形象的案，要把一个"粉脸奸臣的曹操"翻成一个"红脸贤君的曹操"，这可以说是历史学家的越俎代庖。舞台上粉脸奸臣形象是古代处于底层的民间艺术家、小说家摄取曹操的一个真实侧面，依照人民的意愿塑造的艺术形象，把它说成是封建正统主义的产物，可以说是对历史的歪曲或曰栽赃。中国历史上的奸臣暴君数不胜数，古代艺术家何以要找曹孟德来做奸臣代表，因为曹操是中国历史上最典型的双重性人物，即有大功亦有大过。毫无疑问，曹操是三国时期第一流的大政治家、大军事家，还可称得上是一位有成就的诗人。他扫荡群雄，统一北方，恢复生产，使人民粗安，这是他对于历史的最大贡献。曹操应该肯定，他是一个英雄。但曹操奸险诈伪，也是水平超群的，他用严刑峻法来维护统治，他大肆杀掠推行兼并，他因急于篡汉过早发动赤壁之战葬送了统一之势，他置屯田而把劳动群众推向农奴化，这是把历史推向倒退，所以曹操之过是难以用数学的比率来表示的。什么三七开四六分，都不能解决评价曹操的问题。说他功大于过，过没有了；说他过大于功，功没有了；说他功过参半，这是形而上学的庸俗机械论。须知，像曹操这样典型的、伟大的双重性人物，他的功越是大，犯起“罪”来其过也越是大。在没有解决好评价双重性人物的理论之前，我倒认为功过参半的提法是最凝练、最科学、最明确、最正确的概括。为了使历史经验获得有益的反思成为有价值的学费，在论及曹操的功时，绝不应忘记他的过。事实上曹操的同时代人就这样评价他：“治世之能臣，乱世之奸雄。”曹操也正是沿着这一道路走完了他的一生。那么1959年的翻案运动又如何呢？郭沫若的翻案文章与其说是一篇学术论文，勿宁说是一篇史政论，他所列举替曹操翻案的最有力的两点论据：一是曹操打了黄巾，而“黄巾农民拥戴他”；再是“他打了乌桓，而乌桓人民服从他”，均在讨论中被推倒，可以说在学术上曹操的案没有翻成，因为本来就无案可翻。至于舞台上曹操的案例是翻过来了一半，即在新编历史剧中，曹操以红脸贤君的岸然面貌出现在舞台上，包括郭沫若《蔡文姬》一剧中曹操的形象，都不能给人留下深刻印象。因为这不是曹操的真面目。无论人们怎么讲功利，这奸险诈伪总是要摒弃的。旧时代的民间艺人塑造奸臣曹操的典型，正是人民不忘双重性人物犯“过”的危害，既是艺术的真实，也是历史的真实。翻舞台曹操形象的案，不仅是多余的，而且也是徒劳的。因为作为艺术形象的曹操，已是珍贵的文化遗产，也是无案可翻。

四、关于诸葛亮研究的述评

诸葛亮和曹操都是知名度很高的历史人物，诸葛亮作为曹操的对立方自20世纪80年代以来成为三国史研究中的热门题目。新中国成立以来关于诸葛亮研究的论文，粗略统计有582篇，作者四百余人。诸葛亮热是20世纪80年代以后形成的。1978年以前只有论文45篇，1978年以来达537篇。1983年春，由湖北襄樊、陕西汉中、四川成都三地的史学、文物考古工作者发起，成立了诸葛亮研究会，大大推动了诸葛亮研究的深入，引起了国内外学术界的注目。研究会及相关单位已出版了12本论文集。第一本《诸葛亮研究文集》，汉中地区文教局编，1983 年出版，内部发行。第二本《诸葛亮研究》，成都市诸葛亮研究会编，巴蜀书社 1985 年出版。第三本《诸葛亮研究新编》，襄樊市诸葛亮研究会编，湖北人民出版社 1986 年出版。这三本论文集就收文 79 篇，50 余万言。诸葛亮研究会的成立，推动诸葛亮的研究开了新生面，逐年的论文集的积累越来越大，但是质的跟进不如量的积累大。此外，成都市武侯祠博物馆编写了《蜀汉胜迹》、《诸葛亮治蜀》、《武侯祠》等几种小册子，在百花园中增添了几支注目的小花。这个单位很重视对诸葛亮的研究和民间传说的整理。该馆目前已有了自己的高职称研究人员，从馆长到新进馆的年轻工作人员，人人都能写作，所发论文总量就有数百篇。关于诸葛亮的研究已十分细微，本文限于篇幅，只能对几个主要方面作简要述评。

（一）关于诸葛亮的思想和治蜀　诸葛亮的思想，众说纷纭。周一良《论诸葛亮》（《历史研究》1954 年第 3 期）认为，诸葛亮的思想是儒道法杂糅："奉汉家为正统，力图统一，是儒家思想"，"在私人生活方面，却是道家主张"，"在统治国家上，他又是信奉申、韩法术的人"。在七十年代"评法批儒"运动中，周一良改变观点，认为诸葛亮是法家代表人物（见《诸葛亮和法家路线》，载《历史研究》1974 年第 1 期），卷进了当时的思潮，可以理解。李西成《诸葛亮在历史上的地位和作用》（《山西师院学报》1958 年第 2 期）、朱大渭《论诸葛亮治蜀——兼论诸葛亮是儒法合流的典型人物》（《魏晋唐史论集》第一辑，中国社会科学出版社 1981 年版）、李星《外儒内法的政治家——诸葛亮》（《诸葛亮研究文集》）等文，鲜明而具体地论证了诸葛亮是儒法合流的政治家。臧振《诸葛亮在思想史上的地位》（《诸葛亮研究文集》）、王利器《试论诸葛亮的政治思想》（《诸葛亮研究》）两文认为，诸葛亮是属于道家的"黄老学派"。王文评价诸葛亮是"汉代以黄老之学治天下的殿军"，可以说"他是以无为为目的，而以法治为手段的"。鲁锦寰《汉末荆州学派与三国政治》（《中州学刊》1982 年第 4 期），提出一新说。鲁文认为，东汉末在荆州以宋衷、司马徽为核心形成了一个与德治儒术对立的，主张名法政治，崇尚事功，讲求经世致用的荆州学派。诸葛亮师事司马徽，深受其影响，治理蜀国，崇尚法治，加强集权，“一生始终保持着荆州学派的本色”。综上，诸葛亮的政治思想有五说：一、儒道法杂糅说；二、法家说；三、儒法合流说；四、道法合流的黄老之学说；五、荆州学派崇法说。

关于诸葛亮治蜀，一般都给予肯定评价，并具体论述了诸葛亮的施政措施及其实效。诸葛亮治蜀的政治措施主要是纳言、行法、举贤、信赏必罚；治蜀的经济措施主要是奖励农耕、建设水利、发展农业、倡导节用；其实效是蜀国政清吏廉、生产恢复、户口增加，在三国中治理得最有条理。代表文章有：漆泽邦《论诸葛亮》（《西南师院学报》1980 年第 2 期）、张大可《论诸葛亮》（《甘肃社会科学》1986 年第 1 期）、谭良啸《论诸葛亮的治人之术》、李兆成《诸葛亮达治知变浅析》（谭、李两文见《诸葛亮研究新编》）、缪钺《政治家诸葛亮散论》（《诸葛亮研究》）。

（二）关于诸葛亮的《隆中对》与北伐　“隆中对”是刘备与诸葛亮君臣相遇的产物，它既是诸葛亮一生事业的出发点与归宿，也是刘备建立蜀汉的理论基础，历代以来脍炙人口，被视为“千古奇策”，近年来有着热烈的讨论。薛国中《诸葛亮与隆中对》（《江汉论坛》1980 年第 1 期）认为，“隆中对”重益轻荆，使得诸葛亮未能完成统一。谢求成《论诸葛亮的成败得失》（《江海学刊》1982 年第 2 期），则提出奇正倒置说。即“隆中对”制定的两路北伐，颠倒了轻重的位置，造成了蜀汉丢荆州、败夷陵、失街亭的三大灾难。张大可《诸葛亮并非重益轻荆》（《江汉论坛》1981 年第 2 期）、朱维权《隆中对简论》（《南充师院学报》1983 年第 3 期）、吴洁生《隆中对与三国前期的战争战略》（《甘肃社会科学》1985 年第 4 期）、李正清、陈玉屏《试论诸葛亮的军事战略思想》（《诸葛亮研究》）等文商榷了薛谢两人的论点。张大可认为，益州是立国之本，荆州是进军基地，二者地位同样举足轻重，相辅相成。荆州失守并非“隆中对”重益轻荆，倒是刘备过分看重荆州，两次争夺失算，削弱了蜀国，夭折了隆中路线。刘备执行中的失误，表明隆中战略规划本身有失误。朱维权认为，“隆中对”制定主力出秦川，偏师出宛洛的钳形攻势，是“充分估计了荆州在战略上的重要性”，“具有现实性的战略决策”；但是，由于掌握最高权力的刘备在执行中背离了“隆中对”才导致了失荆州、败猇亭。吴洁生把“隆中对”放在三国前期复杂交错的战争战略总形势下考察，认为是替刘备制定了争天下的最佳方案。李正清、陈玉屏认为，“隆中对”没有失策，但诸葛亮未能考虑荆州在孙吴总战略中的地位，不能通权达变，墨守隆中对策陈规，对孙吴不择手段夺取荆州的危险估计不足而犯了战略上的错误。傅克辉《论隆中对的成功和失误》（《诸葛亮研究新编》），从地区经济与地理形势考察了“隆中对”，认为益州、荆扬与中原是三个相互对抗的经济区，荆益又有地理相隔，跨有荆益没有现实性，所以“隆中对”的设想只实现了一半。总上，关于“隆中对”的讨论有五说：一、重益轻荆说，二、奇正倒置说，三、执行有误说，四、跨有荆益不合理性说，五、隆中对战略有失误说。

关于北伐，诸葛亮为何在蜀汉失荆州、败夷陵已无北伐条件下还要北伐，其目的、意义何在？关于目的主要有四种观点：一、以攻为守说，二、再造北伐条件说，三、兴复汉室说，四、尽忠报国说。以攻为守说自王夫之提出以来，至今仍较流行，只是提法和分析更为精细。杨伟立《论诸葛亮北伐》（《诸葛亮研究》）就发挥此说。杨文认为，诸葛亮在极端困难条件下北伐，实际目的是“蚕食陇右”，扩大兵源粮源基地，“争取立国生存的权利”。张大可《论诸葛亮出师》（《西北史地》1984年第4期）以兴复汉室说力驳以攻为守说。张文认为，以攻为守说是研史者鉴于北伐失败的事势分析而得出的结论，并非诸葛亮本志。“以攻为守”最多只能是在两军决战中作为战术运用，而绝不可以用作弱国对抗强国的基本国策。诸葛亮北伐仍是发挥主观努力以兴复汉室。朱维权提出再造北伐条件说。朱文认为，诸葛亮正是在条件不具备下北伐，企图在秦岭以北取得一个起点，为实现“隆中对”所规定的北伐重新创造条件。尽忠报国说，是指诸葛亮为报答刘备知遇之恩而冒难北伐，不少文章有此观点，不一一述评。也有人认为，以上各个目的，诸葛亮皆有。关于北伐的得失和意义，有两种观点针锋相对。陈克华《诸葛亮北伐析疑》（江西社联《争鸣》1982年第2期）、殷克勤《出师未捷身先死，中原得鹿不由人——从北伐看诸葛亮战略思想的得失》（《诸葛亮研究新编》）等文认为，诸葛亮以弱抗强，图谋统一，违背了历史发展趋势，是非常不现实的，加上又无制胜之策，劳师疲民，严重削弱了自己，这在战略上是完全失策的。北伐后果是严重阻碍了三国时期社会经济的恢复和发展，因此北伐并不值得肯定。朱大有、刘兴全《也谈诸葛亮北伐——与陈克华同志商榷》（《诸葛亮研究文集》）力驳陈文，认为诸葛亮北伐是三国时期走向统一的兼并战争，当时魏蜀吴三方都不具备统一全国的实力，而三方都在进行统一战争，因此应实事求是地评价诸葛亮的北伐，“没有必要去特别赞扬它，但也不必过多地加以贬责”。彭年、侯承《五出祁山述评》（《诸葛亮研究》）则力驳北伐失败说，认为诸葛亮只在街亭失败，其余几次都有收获，摆战场于敌国，收复益州二郡，因此，“诸葛亮攻魏决不能概之为失败”，即使用保守的眼光估计，“至少应该说是一场蜀方占了便宜的平局”。继承诸葛遗规北伐的姜维，大体也是这两种意见的对立。肯定姜维北伐的文章还具体列述了姜维北伐的战守得失，认为其深入敌境的程度还超过了诸葛亮。就事论事，诸葛亮北伐或许并不吃亏，但蜀汉是弱小之国，连年动众，吸引魏国西拼，双方打的是消耗仗，在战略上蜀国吃了大亏。诸葛亮和姜维北伐，拖得蜀汉兵疲民竭，应是蜀汉先于吴国灭亡的原因之一。尹韵公《试论蜀国灭亡的原因》（《文史哲》1982年第5期）就持此论。

（三）关于诸葛亮用人　知人善任，任人唯贤，过去一直作为诸葛亮的突出优点，长期受人传颂，而近年来批评最多的恰恰是在人才问题上。缪钺《政治家诸葛亮散论》一文支持传统观点，并把诸葛亮与王安石对比，认为王安石比诸葛亮略逊一筹，主要原因是王安石用人不如诸葛亮。缪文认为，诸葛亮知人善任，在三国中，“唯有蜀汉能够在诸葛亮去世之后，仍然保持政局稳定，政策连续不变，这就足以体现诸葛亮在选拔和培养人才方面的高明和成功之处”。李淳等《诸葛亮的重大失误》（《晋阳学刊》1981年第1期)、邹本顺《略论三国时代用人的长短得失》(《晋阳学刊》1981年第4期)、吴洁生《诸葛亮的错误和失策》(《学术月刊》1981年第12期)、尉丰久、杨春友《诸葛亮对人用而不教的历史教训》(《东岳论丛》1982年第5期)、闵传超《诸葛亮再评价》(《历史教学问题》1984年第4期)等文都评论了诸葛亮用人的失误。归纳起来,有以下几点:其一,选才以德为先,提不出唯才是举的标准,大批笃守封建道德品行而有奇才良谋者被埋没,"蜀中无大将",概由此而来;其二,选才苛刻,求全责备,结果难得人才,或只能得庸才;其三,迁就姑息部下的缺点,用而不教,调和矛盾;其四,忽视人才的锻炼和培养,使后继者缺乏工作经验和政治远见,造成蜀汉后期统治集团一代不如一代;其五,用人唯亲,甚至嫉贤妒能,排斥益州人才。以上评论,有些观点未免尖刻,但这些批判思维打破了诸葛亮知人善任的过分评价,甚至不实的溢美,是很有意义的。邹本顺指出:"整个封建社会,开国之君和中兴之主,起业伊始无不是重视和选拔使用人才的,但一旦其统治地位稍微巩固,就逐渐由重视人才转而喜欢奴才,这是一条规律,也是历史上每一个封建王朝从建国开始,不久就开始衰落腐败的一个重要原因。"曹操用人唯才,诸葛亮用人唯德,两相形成鲜明对比。用人唯德充其量只能用二流人才,这是诸葛亮的悲剧之一。

此外,关于诸葛亮执法,以及他的修身、思想渊源、文学成就,都不乏专论,限于篇幅,兹从略。

五、三国史研究如何突破

三国历史,最为人们所熟悉,许多三国故事,家喻户晓。普及历史知识,选择三国史为起点最方便。而且曲折复杂的三国历史,最能给人们以深刻的反思,总结三国的历史遗产很有现实的意义。已取得的成绩,数量不少,但深入不够,至今还没有经典性的三国断代史与新的《三国志》集注本问世,这和正在兴起的文化高涨是不相宜的。如何突破三国史的研究，以下几个方面值得注意。

其一，组织队伍，充分发挥三国史研究具有广泛群众性基础的优势，促进专精人才的成长。写三国史论文的作者不少，有两千多人，但由于涉猎者多，又加之分散，互相没有交流，因此研究无计划，才出现了畸轻畸重的现象。目前学会林立，但没有三国史研究会。成立了诸葛亮研究会，但一个人面太小，应当加以扩大，形成三国史研究会，加强学术交流，协调研究，并且在高等院校形成研究中心，促进专精人才成长，三国史研究才有希望。

其二，从宏观学术战略上考虑，应当把三国史作为一个断代的单元来研究，才能做到系统性和引向深入。此外，资料整理，对《三国志》的文献研究，也要有计划有系统地展开，拿出拳头产品，才能深化三国史的研究。

其三，打破三国史以魏蜀对峙的传统观念，加强三国之间的横向联系和比较研究，应当充分重视吴国的历史。南北朝对峙，长江对抗黄河，孙吴立国的作用具有深远的影响。三国鼎立，蜀国是一个小伙伴，传统史学，过分抬高了蜀国，这倒是正统主义的作用，应予纠正。整个三国史的研究，应当进行重新评价。

其四，系统研究三国史，要以战争为经，人物为纬，追寻三国鼎立演变之迹为主题，才能打开新局面。以经济均衡论或以阶级斗争为纲，都不能揭示三国鼎立的特殊性。黄巾起义虽然失败了，但它动摇了东汉的统治，阶级斗争的总爆发诞生了一个纷乱之世，三国历史即是由乱到治，由分裂到统一的历史。在大乱之世，阶级斗争的规律当然起作用，但阶级阵线已经打乱，所以乱世的排列组合复杂多变，单线条的分析容易简单化。

其五，三国史研究，应将历史的研究与《三国演义》的研究进行交流，清理三国史在民间的影响。

以上意见，仅是个人的一孔之见，抛将出来，或许会引出金玉之言。我深信，在不久的将来，三国史的研究将跃上一个新的高峰。一部系统的有深度的三国断代史，一部《三国志》新的集注，应当在我们这一代出现，我热切地期待着！可喜的是复旦大学古文献研究中心已成立了“复旦大学《三国志》研究中心”，在三国文献研究著名学者吴金华教授领导下，把系统整理《三国志》文本与新注的工作提上了议事日程。该中心在公元2002年10月成功地召开了“《三国志》国际学术研讨会”，宣布了复旦大学推进三国史研究与《三国志》整理的宏伟计划。新中国建立半个多世纪以后，终于有了名牌高校出来牵头，组织学术交流，这是一个好兆头。我们希望复旦大学加大投入，率先在我国建成第一个能凝聚整个学术界的三国史研究中心。我想这也是大家所期盼的。

（原题《建国近四十年来三国史研究述评》，载《甘肃社会科学》1988年第2期，2003年《三国史研究》再版作了补充修订）

附录五章

【说明】五个方面的附录，姑名之曰“附录五章”。附录一，四则报刊所发四篇快评，表达学术界对《三国史研究》论集的反响，略为透视了作者的历史观。附录二、附录三、附录四等三个附录是作者特邀相关专家提供的信息，供读者参考，以省翻检之劳。作者对附录三、附录四两个附录所作技术改造，自然地融入了作者的历史观与方法论。附录五，所提供的数据折射当年学术界替曹操翻案的别样心态以供评说。

附录一：

书评四则[①]

一、评《三国史研究》

《三国史研究》（甘肃人民出版社出版）是兰州大学张大可教授推出的一部新作。全书收作者论文二十四篇，分为六组，较为系统地探讨了三国时期的政治、经济、军事、外交等问题，着重探讨了三国鼎立形成的历史原因，突出魏吴对峙的主线，评述了三国时期主要历史人物的贡献，形成一家之言。

本书是建国以来第一本系统研究三国史的个人专集。全书宏观布局，各篇论文微观剖析，在唯物史观的原则指导下，主要运用纵横比较的历史方法，论从史出。例如《论曹操》一文，主题是驳辩郭沫若的替曹操翻案。作者首先回顾陈寿如何实录曹操的功过，认为曹操是一个有大功亦有大过的典型的双重性人物。历史从来没有以过掩功，歪曲曹操，而所谓翻案实质是以功掩过，是为尊者讳。把曹操的奸险诈伪翻成仁圣贤智，在理论上和实践上都是有害的。

本书重点是探讨三国鼎立形成的历史原因。作者对学术界三国鼎立必然性理论“经济均衡论”提出了质疑。认为三国鼎立有

① 书评四则皆为报刊快评。（一）（二）两篇是对《三国史研究》论文集出版的快评，作者分别为韩兆琦、许维。韩兆琦，北京师范大学文学院教授，博士生导师。许维，写书评时任甘肃日报主任编辑。（三）（四）两则是对“三国史”研究单篇论文的摘评。摘评者采用笔名，真名不详。

多因素的历史原因，是三分的人才均势，三分的政治均势等等各种因素的交叉形成的。在这些因素中，人谋起了决定性的作用。在人谋中，诸葛亮隆中路线规划的三分蓝图只是一个剧目的脚本，导演三分戏成功演出的不是诸葛亮，而是孙权。这些新议，作者都列述了充分的论据。各篇论文，新议迭出而平实，行文流畅而素雅，值得一读。（韩兆琦）

（原载《人民日报》1989 年 4 月 13 日海外版）

二、真知论三国　灼见剖曹刘

——读张大可新著《三国史研究》

继《史记研究》问世之后，张大可教授经过四载辛劳，又向史学界奉献出了 30 余万言的史学新著《三国史研究》。这是建国以来第一部系统研究三国历史的个人专集，它见解深刻，笔锋犀利，论据充分，出版后受到国内史学界的广泛瞩目。

三国历史，错综复杂，仪态万千。不仅三分故事自宋代以来由于平话、戏剧、小说的影响，已家喻户晓，而且形成三分天下的历史发展，威武雄壮，引人入胜，促人反思。因此，对三国史和三国人物的研究，一直是史学界的热门课题。张大可教授是位中年学者，他不畏前贤，第一次把三国时期作为一个断代的单元，围绕三国鼎立形成的历史原因、吴国对江南开发的业绩、曹操篡汉及其所施行的一系列制度对历史的影响等问题，展开纵横比较，进行宏观研究，从而，在诸多方面开拓了新的研究领域，提出了新的结论和新的课题，使三国史的研究水平，有了新的突破和新的发展。

首先，《三国史研究》不囿定论，提出三国鼎立的“人谋”说。关于三国鼎立形成的历史原因，史学界已成定论的观点认为：“三国鼎立出现的根本原因，在于各地区封建经济的发展，导致了分裂倾向的加剧。”这就是三国鼎立“必然性”的理论，即“经济均衡论”。史学界已发表的学术论文、出版的学术论著和各种教科书，对三国鼎立的看法，基本上都没有越出这种“经济均衡论”的藩篱。张大可教授在《三国史研究》中，运用历史纵横比较的方法，对这种已成定论的南北经济均衡论提出了质疑，认为三国鼎立有着多因素的历史原因，实非某种单一的历史原因所决定，也并非必然要出现的局面。这一局面是由三分的人才均势、三分的地理均势和三分的政治均势等多种历史原因交叉才形成的，其中“人谋”的因素起了决定作用。书中还进一步分析了无论是直接规划三分的葛鲁之谋，还是破坏葛鲁之谋的周瑜、吕蒙、陆逊之偾事，以及曹孙刘三方决策者筹略之得与失，都不由自主地在合力把历史推向三分。这个观点见解新颖，形成了一家之言。

其次，《三国史研究》不依旧说，突出了三国史研究中的魏吴对峙主线。以往的三国史研究中，最失比重的是对孙吴研究的畸轻。从已发表的800多篇学术论文看，研究曹魏的292篇，研究蜀汉的267篇，研究孙吴的只有56篇。张大可教授改弦更张，以曹魏与孙吴对峙为主线，从政治、经济、军事、外交和民族政策等几个方面，对三国历史进行研究，提出了最早提出三分思想的是孙吴谋臣鲁肃，成功导演天下三分的是吴主孙权。吴国在江南的建设和开发，促进了长江流域经济的发展，不仅缩短了南北差距，而且使江南文化的发展开始超过了北方，为后来南朝学术的发展超过北方奠定了基础。孙权是一位无与伦比的第一流政治家，明显地胜人一头。他在每个历史转折关头，都作出了惊人的选择，先是借荆州给刘备，树曹之敌，屏蔽江东；继而称臣于曹操，又不失时机夺回荆州，形成了三国鼎立之势。他的功绩逊于曹操，大于齐备，是三国时代应居于第二位的人物。这与以往的史学界把孙权看作是曹刘相争中的配角人物的评价是大相径庭的，也许因此将会引起一场新的论争。

第三，《三国史研究》不畏前贤，重新评价了三国人物的优劣功过。曹操是历史上一个典型的双重性人物。他叱咤风云，是三国时代最杰出的政治家，军事家和文学家，但也奸险诈伪，残忍好杀，是那个时代最阴险毒辣的权谋家。本来，这一切历史已给他作了记载，从陈寿的《三国志》到司马光的《资治通鉴》都有实录，也从未有人否认。1959年，郭沫若发起了一场替曹操翻案的论争，史学界的名流几乎全部参与了讨论。发起者用“翻案”的字眼为曹操饰讳，把曹操美化成为一个古代人民的“解放者”。张大可教授不曲权威，不阿显贵，以历史唯物主义为武器，以确凿的史料为依据，针对翻案文章中关于曹操打黄巾、置屯田、征乌桓、统一北方等问题，逐一解剖分析，既肯定曹操扫荡群雄、统一北方的历史功绩，又谴责他奸险诈讳、残忍好杀的暴虐本性，使其恢复了历史的本来面目。这种对曹操评价中功归功，过归过，是则是之，非则非之的马克思主义唯物史观方法论，实在是通人之论，是每一个正直的史学工作者都应当坚持的。（许维）

（原载《甘肃日报》1989年5月26日第4版）

三、成功导演天下三分的是孙权

张大可在《学术月刊》第9期著文说，诸葛亮隆中路线规划的三分蓝图只是一个剧目的脚本，导演三分戏成功演出的不是诸葛亮，而是孙权。

隆中路线的政治目的是“兴复汉室，还于旧都”，而并非鼎足三分。这条总路线分两步：第一步夺取荆益，以成鼎足。旨在建立两路北伐基地。第二步联孙抗曹，进行北伐。但是由于刘备的僵化外交，乃至东伐孙吴，夭折了隆中路线。孙权在军事上处二流，其政治和外交却是一流的。他在每一个历史关头，都作出惊人选择，一步步导向三国鼎立。孙权的第一个果敢决策是借荆州给刘备。目的在于树操之敌，屏蔽东吴。他认为“非刘豫州莫可以当曹操者”，并毅然与刘备结盟。曹操为之大吃一惊。第二个果断决策是称臣于曹魏。相机袭杀关羽，乘势夺回荆州。这使东吴避免了两线作战，于公元222年在吴蜀夷陵之战的决战阶段夺取了荆州。荆州归吴，三国鼎立的地理均势就最后形成。公元229年，诸葛亮在刘备死后遗命辅孤，第一件事就是力排众议，与孙权订立中分天下的条约。（江诚摘）

四、评价历史人物要讲创造性和时代精神

张大可认为，几十年来所谓的三七开、四六分的评述功过，是不科学的。

本报讯 北京外国语学院中文系张大可教授近日就评价历史人物发表看法。

传统文化的简易思维。对人物划分只是好人和坏人，以后又有什么基本是好人、坏人之说。张大可教授说，几十年来我们评价历史人物还有一种新创造，那就是用百分法作为评价、鉴定的标准，即用三七开、四六分或对半分的界定，即使争论不休的历史人物，如曹操，最终也都以百分法作简单结论，它实际上并未解决实质问题。

张大可认为历史人物千秋功罪，用百分比作结论，在理论上和实践上都是有害的。这是为评价人物不是作履历鉴定和政审，要揭示历史本质，恢复本来面目，才能有借鉴功能。所谓三七开或四六分，往往因功大于过而无过，因过大于功而失功，顾此失彼；而功过参半，又会被讥为形而上学的庸俗机械论。其实功过参半说乃是一种科学的研究法，这里并不是简单的百分比五五分，而是说人物的功与过都不应忘记，历史上的双重性人物，常是功大"过"、"罪"也不小。如曹操，他促进历史前进也使历史倒退，所以是很难用百分比来打分的。

那么如何评价历史人物呢？张大可认为运用纵横比较法，可以大致得其平，横的比较，是看他的时代性，他在自身所处时代里，做了他人做不到的事；纵的比较，是看他的创造性。他所取得的功业，是否承先启后，在某些方面超越了前人，流风余韵馨

及后世，由此在历史函数的坐标上，对每个人的长短高下、功过是非，就能有一个清晰的脉络。历史人物是复杂的，不少人在一生中有两种形象，象孙权，前期肯定，后期否定。可以说三国史上有两个孙权。这里不存在有三七开、四六分。因此，所谓百分比划分，从本质上说，也是一种传统史学“三讳”说理论的翻版。张大可说，作为现实人物政治评价、鉴定，三七开、四六分自有其适用之处，但作为历史研究，却不适用，这是因为学术研究毕竟不同于政治生活。(史牛)

(上海《社会科学报》1993 年 8 月 19 日第 4 版)

附录二：

三国时期的考古发现和文物研究概述[①]

（一）古城遗址

三国时期的古城遗址，主要有曹魏的邺城、洛阳城，孙吴的武昌城、建业城。

邺城 邺城遗址位于今河北临漳县与河南安阳县交界处，因历年漳水泛滥，城垣已荡然无存。六十年代初的一次调查发现，遗迹仅有二夯土台基，一南一北，摆在今临漳县三台村西边。南台南北长120余米，东西宽70余米，高近10米；北台长约20米，宽窄不整齐，高仅3米。有一夯筑残垣连接二台，垣宽50米。经考证，南为金凤台，北为铜雀台，连接二台之残垣系邺城西垣的残段[②]。1983年对金凤台、铜雀台和城墙进行了勘探，1984年继续对城墙进行勘探，并对夯土台基和城内街道进行了勘探和试掘，掌握了台基的保存情况，城墙的结构，同时了解到城内街道、宫殿区的不少情况[③]。

据文献记载，邺城系曹操破袁绍后于建安九年（公元204年）所筑。其城东西长3500米，南北2500米。南面开三门，北面二门，东西各一门，鉴于洛阳城旧制的不便，邺城采用了

① 本文作者谭良啸，成都武侯祠博物馆研究员。
② 俞伟超：《邺城调查记》，载《考古》1963年第1期。
③ 见1985年文物出版社出版的《中国考古学年鉴》。

新的布局。以一条横贯东西的大道把城分为南北两区，宫城建在北区中部的南北轴线上，而主要宫殿又位于宫城的中央；宫城东为贵族居住区，西为苑囿。南区中部分建官署，其余是居民区，而中部又有一条南北向大道，与宫城正门“司马门”相通。

邺城的修建又吸取了坞壁建造的经验，立足于军事防御，事先经过规划。例如，城垣“饰表以砖”，进行了加固；在城西北隅筑金凤、铜雀、冰井三台为制高点，既可了望守卫，也可检阅操练，并在台旁挖窖井，储存粮、水、柴等，而武库和马厩也集中在附近。

邺城在我国古代城市发展史上具有划时代的意义。它将宫殿集中在城区北部中央，把南部城区划为一个个居民区，从而开创了一种崭新的城市布局。这种布局，为以后历代都城所继承，世代相袭为定式。

洛阳　洛阳城遗址在今河南洛阳市旧城东12公里，曹丕黄初元年（公元220年），在东汉洛阳城的基础上仿邺城建造。1954年和1963年两次对城址进行勘察，分别写出《洛阳汉魏隋唐城址勘查记》① 和《汉魏洛阳城初步勘查》② 两文，并绘出实测图。以后还在城内外进行过多次考古发掘。查明汉魏洛阳城为南北长方形，东、西、北三面城垣各有几处曲折，保存状况较好，探出城门十座：西垣五座，北垣二座，东垣三座。南面城垣因洛水北移被冲，无遗迹可寻。实测城周长为西晋里三十里，与文献记载基本相符。

洛阳城西北隅的金墉城始筑于曹魏，勘察表明，其方位和作用都与邺城的三台相似。金墉城由三座南北毗连的小城组成，彼此有门道相通。总平面略呈“目”字形，南北长约1000米，东西宽约250米，垣宽约12米。城垣夯筑而坚实。共有城门八座，城内发现二十余处夯筑台基及一些道路、水池等遗迹。

---

① 《考古学报》第9期。

② 《考古》1973年第4期。

大城及金墉城城垣外侧都附设城垛。在大城西、北两面共发现城垛七座，金墉城外存十一座。城垛均为长方形，夯筑，面积大小不等，大的19.5×12.5米，小的18.3×8.3米。这些城垛，是至今我国内地古城中出现最早的实物。

此外，还勘察出汉魏的辟雍、太学、明堂、灵台等大型建筑遗址。城南的太学遗址平面为方形，边长300米，有曹魏正始“三体石经”残石出土。

从勘察资料可以看出，曹魏洛阳城已有一套相当完备的军事防御设施。例如，四周城垣不取直线而作曲折，而且城垣两壁均加厚，一些城门外筑双阙，造金墉城，在城垣外附设城垛等等。这是任何前代都城所无法比拟的。曹丕在洛阳城营建的新宫，布局上不因袭东汉在前殿设东西厢的方法，而在太极殿左右建东西堂处理日常事务。这种宫殿布局方法，为两晋南北朝所沿用。

武昌 武昌故城遗址在今湖北鄂州市。孙权受封吴王，于公元221年以鄂城为都，取“以武而昌”之意名曰武昌，又称吴王城。1980年初步钻探，获得不少资料。城址为长方形，东西长约1000米，南北宽约500米。东、西、南三面原有夯土城墙，现南墙中段还有长约72米，残高4—6米。城北面因系临江筑墙，现已被江水冲刷殆尽。在城外西南两侧，发现有城濠遗迹[①]。这是三国时期留下的唯一一处比较明确的古城遗迹，具有较高的研究价值。

据文献记载，吴王城内建有武昌宫，四周筑宫墙，宫城内有太极殿、礼宾殿、安乐宫等，作为孙权朝会议事和迎宾宴饮之所。城郊，设樊口戍、邾城等军事城堡和烽火台，以拱卫都城。城内曾发现孙吴时古井，获得几十件汲水陶器和铜、铁器皿，其中有“黄武元年”（公元222年）铭文的铜罐[②]。在城外樊山集中有一批六朝墓葬，近年发掘的四座孙吴砖室墓，出土了一批孙吴

① 蒋赞初：《六朝考古散记》，载《江汉考古》1983年第1期。
② 《湖北鄂城发现古井》，载《考古》1978年第5期。

初年的典型器物，其中以青瓷器和神兽纹铜镜最引人注目[①]。

建业 建业故城在今江苏南京玄武湖南。孙权于黄龙元年（公元229年）称帝，从武昌迁都于此。其后，东晋和宋、齐、梁、陈都以此为都城。建业作为六朝故都，各朝都有所营建，但城市布局经东吴奠定下来后就变化不大。隋灭陈时，城被夷为平地，如今遗址又为南京城所压，因而故城遗迹甚少。

有关文献记载，建业城为正方形，周长二十里九十步，各边长约五里，土墙篱门，城门九座，南面三座，东、西、北面各二。宫城在城区的北部中央，亦是正方形，每边长300米。共四门，东南西北各一。宫殿的布局依汉魏旧制。

建业城的规划亦承袭邺城和洛阳城的布局。除将宫殿布在城北区中部外，城内建南北向大道为中轴线，大道北接宫城"司马门"，南延伸跨秦淮河，直至郊区。大道两侧为大大小小的官署和驻军营房，城南秦淮河畔的长干里和大市，是密集繁华的居民区和商业区。城外围，建有烽火台和一系列军事城堡，如石头城、冶城、白石垒等，秦淮河、青溪沿岸还树起障栅[②]。

除上述四座古城遗址外，现存的三国城址还有安徽合肥曹魏新城遗址和四川郫县蜀汉古城址。

（二）墓 葬

三国时期墓葬，魏蜀墓葬发现的不多，以东吴墓较多。

曹魏墓在辽宁鞍山、安徽合肥、河南洛阳、陕西西安、甘肃嘉峪关等地均有发现，其中以洛阳涧西发掘的一座多室砖墓和嘉峪关发掘的六座彩画砖墓最为重要。

洛阳涧西16工区的曹魏墓由斜坡墓道、甬道、前后两室、前室左右侧的两耳室组成，墓室全长近8米。墓早年被盗，棺椁无存，尚留一些遗物。前室有铁质帐钩五件，一件上有"正始八

① 《湖北鄂城四座吴墓发掘报告》，载《考古》1982年第3期。

② 蒋赞初：《南京史话》，江苏人民出版社1980年版。

年”（公元247年）的铭文；还有随葬器物玉杯、博山炉、铜销等。左耳室内有陶俑、陶磨、陶井、猪圈及家禽家畜模型，当是摹拟庖厨。右耳室出土七件带盖陶罐，似摹拟仓房[①]。从该墓的形制、结构和随葬器物等方面看，明显地继承了东汉晚期砖室墓的传统，而这种具有长方形的后室和左右带小耳室的方形前室的平面布局，是三国两晋墓葬常采用的形式，在当时较为流行。这种墓一般为王侯或二千石官吏的墓葬，墓室结构和随葬器物说明厚葬之风在三国时期被废止。

1972年至1977年，在甘肃嘉峪关市新市公社发掘了十六座魏晋墓葬，其中七座内有壁画或画砖600多幅，六座系曹魏和西晋初年的墓葬。这些墓均具有平面方形的前室和长方形的后室，在前室的四壁和后室的后壁上嵌有彩画砖。一砖一画，题材独立，但同一壁上或相近几幅组合起来，又表现同一主题[②]。

嘉峪关一号墓后室后壁画砖上为女侍、丝束、衣物等，内容简单，似表示主人居室内的情况。前室画砖的内容则丰富，左右主题不同。左半部主要以厨房炊作和墓主人家居宴饮为主题。关于厨房炊作的画砖有各种炊具、肉架、屠羊宰猪、洗涤器皿、井边抬水、灶前炊煮等多幅，操作者以妇女为主。关于家居宴饮的画砖主要描绘男、女墓主人在男仆女侍的侍奉下进食、宴饮及奏乐等形象。右半部画砖的主题描绘当时的经济生活，多为放牧、耕种，打场、出猎等画面，反映了当时农业兼畜牧的生产情景。总的看来，这些画砖或壁画再现了曹魏和西晋初年的生产、生活场面，有些还描绘了当时一些少数民族的形象，是研究三国史和探索魏晋河西地区民族关系的可贵实物资料。这些画，笔法粗放，轮廓鲜明，施色简单，线条劲健，形象生动，是研究魏晋绘画艺术和风俗、服饰的珍贵文物[③]。

东吴墓葬在江苏、浙江、湖北、湖南、江西、安徽等省陆续

① 《洛阳涧西十六工区曹魏墓清理》，载《考古》1958年第7期。
② 《嘉峪关汉画像砖墓》，载《文物》1972年第2期。
③ 《嘉峪关魏晋墓壁画的题材和艺术价值》，载《文物》1974年第9期。

发现不少。从墓葬的形制看，可分为单室砖墓和多室砖墓。多室墓一般长6—9米不等，由甬道、前后室及左右耳室组成。随葬器物的放置，可从武昌任家湾黄武六年（公元227年）墓知其一斑①。该墓的墓主人棺木放置在后室，棺底铺满铜钱；名刺木简及银钗等服饰用具出于棺内，大约是墓主人的随身携带之物。铝券（铝质买地券）压在棺下。后室四隅还堆置着大量铜钱，全墓共出土铜钱3600余枚。前室放置有铝耳杯和盘、铜洗、漆唾盂、陶炉等器皿，以及铁矛、铁剑等兵器。左耳室置陶炊模型等。似象征炊事的庖厨；右耳室放置各型陶罐和釉陶罐，似象征储物的仓房。由此可看出，东吴墓葬从形制到随葬器物等各方面，都颇有汉代遗风。

与曹魏墓葬相比，东吴墓的随葬品有自己的特点，最突出的是出土较多的精美青瓷器。从五十年代南京光华门外赵土岗出土的"赤乌十四年"（公元251年）铭的青瓷虎子、青凉山出土的"甘露元年"（公元265年）铭的青瓷熊灯，到近年江苏镇江东吴墓、浙江衢州市东吴墓出土的近百件青瓷器，大量的青瓷器出土，不仅显示了东吴瓷器工艺有较大发展和提高，而且为研究我国青瓷制造业的发展状况和工艺水平提供了有价值的实物资料②。

1984年安徽马鞍山市南郊发掘的东吴大将朱然墓，是一座十分重要的大型墓葬，也是迄今所发现的官爵最高的一位三国人物墓，值得大书。该墓出土了一批漆木器、瓷器、陶器、铜器、钱币等有较高考古价值的文物。其中的漆器，不少绘有精美图案，尤为珍贵。这些图案构图富于变化，画中人物表情生动，较前代漆画水平高，显示三国绘画技艺有了较大发展。朱然墓出土的这些文物，为研究三国东吴墓葬制度提供了一个标尺，丰富了对吴国葬俗的社会意识和社会习俗的了解，填补了我国汉末至六朝时期漆工艺史的空白，为我国美术史研究增添

---

① 《武昌任家湾六朝初期墓葬清理简报》，载《文物参考资料》1955年第12期。
② 中国硅酸盐学会：《中国陶瓷史》，文物出版社1982年出版。

了新的内容①。

蜀汉墓在近几年里有所发现。1978年陕西勉县发现一蜀汉夫妻合葬墓，出土文物60余件，有陶陂池、陶水塘、陶水田及持锸农俑等。其中，陶陂池模型内塑有荷、鱼、鸭、蛙、菱角、水草等，陶水田模型里亦塑有鱼、蛙、螺、菱角等。持锸农俑三件，是当时耕作者的形象。其中，红陶农俑二，灰陶农俑一。红、灰农俑的衣着，造型有异，可能是当时蜀军与民共耕的缩影。这批文物，为研究蜀汉的农业生产、农田水利设施和军屯提供了见证②。

1982年，四川崇庆县发掘一座蜀汉残墓。墓系长方形券顶砖室墓，由内墓门、甬道、墓室组成，出土有铜釜、铜锅、铜玄武灯座、陶灯、陶罐、铁饰等器物和数量不少的“直百”和“直百五铢”钱币。从墓葬形制和出土器物看，与当地东汉墓无多大差异，只是墓中的“直百”钱币为该墓的断代提供了物证③。

1981年，四川忠县发掘的十五座蜀汉崖墓，是蜀汉考古史上最大和最重要的发现。这批墓葬均由墓道、甬道、墓室三部分组成，墓室又分单室、双室、多室三种。墓葬的形制保留了东汉崖墓的特点。出土文物有铜钱3000多枚，其中“直百五铢”309枚，蜀“五铢”532枚；其他文物约600件。有大量陶俑，各种家禽家畜模型和田庐屋舍，日常用具模型等，其中明器所占比例较大，而实用器只占小部分，可见蜀汉的埋葬习俗与东汉晚期差别不大。陶屋和部分陶器具有特色，部分陶俑则与两湖地区的东吴墓出土的陶俑相似。这批崖墓的发现，为四川蜀汉时期墓葬的分期和研究，为蜀汉时期的政治、经济、文化以及蜀汉与东吴文化交流的研究，提供了珍贵的资料④。

① 童怀：《安徽马鞍山三国朱然墓出土一批珍贵漆画器》，《光明日报》1986年5月25日。

② 郭清华：《从出土文物谈诸葛亮在汉中的军屯》，载《成都大学学报》1986年第3期。

③ 《四川崇庆县五道渠蜀汉墓》，载《文物》1984年第8期。

④ 《四川忠县涂井蜀汉崖墓》，载《文物》1985年第7期。

（三）文　物

三国文物除随墓葬出土的外，还有窖藏和流散文物。其中以青瓷器、买地券、钱币、铜镜、弩机等为研究者重视，已有不少论著。现仅就钱币、铜镜、弩机这三类文物的发现和研究略加叙述。

钱币　现存蜀汉和东吴的钱币极丰富，而且富有特色，不仅作为墓葬断代的依据，而且在我国货币发展史上占一席之地。曹魏代汉，开初废止钱币，以谷帛交易，公元227年才复用五铢，形制如汉钱。刘备入川，军用不足，铸“直百五铢”；后又在犍为郡铸五铢，并在钱背铸“为”字。这种蜀五铢，是我国方孔钱中最早铸地名的钱币。近又发现蜀汉“传形五铢”。这种钱币“五铢”二字排列与所有五铢钱相反，其“五”字在左，“铢”字在右，且“铢”字的“金”旁在右，“朱”字在左，如反书一样。蜀汉的这种特殊钱币，在我国古代众多的方孔钱中，也是仅见的[①]。蜀汉钱币，开始重8克，以后逐渐轻小，不及半铢，甚至还用铁铸“直百五”。东吴于嘉禾五年（公元236年）铸“大泉五百”，赤乌元年（公元238年）铸“大泉当千”，后又铸当二千、当五千之大泉，均用红铜。蜀、吴的这些货币，反映了两国经济基础薄弱，财政困难的情况[②]。

铜镜　现存三国铜镜以东吴为多，而且铸造技艺高，代表了这一时期的金属冶铸水平。自东汉以来，绍兴、鄂城即成为铸镜的中心，孙吴时期为鼎盛。最主要的成就是高浮雕技术的出现，以神话传说和历史故事为题材。精致的画像镜是这个时期的代表作[③]。曹魏和蜀汉的铜镜发现的不多。曹魏铜镜铸造粗劣，工艺仍保留汉代作风，多沿用过去的神兽镜、画像镜。

① 郭清华：《稀有的蜀币——传形五铢》，载《四川文物》1987期。

② 千家驹、郭彦岗：《中国货币发展简史和表解》，人民出版社1982年版。

③ 《浙江出土铜镜选集》，人民美术出版社1960年版，以及《鄂城汉三国六朝铜镜》，文物出版社1986年版。

弩机 魏、蜀、吴三国都出土有弩机，有的还有纪年铭文。其中以蜀汉弩机为多，且有研究价值。陕西城固县一蜀汉墓曾出土九件铜弩机，四川郫县出土一件蜀汉景耀四年（公元 261 年）制作的铜弩机，郭上有“十石机”等三个字的铭文①，弓重三斤二两。据此可算出该弩的开张力为二百六十多公斤，属于强弓劲弩类，不可能用臂力张开，而是用脚踏发射。这为研究古代兵器提供了实物资料。

① 沈仲常：《蜀汉铜弩机》，载《文物》1976 年第 4 期。

附录三：

三国史与《三国志》研究现状的定量分析（1978—2001）

1978年以来，三国史与《三国志》研究取得了引人注目的成就。实事求是的思想路线为三国史与《三国志》学术研究创造出良好氛围。在这种大背景下，原本发展滞后的《三国志》研究快速崛起。对于三国史与《三国志》研究取得的成就，海峡两岸均已有学者从不同角度进行过总结和评述，但都只是采用定性分析的方法。要考察、了解一个时期的学术研究状况，只作定性的宏观扫描是不够的，还应进一步采用定量的统计分析。定性分析固然能够深入揭示问题的本质，但有些问题则必须通过定量分析才能解决。只有以科学计量学指标和定量数据揭示的三国史与《三国志》研究状况，才能有效揭示该领域研究的发展大势。

本文即试用文献计量学的方法，对1978—2001年间中国内地学术界公开发表的有关三国史与《三国志》研究的论文进行统计（见本书附录三相关部分的《索引》），利用近年来出版的光盘数据库，辅以国际联机检索和对相关书目、索引等工具书的手工检索，对二十四年来的三国史与《三国志》研究文献进行了一次全面的统计分析，并试图以此数据来说明三国史与《三国志》研究的现状。本文的上限设在1978年。众所周知，由于中国特色的政治背景，1978年中共三中全会启动改革开放，也带来了科学的春天，学术界在宽松环境下开展的研究更具典型意义。本文的下限暂设在2001年年底，这是出于统计上的方便，今后随着时间的推移，还会加以延伸增补。

（一）论文总量及分布

毫无疑问，过去二十四年里，学术界对三国史与《三国志》的研究取得了显著的进步。能表现研究进展状况最直接的数据，是科研成果的主要载体——科学文献数量的增长。为了从总体上把握过去二十四年三国史与《三国志》文献的增长情况，我们以中国人民大学书报资料中心的《报刊资料索引》（1978—2001）、《中国期刊网》（1994—2002）、上海图书馆编《全国报刊总目索引》（光盘及纸本）以及各种书目、索引为信息源，按年度统计了三国史与《三国志》研究文献的变化。统计结果如表1所示。表中，1978年研究三国史与《三国志》的文献仅有18篇，这虽然不能完全真实地反映当时三国史与《三国志》的数量规模，但它却从文献分类学的角度说明，经历十年动乱，至改革开放之初，三国史与《三国志》的研究还相当薄弱。

表1　三国史与《三国志》文献年度分布

年份	文献量	年份	文献量
1978	18	1990	89
1979	29	1991	126
1980	60	1992	74
1981	94	1993	135
1982	112	1994	173
1983	151	1995	219
1984	153	1996	171
1985	195	1997	126
1986	122	1998	106
1987	119	1999	115
1988	133	2000	183
1989	77	2001	156

总计：共27年，论文2927篇，年平均121.25篇

自1978年实事求是的学风重新得到确立以后，三国史与《三国志》研究的论文以较快的速度增长。1978—2001的24年中平均121.25篇/年。1981年至1985年逐年上升，在1985年出现一个高峰，1986年至1989年有所下降，以后又再次走高，到1995年出现新一轮的高峰。

（二）作者分布

三国史与《三国志》研究的繁荣离不开广大专家的辛勤耕耘。为了解研究者创作三国史与《三国志》文献的“产量”，我们统计了《（1978—2001）三国史与〈三国志〉研究论文目录》（下称《目录》）的作者数据。根据国际惯例，对多作者文献只取第一作者统计。因为《目录》对其收入的文献有一定选择，同时也存在不区分同名作者，以及有某些录入错误等问题，此处统计的发文量与实际发文量可能存在微小差别。

据初步统计，1978—2001年间，共发表三国史与《三国志》研究论文2929篇，作者人数共有1744人。统计结果如表2所示。

1978—2001年间，发文超过10篇的三国史与《三国志》专家计有吴金华、谭良啸、张大可、孙明君、叶哲明、李兆成、高敏、王永平、尹韵公、裴登峰、方诗铭、赵昆生、方北辰、余鹏飞、蒋福亚、陈玉屏、杨耀坤、童超、王晓毅、周国林、潘民中、黄惠贤、黄晓阳、顾农、吴洁生、李纯蛟、何兹全、李兴斌、王汝涛、简修炜、马植杰、袁济喜、徐日辉、袁刚、刘隆有等35人。发文量5篇以上的作者有83人，均列于表3。发文量为1篇的作者通常称为客串作者，有1342人，占全部作者的77.6%，发文1342篇，占论文总量的45.8%，他们小试牛刀，偶尔发表一篇论文后大都不再造访三国。发文量在2到4篇的作者通常称为一般作者，共有305人，占全部作者的17.6%，发文751篇，占论文总量25.6%，他们的情况大致有二，一是经过一段时间的研究后，学术兴趣转移到别的领域，很少再继续进行研究，二是一部分后起之秀正处于研究的初期，正在蓄积力量，积极向核心作者群挺进。发文量 5 篇以上的有 83 人，占全部作者 4.8%，发表论文 834 篇，占全部论文的总量 28.54%，换言之，四分之一以上的论文是由不到百分之五的作者完成的，他们是三国史与《三国志》研究领域的核心作者。

在 20 世纪前期披荆斩棘，开创了三国史与《三国志》研究新局面的第一代学术大师，以陈寅恪、吕思勉、汤用彤等人为代表，他们在 1978 年以前大都早归道山。以唐长孺、周一良、何兹全、王仲荦、缪钺为代表的第二代大师，在 1978 年以后大多进入暮年，他们的学术成就主要集中在 20 世纪五十至六十年代，至世纪之交又大都告别人世。在此期间作出突出贡献的是第二代大师的学术接班人，如唐长孺的弟子高敏、黄惠贤、杨德炳等人，他们在唐先生开创的三国史专题研究的基础上继续向前推进，高敏在此期间完成 17 篇高质量的专题论文，另外还著有《秦汉魏晋南北朝土地制度研究》(中州古籍出版社，1986 年)、《魏晋南北朝社会经济史探讨》（人民出版社，1987 年)、《魏晋北朝兵制研究》（大象出版社，1998 年）等书。缪钺的弟子甚众，尤以杨耀坤为翘楚，他虽然所写论文不算太多，但很有质量，所撰《陈寿评传》也颇见功力。吴金华先生在徐复先生的指导下，从 1978 年就开始集中全力研究《三国志》，经过 24 个春秋的积累，业已在《三国志》文献的整理与研究方面取得突破性进展，发表了 30 余篇论文，并出版了《三国志校诂》、《三国志丛考》等专著。2002 年 10 月，吴先生成功地主持召开了“《三国志》国际学术研讨会”，会上宣布成立“复旦大学《三国志》研究中心”。该中心在吴先生的带领下，已经启动一系列的《三国志》文献研究的系统工程，将由中华书局集中推出，此举已引起学术界同仁的广泛关注。张大可先生虽为《史记》研究名家，但在三国史研究方面也卓有建树，发表了一系列的专题论文，先后出版了学术专著《三国史研究》、《三国》断代史，主编《三国人物新传》、《三国志选注》等，独树一帜。[①]

① 作者于 2006 年又推出两种中级读物：《三国十二帝》(华文出版社 2006 年 5 月)、《话说三国》(文史出版社 2006 年 1 月)，颇受社会关注。

表 2 三国史与《三国志》文献的作者分布①

发文量	人数	发文量	人数
1	1343	13	5
2	189	14	1
3	91	15	3
4	25	16	2
5	14	17	1
6	10	19	1
7	10	20	1
8	10	28	1
9	4	38	1
10	5	41	1
11	7	总计	
12	6	2927	1731

表 3 83 位核心作者一览表

作者姓名	发文量	作者姓名	发文量	作者姓名	发文量
吴金华	40	王晓毅	12	田余庆	9
谭良啸	38	周国林	12	杨德炳	9
张大可	28	潘民中	12	柳春藩	9
孙明君	20	黄惠贤	12	丁宝斋	8
叶哲明	19	黄晓阳	12	沈伯俊	8
李兆成	17	顾　农	11	黎　虎	8
高　敏	16	吴洁生	11	马　强	8
王永平	16	李纯蛟	11	张崇琛	8
尹韵公	15	何兹全	11	张作耀	8
裴登峰	15	李兴斌	11	黄茂生	8
方诗铭	15	王汝涛	11	晋宏忠	8
赵昆生	14	简修炜	11	何红英	8
方北辰	13	马植杰	10	郑　欣	8
余鹏飞	13	袁济喜	10	徐公持	7
蒋福亚	13	徐日辉	10	王鑫义	7
陈玉屏	13	袁　刚	10	杨伟立	7
杨耀坤	13	刘隆有	10	庞天佑	7
童　超	12	裴传永	9	胡宝国	7

① 本表统计 1978—2001 年期间的发文量与作者，发文量 2927 篇，作者 1731 人。1952—1977 年，发文量 380 篇，作者 313 人。两项相加，论文总量 3307 篇，作者 2044 人，作者去其重，约 2010 人。

续表

作者姓名	发文量	作者姓名	发文量	作者姓名	发文量
戴惠英	7	张孝元	6	郭清华	5
贺　游	7	梅铮铮	6	陈迩冬	5
周达斌	7	杨代欣	6	于联凯	5
刘国石	7	周一良	6	张旭华	5
刘京华	7	梁宗奎	6	赵　炯	5
许抗生	6	吴　晗	5	陈显远	5
常崇宜	6	王　巍	5	朱子彦	5
朱大渭	6	冯金平	5	孟繁冶	5
周兆望	6	张亚新	5	王瑞功	5
缪　钺	6	赵克尧	5		

（1978—2001 年）发文 5 篇以上的作者与篇目总计：83 人，833 篇

在自然科学学科中测评科学家的学术水平，除了看他的科研成果的数量多少外，还要看他科研成果的质量。文献计量学用来定量测评科研成果质量的指标、有文献被别人引用的频率（即被引率指标）、文献被重要检索刊物收录的数量（即被摘率指标）等等。由于中国社会科学学术界至今没有形成类似自然科学学术研究的引用规范，三国史与《三国志》研究文献的引文数量稀少且引用行为不够规范，三国史与《三国志》研究引文数据暂时无法用作评定三国史与《三国志》文献质量的指标。为此，我们统计了中国人民大学书报资料中心《复印报刊资料专题目录索引（1978—2001）》（简称《索引》）的作者数据。该《索引》收录的是《复印报刊资料》所复印报道过的文章。《复印报刊资料》系列刊物在我国社会科学界颇有影响，被其复印报道的文章一般被认为具有较高学术水平或资料价值。因而，这一数据可与被摘率一样在某种程度上反映三国史与《三国志》研究专家的科研成果的质量。有 60 多位作者的论文被人大复印资料转载。表 4 列举了依据这一检索工具统计的被摘率较高的作者，两篇以上的 24 人。

表 4　论文被摘率作者一览表

作者姓名	收录量	作者姓名	收录量	作者姓名	收录量
张大可	5	袁济喜	3	雷　勇	2
赵昆生	4	孙明君	3	朱靖华	2
方诗铭	3	王晓毅	3	施光明	2
张作耀	3	王永平	3	徐公持	2
李纯蛟	3	吴金华	2	高　敏	2

续表

作者姓名	收录量	作者姓名	收录量	作者姓名	收录量
叶哲明	2	顾　农	2	裴登峰	2
王汝涛	2	周国林	2	蒋福亚	2
李颖科	2	杨德炳	2	梁中效	2

根据上列表2、表3、表4诸表的综合分析，不难看出，中国目前还没有形成严格意义上的三国史与《三国志》研究的专家作者群。作者虽多，涉猎者多，专精者少。平均发文量还比较低，文摘率也普遍偏低。造成以上现象的原因主要是全力研究三国史和《三国志》的专家还非常少。大多数人仅以余力为之。搞历史的特别是搞魏晋南北朝史的一般都没有把重点放在三国部分，搞文学、哲学的也是如此。当然，数量仅仅只反映一个方面，各学科之间的数字也缺少可比性。众所周知，学术水准主要还是看论文质量，有的人虽然发表的文章不多，但质量很高，开拓了新领域，作出了新贡献。

与此同时，我们还注意到一个非常可喜的现象，全国有一批年轻博士、硕士以《三国志》研究作为学位论文的选题，如延边大学博士朴灿奎撰写了以《〈三国志·魏书·高丽传〉研究》为题的学术论文，选题相当专业；南京大学博士何亚南的《〈三国志〉和裴注句法专题研究》最近也已出版问世，受到学术界的好评；复旦大学博士苏杰、王文晖等在吴金华先生的指导下已就《三国志》的某一专题进行了比较深入的钻研，写出了一批优秀的博士论文。我们完全可以相信，在不久的将来，他们有望成为《三国志》研究领域的主力军。

（三）报刊分布

报刊是学术成果的主要编辑生产单位。在文献管理部门，如图书馆或情报所，订购一种报刊的定量指标主要是看该报刊刊登某一学科的学术文献的数量，刊登某一学科文献最多的若干种报刊，被称之为核心期刊①。根据文献学家布拉德福的文献分散定

① 这里所指核心期刊，非指期刊级别，系专指对三国史研究发文量较多的期刊。

律，一个学科为数不多的一批核心期刊，就能包含该学科相当一批相关论文。这批核心期刊是文献管理部门必须收藏的，也是专业人员需要经常阅读的。了解三国史与《三国志》的核心期刊，对三国史与《三国志》的研究者掌握文献信息源、提高阅读效率，是很有帮助的。刊载三国史与《三国志》文献数量均超过10篇的学报和期刊共23种列于表5。

表5　三国史与《三国志》研究中文核心报刊一览表

序号	刊名	累计载文量	序号	刊名	累计载文量
1	许昌师专学报	71	13	临沂师院学报	19
2	成都大学学报	58	14	学术月刊	19
3	中国史研究	55	15	齐鲁学刊	18
4	汉中师院学报	40	16	中华文化论坛	17
5	文史知识	39	17	四川师院学报	16
6	史学月刊	39	18	台州师专学报	16
7	历史研究	32	19	史学史研究	13
8	文史哲	28	20	武汉大学学报	12
9	光明日报	23	21	古典文学知识	11
10	郑州大学学报	21	22	孔子研究	10
11	中国哲学史研究	20	23	文学遗产	10
12	江汉论坛	20	总计	23家报刊	607

根据我们对《索引》中收入的2931篇三国史与《三国志》文献的统计，过去二十四年中，发表过三国史与《三国志》有关文献超过16篇的中文报刊计有《许昌师专学报》、《成都大学学报》、《中国史研究》、《汉中师院学报》、《文史知识》、《史学月刊》、《历史研究》、《文史哲》、《光明日报》、《郑州大学学报》、《中国哲学史研究》、《江汉论坛》、《学术月刊》、《齐鲁学刊》《四川师院学报》、《临沂师院学报》《中华文化论坛》、《台州师专学报》等18种。

（四）选题分布

为了定量研究三国史与《三国志》在过去二十多年中的结构变化，我们根据《目录》的主题分类并进行组织，将三国史与《三国志》按八个主题类目进行分年度统计。这八个主题分别为：政治、军事、经济、民族、社会生活、思想文化、历史人物、文献及其他（包括文学作品的赏析、研究动态等等）。将三国史与《三国志》文献分为八个主题后，各主题文献量的年度变化受随机因素的影响，起伏波动较大。为了更清晰地观察各项主题的变化情况，我们将1978—2001年划分为六个时间段，各主题在不同时间段的文献数量列于表6。

表6 三国史与《三国志》研究主题时间分布

数量 时间	政治	军事	经济	民族	社会生活	思想文化	历史人物	文献及其他	分段总量
1978～1980	5	14	10	1	5	23	34	15	107
1981～1985	40	37	36	12	15	49	294	223	706
1986～1989	42	28	36	12	10	34	252	38	452
1990～1993	51	53	12	6	12	57	213	9	413
1994～1997	52	28	28	5	6	101	343	126	689
1998～2001	40	30	25	2	41	79	247	96	560
各目总计	230	190	147	38	89	343	1383	507	2927
各目%	7.85%	6.5%	5.02%	1.3%	3.03%	11.7%	47.3%	17.3%	100%

从表6所示的各类主题论文的数量和百分比的显示，可以鲜明地看出，政治、军事、经济、民族、社会生活、思想文化等重大课题还相当薄弱，正如张大可教授在《建国四十年来三国史研究述评》（载作者所著《三国史研究》，甘肃人民出版社1988年出版）中所指出的“畸轻畸重”状况，长期没有得到改善，人物研究仍占了过大的比重，达47.5%，而且就以人物研究来说，人们的热情又过分地集中在诸葛亮、曹操等少数人身上。特别是对曹操的研究在很大程度上受到社会政治生活等非学术因素的影响，跌宕起伏很大。1959年，整个学术界都在围着曹操转，当年报刊发表三

国史论文153篇，其中147篇都是讨论曹操的。表7所收曹操论文158篇，已是曹操热的余波，近年来已经淡出。随着20世纪80年代初，科学的春天来临，文化讨论渐成热潮，政治、军事、思想文化逐渐为热门话题，才有今天的成果。耐人寻味的是，诸葛亮开始走下神坛，出现了一股批判思潮，这似乎是对“文革”中的造神运动的一种反拨。20世纪80年代后期，历史人物的评说急剧下降，大家又把目光转向政治方面。20世纪90年代初期，讨论的重点又转到文献方面，与当时急剧升温的“国学热”不能说毫无关联。总之，社会上流行什么“热”，三国史与《三国志》的研究就要受到相当程度的“感染”。

《三国志》人物研究，在三国史研究中占有极大的比重，表6的统计1383篇，占论文总量2927篇的47.2%。在1978年以前，人物研究的比重更大。1952—1977年期间，三国史研究论文总量383篇，人物研究的论文319篇[①]，占论文总量的83.3%。《三国志》人物研究的分布，也是畸轻畸重，如表7所示，表现得十分鲜明。三国立传人物正传316人，附传125人，总计441人。研究论文涉及的人物67人，占立传人物的15.2%。其中，曹魏立传人物232人，论文531篇，涉及38人，占立传人物16.3%。三国中蜀汉立传人物81人，论文768篇，涉及立传人物17人，占立传人物的20.98%。孙吴立传人物128人；论文84篇，涉及12人，占立传人物9.3%。蜀汉国小人才寡少，立传人物最少，研究的比率却最高达20.98%，孙吴次之，占9.3%，曹魏比率最低，占8.5%。

表7　《三国志》人物研究分布一览表

人物	发文量	人物	发文量	人物	发文量
曹操	158	刘表	5	夏侯玄	1
董卓	7	臧洪	2	孔融	15

① 1952—1977年关于三国人物研究的论文319篇，涉及17人，如次：曹操239篇，诸葛亮45篇，荀彧1篇，袁术1篇，曹植1篇，华佗6篇，郭嘉6篇，毌丘俭1篇，刘备1篇，关羽9篇，张飞1篇，庞统1篇，马谡1篇，孙权2篇，鲁肃2篇，周瑜1篇，吕蒙1篇。

续表

人物	发文量	人物	发文量	人物	发文量
管辂	1	荀彧	12	吕布	4
曹植	86	毛玠	1	何晏	9
陈琳	4	程昱	1	崔琰	2
司马懿	11	王粲	52	王朗	1
仲长统	11	刘桢	2	郭嘉	3
诸葛诞	2	司马昭	1	徐干	2
王弼	41	高柔	1	杨修	6
曹丕	30	邓艾	7	刘劭	16
袁绍	9	华佗	20	杨阜	2
刘琮	1	曹叡	1	钟会	2
张鲁	1	袁术	1		
以上曹魏 38 人，论文 531 篇					
刘备	78	刘禅	2	黄皓	2
关羽	59	张飞	4	杨仪	2
黄忠	2	赵云	2	李严	3
马谡	17	诸葛亮	537	谯周	3
魏延	37	马超	2	姜维	12
蒋琬	3	法正	3		
以上蜀汉 17 人，论文 768 篇					
孙策	5	孙权	43	张昭	2
顾雍	1	步骘	2	周瑜	6
鲁肃	15	吕蒙	4	虞翻	2
张温	1	暨艳	2	诸葛恪	1
以上孙吴 12 人，论文 84 篇					
魏蜀吴三国合计 67 人，论文 1383 篇					

从上表可知，人物论文总量 1383 篇，蜀汉第一，768 篇，占总量的 55.53%；曹魏次之，531 篇，占 38.4%；孙吴最少，84 篇，占 6%，这个比例与三国对峙的实际情况很不相称。蜀汉最弱小，而所占比例最大，诸葛亮一人，论文 537 篇，占总量 39%，其次为曹操，论文 158 篇，占 11.4%。出现这一情况，除正统观念的惯性影响之外，曹操的个人功业与诸葛亮的人格魅力产生重大影响，特别是诸葛亮“鞠躬尽萃”的精神，将永远为历史所传扬。诸葛亮研究因之独领风骚，论文多达 537 篇，24 年间平均每年超过 223 篇。在湖北襄樊、陕西汉中、河南南阳、山东临沂、四川成都等地都成立了诸葛亮研究

会，先后召开了十余次研讨会，并出版了有关诸葛亮研究论文集，每次的论文集都有比较明确的主题。各地研究机构的有力推动，使得诸葛亮研究不断向前发展。其次是关于“三曹”的研究，属曹操的有158篇，曹丕有30篇，曹植有86篇，另外以“三曹”为题的有11篇，曹氏父子三人共285篇。刘备、孙权行情显然不及曹操，更不敢望诸葛亮之项背。值得注意的是，关羽崇拜在民间甚有市场，论文也较多，达59篇。总之，三国人物的研究分布极不均匀，绝大多数人物无人问津，这个情况应当改变。

（五）结论

1978年以来的三国史与《三国志》研究队伍有1725余人，研究论文2910篇，成绩显著。但是问题也有不少：

第一，目前还没有形成严格意义上的三国史与《三国志》研究的专家作者群。

第二，研究的升降在很大程度上还受到社会各种非学术因素的影响。

第三，研究成果的分布还极不均匀，缺少整体布局，学术界近半的注意力投在诸葛亮、曹操等少数几个人身上。

新的世纪需要有新的三国史与《三国志》研究。首先，将三国作为一个断代来研究，还没有真正提上议事日程，系统的研究方兴未艾。第二，《三国志》文献基础研究还不够完善，一系列的整理工作如最佳精校本、精注本等还没有问世。第三，三国史研究还需要进行新的综合研究，引进新方法，关注新资料（主要是出土文献），寻找新角度，跳出旧框框，进行全新的思考与研究。

新的世纪呼唤新的大师。只要站在前辈大师的肩膀上，认真总结过去的经验教训，积极开拓新的天地，继往开来，新的大师也就必将出现在新的世纪。（司马朝军）

附录四：

三国史研究论著书目及论文篇目索引[1]

一、论著目录201种（1952—2001）

本索引收20世纪下半叶，即建国以来三国史与《三国志》研究论著201种，分五类出版物著录：1. 学术论著；2. 普及读物；3. 文献研究；4. 整理出版的前人论著；5. 兼及三国史研究的论著。各类论著，原则上以出版时间先后为序列目，同一作者有多种论著，按类集中，时间序列以第一部论著出版时间为准。这样编目，类别与作者相对集中，可以一目了然洞察学术发展大势。

1. 学术论著29种（001—029）

001 曹操论集/三联书店编辑部//三联书店，1960

002 三国史研究/张大可//甘肃人民出版社，1988

003 三国/张大可//中国青年出版社，1995

004 三国经济史/余鹏飞//河南大学出版社，1992

005 三国史/马植杰//人民出版社，1993

006 三国文化的历史走向/龙显昭等//成都科技大学出版社，1993

① 本索引以司马朝军在2002年10月"《三国志》国际学术讨论会"提供的《（1978—2001）三国史与〈三国志〉论著目录》为基础，增补分类而成。

007 三国文化源流略论/龙显昭//巴蜀书社,2002

008 三国史/何兹全//北京师范大学出版社,1994

009 街亭丛考/徐日辉//甘肃人民出版社,2000

010 三国人才学与现代领导艺术/胡冰编著//沈阳出版社,2001

011 三国伦理研究/刘伟航//巴蜀书社,2002

012 史传所见三国人物曹操刘备孙权之研究/吴玉莲//文史哲出版社,1989

013 诸葛亮评传/余明侠//南京大学出版社,1986

014 武侯春秋/朱大渭,梁满仓//团结出版社,1998

015 曹操大传/张亚新//中国文学出版社,1995

016 曹操传/张作耀//人民出版社,2000

017 曹操评传/张作耀//南京大学出版社,2001

018 曹操全传/张济生//四川大学出版社,2001

019 三国人物散论/方诗铭//上海古籍出版社,2000

020 陈寿·裴松之评传/杨耀坤、伍野春//南京大学出版社,1998

021 陈寿与《三国志》/杨耀坤//四川人民出版社,1985

022 三国志校诂/吴金华//江苏古籍出版社,1990

023 三国志校诂外编(收入古文献研究丛稿)/吴金华//安徽教育出版社,1994

024 三国志丛考/吴金华//上海古籍出版社,2000

025《三国志》和裴注句法专题研究/何亚南//南京师范大学出版社,2001

026 三国志异文研究/苏杰//复旦大学博士论文,2001

027 三国志代词研究/邓军//复旦大学博士论文,2001

028 三国志成语研究/王文晖//复旦大学博士论文,2002

029 三国志研究/李纯蛟//巴蜀书社,2002

2. 普及读物 53 种(030—082)

·曹操 11 种(030—040)·

030 曹操/王仲荦//上海人民出版社,1956

031 论曹操的法家思想/山东人民出版社编//山东人民出版社,1974

032 曹操/南京钢铁厂政治教育科编//六合印刷厂印,1974

033 论曹操/辽宁人民出版社编//辽宁人民出版社,1974

034 曹操/佚名//安徽人民出版社,1974

035 论曹操/北京人民出版社编辑//北京人民出版社,1975

036 曹操/项罗 // 上海人民出版社,1975

037 曹操新传/章映阁 // 上海人民出版社,1989

038 曹操/三秦出版社,1998

039 乱世英雄曹操传/陈周昌 // 中州古籍出版社,1990

040 曹操小传/中共许昌地委宣传部《曹操小传》编写组 // 河南人民出版社,1976

·诸葛亮 16 种(041—055)·

041 诸葛亮/马植杰 // 上海人民出版社,1957

042 诸葛亮/柳春藩 // 北京中国青年出版社,1962

043 诸葛亮/吉林大学历史系 // 人民出版社,1976

044 诸葛亮与武侯祠 // 文物出版社,1977

045 诸葛亮与武侯祠/章映阁 // 文物出版社,1982

046 诸葛亮/郑孝时 // 江苏人民出版社,1983

047 诸葛亮新传/章映阁 // 上海人民出版社,1984

048 一代名相诸葛亮/曹余章 // 上海人民出版社,1984

049 诸葛亮的故事/郑孝时 // 少年儿童出版社,1985

050 诸葛亮传/柳春藩 // 中国青年出版社,1986

051 诸葛亮治蜀/谭良啸 // 四川人民出版社,1986

052 诸葛亮在襄阳/余鹏飞 // 湖北人民出版社,1987

053 访古话孔明/谭良啸 // 文物出版社,1987

054 诸葛亮忠贞与智慧的典型/徐富昌 // 幼狮文化事业公司,1988

055 诸葛亮/三秦出版社,1989

·其他 27 种(056—082)·

056 三国史讲话/徐德麟 // 群联出版社,1955

057 三国史话/柳春藩 // 北京出版社,1981

058 三国史话/吕思勉 // 辽宁教育出版社,2001

059 古隆中/汪天宝 // 湖北人民出版社,1980

060 荆州风物话三国/钟扬波 // 湖北人民出版社,1983

061 三国名人传说 // 浙江文艺出版社,1984

062 三国志人物故事/仓阳卿等 // 浙江教育出版社,1984

063 说三国话权谋/李炳彦,孙兢 // 解放军出版社,1986

064 三国人物评传/谭良啸、张大可主编 // 三秦出版社,1987

065 三国人物别传/王一奇等编 // 中国戏剧出版社,1990

066 "三国"智谋精粹/霍雨佳 // 中国经济出版社,1993

067 青梅煮酒论英雄——三国时代的人物和韬略/戚文等 // 上海书店出版社,1994

068 三国大观/金良年主编//上海古籍出版社,1994

069 真真假假话三国/许蓉生等//四川大学出版社,1994

070 三国遗迹探秘/龚学孺//西苑出版社,1995

071 三国漫话/沈伯俊//四川人民出版社,2000

072 蜀汉胜迹/成都武侯祠博物馆编/四川人民出版社,1985

073 成都武侯祠/章映阁//四川人民出版社,1980

074 蜀汉史迹论考集/四川绵阳地志办//内刊,1988

075 武侯祠大观/成都武侯祠博物馆编//四川人民出版社,1988

076 隆中志/袁本清//襄樊市隆中风景区管理处印,1989

077 曹丕/章新建//安徽人民出版社,1982

078 曹氏父子和建安文学/李宝均//上海古籍出版社,1997

079 孙权传/尹韵公//吉林文史出版社,1990

080 孙权新传/章映阁//上海人民出版社,1991

081 武圣关羽/孟祥荣//湖北人民出版社,1998

082 关羽崇拜研究/蔡东洲、文廷海//巴蜀书社,2001

3.文献研究35种(083—117)

083 三国志集解/卢弼//古籍出版社,1957;中华书局,1982

084 三国志/陈乃乾校点//中华书局,1959

085 中华书局校点本三国志(简体字)//中华书局,1999

086 读三国志杂志·三国志裴注述/林国赞//中华书局,1959

087 三国志选/缪钺//中华书局,1962

088 古典名著普及文库本三国志(简体字)/吴金华点校//岳麓书社,1989年版,2002年第2版(修订本)

089 三国志校笺/赵幼文遗稿、赵振铎等整理//巴蜀书社,2001

090 三国志校勘记/张元济//商务印书馆,1999

091《三国志》《三国演义》对照本/许盘青、周文业//江苏古籍出版社,2002

092 三国志注译/方北辰//陕西人民出版社,1995

093 三国志今注今译/苏渊雷主编//湖南师范大学出版社,1991

094 三国志今译/田余庆、吴树平主编//中州古籍出版社,1991

095 三国志现代文版/刘国辉等译//红旗出版社,1992

096 白话三国志/曹文柱等主编//中央民族学院出版社,1994

097 三国志今译/吴顺东等译//贵州人民出版社,1994

098 白话三国志/曹文柱等主编//中央民族学院出版社,1994

099 三国志全译/戴逸主编//贵州人民出版社,1994
100 白话三国志/上海古籍出版社译//上海古籍出版社,1996
101《三国志》裴注分类述略/裔红卉//吉林大学硕士学位论文,时间不详
102 三国志人名录/王祖彝//商务印书馆,1956(附录裴注引书目)
103 三国志人物索引/高秀芳,杨济安//中华书局,1980
104 三国志地名索引/王天良//中华书局,1980
105 三国志辞典/张舜徽//山东教育出版社,1992
106 裴松之年谱/陈建梅//复旦大学硕士论文,2000
107 官渡之战/张习孔//中华书局,1961
108 夷陵之战/李赓序//中华书局,1965
109 三国志选注/缪钺主编//中华书局,1984
110 三国志导读/缪钺等//巴蜀书社,1988
111 三国志选译/刘琳//巴蜀书社,1988
112 历代咏赞诸葛亮诗选注/谭良啸//四川人民出版社,1988
113 二十四史选注讲丛书三国志卷/张大可等主编//陕西人民出版社,1989
114 古隆中楹联注释/襄樊市隆中管理处编//工人出版社,1992
115 三国碑述/袁维春//北京工艺美术出版社,1993
116 曹操集/中华书局编辑出版,1959
117 诸葛亮集/中华书局编辑出版,1960

4. 整理出版的前人论著 35 种(118—152)

118 三国会要 22 卷/杨晨//江苏书局,1900;中华书局,1956 校点本
119 三国会要/钱仪吉//上海古籍出版社,1991
120 三国大事年表/万斯同//后汉书三国志补表. 中华书局,1985
121 三国纪年表一卷/周嘉猷//后汉书三国志补表/中华书局,1985
122 后汉书三国志补表三十种/熊方//中华书局,1984
123 三国大事表一卷/谢钟英//后汉书三国志补表. 中华书局,1985;光绪24 年湖南刊本,二十五史补编本
124 谢钟英三国大事表补正/张守常//后汉书三国志补表. 中华书局,1985
125 三国汉季方镇年表/万斯同//后汉书三国志补表. 中华书局,1985
126 三国诸王世表/万斯同//后汉书三国志补表. 中华书局,1985
127 魏国将相大臣年表/万斯同//后汉书三国志补表. 中华书局,1985
128 魏方镇年表/万斯同//后汉书三

国志补表. 中华书局，1985

139 汉将相大臣年表/万斯同//后汉书三国志补表. 中华书局，1985

130 吴将相大臣年表/万斯同//后汉书三国志补表. 中华书局，1985

131 三国职官表三卷/洪饴孙//道光元年李兆洛合梁疆域志刊本，正觉楼丛刻三，广雅书局刊本，史学丛书二集影印广雅，二十五史补编本改易行格，丛书集成第877—9册；后汉书三国志补表//中华书局，1985

132 三国志三公宰辅年表/黄大华//二十五史补编本；后汉书三国志补表. 中华书局，1985

133 三国志世系表一卷/周明泰//展社丛书本，二十五史补编本；后汉书三国志补表. 中华书局，1985

134 三国志世系表补遗订讹一卷/陶元珍//二十五史补编本；后汉书三国志补表. 中华书局，1985

135 稿本三国注补/赵一清//书目文献出版社，1991

136 三国志偶辨一卷/邹树荣//1992年铅印本

137 三国志辨证/孙人和//二十五史三编. 岳麓书社，1994

138 三国志证闻校勘记/罗振玉//二十五史三编. 岳麓书社，1994

139 补三国志疆域志/洪亮吉//二十五史三编. 岳麓书社，1994

140 三国志札记/李慈铭//二十五史三编. 岳麓书社，1994

141 三国志琐言/沈家本//二十五史三编. 岳麓书社，1994

142 三国志外国传地理考证/丁谦//二十五史三编. 岳麓书社，1994

143 三国志注所引书目/沈家本//二十五史三编. 岳麓书社，1994

144 读三国志杂志/林国宝//二十五史三编. 岳麓书社，1994

145 三国志注证遗/周寿昌//二十五史三编. 岳麓书社，1994

146 三国志证闻/钱仪吉//二十五史三编. 岳麓书社，1994

147 三国志补注续/侯康//二十五史三编. 岳麓书社，1994

148 三国志补注/杭世骏//二十五史三编. 岳麓书社，1994

149 三国志佚文/王仁俊//二十五史三编. 岳麓书社，1994

150 三国志质疑/徐绍桢//二十五史三编. 岳麓书社，1994

151 读三国志蠡述/李澄宇//二十五史三编. 岳麓书社，1994

152 三国志旁注/杨耀坤校订//福建人民出版社，2000

5. 兼及三国史研究的论著48种(153—200)

153 魏晋南北朝史(上下册)/王仲荦//上海人民出版社，1980—1981

154 魏晋南北朝史略/何兹全//上海人民出版社，1958

155 魏晋南北朝史论稿/万绳楠//安徽教育出版社,1983
156 魏晋南北朝史纲/韩国磐//人民出版社,1983
157 中国通史简编(第三册)/范文澜//人民出版社,1978年新版(其他通史均不录)
158 魏晋南北朝史论丛/唐长孺//三联书店,1955
159 魏晋南北朝史论丛续编/唐长孺//三联书店,1959
160 魏晋南北朝史论丛三编/唐长孺//武汉大学出版社,1993
161 魏晋南北朝史论拾遗/唐长孺//中华书局,1983
162 山居存稿/唐长孺//中华书局,1989
163 魏晋隋唐史论集/中国社科院历史所//中国社会科学出版社,1981
164 读史集/何兹全//上海人民出版社,1982
165 魏晋南北朝史论集/吴泽主编//华东师大学报丛刊,1986
166 长水集/谭其骧//人民出版社,1987
167 中国封建社会经济史第三册/傅筑夫//人民出版社,1984
168 魏晋南北朝经济史/高敏主编//上海人民出版社,1996
169 魏晋南北朝土地制度与经济关系/朱绍侯//中州古籍出版社,1988
170 中国屯垦史(上)/杨向奎//农业出版社,1990
171 中国经济史资料·秦汉三国编/傅筑夫等//中国社会科学出版社,1982
172 魏晋南北朝社会经济史探讨/高敏//人民出版社,1987
173 中国经济思想史资料选辑(三国两晋南北朝隋唐部分)/巫宝三编//中国社会科学出版社,1992
174 魏晋南北朝史论稿/杨耀坤//成都出版社,1993
175 魏晋时代的辩论之风/顾农//东方文化,1996(4)
176 魏晋南北朝隋唐乡村社会研究/齐涛//山东人民出版社,1995
177 魏晋南北朝兵户制度研究/陈玉屏//巴蜀书社,1988
178 中国战争史(四)三国晋/武国卿//金城出版社,1992
179 魏晋南北朝兵制研究/高敏//大众出版社,1998
180 两汉魏晋南北朝宰相制度研究/祝总斌//中国社会科学出版社,1990
181 汉魏制度丛考/杨鸿年//武汉大学出版社,1985
182 中国哲学发展史(魏晋南北朝)/任继愈//人民出版社,1988(其他哲学史不录)
183 魏晋思想史/许抗生//桂冠图书公司,1992
184 中国魏晋南北朝思想史/罗宏曾//人民出版社,1994
185 国学术史·三国魏晋南北朝卷/王志平//江西教育出版社,2001
186 魏晋南北朝隋唐经学史/章权才//广东人民出版社,1996
187 两汉魏晋之道家思想/陶建国//

文津出版社，1986

188 汉魏两晋南北朝佛教/郭朋//齐鲁书社，1986

189 汉魏六朝佛道两教之天堂地狱说/萧登福//台湾学生书局，1989

190 三国两晋玄佛简论/许抗生//齐鲁书社，1991

191 汉晋学术编年/刘汝霖//上海书店，1992

192 崩溃与重建中的困惑——魏晋风度研究/马良怀//中国社会科学出版社，1993

193 汉魏南北朝墓志汇编/赵超编//天津古籍出版社，1992

194 汉魏饮食考/张孟伦//兰州大学出版社，1988

195 汉魏人名考/张孟伦//兰州大学出版社，1988

196 中国古代民族史研究/黄烈//人民出版社，1987

197 魏晋南北朝民族史/白翠琴//四川民族出版社，1996

198 毛泽东圈注史传诗文集成(史传卷)/梅敬忠分卷主编//吉林人民出版社，1996

199 马植杰秦汉三国史论文选/马植杰//湖北人民出版社，2001

200 古文献整理与古汉语研究/吴金华//江苏古籍出版社，2001(收《三国志》研究论文四篇)

二、论文目录索引3307篇[①]

(1952—2001年)

(一) 报刊论文(2803篇)(0001—2803)

·1952—1958年·

43篇(0001—0043)

0001 诸葛亮是怎样受到崇拜的/张邃青//新史学通讯，1952(11)

0002 漫谈诸葛亮/林治平//反攻，1953(87)

0003 曹操论/袁良义//光明日报，1953.11.1⑤

0004 诸葛亮是怎样出山的/胡逸民//畅流，1954(9:1)

0005 论诸葛亮/周一良//历史研究，1954(3)

0006 关公与中华民族美德(一)、

① 本索引在这次入集复校中发现有重复篇目及缺目共17篇。为了不改动索引的整体编号，在篇末用1993年三国演义学会年会论文集《孙吴与三国文化》所收19篇论文补遗，划出17篇填补所缺篇目的编号，用此技术处理弥补疏失，不影响动态分析，特此说明。另有8篇缺刊物事项，以“存目”字样保留编号。

(二)、(三)、(四)、(五)、(六)、(七)、(八)/易君左//新希望复刊,1954(32)、(33)、(34)、(35)、(36)、(37)、(38)、(39)

0007 关羽祀典封号考(上)、(下)/刘万章//新希望复刊,1955(51)、(52)

0008 论关羽/黄逸民//畅流,1955(11:1)

0009 刘备是怎样失败的/黄逸民//畅流,1955(11:10)

0010 三国时代伟大的医学家华佗/任林国//中华医史杂志,1953(4)

0011 祖国古代名医——华佗/宋向元//中医杂志,1955(1)

0012 我国伟大的科学家华佗/龚纯//中华医史杂志,1955(1)

0013 值得我们崇拜和学习的祖国医药界大师——华佗//大众医学,1955(3)

0014 古代科学家——华佗/张赞臣//新中医药,1955(5)

0015 关羽享受国人崇拜的原因/苏雪林//中国一周,1956(329)

0016 关于诸葛亮平定"南中之乱"的评价问题/柳春藩//史学集刊,1956(1)

0017 关于曹操在历史上的地位/万绳楠//新史学通讯,1956(6)

0018 谈谈庞统的失败/石约//成都日报,1956.5.3

0019 诸葛亮论/马植杰//新史学通讯,1956(8)

0020 魏毋丘俭征高句丽的功业/韩熠//反攻,1956(162)

0021 从魏晋史料探索三国屯田制度/朱活//新史学通讯,1956(9)

0022 试论曹魏屯田与西晋占田上的某些问题/张维华//历史研究,1956(9)

0023 诸葛亮故居究竟在何处/陆云龙//光明日报,1957.4.2③

0024 诸葛亮故里确在襄阳/孙文青//光明日报,1957.4.13②

0025 关于曹操评价的根本问题/天津师大历史系中国中世纪史教学小组//天津日报,1957.5.16

0026 诸葛亮为什么要南征?——对"诸葛亮与孟获"一文的商榷/华峨等//云南日报,1957.5.24③

0027 试论诸葛亮/韩嘉穗//兰州大学学生科学论文集刊,1957(4)

0028 读"诸葛亮论"/季为章//史学月刊,1957(7)

0029 论官渡之战/梁养吾//史学月刊,1957(7)

0030 答季为章"读诸葛亮论"/马植杰//史学月刊,1957(9)

0031 关于诸葛亮"南中"留兵的研究/张思恩//人文杂志,1957(2)

0032 诸葛亮在"南中"的用兵及统治政策/张思恩//西北大学学报,1957(3)

0033 东吴政权死亡的基本原因/章振华//史学月刊,1957(11)

0034 三国两晋史学编年/杨翼骧//南开大学学报,1957(4)

0035 两汉三国的"夷兵"/洪延彦//文史哲,1958(3)

0036 诸葛亮治蜀时期的经济情况及“南中”之征/戴良佐//教学与研究汇刊,1958(3)
0037 曹魏屯田制述论/赵幼文//历史研究,1958(4)
0038 曹操的忠奸辨/苏溪桥//大学生活,1958(4:4)
0039 论诸葛亮在历史上的地位和作用/李西成//山西师范学院学报,1958(2)
0040 曹操论/朱平楚//兰州大学学生科学论文集刊,1958(5)
0041 略论三国鼎立形成的原因/朱绍侯//史学月刊,1958(7)
0042 我对“论官渡之战”一文的意见/肖笃//史学月刊,1958(7)
0043 试论三国至隋的坞壁/薛杞//中学历史教学,1958(6)
0044 略评曹操——并揭露王仲荦先生的剽窃行为/崔谦,陈之安//文史哲,1958(9)

·1959年·

153篇(0045—0197)[1]

本年三国史研究录文154篇。全国报刊在特别的历史环境中卷进替曹操翻案的争鸣中,关于曹操的论文达148篇,其中报纸刊文96篇,期刊发文551篇,报刊其他论文仅6篇。为便于读者查寻与分析,特将报纸与期刊分别列目。

·报纸刊文96篇·

(0045—0140)

·人民日报8篇·

0045 替曹操翻案/郭沫若//人民日报,1959.3.23⑦
0046 关于如何评价曹操问题的讨论//人民日报,1959.3.23⑦
0047 曹操应当被肯定吗/杨炳//人民日报,1959.4.21⑦
0048 曹操是应当被肯定的/游绍尹//人民日报,1959.5.8⑦
0049 黄巾起义作用和曹操的历史地位/袁良义//人民日报,1959.5.22⑦
0050 关于曹操问题讨论中的争论//人民日报,1959.5.8⑦
0051 试谈曹操戏/陆学斌//人民日报,1959.6.9⑦
0052 辩证地看待历史人物/嵇文甫//人民日报,1959.7.20⑦

·光明日报51篇·

0053 谈蔡文姬的《胡笳十八拍》/郭沫若//光明日报,1959.1.25③
0054 应该替曹操恢复名誉——从“赤壁之战”说到曹操/翦伯赞//光明日报,1959.2.19③
0055 不要把诗人曹操涂成大白脸/北京师范学院古典学教研组//光明日报,1959.3.1⑥
0056 曹孟德翻身了/微声//光明日报,1959.3.3③
0057 曹孟德翻身了/微声//光明日报,1959.3.5③

① 1959年查核删三篇重复,实150篇。

0058 应该给曹操一个正确的评价/刘亦水//光明日报,1959.3.5③

0059 谈《蔡文姬》中曹操形象的真实性/戎笙//光明日报,1959.3.6②

0060 历史上的曹操和舞台上的曹操/王昆仑//光明日报,1959.3.10③

0061 在舞台上应该公平地对待曹操/李宗白//光明日报,1959.3.19③

0062 论曹操/吴晗//光明日报,1959.3.19③

0063 对"应该给曹操一个正确的评价"一文的意见/柳春藩//光明日报,1959.4.2③

0064 关于曹操的功过问题/式毅//光明日报,1959.4.2③

0065 如何评价曹操——意见基本有三:功大于过;功过参半;过大于功/光明日报综合报道//光明日报,1959.4.2③

0066 曹操脸上的白粉不是人民给抹的/刘东海//光明日报,1959.4.2③

0067 对曹操应有的认识——与刘亦冰同志商讨/万绳楠//光明日报,1959.4.9③

0068 关于曹操的几个问题/田余庆//光明日报,1959.4.9③

0069 我所认识的曹操/永健//光明日报,1959.4.16③

0070 曹操的功与过/杜化南//光明日报,1959.4.16③

0071 关于曹操打黄巾的意见/罗耀九//光明日报,1959.4.16③

0072 也谈替曹操翻案/方明//光明日报,1959.4.16③

0073 师生齐争鸣,纵横论曹操/南开历史系中国上古史中世纪教研组//光明日报,1959.4.20③

0074 关于替不替曹操翻案问题//光明日报,1959.4.20③

0075 关于曹操/郑天挺//光明日报1959.4.23⑦

0076 黄巾与曹操/戎笙//光明日报,1959.4.29⑥

0077 对于评价曹操的几点意见/齐思和//光明日报,1959.5.6⑤

0078 关于曹操的历史地位问题/袁良义//光明日报,1959.5.6⑥

0079 在评价曹操中被忽视的史实/吴荣会//光明日报,1959.5.6⑥

0080 关于曹操和黄巾起义的关系的一个理论问题/张芝联//光明日报,1959.5.6⑥

0081 曹操应该被肯定/李寿棠//光明日报,1959.5.6⑥

0082 如何对待黄巾起义与曹操/周良霄//光明日报,1959.5.6⑤

0083 两种立场,两种目的/高光晶,刘万玉//光明日报,1959.5.6⑥

0084 评价曹操的两种意见/刘凤翥//光明日报,1959.5.6⑥

0085 要从曹操活动的立场来评价曹操/周一良//光明日报,1959.5.6⑤

0086 在评价曹操中被忽视了的史实/吴荣曾//光明日报,1959.5.6⑥

0087 曹操应该被肯定/李春棠等//光明日报,1959.5.6⑥

0088 对有关曹操翻案问题说几句话/李慧清//光明日报,1959.5.7⑥

0089 从战争来看曹操的功过/支山水//光明日报,1959.5.7⑥

0090 曹操和"孙子兵法"/常佃樵//光明日报,1959.5.7⑥

0091 关于曹操在历史中的作用问题/吴泽//光明日报,1959.5.8⑦

0092 关于曹操问题讨论中的争论/光明日报,1959.5.8⑦

0093 试谈元明清杂剧中的曹操/景孤血//光明日报,1959.5.11③

0094 关于如何评价曹操问题华中师院武汉大学历史系开展讨论……/王文明//光明日报,1959.5.14③

0095 曹操对三郡乌桓的战争是反对外族入侵吗/柳春藩//光明日报,1959.5.14③

0096 对《我所认识的曹操》一文的意见/陈陵、以怀//光明日报,1959.5.21③

0097 曹操打了黄巾但没有违背黄巾起义的目的/刘忠鸣//光明日报,1959.5.21③

0098 对"我所认识的曹操"一文的意见——兼论如何认识曹操镇压黄巾起义的问题/陈陵等//光明日报,1959.5.21③

0099 我对替曹操翻案问题的观感/孙次舟//光明日报,1959.5.21③

0100 罗贯中为什么要反对曹操? /刘知渐//光明日报,1959.5.25③

0101 曹操是个英雄,但非民族英雄/长弓//光明日报,1959.5.28③

0102 从曹操的历史看曹操/杨荣国等//光明日报,1959.6.2③

0103 汉末农民起义与曹操/徐知//光明日报,1959.6.25③

·文汇报16篇·

0104 曹操/师陀//文汇报,1959.3.22③

0105 关于曹操的人道主义/刘大杰//文汇报,1959.3.25③;刘大杰古典文学论文集,湖南人民出版社,1984

0106 论曹操/谭其骧//文汇报,1959.3.31③

0107 出奔(曹操的故事)/师陀//文汇报,1959.4.8③

0108 曹操的哲学/有鱼//文汇报,1959.4.10

0109 关于曹操讨论中的几个问题/束世徵//文汇报,1959.4.16③

0110 曹操在中国历史上的地位/尚钺//文汇报,1959.4.16③

0111 关于曹操的评价问题/郑天挺//文汇报,1959.4.22⑤

0112 评《论曹操》/夏宗禹//文汇报,1959.4.22⑤

0113 关于曹操的评价问题/郑天挺//文汇报,1959.4.22⑤

0114 关于曹操评价的几个问题/柳春藩//文汇报,1959.5.5③

0115 关于评价曹操的几点意见/唐长孺//文汇报,1959.5.8③

0116 对曹操要有适当的评价/唐兰//文汇报,1959.5.22③

0117 时代的矛盾,曹操的矛盾和其它/何兹全//文汇报,1959.5.22③

0118 论黄巾起义与曹操起家/杨宽//文汇报,1959.7.4③

0119 五个月来曹操评价问题的述要/文汇报,1959.7.30②

·其他报纸21篇·

0120 曹操和江淮屯田/杨国宜//安徽日报,1959.3.13③

0121“替曹操翻案”质疑/黄海章//羊城晚报,1959.4.4②

0122 曹操轶事录/原野//新民晚报,1959.4.6⑥

0123 也评曹操/李景春//大众日报,1959.4.8③

0124 东临碣石有遗篇/顾随//河北日报,1959.4.12③

0125 东临碣石有遗篇——略谈曹操乐府诗的悲、哀、壮、热/顾随//河北日报,1959.4.12③

0126 给曹操洗脸换衣/余冠英//安徽日报,1959.4.14③

0127 我对曹操的功过认识/洪焕椿//新华日报,1959.5.5③

0128 曹操打乌桓是反侵略吗/木羽//天津日报,1959.5.11④

0129 曹操是什么政治力量的代表/吕今果//安徽日报,1959.5.11③

0130 关于曹操评价的根本问题/漆侠//天津日报,1959.5.16④

0131 从舞台上替曹操翻案/李瑞熙//天津日报,1959.5.17④

0132 关于曹操的评价问题/陈光崇//辽宁日报,1959.5.27③

0133 不能把曹操抬得过高——对郭志“替曹操翻案”一文的意见/关文发//长江日报,1959.5.29③

0134 曹操没违背黄巾起义的目的吗?/廖德清//辽宁日报,1959.6.4③

0135 曹操与黄巾军赵健吾//长江日报,1959.6.5③

0136 怎样评价曹操的屯田政策/韩连琪//大众日报,1959.6.5③

0137 讨论曹操问题有什么意义?/王瑞明//湖北日报,1959.6.10③

0138 华佗与曹操/尚启东//安徽日报,959.6.11③

0139 谈谈曹操问题的讨论/繁群//中国青年报,1959.6.12③

·期刊论文51篇·

(0141—0197)

0140 北京大学历史系关于曹操评价问题讨论会//北大史学论丛(北京大学历史系编辑),1958:123—130

0141 曹操的诗有“一定的人道主义精神”/郭豫适//中国文学史讨论集.中华书局,1959

0142 关于曹操评价问题的讨论/华中师院、中国古代中世纪史教研组//华中师院学报,1959(3)

0144 从曹操讨论中发现的一些有关评价历史人物的问题/吴履权//中学历史教学,1959(5)

0145(条目重复,删,存编码)

0146 曹孟德的喜悦/黎军//前线,1959(7)

0147 关于对曹操评价问题的综述(一)/郑蕙华//学术月刊,1959(4)

0148 关于对曹操评价问题的综述(二)/郑蕙华//学术月刊,1959(6)

0149 关于对曹操评价问题的综述/郑蕙华//学术月刊,1959(7)

0150 替曹操恢复名誉要恰如其分/蒋逸雪//扬州师范学院学报,1959(1)

0151 关于评价曹操的几个问题/孙达伍//扬州师范学院学报,1959(1)

0152 关于曹操在历史中的作用问题/吴泽//历史教学问题,1959(5)

0153 曹操外论/戴不凡//戏剧研究,1959(3)

0154 我对历史教学中怎样评价曹操的看法/朱活//历史教学,1959(7)

0155 从曹操问题的讨论谈历史人物评价问题——在北京教师进修学院对中学历史教师的讲话/吴晗//历史教学,1959(7);灯下集,三联书店,1960:103—119

0156 如何评价曹操/唐光祚//安徽史学通讯,1959(2)

0157 曹操是怎样的一个历史人物/李旭//上海师院学报,1959(2)

0158 怎样估价曹操的历史作用/黄冕堂//山东大学学报,1959(2)

0159 略论曹操/左行培//科学与教学,1959(2)

0160 论曹操在历史上的作用/左行培,姚公骞//江西师范学院学报科学与教学,1959(3)

0161 对曹操几个主要问题的评价/文著//安徽史学通讯,1959(3)

0162 应该如何评价曹操/戴裔煊//理论与实践,1959(6)

0163 关于评价曹操的两个问题/杨世钰等//红色教师,1959(6)

0164 关于评价曹操的几个问题/张海鹏//合肥师院学报,1959(1)

0165 关于对曹操评价问题的综述(2)/惠华//学术月刊,1959(7)

0166 关于曹操评价问题的讨论(综合报道)//史学月刊,1959(9)

0167 关于曹操的评价问题/柳春藩,苏金源//吉林大学人文科学学报,1959(2)

0168 论曹操在历史上的作用/杨国宜//安徽史学通讯,1959(2)

0169 试论曹操在历史上应有的地位/向平//史学战线,1959(2)

0170 应当全面地实事求是地评价曹操/邹贤俊//华中师范学院学报,1959(3)

0171 曹操对于改进社会制度方面的贡献/刘节//中山大学学报,1959(3)

0172 从曹操的历史时代看曹操/杨荣国,李锦全//中山大学学报,1959(3)

0173 关于元杂剧的贬曹倾向/雪克//杭州大学学报,1959(3)

0174 对曹操几个主要问题的评价/文著//安徽史学通讯,1959(3)

0175 谈曹操和建安文学/今果//安徽史学通讯,1959(3)

0176 应当全面地实事求是地评价曹操/刘天行//红色教师,1959(4)

0177 黄巾、乌桓与曹操/冉昭德//人文杂志,1959(5)

0178 正统主义思想与曹操/谢天佑//华东师范大学学报,1959(2)

0179 关于曹操镇压黄巾军的问题/

陈周棠//中学历史教学,1959(4)

0180 合肥师院集会评论曹操/夏子贤//安徽史学通讯,1959(2)

0181(重复,删目)

0182 华南师院史政系对于曹操问题的讨论/钟珍维//中学历史教学,1959(4)

0183 曹操在历史上的地位问题/万绳楠//新史学通讯,1959(6)

0184 关于曹操评价问题的讨论/华中师院学报,1959(3)

0185 论曹操的抑制豪强及其法家思想/朱永嘉//复旦大学学报,1959(6)

0186 曹孟德论/刘季高//复旦大学学报,1959(8)

0187 曹操与《三国演义》/逯钦立//吉林师大学报,1959(4)

0188《三国志通俗演义》的曹操是成功的艺术典型/苏兴//吉林师大学报,1959(4)

0189《三国演义》和为曹操翻案/李希凡//文艺报,1959(9)

0190 历史人物曹操和文学形象曹操/李希丸//文艺报,1959(14)

0191 曹操年表/江耦//历史研究,1959(3)

·报刊其他论文6篇·

0192 曹魏田制考实/束世澂//学术月刊,1959(9)

0193 东汉末年及三国时代人口的迁徙/钮仲勋//地理学资料,1959(6)

0194 多谋善断的郭嘉/史纪言//前进,1959(6)

0195 张飞的"细"/阮广民//光明日报,1959.4.4③

0196 纵谈三国/草莽史家//安徽日报,1959.6.11③

0197 华佗故里访问记/任秉仁//安徽日报,1959.6.11③

附:三联书店1960年版《曹操论集》目录

《曹操论集》的出版,具有特殊意义,是对1959年争鸣的一个总结,故将其所收文章附录于此。

01 谈蔡文姬的《胡笳十八拍》/郭沫若//光明日报,1959.1.25;

02 应该替曹操恢复名誉——从"赤壁之战"说到曹操/翦伯赞//光明日报,1959.2.19③;历史问题论丛(增订本),1962:359—369

03 应该给曹操一个正确的评价/刘亦冰//光明日报,1959.3.3③

04 历史上的曹操和舞台上的曹操/王昆仑//光明日报,1959.3.10③

05 谈曹操/吴晗//光明日报,1959.3.19③;灯下集,三联书店,1960:120—129

06 替曹操翻案/郭沫若//人民日报,1959.3.23②;光明日报,1959.3.24②;《文史论集》,北京人民出版社,1961:176—192;《郭沫若全集·历史编》第三卷,人民出版社,1984

07 论曹操/谭其骧//文汇报,1959.3.31③

08 对《应该给曹操一个正确的评价》一文的意见/柳春藩//光明日报,1959.4.16③

09 关于曹操的几个问题/田余庆//光明日报,1959.4.9③

10 关于曹操打黄巾的意见/罗耀九//光明日报,1959.4.16③

11 也谈替曹操翻案/方明//光明日报,1959.4.16③

12 曹操在中国古代史上的作用/尚钺//文汇报,1959.4.16③

13 关于曹操讨论中的几个问题/束世澂//文汇报,1959.4.16③

14 曹操应当被肯定吗?/杨炳//人民日报,1959.4.21②

15 关于曹操/郑天挺//光明日报,1959.4.23⑦;探微集,中华书局,1980:324—335

16 评《论曹操》/夏宗禹//文汇报,1959.4.22⑤

17 黄巾与曹操/戎笙//光明日报,1959.4.29⑥

18 关于曹操的几个问题/缪钺//读史存稿,三联书店,1963:1—8

19 要从曹操活动的主流来评价曹操/周一良//光明日报,1959.5.6⑤

20 曹操是应该被肯定的/游绍尹//人民日报,1959.5.8⑦

21 关于曹操在历史中的作用问题/吴泽//光明日报,1959.5.8③

22 曹操打乌桓是反侵略吗?/木羽//天津日报,1959.5.11④

23 曹操是什么政治力量的代表/吕今果//安徽日报,1959.5.11③

24 曹操的重要功罪/王文明//光明日报,1959.5.14③

25 中国农民起义的历史发展过程——序《蔡文姬》/郭沫若

26 关于曹操评价的根本问题/天津师范大学历史系(游侠执笔)//天津日报,1959.5.16④

27 我对替曹操翻案问题的观感/孙次舟//光明日报,1959.5.21③

28 黄巾起义的作用和曹操的历史地位/袁良义//人民日报,1959.5.22⑦

29 时代的矛盾、曹操的矛盾和其它/何兹全//文汇报,1959.5.22③;收入《曹操论集》时改为《论曹操》。

如何评价曹操?——介绍关于为曹操翻案问题的讨论//北京日报,1959.5.20③

30 罗贯中为什么要反对曹操/刘知渐//光明日报,1959.5.25③

31 曹操是个英雄,但非民族英雄/长弓//光明日报,1959.5.28③

32 从曹操的历史时代看曹操/杨荣国,李锦全//光明日报,1959.6.2③

33 论曹操的抑制豪强及其法家思

想/朱永嘉//复旦大学学报，1959(6)

34 曹操没违背黄巾起义的目的吗？//廖德清//辽宁日报，1959.6.4③

35 论黄巾起义与曹操起家/杨宽//文汇报，1959.7.4③

36 曹操平定三郡乌桓战争的性质和历史作用/吴泽//文汇报，1959.7.17③

37 五个月来曹操评价问题的讨论/《文汇报》资料室//文汇报，1959.7.30②

·1960年·

12篇(0198～0209)

0198 试论曹魏的屯田制度/黄佩瑾//内蒙古大学学报，1960(1)

0199 关于历史人物评价的若干问题——论一年来评价曹操讨论中存在的问题/吴泽，谢天佑//学术月刊，1960(1)

0200 关于曹操翻案问题/周齐//哈尔滨师院学报，1960(1)

0201 论曹魏屯田/陈守实//学术月刊，1960(1)

0202 东吴平定皖南山越战争的性质及其历史作用/杨国宜//安徽史学，1960(2)

0203 关于曹操翻案问题/周齐//哈尔滨师范学院学报，1960(1)

0204 诸葛亮评传(一)、(二)、(三)、(四)/刘裕略//再生，1960(3:5)、1960(3:6)、1960(3:7)、1960(3:9)、1960(6)

0205 翻案和立场/冯克勇//史学月刊，1960(6)

0206 谈谈历史人物和艺术形象的诸葛亮/李希凡//光明日报，1960.7.3③

0207 论赤壁之战里的周瑜、诸葛亮、张昭/吴晗//灯下集，三联书店，1960:111—114

0208 论赤壁之战里的鲁肃/吴晗//灯下集，三联书店，1960:107—110

0209 对“如何对待黄巾起义与曹操”一文的意见——兼谈如何认识封建社会农民革命的性质问题/马松龄//史学月刊，1960(9)

·1961年·

7篇(0210～0216)

0210 关于曹魏屯田制度的若干问题/郑佩鑫//文史哲，1961(2)

0211 从曹操的历史看曹操/杨荣国//初学集，三联书店，1961:13—36

0212 孔明的读书方法/人杰//解放日报，1961.8.16④

0213 诸葛大名垂宇宙/韦仲公//国魂，1961(196)

0214 孙权劝读/劲草//河南日报，1961.9.17③

0215 关于曹操徐州屠城问题/龙显昭//光明日报，1961.9.27④

0216 **试论关于评述诸葛亮的几个问题**/孙达武//扬州师院学报,1961(12)

·1962年·

14篇(0217~0230)

0217 **陈寿与《三国志》**/缪钺//历史教学,1962(1)

0218 **马谡**/王业猷//天津日报,1962.1.10④

0219 **谈关公的神化**/君奭//吉林日报,1962.5.5③

0220 **曹操对发展安徽地区经济的贡献**/李谷鸣//安徽日报,1962.6.1④

0221 **万绳楠论述"曹魏政治派别的分野及其升降"**/王新德//安徽日报,1962.6.2④

0222 **论诸葛亮南征**/蒙文通//光明日报,1962.8.1④

0223 **诸葛亮的军事才能**/白寿彝//北京师大学报,1962(4)

0224 **通鉴写赤壁之战**/朱大渭//江汉学报,1962(9)

0225 **三国两孔明**/刘乃和//光明日报,1962.9.12

0226 **孙权劝吕蒙学习**/羽白//大公报,1962.9.18③

0227 **前四史及其新校点本**/刘乃和//人民日报,1962.12.11⑤

0228 **读《人物志》**/汤用彤//魏晋玄学论稿,中华书局,1962

0229 **王弼圣人有情义释**/汤用彤//魏晋玄学论稿,中华书局,1962

0230 **王弼大衍义略释**/汤用彤//魏晋玄学论稿,中华书局,1962

·1963年·

8篇(0231~0238)

0231 **略论王弼与魏晋玄学**/汤一介//学术月刊,1963(1)

0232 **裴松之与《三国志注》**/杨翼骧//历史教学.1963(2)

0233 **王弼"贵无"的唯心主义本体论**/任继愈//北京大学学报,1963(3)

0234 **论夷陵之战**/吴晗//北京日报,1963.6.27③

0235 **曹魏屯田客是有徭役和兵役负担的**/陈振江//天津日报,1963.5.8④

0236 **杰出的政治家和军事家诸葛亮**/史苏苑//中国历史人物简论(续集),河南人民出版社1963:1—16

0237 **论诸葛亮的攻守策略**/史念海//河山集,三联书店,1963:280—301

0238 **曹植年谱**/俞绍初//关州大学学报,1963(3)

·1964年·

3篇(0239~0241)

0239 **读三国志札记**/白寿彝//文汇报,1964.6.18

0240 **官渡之战**/何兹全//北京师大学报,1964(1)

0241 **曹魏政治派别的分野及其升降**/万绳楠//历史教学,1964(1)

·1965年·

4篇(0242~0245)

0242 **谈陈寿的《三国志》**/缪钺//人民日报,1965.9.17⑤

0243 诸葛亮的志节及其师友/梦庵//人生,1965(29:4)

0244 武汉出土的两块东吴铅券释文/程欣人//考古,1965(10)

0245 试论汉魏西晋时期北方各族的内迁/吕石中//历史研究,1965(6)

·1966年·

3篇(0246～0248)

0246 诸葛武侯的公诚与风教/梦庵//人生,1966(31:4)

0247 曹操的几个出色儿子/林元泰//自由太平洋,1966(10:1)

0248 吴蜀联盟的鼻祖——鲁肃/林元泰//自由太平洋,1966(10:9)

·1967年·

2篇(0249～0250)

0249 我对吕蒙的看法/罗贤义//畅流,1967(35:11)

0250 关公在中国社会的地位之研究/黄节//出版月刊,1967(21)

·1968年·

1篇(0251)

0251 关公神化纵横谈/周燕谋//古今谈,1968(40)

·1972年·

1篇(0252)

0252 新疆新出土的晋人写本三国志残卷/郭沫若//郭沫若全集·历史编第三卷,人民出版社,1984(此文写于1972)

·1973年·

1篇(0253)

0253 从曹孟德说起/陶希圣//食货复刊,1973(3:8)

·1974年·

85篇(0254～0338)

0254 裴松之三国志注引杂传集释/逯耀东//台湾大学历史学系学报,1974(1)

0255 诸葛亮和法家路线/周一良//历史研究,1974(1)

0256 试论诸葛亮在历史上的作用/龚恩生//扬州师院学报,1974(1)

0257 诸葛亮的法家思想/崔春华//辽宁大学学报,1974(1)

0258 曹操传/北京二七通讯厂工人理论小组、史地系历史专业工农兵学员//北京师院学报,1974(3)

0259 郭嘉是曹操执行法家路线的重要助手/陈和兴//江苏师院学报,1974(2)

0260 简论曹操/傅涛//山西师院学报,1974(2)

0261 汉魏之际的杰出法家——曹操/严正德//青海师院学报,1974(2)

0262 三国时期尊法反儒的杰出政治家——曹操/佚名//黑龙江日报,1974.7.3②

0263 三国时期法家思想的实践者——曹操/张玉安//光明日报,1974.7.17②

0264 汉魏之际法家的杰出代表——曹操/施仲哲//解放日报,1974.7.22③

0265 三国时期法家的杰出代表——曹操/郭少荣//内蒙古日报,1974.10.30③

0266 封建变革家曹操/陈国灿//内蒙古大学学报,1974(1/2)

0267 曹操——崇法反儒的封建变革家/陈国灿//内蒙古大学学报,1974(1/2)

0268 尊法反儒的杰出政治家曹操/张亚民,王维俭//陕西师大学报,1974(2)

0269 尊法反儒的政治家曹操/理论写作专业七二级第三组//广西大学学报,1974(2)

0270 论曹操/历史系师生写作组//北京师大学报,1974(3)

0271 评曹操/童克勤//武汉大学学报,1974(3)

0272 郭嘉——曹操法家路线的谋画人物/乌廷玉//吉林大学学报,1974(3)

0273 郭嘉——曹操的主要谋臣/梁思瑞//南京师院学报,1974(4)

0274 三国时期杰出的政治家和军事家——诸葛亮/秀峰//山西师院学报,1974(4)

0275 曹操的历史功绩/郑欣//文史哲,1974(3)

0276 魏武挥鞭——略论杰出的法家曹操/剑征、石平//安徽师大学报,1974(3)

0277 实行法家路线的政治家曹操/曹伟时//中山大学学报,1974(4)

0278 论诸葛亮的法家路线/中文系七三级一班三组//南京师院学报,1974(4)

0279 试论诸葛亮——兼驳儒家对诸葛亮的歪曲和诬蔑/杨子坚//南京大学学报,1974(5/6)

0280 谈曹操的反孔尊法精神/李海生//文汇报,1974.5.6③

0281 曹操/佚名//天津日报,1974.6.14②

0282 曹操的"法治"精神/殷光熹//云南大学学报,1974(3)

0283 曹操杀孔融辨/俞百青//文汇报,1974.6.17

0284 曹操尊法反儒的"法治"精神/佚名//浙江日报,1974.6.18③

0285 诸葛亮/佚名//天津日报,1974.6.23③

0286 谈曹操的尊法与反儒精神/李文明,齐沛//大众日报,1974.6.26②

0287 论曹操的"法治"路线/邹宏仪//新华日报,1974.7.2③

0288 曹操的尊法反儒精神/郑州大学大批判组//河南日报,1974.7.8②

0289 曹操"杀人"辨/周济义,周到//河南日报,1974.7.14②

0290 略论曹操尊法反儒精神/郑州大学大批判组//郑州大学学报,1974(1)

0291 论曹操的法治/罗秉英//云南大学学报,1974(3)

0292 诸葛亮评传/唐明邦//武汉大学学报,1974(3)

0293 从曹操到武则天/赵文润//陕西师大学报,1974(4)

0294 略谈历史上的刘备/路牧//南京师院学报,1974(4)

0295 论诸葛亮/师平//北京师大学报,1974(4)

0296 路线正确与否决定一切——浅谈诸葛亮的法家思想/王炳南//福建师大学报,1974(4)

0297 曹操在统一活动中的尊法反儒立场/福元等//河北日报,1974.7.13⑤

0298 曹操的法家思想简介/朱力//山西日报,1974.7.15②

0299 论曹操的法家思想/曹晓波//解放日报,1974.7.19②

0300 曹操传略/项罗//解放日报,1974.7.26③

0301 儒法斗争不可调和——从曹操杀孔融谈起/仲富兰//解放日报,1974.7.26③

0302 曹操的法治路线及其尊法反儒思想/侯文正//山西日报,1974.8.2③

0303 略论曹操的法家思想/施平//浙江日报,1974.8.3③

0304 曹操的"法治"精神/殷光熹//云南日报,1974.8.4③

0305 曹操"是一个很有本事的人"/佚名//天津日报,1974.8.6②

0306 曹操是一个很有本事的人/杨正铎//文汇报,1974.8.10③

0307 曹操尊法反儒的故事/齐戈//解放日报,1974.8.10③

0308 谈曹操的尊法反儒思想/李旺火//西藏日报,1974.8.16②

0309 曹操的形象不容歪曲/笑先//武汉文艺,1974(6)

0310 曹操的尊法反儒/董克昌//学习与批判,1974(7)

0311 曹操是历史的促进派/张祥光//贵州日报,1974.8.16③

0312 地主阶级的杰出政治家——曹操/陈依元//青海日报,1974.8.19③

0313 略论诸葛亮的法家思想/向宏//云南日报,1974.8.23③

0314 评诸葛亮的法治思想/槐钟//新华日报,1974.8.31②

0315 曹操杀孔融是推行法家路线的进步措施/高冲霄//天津日报,1974.9.3③

0316 法家思想的实践家——曹操/吴光文,薛勇//广西日报,1974.9.9③

0317 诸葛亮的法治思想//河南日报,1974.9.9③

0318 施行法家路线的政治家——曹操/袁伟时//解放日报,1974.9.23②

0319 论曹操的法治路线/安徽师范大学中文系写作组//历史研究,1974(1)

0320 三国时期法家诸葛亮/陈步基//成都日报,1974.10.13③

0321 "曹操是一个很有本事的人"——学习鲁迅对曹操的正确评价/朱景琪等//陕西日报,1974.10.22③

0322(重复,删目)

0323 论曹操和他的法治路线/安徽

师范大学中文系写作组//安徽日报，1974.10.23

0324 论曹操的法治精神/丁云庆//湖南日报，1974.11.1③

0325 汉魏之际儒法斗争的一个重要回合——曹操对孔融的斗争/史华//解放日报，1974.11.9③

0326 诸葛亮/李素珍//吉林日报，1974.12.2③

0327 浅谈诸葛亮的法治思想/钱润林//南昌日报，1974.12.5③

0328 曹操/卢开万//湖北日报，1974.12.9

0329 诸葛亮的尊法反儒思想/海明//大众日报，1974.12.18③

0330 曹操的法家路线和政策/王洪楚//四川通讯，1974(12)

0331 论诸葛亮的法家路线/初学//四川通讯，1974(12)

0332 曹操/四川人民出版社编辑//法家代表人物介绍(一)，四川人民出版社，1974:48—54

0333 诸葛亮/四川人民出版社编辑//法家代表人物介绍(一)，四川人民出版社，1974:55—59

0334 曹操是杰出的法家/曹晓波，李海生//论法家和儒法斗争，人民出版社，1974:164—173

0335 三国时期法家思想的实践者——曹操/张玉安//论法家和儒法斗争，人民出版社，1974:174—181

0336 诸葛亮的法家思想/崔春华//论法家和儒法斗争，人民出版社，1974:182—193

0337 曹操评述/吴畅//长江日报，1974.12.20③

0338《曹操集·论吏士行能令》评注/新疆大学学报，1974(1)

·1975年·

39篇(0339—0377)

0339 谈曹操/范裕景//湖北日报，1975.1.9③

0340 魏武挥鞭/岳俊德//宁夏日报，1975.1.11③

0341 学习鲁迅正确评价曹操——读《魏晋风度及文章与药及酒之关系》/王剑丛//图书馆通讯，1975(1)

0342 曹操法家路线形成的历史条件/刘光//历史研究，1975(1)

0343 曹操法家路线的形成及其局限性/唐长孺//武汉大学学报，1975(1)

0344 曹操法家路线的形成/唐长孺//历史研究，1975(1)

0345 关于评价曹操的几个问题/史达东//北京师范大学学报，1975(1)

0346 鲁迅论曹操给我们的启示/高信//陕西师大学报，1975(2)

0347 读《三国志·吕蒙传》/开封制药厂工人理论小组//开封师院学报，1975(2)

0348 论诸葛亮的法家路线/赵怿伯//四川大学学报，1975(2)

0349 诸葛亮的法家路线/石咀山第一矿务局水电所工人理论小组//宁夏日报，1975.4.10③

0350 论诸葛亮的法家路线/魏文

清//哈尔滨师院学报,1975(4)
0351 论诸葛亮统一、前进的法家路线/烟台师专《诸葛亮文选》小组//破与立,1975(3)
0352 曹操前期的思想转变与东汉末年的阶级斗争/卢路//厦门大学学报,1975(2)
0353 郭嘉——曹操统一北方的得力助手/历史系工农兵学员大批判组//文史哲,1975(1)
0354 诸葛亮的唯物论思想/张玉安//宁夏日报,1975.4.10③
0355 汉魏之际法家的杰出代表曹操(《曹操传注》前言)/上海师大政教系中国哲学史小组//上海人民出版社,1975:1—15
0356 "玉玺"与袁术的皇帝梦/仲富兰//文汇报,1975.2.9③
0357 郭嘉传/史星//郭嘉传注,上海人民出版社,1975:1—17
0358 读《三国志·郭嘉传》/翟青//学习与批判,1974(9):41—47
0359 关于曹操评价问题的讨论/佚名//工农兵评论,1975(3)
0360 论曹操的晚年/王希杰//南京大学学报,1975(3)
0361 曹操传/福利海等//南京大学学报,1975(3)
0362 论历史人物关羽/鲁戈//文史哲,1975(3)
0363 读"败走麦城"/高明阁//辽宁大学学报,1975(4)
0364 论春秋的政治路线/七一棉纺厂工人理论九组//新疆大学学报1975(1)
0365 谈曹操的法家路线和黄巾起义/张殿国//江苏师院学报1975(1)
0366 试谈曹操的耕战思想/李子云//安徽劳动大学学报,1975(1)
0367 不问远近,唯才是举——评曹操怎样团结人/米桂昌//思想战线,1975(4)
0368 曹操论法选注/郑州大学学报,1975增刊
0369 法治而兴,儒蠹而亡——评刘备诸葛亮的法家路线/陕西师大学报,1975(1)
0370 诸葛亮是生而知之的天才吗?/广西民族学院学报,1975(1)
0371 诸葛亮的《答诸子书》注译/广西民族学院学报,1975(2)
0372 从《前出师表》看诸葛亮的尊法反儒思想/蔡春兰//河北日报,1975(2)
0373 谈谈诸葛亮的用人路线/工农兵评论,1975(3)
0374 诸葛亮安定南中和团结少数民族的历史功绩/马曜//思想战线,1975(3)
0375 关于荀彧的死和他的政治倾向/学习与批判,1975(6)
0376 统一是人心所向大势所趋——从曹操实行法家路线,统一北方谈起/范玉东//吉林日报,1975.2.20
0377 三国归晋的历史教训/黑龙江大学学报,1975(3)

·1976 年·

4 篇(0378～0381)

0378 评关羽/董静安//陕西师大学报,1976(1)

0379 从诸葛亮在云南的遗迹试谈他的民族政策/成都武侯祠文物管理所//文物,1976(4)

0380 成都武侯祠反映的历史上的儒法斗争/成都无缝钢管厂工人理论组等//文物,1976(4)

0381 从嘉峪关魏晋墓壁画看河西地区实行的法制措施/甘肃省博物馆//文物,1976(6)

·1977 年·

2 篇(0382～0383)

0382 论曹操/张金光//文史哲,1977(4)

0383 也谈赤壁在何处//光明日报,1977.12.15③

·1978 年·

17 篇(0384～0400)

0384《三国志》标点本商榷/钱剑夫//中国语文,1978(2)

0385 试析曹操的"重豪强兼并之法"/柯友根//厦门大学学报,1978(2—3)

0386 朱应、康泰出使扶南和《吴时外国传》考略/陈时荣//中央民族学院学报 1978(4)

0387 魏晋部曲初探/柯友根//厦门大学学报,1978(4)

0388 论诸葛亮的"治实"精神/万绳楠//安徽师范大学学报,1978(3)

0389 略论诸葛亮的作风/范奇龙//四川师院学报,1978(4)

0390 试谈诸葛亮形象的意义/赵庆元//安徽师范大学学报,1978(4)

0391 助"帮"为虐的"诸葛亮研究"/田居俭//历史研究,1978(4)

0392 惠陵与昭烈庙、武侯祠/张思俊//成都日报,1978.8.16

0393 武侯祠里的唐碑/张思俊//成都日报,1978.8.31

0394 赤壁古战场考辨/冯金平//文史哲,1978(5)

0395 论曹操宗族墓葬砖刻辞/田昌五//文物,1978(8)

0396"勤攻吾之阙"——诸葛亮的智慧和他的谦虚/黎英//人民日报,1978.10.23

0397 由户口变动看蜀汉时期巴蜀地区的地主经济/蒋福亚//北京师院学报,1978(2)

0398 亳县曹操宗族墓葬/李灿//文物,1978(8)

0399 鄂城东吴孙将军墓/鄂城县博物馆//考古 1978(3)

0400 江西南昌东汉、东吴墓/江西省博物馆//考古,1978(3)

·1979 年·

27 篇(0401～0427)

0401 汉魏之际封建说/何兹全//历史研究,1979(1)

0402 论魏晋南北朝门国士族的形成/汪征鲁//福建师大学报,1979(2)

0403 三国、两晋、南北朝制瓷业的成

就/李知宴//文物,1979(2)

0404 驳"四人帮"在评论曹操问题上的几个谬论/漆泽邦//西南师范学院学报,1979(3)

0405 夷陵之战是以少胜多吗?/蒋福亚//光明日报,1979.9.4④

0406 曹操与天师道/陈守实//中国史研究,1979(3)

0407 举贤任人,各尽其心——略论孙权用人的得失/施守全//解放日报,1979.12.24④

0408 汉魏之际的社会经济变化/何兹全//社会科学战线,1979(4)

0409《廿二史札记》校证摘录——《后汉书》、《三国志》、《晋书》部分/王树民//河北师院学报,1979(3)

0410 从曹操术名说开去/郑伟宏//复旦大学学报,1979(6)

0411 略论魏晋玄学/许抗生//哲学研究,1979(12)

0412 三国时期公孙氏政权对辽东的统治/邱富生//辽宁师范学院学报,1979(5)

0413 赤壁辨/舒之梅等//江汉论坛,1979(1)

0414 对于赤壁所在地的一点看法/杨贯一等//中国历史博物馆馆刊,1979(1)

0415 建安时期思想解放与文学发展/张可礼//文史哲,1979(3)

0416 建安风骨和民间文学/罗永麟//民间文学,1979(4)

0417 曹魏屯田制和汉末农民革命/张泽咸//中国农民战争史论丛1,1979

0418 身居草庐胸怀天下/吴万刚//破与立,1979(5)

0419 开创一代新风——读曹操的诗歌/何深//语文学习,1979(2)

0420 曹操宗族墓群字砖考/李灿//江淮论坛,1979(1)

0421 曹操宗族墓群字砖与中国书法的演变/李灿//光明日报,1979.2.7

0422 曹丕和他的《典论·论文》/刘广发等//齐齐哈尔师院学报,1979(3)

0423 山东东阿县鱼山曹植墓发现一铭文砖/顾铁符//文物,1979(5)

0424 空城计/罗继祖//吉林大学学报,1979(4)

0425 寿亭侯/罗继祖//吉林大学学报,1979(5)

0426《隆中对》《三顾茅庐》及其他/吴功臣//山花,1979(4)

0427《隆中对》语文疏解/黄岳洲//天津师院学报,1979(3)

·1980年·

58篇(0428~0485)

0428 三国佛教/黄忏华//中国佛教,1980(1)

0429 论魏晋南北朝的坞壁/赵克尧//历史研究,1980(6);人大复印资料转载 K2—81—2

0430 诸葛亮与《隆中对》/薛国中//江汉论坛,1980(1)

0431 孔明巧布八阵图/张国康//历史知识,1980(1)

0432 漫谈诸葛亮《后出师表》的真实性/郭挺之//湘潭师专学报,1980(1)
0433 关圣及其艺术形象/冯君实//吉林师大学报,1980(2)
0434 论曹操屯田制的历史渊源/高敏//东岳论丛,1980(2);人大复印资料转载 K2—80—20
0435 诸葛亮的修身与治家/徐连达//文汇报,1980.2.25③
0436 严法·任贤·正身——略论诸葛亮治蜀/马德真等//社会科学研究,1980(2)
0437 论诸葛亮的出山——访成都武侯祠有感/方德昭//思想战线,1980(2)
0438 论诸葛亮/漆泽邦//西南师范学院学报,1980(2);人大复印资料转载 K2—80—7
0439 诸葛亮南征的路线考说/方国瑜//思想战线,1980(2)
0440 关于《三国志·孙权传》上的"亶洲"/袁臻//华南师院学报,1980(2)
0441 夷陵之战确系以少胜多/杨东梁//北京师院学报,1980(2)
0442 三国羌族名将马超/陈一百//历史知识,1980(2)
0443 诸葛亮的风格/范奇龙//人物,1980(2)
0444 陈寿的史才/白寿彝//史学史资料,1980(2)
0445 从诸葛亮自贬三等说起/傅普生//新湘评论,1980(3)
0446 曹魏屯田官隶属大司农说质疑/刘静夫//南充师院学报,1980(3)
0447 评刘知几对《三国志》的评论/张孟伦//中华文史论丛,1980(3)
0448 试论曹魏西晋时期军屯的两种类型/黄惠贤//武汉大学学报,1980(4);人大复印资料转载 K2—80—23
0449 摒良才,拒善策——袁绍官渡之败管窥/严谔之//内蒙古社会科学,1980(4)
0450 "明扬仄陋,唯才是举"——谈曹操的《求贤令》/王焘民//岳阳师专学报,1980(3)
0451 孙权的用人与创业/施守全等//华东师范大学学报,1980(4)
0452 诸葛亮形象的创造方法/杜黎均//北京文艺,1980(5)
0453 谈曹操的《观沧海》和《龟虽寿》/丁戊//甘肃青年,1980(8)
0454 古代军事家——诸葛亮/谢国良//解放军画报,1980(9)
0455 诸葛亮如何执法/李林河等//光明日报,1980.10.14④
0456 试谈三国时的三大战役异同/李思晋//历史教学,1980(11)
0457 马谡是自杀的吗/常评//学术研究,1980(6)
0458 曹操仍不能说是老实人/刘伶//安徽文学,1980(11)
0459 周郎赤壁何处寻/蒋永星//历史教学,1980(12)
0460 曹植及其诗歌的评价问题/钟优民//吉林大学学报,1980(6)
0461 中国古代著名哲学家评传(第2卷)/许抗生、王弼//齐鲁学刊,1980

0462 魏晋南北朝"客皆注家籍"说质疑/童超//天津师院学报,1980(4)

0463 三国志札记/周一良//文史第9辑,中华书局,1980

0464 建安文学繁荣兴盛的原因/钟优民//学术研究丛刊,1980(2)

0465 建安文学为何繁荣/穆殿春//青海民院学报,1980(3)

0466 略谈"建安七子"说的分歧和由来/高敏//郑州大学学报,1980(1)

0467 对《略谈"建安七子"说的分歧和由来》的异议/均地//郑州大学学报,1980(3)

0468 对《异议》的异议/高敏//郑州大学学报,1980(3)

0469 三国时代的航海/朱之彦等//航海,1980(6)

0470 对三国马钧改革提花织机的猜测/周启澄//中国纺织科技史资料,1980(3)

0471 从曹操的佚文谈曹操的文学思想/傅璇琮//北方论丛,1980(4)

0472 曹操的游仙诗/陈之等//学术月刊,1980(5)

0473 曹操《苦寒行》"注释"异议/张华儒//昆明师院学报,1980(6)

0474 曹丕曹植文学思想异同论/栾勋//美学论丛,1980(2)

0475 曹丕和他的《典论·论文》/张伯训//丹东师专学报,1980(2)

0476 三国人物散论/吴雪伯//集萃,1980(4)

0477 曹操宗族墓葬字砖诗小考/黄家忠//群众论坛,1980(2)

0478 对曹操宗族墓砖铭的一点看法/殷涤非//文物,1980(7)

0479 从曹氏墓字砖看古代中日关系/李灿//江淮论坛,1980(4)

0480 试谈三国时三大战役异同/李思善//历史教学,1980(11)

0481 魏晋时期的匈奴族和羯族/林干//历史教学,1980(10);人大复印资料转载K2—80—12

0482 赤壁辨伪/张志哲//学林漫录1,1980

0483 赤壁考/吴应秦、张修桂//复旦大学学报,1980.8增刊

0484 魏晋南北朝时期部曲的社会地位/罗宏曾//历史教学,1980(2);人大复印资料转载K2—80—10

0485 诸葛亮军事思想论略/朱大渭//史学月刊,1980(2)

·1981年·

94篇(0486～0579)

0486 三国时期封建社会的变革/郑佩欣//历史论丛.齐鲁书社,1981

0487 关于曹魏屯田制的几个问题/高敏//史学月刊,1981(1)

0488 关于《三国志》点校本人名标点方面的几点意见/高秀芳//内蒙古社会科学,1981(1)

0489 关于曹操的几点疑异/王岳//济宁师专学报,1981(1)

0490 再论曹操/周桓//河北大学学报,1981(1);人大复印资料转载K2—81—9

0491 试论曹魏政权的演变/王连志//河南师专学报,1981(2)

0492 略论曹操的唯才是举的用人路线/成新文等//晋阳学刊,1981(1)

0493 诸葛亮的重大失误/李淳等//晋阳学刊,1981(1)

0494 曹操的理想国——读《度关山》、《对酒》/杨伟立//历史知识,1981(1)

0495 试评诸葛亮的正身、用人和执法/张云桥//四平师院学报,1981(1);人大复印资料转载 K2—81—23

0496 史实昭然,何疑之有——读《赤壁之战辨》异议/张国光//荆州师专学报,1981(1)

0497 诸葛亮治蜀/君才//新长征,1981(1)

0498 赤壁之战辨/尹韵公//光明日报,1981.3.31

0499 诸葛亮真墓和最早的武侯祠/郭清华//文化与生活,1981(1)

0500 诸葛亮行法的历史地位/罗秉英//思想战线,1981(2);人大复印资料转载 K2—81—9

0501 诸葛亮是怎样成为天下奇才的/王世莲//北方论丛,1981(2)

0502 魏晋南北朝时期的诸葛亮故事传说/陈翔华//河北大学学报,1981(2)

0503 孙权与张昭/牧惠//人物,1981(2)

0504 曹操和他的《龟虽寿》/孙太来//四平师院学报,1981(2)

0505 诸葛亮与云南少数民族/周廷贤//云南日报,1981.3.20③

0506 诸葛亮南征的若干问题/宁超//云南社会科学,1981(2);人大复印资料转载 K2—81—7

0507 诸葛亮并非"重益轻荆"/张大可//江汉论坛,1981(2)

0508《三国志集解》辨证/赵幼文//中华文史论丛,1981(2)

0509 诸葛亮的精神文明/汪昌鹗//湖北日报,1981.4.16③

0510 曹操的翻案与定案/李则纲//江淮论坛,1981(2)

0511《三国志》解诂/吴金华//南京师院学报,1981(3)

0512 三国民族政策优劣论/朱绍侯//河南师范大学学报,1981(3);人大复印资料转载 K2—81—11

0513 重评孙权的历史地位/施守全等//辽宁师院学报,1981(3);人大复印资料转载 K2—81—11

0514 陈寿曲笔说辨诬/陶懋炳//史学史研究,1981(3)

0515 诸葛亮的继位者——蒋琬/焦传斌//新湘评论,1981(4)

0516"六出祁山"浅说/马鼎盛//历史知识,1981(4);人大复印资料转载 K2—81—19

0517 从《让县自明本志令》看曹操的生平及其思想发展过程/符定波//常德师专学报,1981(4)

0518 东吴的海外拓展和卫温、诸葛直从章安出使台湾考略/叶哲明//台州师专学报,1981(2)

0519 关于诸葛亮的重大失误问题/张占斌//四平师院学报,1981(4)

0520 略论诸葛亮的法治观/陈鹏

生//法学,1981年复刊号

0521 曹操文章与建安风骨/张啸虎//社会科学辑刊,1981(4)

0522 赤壁之战析——与尹韵公同志商榷/伊丁//青海社会科学,1981(4)

0523“冀王道之一平兮,假高衢而骋力”(从《登楼赋》试论王粲)/凌迅//齐鲁学刊,1981(4)

0524 论诸葛亮治蜀——兼论诸葛亮是儒法合流的典型人物/朱大渭//魏晋隋唐史论集(第一辑),中国社会科学出版社,1981

0525“举贤任人,各尽其心”——略论孙权用人/漆泽邦//历史知识,1981(5)

0526 从荆州争夺战看三国前期的外交斗争/尹韵公//文史哲,1981(5)

0527 论赤壁之战的几个问题/施丁//史学月刊,1981(6)

0528 曹操在文学史上的地位/吴云//辽宁师院学报,1981(6)

0529 历史上的周瑜与《三国演义》中的周瑜/雍国泰//历史知识,1981(6)

0530 从《隆中对》漫谈诸葛亮/田居俭//文史知识,1981(6)

0531 杰出的政略家诸葛亮/杨廷福//百科知识,1981(7)

0532 李严兴废和诸葛用人/田余庆//中华学术论文集,中华书局,1981:109—122

0533 略论王弼、何晏的贵无论/孙实明//学术月刊,1981(10)

0534 曹操/王文彬//历史教学,1981(12)

0535 诸葛亮/王文彬//历史教学,1981(12)

0536《赤壁之战辨》质疑/胡宝国//光明日报,1981.12.7③

0537 论诸葛亮的错误和失策/吴洁生//学术月刊,1981(12);人大复印资料转载2—82—3

0538 曹操兵败赤壁与血吸虫病有关/文汇报,1981.9.13

0539 简论曹操的散文/高光复//求是学刊,1981(4)

0540 试论曹植诗的艺术成就/宁昶英//内蒙古师范大学学报,1981(2)

0541 诸葛亮隐居处考析/连武//南阳师专学报,1981(2)

0542 蜀道上的诸葛亮文化/梁中效//成都大学学报,1981(3);人大复印资料转载

0543 试论曹植的五言抒情诗/陈庆元//福建师范大学学报,1981(2)

0544 薛综陈交州事宜疏/俞德华//玉林师专学报,1981(3)

0545《三国志·倭人传》“景初二年”析/张声振//学术研究丛刊,1981(1)

0546 略论三国时代用人的长短得失/邹本顺//晋阳学刊,1981(4)

0547 赤壁之战,无需质疑/谭绍鹏//学术论坛,1981(5)

0548 曹操兵败赤壁之战与血吸虫病之探讨/李友松//中华医史杂志,1981(2)

0549 也谈赤壁之战/卢专//广州师院学报,1981(2)

0550 赤壁考/丁力//社会科学战线，1981(1)

0551 建安七子论/徐公恃//文学评论，1981(4)

0552 马钧——我国古代机械大师/刘宁勋//人物，1981(2)

0553 曹魏东武侯王基墓碑考释/黄明兰//中原文物，1981年特刊

0554 试析"建安风骨"在曹操诗歌中的体现/马燕华//宜春师专学报，1981(3)

0555 试论曹操诗歌的写实精神/吴云//昆明师院学报，1981(2)

0556 略论曹操父子和他们的诗/赵福坛//广州师院学报，1981(1)

0557 曹丕文气论新探/陆晓光//华东师大学报，1981(2)

0558 曹植的政治思想/钟优民//社会科学战线丛刊，1981(2)

0559 浅谈曹植的《洛神赋》/傅淑芳//青海社会科学，1981(2)

0560《洛神赋》的写作时间/石云涛//河南师大学报，1981(5)

0561 论司马懿/郑欣等//史学月刊，1981(6)；人大复印资料转载 K2—82—1

0562 补三国兵志(上)/王欣夫//中国历史文献研究集刊，岳麓书社，1981

0563 曹操宗族墓和《水经注》的有关问题/田昌五//中国历史博物馆馆刊，1981(3)

0564 读《对曹操宗族墓砖铭的一点看法》/田昌五//有感，文物，1981(12)

0565 三国时期封建社会的变革/郑欣//历史论丛 2，1981

0566 魏晋婚礼研究/陈韵//台湾师范大学国文研究所集刊，1981

0567 白帝城八阵图遗迹考/谭良啸//四川大学学报，1981(1)

0568 街亭考/陈可畏//地名知识，1981(4/5)

0569 马谡失守街亭在今何处/陈显远//历史知识，1981(2)

0570 成都武侯祠史话/谭良啸//历史知识，1981(4)

0571 孙吴甘露原无寺/白坚//群众，1981(2)；人大复印资料转载 K2—81—2

0572 "能攻心"联析/李兆成//文明，1981(1)

0573 马谡被杀的真相/朱大渭//学林漫录 4，1981

0574 三国孙吴经营台湾考/张崇根//安徽大学学报，1981(1)；人大复印资料转载 K2—81—7

0575 战国秦汉三国时期的国有土地问题/张传玺//历史论丛 2，1981

0576 魏晋时期坞壁组织的性质及其作用/欧阳熙//广州师院学报，1981(4)；人大复印资料转载 K2—82—7

0577 东吴兵制补论/严耀中//上海师院学报，1981(4)；人大复印资料转载 K2—82—1

0578 略谈建安诗人向民歌学习/蒋立甫//艺谭，1981(3)

0579 试论《古诗十九首》对建安诗歌的影响/张亚新//延安大学学报，1981(1)

·1982年·

109篇(0580～0688)

0580 曹魏杰出的法官——高柔/王鑫义//兰州大学学报,1982(1)

0581 曹操的唯才是举政策/韦唐//教学通讯,1982(1)

0582 简论鲁肃/冯君实//东北师大学报,1982(1);人大复印资料转载K2—82—5

0583 最早替曹操翻案的是谁/艾仁//艺谭,1982(1)

0584 空城计的演变/张克//克山师专学报,1982(1)

0585 诸葛亮没有用过空城计/杨秀春//夜读,1982(1)

0586 鲁肃和东吴立国——兼评诸葛亮、周瑜的政治卓识和外交才能/叶哲明//台州师专学报,1982(1)

0587 汉代易学及王弼注易/吴鹭山//河北大学学报,1982(1)

0588 读《诸葛亮隐居处考析》后(兼与连伍同志商榷)/金石//南阳师专学报,1982(1)

0589 关羽姓氏小议/刘毓忱//北京日报,1982.2.6③

0590 诸葛亮主张"罚不可不均"/汪抗//天津日报,1982.3.2

0591 关于对诸葛亮的评价/曾敏之//南方日报,1982.4.2

0592 诸葛亮《与兄谨论白帝兵书》/田余庆//文史(第14辑),中华书局,1982

0593 曹操的案不能翻/语文教学通讯,1982(2)

0594 也谈曹操兵败赤壁与血吸虫病之关系/田树仁//中华医史杂志,1982(2)

0595 对《曹操兵败赤壁与血吸虫病关系之探讨》一文的商榷/季始荣//中华医史杂志,1982(2)

0596 谈《赤壁之战辨》中的几个论据/汪廷奎//学术论坛,1982(2)

0597 重评《三国志》的正统思想/苏州大学学报,1982(2)

0598 试论王粲的思想与创作/刘智亭//陕西师大学报,1982(2)

0599 王粲的《登楼赋》/顾伟列//语文学习,1982(2)

0600 诸葛亮忌恨魏延吗/海潮//旅游天府,1982(2)

0601 关于诸葛亮的八阵图/李兆成//西南师院学报,1982(2)

0602 孔明何处擒孟获/喻光铅//旅游天地,1982(2)

0603 也谈曹操平定三郡乌桓战争的目的和性质/赵昌洪//上海师院学报,1982(2)

0604 政治家的形势分析和诸葛亮、程昱、鲁肃和对汉末天下三分的预见/叶哲明//台州师专学报,1982(2)

0605 诸葛亮北伐析疑/陈克华//争鸣,1982(2)

0606 诸葛亮北伐析疑/于延泉等(存目)

0607 论诸葛亮的成败得失/谢求成//江海学刊,1982(3)

0608 试论曹操政权的性质/杨德炳//中国古代史论丛,1982(3)

0609 情真意切，忧思绵绵（读王粲《登楼赋》）/刘冠雄//武汉师院咸宁分院学报，1982(3)

0610 陈寿与《三国志》/凌云//重庆日报，1982.6.26

0611 建国以来建安文学研究综述/徐定祥//艺谭，1982(1)

0612 究竟谁是建安文学的领导者/何凌健//安徽日报，1982(1)

0613 曹操屯田许下质疑/于延泉等（存目）

0614 一九八一年魏晋南北朝史研究概况/童超//中国史研究动态，1982(2)

0615 试论王弼哲学思想的特点/那薇//昆明师院学报，1982(3)

0616 王弼美学思想蠡测/皮朝纲//西南师院学报，1982(3)

0617 魏晋兵制札记/黄惠贤//中国古代史论丛，1982(3)

0618 诸葛亮理财/马大英//财政，1982(3)

0619 诸葛亮嫉贤妒才吗——与吴洁生同志商榷/霍雨佳//海南师专学报，1982(3)

0620《三国志》为何"失在于略"/朱孝远//上海师范学院学报，1982(3)

0621 论通兑（建安时代的思想解放与文学革新）/唐异明//文艺理论研究，1982(1)

0622 曹操诗中爱国主义因素浅论/林君//四平师院学报，1982(3)

0623 从三国热谈到旅游社会学/孟还//旅游报，1982(3)

0624 略论"前四史"的特点及其对中国史学的主要贡献/杨寄林//河北师院学报，1982(4)

0625 三国士家制度商榷/陈玉屏//西南民族学院学报，1982(4)；人大复印资料转载 K2—83—2

0626 略评新校点本《王粲集》/吴云等//文学遗产，1982(4)

0627 近年来关于赤壁之战、夷陵之战、淝水之战讨论综述/童超//中国史研究动态，1982(7)

0628 谈蜀国灭亡的原因/尹韵公//文史哲，1982(5)

0629 诸葛亮对人才用而不教的历史教训/尉丰久等//东岳论丛，1982(5)

0630 诸葛亮的财政思想/马大英//财政研究资料，1982(总81)

0631 官渡之战是一次以少胜多的战役吗/黄茂生//文科教学，1982(3)

0632《三国志》校记二条/黄茂生//学术研究，1982(5)

0633 曹操的生活一页及其内心世界/龚维英//人物，1982(6)

0634 诸葛亮的籍贯考/张崇琛//地名知识，1982(6)

0635 曹操主持开凿的运河及其贡献/黄盛璋//历史研究，1982(6)

0636 孙吴的屯田制/陈连庆//社会科学辑刊，1982(6)；人大复印资料转载 K2—83—1

0637 魏武挥鞭定白狼/沈庆洪//理论与实践，1982(9)

0638 成都举行首次诸葛亮研究会联会/谭良啸//人民日报，1982.11.12

0639 试论仲长统的天人观/刘邦富//中国哲学史研究集刊(2),上海人民出版社,1982(2)

0640 仲长统思想研究/葛荣晋//中国哲学史研究集刊(2),上海人民出版社,1982(2)

0641 论孔融/宋景昌//阜阳师院学报,1982(4)

0642 华佗生卒年代略考/郝学军等//中华医史杂志,1982(3)

0643 华佗与医疗体育/黄新根//健康,1982(5)

0644 论诸葛亮——出祁山之战/陈可畏//中国古代史论丛,1982(3)

0645 彭羕被杀廖立遭废是诸葛亮嫉才的结果吗/胡申生//阜阳师院学报,1982(4)

0646 曹操的《观沧海》评解/萧雨生//语文教学之友,1982(1)

0647 褒斜道为蜀道之始/徐争青//历史知识,1982(1)

0648 孙策孙坚墓的清理和看法/苏州博物馆考古组//文博通讯,1982(6)

0649 曹植生平若干事迹考辨/俞绍初//郑州大学学报,1982(3)

0650 曹植诗歌创作特点管窥/郭俊明//贵州民族学院学报,1982(1)

0651 试论王粲的诗赋创作/吴云等//天津社会科学,1982(6)

0652 论魏晋时期的诸子百家学/许抗生//中国哲学史研究,1982(3);人大复印资料转载 K2—82—19

0653 曹魏"亩收租四升"说质疑/袁刚//江汉论坛,1982(7)

0654《三国志》标点献疑/吴金华//中国语文通讯,1982(3)

0655 试论曹操政权的性质/杨德炳//中国古代史论丛,1982(3)

0656 从傅嘏《难刘劭考课论》看曹操为政的特点/杨耀坤//中国古代史论丛,1982(9)

0657 诸葛亮不出兵子午谷的原因试说/宋裕//中国古代史论丛 4,1982

0658 赤壁之战曹操败于疾疫说质疑//中国古代史论丛,1983(1)

0659 浅谈三国用人/林君雄//人才,1982(4)

0660 谈《赤壁之战辨》中的几个论点/汪廷奎//学术论坛,1982(2)

0661 赤壁之战是遭遇战吗/王陵等//山西师院学报,1982(1)

0662 真假曹操辨/黄钧//北方论丛,1982(3)

0663 曹操与礼教/李威雄//东方杂志,1982(16:3)

0664 关于司马懿曹爽之争的评价问题/李志民等//史学集刊,1982(4);人大复印资料转载 K2—83—1

0665 论曹氏父子与建安文学/吕美生//安徽大学学报,1982(3)

0666 蜀汉败亡不能归咎于诸葛亮/钱星博//湘江文学,1982(6)

0667 略论建安诗歌的抒发性/赵福坛//广州师院学报,1982(2)

0668"建安文学"的分期问题/牛维鼎//阜阳师院学报,1982(2)

0669 鲁迅与建安文学/张亚新//广西大学学报,1982(3)

0670 三国时期曹魏经济的恢复与发展/王珍//史学月刊,1982(1)

0671 三国时期蜀国经济的发展/王珍//史学月刊,1982(3)

0672 东吴屯田制略论/高敏//中州学刊,1982(6);人大复印资料转载K2—83—1

0673 曹魏的屯田——中国田制史述略稿之一/韩国磐//中国社会经济史研究,1982(1)

0674 曹魏"亩收租四升"辨误/周国林//江汉论坛,1982(1);人大复印资料转载 K2—82—3

0675 "文帝六十年不收田租"辨——与黄今言同志商榷/施伟青//中国社会经济史研究,1982(3)

0676 曹魏租调制拾零/高敏//史学月刊,1982(5);人大复印资料转载K2—82—19

0677 也谈曹魏租调/杨一民//江汉论坛,1982(7)

0678 吴国的地主经济/蒋福亚等//中国社会经济史论丛 2,1982

0679 曹操征乌桓时开运渠事迹考略/王文彬//历史教学,1982(12)

0680 三国孙吴境内的少数民族——山越/张崇根//历史教学,1982(10)

0681 唐代已出现"关公显圣"的传说/官桂铨//学林漫录 6,1982

0682 建安时代与建安文学/范凤捷//阜阳师院学报,1982(4)

0683 曹操对建安文学的贡献/魏宏灿//艺谭,1982(4)

0684 汉魏之际的社会思潮与建安文学/牛维鼎//阜阳师院学报,1982(3)

0685 建安初期的人民文学//阜阳师院学报,1982(3)

0686 建安诗歌/孙静//文史知识,1982(2)

0687 建安文学的两个问题/刘文忠//艺谭,1982(2)

0688 关于司马懿曹爽之争的评价问题/张志民//史学集刊,1982(4)

·1983 年·

116 篇(0689~0804)

0689《三国志》考释/吴金华//南京师院学报,1983(1)

0690《三国志·吴书》"定"字疑义举例/吴金华//文史(18)

0691 孔融《临终诗》浅析/龚维英//淮南师专学报,1983(1)

0692 刘劭《人物志》中的人才哲学思想/邹本顺//中国哲学史研究,1983(2)

0693 评郭沫若同志的《替曹操翻案》/刘知渐//重庆师院学报,1983(1)

0694 从《三国志·魏志·倭人》看邪马台国的社会性质/广淇//河北学刊,1983(1)

0695 九品中正制/刘访师//重庆师院学报,1983(1)

0696 孟获不是泰人/陈健民//世界史研究动态,1983(1)

0697 曹操其人及其乐府/胡守仁//江西社会科学,1983(1)

0698 三顾茅庐和刘备诸葛亮合作崛起荆州之研究/叶哲明//台州师专学报,1983(1)

0699 曹魏屯田始于何年/黎虎//学术月刊,1983(2);人大复印资料转载K22—83—3

0700《后汉书》与《三国志》/李启谦等//历史教学问题,1983(1)

0701 试论孙权的对敌斗争策略/梁友尧//历史教学问题,1983(2)

0702 论关羽和荆州之失——兼评关羽忠义思想/叶哲明//台州师专学报,1983(2);人大复印资料转载K22—84—12

0703 世族地主是曹操集团的主要阶级基础/柯友根//厦门大学学报,1983(2);人大复印资料转载K2—83—5

0704 政治家羊祜/柳春藩//史学月刊,1983(1)

0705 刘备怎样识诸葛亮/刘友竹//历史知识,1983(3)

0706 张飞善书说/肇新//历史知识,1983(3)

0707 七擒孟获在何处? /单功//地名知识,1983(5)

0708 略论孙权之用人/陆振安//苏州史学会论文选,1983

0709 从赤壁之战看《资治通鉴》的编纂方法/袁伯诚//西北师院学报,1983(3)

0710 从济南相到兖州牧的曹操/张昆河//知识与生活,1983(3)

0711 王粲《七哀诗》考/〔日〕伊藤正文//中华文史论丛,1983(2)

0712 "魏晋之赋首":读王粲的《登楼赋》/徐公持//文史知识,1983(2)

0713 建安文学的历史渊源/李伯涛//昭通师专学报,1983(1)

0714 建安文学学术讨论会述评/邢铁华//阜阳师院学报,1983(2)

0715 夷陵之战决定三国分立局面/柯友根//光明日报,1983.6.15④

0716 刘禅其人/龚培萱//旅游天府,1983(3)

0717 诸葛亮与《梁父吟》/于联凯//历史知识,1983(3)

0718 论孙吴吏政/宋刚刚//安徽师大学报,1983(3)

0719《隆中对》简论/朱维权//南充师院学报,1983(3)

0720 漫谈关羽/孔石雨//艺谭,1983(3)

0721 略论曹操远征乌桓的战争性质/黄茂生//文科教学,1983(3)

0722 凉州智士贾诩述论/张大可//西北史地,1983(3)

0723 三国孙吴铸钱问题探讨/王贵忱//中国钱币,1983(3)

0724 "曹操七十二疑冢"辨/陈显远//河南师大学报,1983(4)

0725 应正确认识《三国志》裴注的价值/王廷洽//上海师院学报,1983(4)

0726 浅析王弼的"崇本息末"说/那薇//中国哲学史研究,1983(4)

0727 试论王粲诗赋的思想内容/彦君//语文学刊,1983(4)

0728 建安文学研究的新收获(简评章新建的《曹丕》)/钱念孙//阜阳师院学报,1983(2)

0729 古都许昌话曹操/王彪//紫禁城,1983(5)

0730 孤儿、罪犯、武将、国士——漫谈吕蒙的成长//历史知识,1983(5)

0731 谈谈《隆中对》的“对”/蔡千宏//文史知识,1983(8)

0732 孔明故宅何处寻/谈洋//地名知识,1983(5)

0733 丞相诸葛亮之碑/杨重华//文物,1983(5)

0734 试论诸葛亮的八阵图/谭良啸//甘肃社会科学,1983(5)

0735 木牛流马制作地点考辨/谭良啸//地名知识,1983(5)

0736 诸葛亮父子墓与绵竹/刘京华//地名知识,1983(5)

0737 魏延谋叛说质疑/王守国//历史知识,1983(5)

0738 魏延的悲剧/刘迪明//人物,1983(6)

0739 志深笔长,梗概多气(读王粲《登楼赋》)/甘其勋//文学知识,1983(5)

0740 独步汉南的建安诗人王粲/锐声//艺丛,1983(5)

0741 曹操是三国时期的人物吗?/徐修宜//安徽史学,1983(4)

0742 以评曹操为例,谈逆推演绎之法/栗正//人物,1983(6)

0743 试论曹操的经济政策/汪世忠//经济问题探索,1983(6)

0744《三国志》的书名/缪钺//读书,1983(9)

0745 读《三国志》/柳诒征//中国历史文献研究集刊,1983(4)

0746 故国与乡思,千载尚有情:王粲《登楼赋》赏析/张永鑫//名作欣赏,1983(6)

0747 建安文学研究的可喜成果/徐树义//光明日报,1983.6.28

0748 华佗与我国武术/道真//体育世界,1983(4)

0749“华佗”并非真名/刘法绥//社会科学战线,1983(4)

0750 华佗应姓华名/周南//文史知识,1983(12)

0751 华佗之死及其生卒年/程喜霖//史学月刊,1983(4)

0752 田豫被围考/张文山//内蒙古师大学报,1983(3)

0753 皇权与诗情/伏琛//羊城晚报,1983.5.9

0754 江西南昌墓清理简记/唐昌朴//考古,1983(10)

0755 曹魏名碑(曹真碑)/琦枫//紫禁城,1983(2)

0756 神医华佗/白英//文物天地,1983(4)

0757 关于华佗首创剖腹手术的异议质疑/黄桦//中华医史杂志,1983(4)

0758 论诸葛亮散文的文学史地位/张啸虎//中州学刊,1983(2)

0759 诸葛亮论曹操/山石//团结报,1983.5.28

0760 诸葛亮治蜀时期的民族政策/杨植范//贵州日报,1983.10.29

0761 曹操的《步出夏门行》写于何时/唐满生//语文教学,1983(6)

0762 说说关羽失荆州/张梦麟//常德师专学报,1983(4)

0763 关羽爱戴高帽/陈迩冬//团结报,1983.10.29
0764 关羽形象的悲剧美初探/朱伟民//武汉师院学报,1983(2)
0765“赤壁之战”曹军兵力是多少(中学历史教科书的一个问题)/孙红//中学历史教育,1983(2)
0766 汉、魏两武帝与文学发展关系的比较/袁济喜//社会科学辑刊,1983(4)
0767 曹植为曹操第几子/徐公持//文学评论,1983(5)
0768 关于曹植的评价问题/徐公持//文学遗产,1983(1)
0769 建安文学的探讨/马常青等//瞭望,1983(9)
0770《三国志》校勘一则/张崇根//史学月刊,1983(4)
0771 赤壁之战曹操败于疾疫说质疑/宋裕//中国古代史论丛(7),1983
0772 补三国兵志(下)/王欣夫//中国历史文献研究集刊,岳麓书社,1983
0773 三国志标点商榷一则/林集友//学术研究,1983(6)
0774 论曹操宗族墓砖铭的性质及有关问题/赵超//考古与文物,1983(4)
0775 八阵图在哪里/李思祯//社会科学研究,1983(5)
0776 汉魏阿名考/张孟伦//中国古代史论丛(7),1983
0777 街亭考/徐日辉//兰州大学学报,1983(3)
0778 从秦陇通道和祁山之战的形势探讨街亭的地理位置/刘满//兰州大学学报,1983(3)
0779 汉魏之际的青徐豪霸问题/田余庆//历史研究,1983(3)
0780 关于诸葛亮的评价/张维训//史学情报,1983(4)
0781 托孤时的“君可自取”析/谭良啸//历史知识,1983(3)
0782 从魏延的遭际议刘、葛用人/常征//北京史苑 1,1983
0783(重复,删目)
0784 羌族名将姜维与诸葛亮的和戎政策/黎尚诚//西北史地,1983(1)
0785 评诸葛亮斩马谡/吴洁生//中国古代史论丛(7),1983
0786《后出师表》的作者问题/马植杰//文史 17,1983
0787 论《后出师表》伪作/庞怀靖//人文杂志,1983(2)
0788 建安文学发展阶段初探/张可礼//文学评论,1983(5)
0789 魏晋之际土地赋税制度的变化/郑欣//历史论丛 3,1983
0790 曹操所开白沟得名问题辨疑/非鱼//历史地理 3,1983
0791 试论魏晋时代奴隶制的农奴化问题/陈连庆//社会科学辑刊,1983(6);人大复印资料转载 K22—84—1
0792“魏响”还是“汉音”(论建安文学的所属朝代)/房聚棉//沈阳师院学报,1983(2)
0793 关羽是怎样被神化的/张小也//中国古代史论丛(7),1983
0794 建安抒情小赋的杰出代表——

《登楼赋》/陈友冰//中学语文教学参考,1983(9)

0795 "建安风骨"的再认识/傅生文//孝感师专学报,1983(3)

0796 刘勰论建安文学/牟世金//柳泉,1983(1)

0797 略谈三曹在建安文学中的地位/吴文镳//龙岩师专学报,1983(1)

0798 释"建安风骨"/周振甫//文学评论,1983(5)

0799 首届建安文学学术研讨会综述/吕美生等//艺谭,1983(3)

0800 谈汉代辞赋对建安文学的影响/韦风娟//光明日报,1983.4.29

0801 钟嵘论建安文学/萧华荣//安徽师大学报,1983(3)

0802 安徽召开建安文学学术讨论会/晨岘//文学评论,1983(4)

0803 曹植是建安时期最杰出的代表诗人吗/黄昌年//荆州师专学报,1983(3)

0804 建安诗风的衍变/陈祖美//文艺研究,1983(6)

·1984年·

121篇(0805~0925)①

0805《汉书》《后汉书》《三国志》帝王纪传校读札记(时间类)/周国林//华中师范学院研究生学报,1984(1)

0806 略论曹魏士家屯田/赵克尧等//中国社会经济史研究,1984(1)

0807 东吴屯田制初探/林志华//安徽大学学报,1984(1)

0808 孙吴在安徽的屯田/林志华//安徽史学,1984(1);人大复印资料转载K22—84—2

0809 鲁肃在鼎足三分中的作用/王卓丰//中学历史,1984(1)

0810 汉末三国时期的"责任"制度/宋杰//北京师院学报,1984(1);人大复印资料转载K22—84—4

0811 论顾雍为相和孙吴鼎足江东——兼评顾雍和张昭之才/叶哲明//台州师专学报,1984(1);人大复印资料转载K22—84—10

0812 略论《三国志》裴注之优长/吴伟鹏//史学史研究,1984(1)

0813 从曹操的诗文看他的政治思想/柳轩//重庆师院学报,1984(1)

0814 曹操与建安文学——兼与刘知渐同志商榷/胡世厚等//重庆师院学报,1984(1)

0815 从考古发现材料看三国时期的蜀汉货币/张勋燎//四川大学学报,1984(1)

0816 漫谈岳飞书诸葛亮《出师表》石刻/庞怀靖//中原文物,1984(1)

0817 敦煌写本《三国志·步骘传》残卷考释/刘忠贵//敦煌学辑刊,1984(1)

0818 论魏延及南谷口火并真相——兼评诸葛亮北伐曹操的军事战略/叶哲明//台州师专学报,1984(2)

0819 怎样评价曹操/耿葆//文汇报,1984.1.23

① 1984年查核一篇转载,两篇重复,实为119篇。

0820 再谈孙策/陈迩冬//光明日报，1984.3.31④

0821 邓艾与石鳖屯/王鑫义//安徽大学学报，1984(2)

0822 论《隆中对》/霍雨佳//海南大学学报，1984(2)

0823 试论曹操对匈奴的政策/何宁生//西北历史资料，1984(2)

0824《三国志》若干史实考辨/黄茂生//文科教学，1984(2)

0825 诸葛亮使被罚者无怨言的原因何在/曹邦军//历史知识，1984(2)

0826 谈诸葛亮用人/张仁镜//汉中师院学报，1984(2)

0827 孙吴的兵制/何兹全//中国史研究，1984(3)；人大复印资料转载K22—85—2

0828 诸葛亮与《隆中对》/刘迪明//人物，1984(3)

0829 军事家曹操/钟文//文史知识，1984(6)

0830 诸葛亮研究会成都年会概述/谭良啸//社会科学研究，1984(3)

0831 山越在东吴立国中的作用/吕锡生//浙江师院学报，1984(3)

0832 诸葛亮与曹操、孙权用人优劣论/霍雨佳//海南大学学报，1984(3)

0833 由魏延说到子午谷/陈迩冬//团结报，1984.7.7⑧

0834 三国两晋南北朝的铜镜/徐苹芳//考古，1984(6)

0835 曹魏军屯究竟始于何年/黄茂生//学术月刊，1984(4)转载

0836 试论关羽失荆州的原因：与谢求成同志商榷/张汉川//江海学刊，1984(4)

0837 助诸葛亮擒孟获的济火/谭良啸//历史知识，1984(4)

0838 试论诸葛亮的用人取材/沈敖大//文汇报，1984.8.27

0839 诸葛亮的再评价/闵传超//历史教学问题，1984(4)

0840 检讨三国部分史艺札记/黎洪//江淮论坛，1984(4)

0841 孙权与台湾/陈迩冬//团结报，1984.9.15⑧

0842 诸葛亮学术研讨会在勉县举行/卢维宏//陕西日报，1984.10.25

0843 略论曹操与士族地主的关系/张兆凯//益阳师专学报，1984(2)

0844 试论王粲《登楼赋》/贾锡信//河北大学学报，1984(2)

0845 王弼政治思想新议/罗民用//雷州师专学报，1984(2)

0846 王粲诗赋的思想与艺术/陈飞之//广西师大，1984(3)

0847 关于《曹操集译注》的几个问题/杨耀坤//史学月刊，1984(3)

0848 成都武侯祠的三绝碑/吴天畏//旅行家，1984(4)

0849 蜀汉南中政策二三事/黎虎//历史研究，1984(4)；人大复印资料转载K22—84—11

0850 论诸葛亮出师/张大可//西北史地，1984(4)；人大复印资料转载K22—85—1

0851 曹魏军屯始于何年——兼与黎虎同志商榷/黄茂生//文科教学，

1984(4)，又学术月刊，1984(4)

0852 孙刘联盟的历史考察和评价/王大良//南充师院学报，1984(4)

0853 空城计考/陈新元//历史知识，1984(5)

0854 陈寿的成就和《晋书》对他的评价/邱敏//史学月刊，1984(5)

0855 （重复，删目）

0856 魏延的冤案/陈迩冬//光明日报，1984.10.13④

0857 曹操评价中的两个问题/高光复//北方论丛，1984(6)

0858 重评刘备东征/林成西//史学月刊，1984(6)；人大复印资料转载K22—84—12

0859 祢衡之死/阮忠//武汉春秋，1984(6)

0860 浅谈汉魏薄葬思想：读"前四史"札记/龚国祥等//武汉师院学报，1984(6)

0861 也谈诸葛亮的澹泊——与黄裳同志商榷/黎洪//江淮论坛，1984(6)

0862 试论诸葛亮的治国思想/王本元//中学历史教学参考，1984(6)

0863 诸葛亮与五丈原/孙移泰//教学与科研，1984(4)

0864《三国志》与《晋书》/葛兆光//中学文科教学参考资料，1984(11)

0865 再论《三国志·孙权传》中的"亶州"问题/袁臻//华南师大历史系论文集(1)，1984

0866 建安辞赋述略/高光复//佳木斯师专学报，1984(1)

0867 漫说建安文学和曹操/史孝贵//枣庄师专学报，1984(1)

0868 孙吴的"公平"和"中正"浅说/方北辰//四川大学学报丛刊20，1984

0869 王弼哲学思想辨微/程宜山//哲学研究，1984(5)

0870 从仲长统的政论谈中国封建社会长期延续的原因/朱维权//南充师院学报，1984(2)

0871 哀汉末之乱：王粲《七哀诗》赏析/曾海平//益阳师专学报，1984(2)

0872 仲长统和他的"本末"理论/翔鑫//河北日报，1984.8.31

0873 笔意绵密，形象明晰：略谈王粲《七哀诗》的艺术特色/高树森//苏州大学学报，1984(4)

0874 魏晋南北朝"佃客"辨/严耀中//中国史研究，1984(3)；人大复印资料转载K22—85—2

0875 孔融管窥/张晋//绥化师专学报，1984(2)

0876 从魏国政权看曹丕曹植之争/曹道衡//辽宁大学学报，1984(3)

0877 刘备为何哭荆州//学习杂志，1984(5)

0878 曹操三次"唯才是举"令简介/葛玉岗//中学历史(苏大)，1984(3)

0879 略谈官渡之战中曹操的兵力及其取胜的原因/辛玉//中学历史教学参考，1984(5)

0880 诸葛亮政治品格管窥/余鹏飞//襄阳师专学报，1984(1)

0881 略论"建安风骨"/王拾遗//宁夏大学学报，1984(2)

0882 甘露尚未建寺，何来刘备招亲/杨志玖//文史知识，1984(6)

0883“赤壁之战”应为乌林之战/万绳楠//光明日报，1984.4.18

0884 古战场赤壁的位置/李定与//教学通讯，1984(5)

0885 近年来魏晋南北朝史研究概况/童超//中国史研究动态，1984(10)

0886 三国时期的自耕农经济/黎虎//北京师范大学学报，1984(2)；人大复印资料转载 K22—84—4

0887 曹操诗中的悲慨美/袁济喜//阜阳师院学报，1984(1)

0888《人物志》与汉魏之际美学思想的嬗变/袁济喜//沈阳师院学报，1984(3)

0889 魏晋南北朝时期历史地位述论/蒋福亚//北京师院学报，1984(2)

0890 魏晋南北朝的门阀制度/杨德炳//文史知识，1984(7)

0891 秦汉地主与魏晋地主的不同/何兹全//北京师范大学学报，1984(2)

0892 魏晋南北朝史学中的民族问题/刘隆有//中央民族学院学报，1984(3)

0893 三国志校点拾遗八则/吴金华//中国史研究，1984(4)

0894 三国时期的造船业/朱子彦//复旦大学学报，1984(3)

0895 裴松之《三国志注》/张孟伦//中国历史文献研究集刊第 4 辑，岳麓书社，1984

0896 劬堂随笔(读三国志)/柳诒征遗著、柳曾符整理//中国历史文献研究集刊第 4 辑，岳麓书社，1984

0897 赤壁考/陈可畏//史学月刊，1984(3)

0898 关于曹植初次就国的问题/俞绍初//郑州大学学报，1984(3)；人大复印资料转载 K22—84—10

0899（重复，删目）

0900 离乱社会的离乱诗歌：建安诗论之一/郑文//西北师院学报，1984(2)

0901“风骨”、“建安风骨”及其他：与王运熙先生商榷/王许林//滁州师专学报，1984(2)

0902 建安文学编年史/刘知渐//重庆师院学报，1984(1)(2)

0903 建安诗歌与《古诗十九首》/赵昌平//江淮论坛，1984(3)

0904 从曹操的诗看建安风骨/蔡申//宁夏教育学院学报，1984(3)

0905 建安诗歌民歌化探索/张亚新//贵州社会科学，1984(4)

0906 读《建安文学研究论文集》书/朱东润//艺谭，1984(3)

0907 建安文学在当代的传播/张可礼//文史哲，1984(5)

0908 建安文学和它以前的文学传统/张可礼//柳泉，1984(5)

0909“建安七子”何人排定/钟汉东//中学语文教学，1984(10)

0910 略谈建安时期的通俗文学/魏宏灿//阜阳师院学报，1984(4)

0911“建安风骨”的再认识/王许林//许昌师专学报，1984(4)

0912 “建安风骨”刍议/许善述//安庆师院学报,1984(4)

0913 诸葛庐在何处/周达斌//教学与研究,1984(3)

0914 诸葛亮南征后南人反叛的原因及影响/刘海宁//云南师大函大中文学员论文选,1984

0915 关于诸葛亮北伐的几个问题/林校生//宁德师专学报,1984(1)

0916 漫话三国赤壁/徐忠影//自修大学,1984(3)

0917 “兖雪”石碑与曹操/孙移泰//宝鸡师院教学与研究,1984(4)

0918 曹操进军黑龙江地区小考/魏国忠//黑龙江日报,1984.7.4(4)

0919 李严与江州/刘有序//历史知识,1984(5)

0920 公元三世纪江南经济考略/徐明德//浙江学刊,1984(2)

0921 东吴在北部湾的海战/李志俭//航海,1984(6)

0922 湖南望城县东吴墓/长沙市文物工作队//文物,1984(8)

0923 吴、东晋、南朝的文化及其对海外的影响/杨泓//考古,1984(6)

0924 建安文学研究中曹操评价问题/阎璞//汉中师院学报,1984(2)

0925 漫谈陈寿的史学/刘隆有//求是 1984(5)

·1985年·

130篇(0926~1055)

0926 怎样讲授史学名著——记何兹全先生讲《三国志》/瞿林东//河南大学学报,1985(1)

0927 诸葛亮与蜀国法治/张录云//中国法制报,1985.2.11③

0928 卢弼著《三国志集解》点校记/钱剑夫//文献,1985(1)

0929 略论孙权的用人/陆振岳//中学历史,1985(1)

0930 诸葛亮何曾到金陵/贺晓昶//南京史志,1985(1)

0931 论诸葛亮在北伐过程中的屯田/林成西//中国史研究,1985(1);诸葛亮研究,巴蜀书社,1985

0932 孙吴奉邑制考略/高敏//中国史研究,1985(1);人大复印资料转载K22—85—6

0933 魏氏三世立贱的分析/周勋初//南京大学学报,1985(1)

0934 曹操思想浅谈/董克昌//北方论丛,1985(1)

0935 岳飞书前后《出师表》石刻考/谭良啸//四川文物,1985(1)

0936 从人才观上看蜀汉之兴亡/钮海燕//山西大学学报,1985(1)

0937 略论曹魏屯田的历史作用与地位/黎虎//四川师院学报,1985(1);人大复印资料转载K22—85—4

0938 三国的文职公卿——三国职官之一/孙钺//文史知识,1985(1)

0939 曹魏两晋兵户身份的卑贱化/陈玉屏//西南民族学院学报,1985(1);人大复印资料转载K22—85—4

0940 东吴首任的交州刺史步骘/何维鼎//学术研究,1985(1)

0941 论曹魏道教与西晋政局/龙显

昭//世界宗教研究,1985(1)

0942 论刘备和夷陵之战——兼评刘备曹操的政治和军事才能/叶哲明//台州师专学报,1985(1)

0943 评理曹操顺江东下的战略/陈元华//益阳师专学报,1985(1)

0944 关于曹操军事才能的评价问题/吴荣政//湘潭大学学报,1985(1);人大复印资料转载 K22—85—3

0945 王粲后期的诗赋更具有建安文学的时代特色/陈飞之//全国高等学校文科学报文摘,1985(1)

0946 王粲《从军有苦乐》诗写作年代考辨/张鸣年//滁州师专学报,1985(2)

0947 魏晋南北朝时期农耕方式及农业生产水平浅探/黄惠贤//北京师院学报,1985(2)

0948 王弼的籍贯/肇鹏//文史哲,1985(2)

0949 王弼之形上学/李增//中国哲学史研究,1985(2)

0950 诸葛亮兴兵攻魏所走的褒斜栈道/郭荣章//汉中师院学报,1985(2)

0951 释曹魏屯田制中的分田之术/施光明//许昌师专学报,1985(2);人大复印资料转载 K21—85—5

0952 建安文学研究中曹操的评价问题/阎璞//汉中师院学报,1985(2)

0953 执行诸葛亮南抚吴越政策的典范/韩新明//汉中师院学报,1985(2)

0954 诸葛亮在汉中的活动遗迹略考/陈显远//汉中师院学报,1985(2)

0955 论魏蜀吴三家处理民族关系的特点/木芹//民族学与现代化,1985(2)

0956 略论诸葛亮北伐失败的原因/蔡耀武//广州师院学报,1985(2)

0957 谈诸葛亮用人/张仁镜//汉中师院学报,1985(2)

0958 评介三部魏晋南北朝史著作/周一良//北京大学学报,1985(2)

0959 试论董卓及其凉州兵团/张大可//西北史地,1985(2)

0960 赤壁之战与三国鼎立/张大可//兰州学刊,1985(2)

0961 曹操重视运用历史经验/牛朴//贵州社会科学,1985(2)

0962 荆州十余万家流民返归关中,与曹操的招抚无关/黄茂生//文科教学,1985(2)

0963 华佗三疑浅析/梦里//江淮论坛,1985(2)

0964《华佗论》赏析/纪作亮//艺谭,1985(3)

0965《后出师表》的作者是诸葛亮吗/施行舟//解放日报,1985.6.12

0966《三国志》拾诂/吴金华//南京师大学报,1985(3)

0967《三国志》勘误一则/黄茂生//中国史研究,1985(3)

0968 王粲诗风转变的标志/樊楚宇等//四川大学学报,1985(3)

0969 魏晋玄学笔谈(一):对王弼哲学的几点新认识/王晓毅//文史哲,1985(3)

0970 魏晋玄学笔谈(一):怎样认识王弼的本体论/王葆玹//文史哲,1985(3)

0971 夷陵之战的几个问题/任昭坤//江汉论坛,1985(3)

0972 诸葛亮"奇谋为短"证/谭良啸//社会科学,1985(3)

0973 试论诸葛亮的治蜀思想/段培勋//云南师范大学学报,1985(3)

0974 诸葛亮与魏延、杨仪之死/贺游//四川文物,1985(3)

0975 绵竹诸葛瞻父子墓祠/宁志奇//四川文物,1985(3)

0976 诸葛故居——古隆中/张孝元//四川文物,1985(3)

0977 诸葛故居访问记//四川文物,1985(3)

0978 访刘备关羽张飞故居//四川文物,1985(3)

0979 四川的三国遗迹概说/谭良啸//四川文物,1985(3)

0980 秦汉三国湔氐道、湔县考——兼论川西北的开发序例及其氐人诸题/罗开玉//四川师院学报,1985(3)

0981 诸葛亮北出五丈原取道城固小河口说质疑/李之勤//西北大学学报1985(3);人大复印资料转载 K22—85—11

0982 曹操唯才是举/实厚//领导科学,1985(3)

0983 王粲《登楼赋》研究中的几个问题/曹成浩//东岳论丛,1985(3)

0984 捷而能密,文多兼善:刘勰论王粲/穆克宏//福建师大学报,1985(4)

0985 故国情思,归用心曲:王粲《登楼赋》主旨辨析/陈洪//徐州师院学报,1985(4)

0986 三国的侍中、武职及郡国——三国职官之二/孙钺//文史知识,1985(4)

0987《隆中对》与三国前期战略战争/吴洁生//社会科学,1985(4)

0988 鲁肃/柳春藩//文史知识,1985(4)

0989 曹操经济政策述评/张雷//许昌师专学报,1985(4)

0990 也谈东吴与孙策、孙权时期的山越——与吕锡生同志商榷/缪元朗//浙江师大学报,1985(4)

0991 试论曹、刘、孙用人的策略/钱念文//宁波师院学报,1985(4)

0992 诸葛亮在军事上的贡献/郑广南//南京师院学报,1985(4)

0993 孙权用人方略/吴仲炎//江汉大学学报,1985(4)

0994《三国志》裴注句读一得/潘民中//中国史研究,1985(4)

0995 东汉仲长统刘劭的伦理逻辑探析/温公颐//南开学报,1985(4)

0996 华佗与曹操/安京//史学月刊,1985(5)

0997 三国人才改革简论/高蕴华//安徽史学,1985(5)

0998 广开言路择善而从——谈曹操的领导艺术/任守春//领导科学,1985(4)

0999"分田之术"是授田之法吗/周国林//许昌师专学报,1985(4);人大复印资料转载

1000 论魏延/沈伯俊//青海社会科学,1985(5)

1001 关于曹魏士家制的几个问题/赵克尧//学术月刊,1985(6);人大复印资料转载 K22—85—8

1002 浅谈蜀汉统治集团的社会构成/李开元//文史知识,1985(6)

1003《三国志·华佗传》研究/陈连庆//安徽史学,1985(6);中国古代史研究,吉林文史出版社,1991

1004 诸葛亮人才思想初探/赵宝奇//人才研究与交流,1985(7)

1005 汉末大名士——孔融/陶易//文史知识,1985(7)

1006 析王粲的《七哀诗》其一/苏者聪//语文园地,1985(8)

1007 曹植政治思想纵横谈/胡治洪//河南大学学报,1985(5)

1008 诸葛亮在当时北伐曹魏是一大战略失误/马平安//洛阳师专学报,1985(4)

1009 诸葛亮"七擒孟获"质疑/谭良啸//历史知识,1985(6)

1010 魏晋南北朝史学散论/刘隆有//求是学刊,1985(2)

1011 唐诸葛亮碑考释/叶利娜//中国史研究,1985(4)

1012 万古云霄一羽毛:诸葛亮艺术形象的生命力/丘振声//文学评论,1985(1)

1013 以疑取败,理数之常/陈作林//论关羽悲剧性格的逻辑发展,1985(4)

1014 关羽和吕蒙的卒年/潘民中//中国史研究,1985(1)

1015 关于官渡之战曹方兵力问题/潘民中//史学月刊,1985(4)

1016 马谡被斩的真正原因/潘民中//历史知识,1985(6)

1017 有关司马懿政变的几个问题/杨耀坤//四川大学学报,1985(3);人大复印资料转载 K22—85—11

1018 一九八四年魏晋南北朝史研究概况/童超//中国史研究动态,1985(3)

1019 玄学的基本性格/余敦康//文史哲,1985(4)

1020 略谈《三国志》与裴注的数量问题/王廷洽//古籍整理研究学刊,1985(3)

1021 读《三国志》札记/关德仁//字词天地,1985(7)

1022《三国志》辨误/斯索//社会科学,1985(1)

1023 论南中大姓/陈天俊//贵州文史丛刊,1985(1);人大复印资料转载 K22—86—2

1024 曹魏时期河西经济恢复原因浅析/陆庆夫//社会科学,1985(4)

1025 汉魏以来武陵五溪蛮的活动地域及民族成分述考/张雄//中南民院学报,1985(1)

1026 诸葛亮的形象体现济世安民的政治思想/汪正章//贵州文史丛刊,1985(3)

1027 诸葛亮著作的流传与考辨/马德真//四川大学学报丛刊 27,1985

1028 "三顾茅庐"新探/王振忠//复旦大学学报,1985(1)

1029 诸葛亮的人才观和人才政策/

黄剑华//社会科学,1985(2)

1030 诸葛亮招孟达为外援的前前后后/杨伯明//历史知识,1985(6)

1031 曹魏屯田客的兵役徭役负担问题/郑欣//齐鲁学刊,1985(5);人大复印资料转载 K22－85－10

1032 魏晋之际人口迁移与江南经济的开发/马强//陕西师大学报,1985(4)

1033 魏晋南北朝的农奴制人身依附关系/黄佩瑾//历史研究,1985(2)

1034 有胆有识的改革丞相——曹操/李永顺//云南日报,1985.4.5

1035 曹操挟天子以令诸侯的历史作用/新华文摘,1985(1)

1036 生活作风与政治路线紧密相连——从曹操让还三县食邑谈起/浩明//新疆日报,1985.7.13

1037 曹操政治思想纵横谈/胡治洪//河南大学学报,1985(5)

1038 试论曹魏选举制度的变化/常靖华//益阳师专学报,1985(3)

1039 曹魏的屯田制度/养民//电大语文,1985(10)

1040 赤壁考/王剑英//史学月刊,1985(6)

1041 赤壁之战应为江汉之战/吴佑和//南充师院学报,1985(3)

1042 还应叫"赤壁之战"/贾瑞芬//自修大学文史哲经专业,1985(2)

1043 三国时期的三次主要战役/张炳武//电大语文,1985(9)

1044 诸葛亮有多少家产/余昂//河南日报,1985.1.26

1045 三顾茅庐新探/王振忠//复旦大学学报,1985(1)

1046 诸葛亮北出五丈原取道城固小河口说质疑/李之勤//西北大学学报,1985(3)

1047《后出师表》的作者是诸葛亮吗?/施行舟//解放日报,1985.6.12

1048 有血有肉写人物——评章映阁的《诸葛亮新传》/刘修明//读书,1985(10)

1049 诸葛亮德薄才平,过大于功/新华文摘,1985(1)

1050 诸葛亮到过南京/余音//旅游天府,1985(2)

1051 鱼儿是怎样离开水的——评刘备的失败/张汉川//文科通讯,1985(3)

1052 长坂坡与当阳桥/朱同//吉林日报,1985(7)

1053 话说东吴水师/杨维//春秋,1985(2)

1054 关羽卒年辨正/张庆州//安徽史学,1985(1)

1055 刘祥并非凡下主/陈新元//历史知识,1985(6)

·1986年·

89篇(1056～1144)

1056 论诸葛亮/张大可//甘肃社会科学,1986(1)

1057 论三国时期的民族政策/张大可//西北民院学报,1986(1)

1058 五年来全国诸葛亮研究述补/冯述方,马强//汉中师院学报,1986(1)

1059 曹操用人“核之乡闾”试释/张旭华//郑州大学学报,1986(1)

1060 曹操屯田政策评析/郑韶//江淮论坛,1986(1)

1061 关于贬抑周瑜鲁肃的思考/白盾//宁德师专学报,1986(1)

1062 论王弼与老庄一多思想的差异/马序//兰州大学学报,1986(1)

1063 从《出师表》看诸葛亮的治国之道/张玉彬//长春师院学报,1986(1)

1064 略谈三国时期曹操、刘备、孙权的用人政策/李振江等//辽宁广播电视大学学报,1986(1)

1065 近年来国内诸葛亮研究综述/马强、冯述方//中国史研究动态,1986(2);又,文史知识,1986(3)

1066 曹操的尚智尊才与统一河朔/杨茂盛//学习与探索,1986(2)

1067 曹魏给客制度的形成与民屯制度的破坏/郑欣//齐鲁学刊,1986(2);人大复印资料转载 K22—86—11

1068 从楹联看诸葛亮/丘振声//语文园地,1986(2)

1069 诸葛亮的法治思想和执法实践/张海声//兰州学刊,1986(2)

1070 世族、豪杰、游侠——从一个侧面看袁绍/方诗铭//上海社会科学院学术季刊,1986(2)

1071 荀彧其人/孟繁冶//许昌师专学报,1986(2)

1072 诸葛亮“南抚夷越”之我见/吴荣华//西南民族学院学报,1986(2)

1073 诸葛亮北伐失败原因再探/臧振//宝鸡师院学报,1986(1)

1074 论曹魏的选举制度和士族化过程/陈家鼎//益阳师专学报,1986(1)

1075 略论曹魏“士家制度”/周士龙//河北师院学报,1986(2)

1076 诸葛亮法律思想初探/唐梦诗//云南民族学院学报,1986(2)

1077 三国考古的新发现——读朱然墓简报札记/杨泓//文物,1986(3)

1078 论《隆中对》的成功和失误/傅克辉//文史哲,1986(3)

1079 试论诸葛亮的道德风范及其对蜀汉政治的影响/陈玉屏//西南民族学院学报,1986年历史研究专辑

1080 论姜维的北伐和蜀汉的兴亡——兼论谯周及其《仇国论》/易晓春//台州师专学报,1986(1)

1081 关于诸葛亮罢黜杨严的商榷/张寿元//成都大学学报,1986(3)

1082 “结好孙权”策略/李佃原//成都大学学报,1986(3)

1083 论魏晋道教与玄学的关系/许抗生//中国哲学史研究,1986(3)

1084 也谈“三顾茅庐”、“白帝托孤”/彭起跃//成都大学学报,1986(3)

1085 君臣之至公、古今之盛轨——刘备与诸葛亮鱼水关系评析/李绍泽//成都大学学报,1986(3)

1086 咸承诸葛成规的蒋琬、费祎/梁至文//成都大学学报,1986(3)

1087 浅议刘禅/戴惠英//成都大学学报,1986(3)

1088 天下英雄——刘备/谭良啸//成都大学学报,1986(3)

1089 诸葛亮之死/吴天畏//成都大学学报,1986(3)

1090 近年来国内学术界对诸葛亮的"批判思维"/常崇宜//成都大学学报,1986(3)

1091 诸葛亮的悲剧/刘耀辉//成都大学学报,1986(3)

1092 谈诸葛亮的术学/胡莉//成都大学学报,1986(3)

1093 诸葛亮与鲁肃/刘京华//成都大学学报,1986(3)

1094 论政治家诸葛亮/〔日〕狩野直祯著,温云祥译//成都大学学报,1986(3)

1095 诸葛亮何以择主刘备/贺游//成都大学学报,1986(3)

1096 王粲籍贯今址辨/于召玉//华东师大学报,1986(4)

1097 王粲诗赋略论/陈忠//咸宁师专学报,1986(3)

1098 诸葛亮为何名垂千秋/闵传超//安庆师院学报,1986(3)

1099 孙吴与山越的关系初探/黄佩芳//丽水师专学报,1986(2)

1100 论曹魏的选举制度和士族化过程/陈家鼎//益阳师专学报,1986(2)

1101 曹操用人并非"唯才是举"/周修张//人民日报(海外版),1986.9.6②

1102 官渡之战述略/张耕//历史教学,1986(9)

1103 闲话诸葛亮/何兹全//文史知识,1986(4)

1104 曹操对谋臣的态度/王宣璋//甘肃社会科学,1986(4)

1105 诸葛亮北伐是极其错误的决策/骆大宾//求索,1986(4)

1106 谈曹操的用人和律己/黄季耕//安徽教育学院学报,1986(2)

1107 诸葛亮五次北伐路线及有关地名考订/梁福义//宝鸡师院学报,1986(3)

1108 试论《三国志》的曲笔与直笔/陈前进//重庆师院学报,1986(3)

1109 论邓艾"淮屯"的起讫时间与规模/王鑫义//阜阳师院学报,1986(3)

1110 谈马谡与街亭之败/景尔强//甘肃社会科学,1986(5)

1111 论魏延/徐日辉//四川师大学报,1986(5)

1112 也谈诸葛亮——与胡刚、唐泽映同志商榷/夏剑钦//船山学报,1986(5)

1113 曹操与汉末唯物主义思想/卜宪群//安徽史学,1986(5)

1114 岳阳三国名人古墓考——刘巴墓、鲁肃墓、周瑜墓、小乔墓/何光岳//云梦学刊,1986(1)

1115 论诸葛亮"两和诸戎"的战略地位/杨福平//西北大学学报,1986(4)

1116 诸葛亮北伐战略/简修炜等//历史教学问题,1986(6)

1117 刘备"借荆州"辨正/刘光亮//吉安师专学报,1986(2)

1118 评关羽其人/唐兆梅//益阳师专学报,1986(2)

1119 论六出祁山与诸葛亮的心理/陈泽华//孝感师专学报,1986(2)

1120 论荀彧和曹操统一北方/叶哲明//台州师专学报,1986(2)

1121 诸葛亮"南抚夷越"辨/吴佑和//南充师院学报,1986年增刊

1122 何晏、王弼方法论思想辨析/余敦康//哲学研究,1986(12)

1123(重复,删目)

1124 从曹植赠送诗看其前期的政治处境与思想/王宽行//郑州大学学报,1986(1)

1125 曹丕与图书/孟昭晋//北京大学学报,1986(5)

1126 魏晋南北朝劳动者阶层结构的特点/简修炜//历史研究,1986(5)

1127 首届六朝史学术讨论会述略/袁刚//文史哲,1986(2)

1128 论刘备治国与用人/吴洁生//探索,1986(4)

1129 士族门阀制度与魏晋南北朝史学/刘隆有//齐鲁学刊,1986(2)

1130《三国志》语词札记/吴金华//语言研究集刊,1986(1)

1131 论吕布/伊永文//社会科学研究,1986(6)

1132 汉魏两晋儒释道关系简论/曾召南//四川大学学报,1986(3)

1133 曹操对谋臣的态度/王定璋//社会科学,1986(4)

1134 魏晋名理学初探/田文棠//中国哲学史研究,1986(3)

1135 为诸葛亮归宗认祖/贺恒仁//东方杂志,1986(19:8)

1136 论诸葛亮西和诸戎的战略地位/杨福华//西北大学学报,1986(4)

1137 "卒暴"、"部"义辨/吴金华//中国语文,1986(2)

1138 我国古代杰出的航海王/杨海申//历史教学问题,1986(4)

1139 从汉末"英雄记"看公孙瓒/方诗铭//史林,1986(2)

1140 曹魏给客制度的形成与民屯制度的破坏/郑欣//齐鲁学刊,1986(2)

1141 试论曹丕对文学革新的贡献/程天　//社会科学辑刊,1986(5)

1142 曹植事迹举疑/杨栩生//许昌师专学报,1986(1)

1143 南北大运河始于曹魏论/王育民//上海师大学报,1986(1)

1144《曹操集注》序/夏传才//承德师专学报,1986(1)

·1987年·

119篇(1145~1263)

1145 再论曹魏屯田制中的"分田之术"/施光明//许昌师专学报,1987(1);人大复印资料转载

1146《三国志》标点商榷/方北辰//四川大学学报,1987(1)

1147 试论王弼玄学对名教的批判/罗民胜//中国哲学史研究,1987(1)

1148 诸葛亮在人事上的苦恼与过失/胡刚等//中南民族学院学报,1987(1)

1149 诸葛亮经济思想初探/余鹏飞//襄阳师专学报,1987(1)

1150 浅论诸葛亮的用人得失/唐峻//学术论坛,1987(1)

1151 重评蜀汉姜维北伐/叶哲明//兰州大学学报,1987(1)

1152 试论诸葛亮的法治政策/杨文秀//云南师大学报,1987(1)

1153 论曹操的错误和失策/吴洁生//探索,1987(1)

1154 论袁绍/赵昆生//重庆师院学报,1987(1)

1155 关于曹操评价的几个问题/张大可//青海师大学报,1987(1);人大复印资料转载 K22—87—8

1156 浅析诸葛亮的民族思想/王留想//商丘师专学报,1987(1)

1157 论孔明攻心战略的妙用/剑峰//海南大学学报,1987(1)

1158 论刘备用人及其政策特色/叶哲明//台州师专学报,1987(1)

1159 论刘备/张大可//成都大学学报,1987(2);人大复印资料转载

1160 王弼《周易注》中所包含的"虚静为本"的思想/那薇//中国哲学史研究,1987(2)

1161 曹操起家与袁曹政治集团/方诗铭//学术月刊,1987(2);人大复印资料转载 K22—87—4

1162 诸葛亮并未斩马谡/刘隆有//贵州文史丛刊,1987(2)

1163 略论诸葛亮在思想史上的地位/臧振//河北师院学报,1987(2)

1164 论蜀吴图籍中"夷"的身份/周国林//许昌师专学报,1987(2)

1165 试谈孙吴的赐田复客制/林世华//福建师范大学福清分校学报,1987(2)

1166 论孙权/郑佩欣//许昌师专学报,1987(2)

1167 士族新论/马欣//许昌师专学报,1987(2)

1168 论诸葛亮的修身、用人与政治理想(下)/刘家钰等//天津商学院学报,1987(2)

1169 长使英雄泪满襟——刘备与诸葛亮关系发微/李强//上海师大学报,1987(2)

1170 对诸葛亮"人谋"思想中哲学观点的初步探讨/孙忠信//中国哲学史研究,1987(2)

1171 魏西晋时代的九品中正制/胡宝国//北京大学学报,1987(1);人大复印资料转载 K22—87—4

1172 读周一良《魏晋南北朝史札记》书后/何兹全//北京大学学报,1987(3)

1173 曹操的"天地间人为贵"的哲学思想初探/孙忠信//中国哲学史研究,1987(3)

1174 诸葛亮与西南经济/刘言之//经济日报,1987.8.3

1175 刘备用人和三国鼎立/叶哲明//文史知识,1987(6)

1176 试论曹植的失宠以致困顿终生的主要原因/方永耀//泰安师专学报,1987(2)

1177 王弼易老学中宇宙论和本体论的结合/王葆玹//孔子研究,1987(2)

1178 柳永《八声甘州》与王粲《登楼赋》评析/鲁同群//古典文学知识,1987(2)

1179 汉末文学家陈琳籍贯小考/华炜//淮阴师专学报,1987(2)

1180 孔融的思想/张亚新//贵州大学学报,1987(2)

1181 邓艾之冤与昭雪/王贵文//辽宁大学学报,1987(3)

1182 王弼易学的方法论思想/喻博文//中国哲学史研究,1987(3)

1183《三国志》述闻/吴金华//文教资料,1987(3)

1184 厉行法治,赏罚严明——谈诸葛亮治国之道/谭良啸//探索,1987(3)

1185 略述三国时期曹魏对河西的经营齐/陈骏等//兰州大学学报,1987(3)

1186 曹操用人心理初探/茹胜挥//许昌师专学报,1987(3)

1187 诸葛亮失败的教训/凌溪子//智囊与物元分析,1987(3)

1188 试论魏晋的责任制/周士龙//天津师大学报,1987(3);人大复印资料转载 K22—87—9

1189 论曹操智囊团的形成及其历史作用/张大可//西北大学学报,1987(3);人大复印资料转载 K22—87—11

1190 诸葛亮形象与中国古代贤人风范/徐保卫//盐城师专学报,1987(3)

1191 评以法治国的诸葛亮/伍攀椿//萍乡教育学院学报,1987(3)

1192 论诸葛亮的官吏考绩法/边牛汉等//辽宁广播电视大学学报,1987(3)

1193 诸葛亮北伐"以攻为守"说质疑/施光明//宝鸡师院学报,1987(3)

1194 诸葛亮故里暨离阳都年代诸异说辨正/王汝涛//成都大学学报,1987(3)

1195 试论王弼的"无"与"中和"/叶桂桐//临沂师专学报,1987(3)

1196 汉魏之际人多单名的原因考察/王建//争鸣,1987(3)

1197 三国、两晋和南北朝警察机构的沿革(上)/金唐文//贵州公安,1987(4)

1198 略论王弼的无人新义/丁怀珍等//学术界,1987(4)

1199 试论王弼哲学体系与方法的矛盾/刘兴邦//湘潭大学学报,(哲学专辑)1987

1200 王弼"得意忘象"说美学意义辨略/曾永成//1987(5)

1201 三国、两晋和南北朝警察机构的沿革(下)/金唐文//贵州公安,1987(6)

1202 曹魏西晋军屯的多种类型/童超//光明日报,1987.7.8③

1203 陈寿的人品与史学/李纯蛟//南充师院学报,1987(4);人大复印资料转载

1204 简论《三国志》的人物叙写/裘汉康//中山大学学报,1987(4)

1205 浅议曹操的"唯才是举"——读《三国志》札记/栾贵川等//殷都学刊,1987(4)

1206 就秦皇魏武看历史人物的评价问题/史苏苑//许昌师专学报,1987(4)

1207 孙吴鄱阳郡宗民暴动及其性

质/袁刚//文史哲,1987(4)

1208 诸葛亮的人才思想和用人实践/张思恩//西北大学学报,1987(4)

1209 论诸葛亮的情与法/霍雨佳//海南大学学报,1987(4)

1210 论曹操的人才观/愚生//西北民族学院学报,1987(4)

1211 也谈"五月渡泸,深入不毛"/何光浩//贵州民族学院学报,1987(4)

1212 论曹操对世风之整顿/李香多//辽宁广播电视大学学报,1987(4)

1213 从《隆中对》看诸葛亮的军事思想/史航//贵州民族学院学报,1987(4)

1214 赤壁之战新论/闵和顺//湘潭大学学报,1987(4)

1215 对魏蜀和平接触尝试的初步考察/潘民中//许昌师专学报,1987(4)

1216 三国鼎立局面形成原因之我见/何威震//许昌师专学报,1987(4)

1217 简论荀彧在曹操统一事业中的作用/王云林//洛阳师专学报,1987(4)

1218 王粲诗选注/牛秦//徽州师专学报,1987(4)

1219 论孙权的用人/马植杰//中州学刊,1987(5)

1220 曹操用人政策的再评价/朱子彦//人文杂志,1987(5)

1221 对三国人才学的初步探索/马植杰//史学月刊,1987(5)

1222《三国志》校读札记/周国林//华中师范大学学报,1987(5)

1223 略论三国形成时期的外交/张大可//学术月刊,1987(9)

1224 魏晋南北朝的婚姻制度/任重//文史知识,1987(6)

1225 关于赤壁之战的几个问题/赵克尧//浙江学刊,1987(6)

1226 从《隆中对》的形成看信息在汉末魏晋政治军事生活中的重要作用/杨德炳//武汉大学学报,1987(6)

1227 诸葛亮道家思想剖析/赵温//齐鲁学刊,1987(6)

1228 试论孟获的身份和族属/邵献书//中央民族学院学报,1987(6)

1229 从历史人物神化看诸葛亮的历史地位/王瑞功//东岳论丛,1987(6)

1230 论黄皓专政与覆国:兼论《三国志·蜀志》的疏略/杨伟立//天府新论,1987(6)

1231—1239①

1240 近年来曹操评价问题讨论综述//历史教学,1987(6)

1241 对曹操统一北方内容安排的一点看法//教学月刊,1987(7)

1242 孔融之死/周修强//人民日报(海外版),1987.12.30②

1243 冠冕诗人的哀叹:王粲《七哀诗》简析/江振新//中文自修,1987(9)

1244 从荆州的争夺看孙吴对孙刘联盟的破坏作用/张大鸣//东岳论丛,1987年增刊

① 此处索引编号1231—1239遗漏,见548页补遗9篇缺号。

1245 孙权生年质疑/潘民中//中国史研究,1987(2)

1246 曹操在统一北方战争中修凿的四条运河/潘民中//许昌师专学报,1987(1)

1247 中国魏晋南北朝史学会近两年活动简况/童超//史学情报,1987(1)

1248 从建安风骨到正始之音/袁济喜//沈阳师院学报,1987(2)

1249 有关魏晋南北朝时期佃客的几个问题/简修炜//江海学刊,1987(3)

1250 略谈魏晋南北朝时期的历史地位/蒋福亚//文史哲,1987(1)

1251 魏晋之际依附民的合法化/蒋福亚//北京师院学报,1987(4);人大复印资料转载 K22—88—3

1252 论孙权/袁刚//许昌师专学报,1987(2)

1253《三国志》拾诂(续)/吴金华//南京师大学报,1987(1)

1254 曹操安定兖州与曹袁关系/方诗铭//史林,1987(2)

1255 三国两晋南北朝的南中"大姓"与"夷帅"/何斯强//思想战线,1987(5);人大复印资料转载 K22—87—12

1256 论司马昭/朱子彦//史林,1987(4)

1257 也谈曹魏屯田史上的"分田之术"/王忠全//农业考古,1987(2)

1258 诸葛亮"好为梁父吟"考析/谭继和//中国文化研究集刊 4,1987

1259 "七擒孟获"可能真有其事/李廷贵//史学月刊,1987(5)

1260 魏晋时期的"三更稻田"/陆俊青//农业考古,1987(2)

1261 试论诸葛亮的修身用人与政治思想(下)/刘家珏等//天津商学院学报,1987(2)

1262 曹丕生年一辨/杨栩生//许昌师专学报,1987(3)

1263 论钟繇/史虎高//许昌师专学报,1987(1)

·1988 年·

93 篇(1264~1356)

1264 由三国军事论诸葛亮斩马谡/徐日辉//汉中师院学报,1988(1)

1265 曹操杀孔融并非打击豪强/樊广平//文科教学,1988(1)

1266 曹魏屯田"分田之术"本义续辨/周国林//许昌师专学报,1988(1);人大复印资料转载

1267 读王粲《登楼赋》/唐铁嘉//渤海学刊,1988(1)

1268 试论孙策/周鹏飞//汉中师院学报,1988(1)

1269 曹操移民初探/沈祖祥//复旦大学学报,1988(1);人大复印资料转载 K22—88—4

1270《三国志》中魏、吴、蜀三书排列位次变化考/刘隆有//齐鲁学刊,1988(1)

1271 三国两晋墓葬群在温岭出土//人民日报,1988.2.23③

1272 曹魏屯田的几个历史地理问题/陈家麟//汕头大学学报,1988(1)

1273 论孙吴相权存在的必然性及其与君权的矛盾斗争/赵昆生//安徽师

范大学学报，1988(1)；人大复印资料转载 K22—88—4

1274 不隐恶，不虚美——诸葛亮政风浅议/王正明//成都大学学报，1988(1)

1275 论曹操的用人及其有关问题/马植杰//兰州大学学报，1988(1)

1276 竟才冠七子，凭高渺八极：谈王粲和他的《登楼赋》/宁志圣//哈尔滨师专学报，1988(1)

1277 试论王粲的文学创作/刘人庆//东疆学刊，1988(1)

1278 三国吴钱初探/刘建国//中国钱币，1988(1)

1279 关于孙吴奉邑制问题的一点补充/夏志刚//南充师范学院学报，1988(1)

1280 论曹魏屯田/张大可//汉中师院学报，1988(1)

1281 论诸葛亮与曹操的历史作用/翟如潜//烟台师院学报，1988(1)

1282 诸葛亮“五月渡泸，深入不毛”辨(兼论对孟获七擒七纵之不可信及传说之失实之原因)/罗荣泉//贵州文史丛刊，1988(1)；人大复印资料转载 K22—88—8

1283 论曹操的用人之道/王隆华//延安大学学报，1988(1)

1284 应更充分地评价曹操在文学方面的历史作用/李明若//商丘师专学报，1988(1)

1285 漫议华佗的形象种种/陈作林//绥化师专学报，1988(2)

1286 刘备汉中撤军刍议/吴健//福建师大学报，1988(2)；人大复印资料转载 K22—88—7

1287《王夫之论诸葛亮》两文评议/龚鹏九//船山学刊，1988(2)

1288 董卓之乱与三国鼎立之序幕/蒯伯赞//北京大学学报，1988(2)

1289 试析诸葛亮研究中的几个疑题/赵昆生//重庆师范学院学报，1988(2)

1290 廓清曹操少年时代的迷雾/万绳楠//安徽师范大学学报，1988(2)

1291 赤壁之战新论/简修炜等//江汉论坛，1988(2)；人大复印资料转载 K22—88—9

1292 曹操“唯才是举”辨疑/陈森//宁夏大学学报，1988(2)

1293 略论鲁肃关羽与荆州/邹礼洪//新疆师范大学学报，1988(2)

1294 三国屯田的地理分布/曹尔琴//唐都学刊，1988(2)

1295 王弼“太极”说片论/王晓毅//孔子研究，1988(2)

1296 曹魏许下屯田规模蠡测/郑佩欣//许昌师专学报，1988(3)

1297 三国人口考/李向军//辽宁大学学报，1988(3)

1298 从失荆州看诸葛亮外交政策的僵化/杜建民//聊城师范学院学报，1988(3)

1299 试论诸葛亮死后的蜀汉政权/陈前进//重庆师范学院学报，1988(3)

1300 从《隆中对》看诸葛亮的决策思想/曹本立//中国西部开发报，1988(3)

1301 三国鼎立形成的历史原因/张大可//青海社会科学,1988(3);人大复印资料转载 K22—88—7

1302 略论孙吴对江南的开发/张大可//兰州学刊,1988(3)

1303 历史事实与小说艺术:从《三国志》中的"赤壁之战"到《三国演义》中的"赤壁之战"/李悔吾//湖北大学学报,1988(3)

1304 曹魏士家制度的形成/陈玉屏//西南民族学院学报,1988(8);人大复印资料转载 K22—88—11

1305 诸葛亮的悲剧所在——兼与常崇宜刘耀辉同志商榷/陈启智//成都大学学报,1988(3—4)

1306 合肥三国新城考/房迎三//文物研究,1988(3)

1307 三国时期的考古发现/谭良啸//成都文物,1988(3)

1308 也谈"阿斗"的名和字/郭铢//抚顺师专学报,1988(3)

1309 诸葛亮读书台考辨/陶喻之//成都文物,1988(3)

1310 试论鲁肃在东吴立国中的作用/刘正刚//中山大学研究生学刊,1988(3)

1311 诸葛亮西和诸戎政策评析/施光明//云南教育学院学报,1988(3)

1312《三国志札记》驳论/李纯蛟//南充师范学院学报,1988(3)

1313 许下屯田/郑佩欣//许昌师专学报,1988(3)

1314 论曹魏士家制的发展变化及其阶级性/刘汉东//许昌师专学报,1988(4)

1315 试析蜀汉对少数民族的政策/徐鹤屏//中南民族学院学报,1988(4)

1316 诸葛亮首出祁山之役考述——兼论街亭的地理位置/吴洁生//社会科学,1988(4)

1317 曹操、刘备、孙权用人异同论/裴传永//理论学刊,1988(4)

1318 诸葛亮躬耕地质疑/李兆钧//中州今古,1988(4)

1319 曹操统一北方的军粮来源和状况/白建新//北京师院学报,1988(4);人大复印资料转载 K22—89—2

1320 袁绍失败的原因/张耕//历史教学,1988(4)

1321 魏、蜀、吴三方用人得失谈——三国史论之一/白盾//徽州师专学报,1988(4)

1322 论王粲诗赋为建安七子之首/周振甫//许昌师专学报,1988(4)

1323 三国两晋南北朝至隋唐时期的青铜器综论/杜乃松//故宫博物院院刊,1988(4)

1324 军师·道化·神化:兼论诸葛亮/张强//滁阳师专学报,1988(4)

1325 王弼里籍考证/艾知舟//徐州师院学报,1988(4)

1326 刘备悲剧的成因——兼论孔明的机心与权术/单长江//湖北大学学报,1988(5)

1327 孙吴与岭南关系述略/吴永章//江海学刊,1988(5)

1328 论三国时期的校事制度/牛

朴//福建论坛，1988(5)

1329 诸葛亮失败原因探/刘隆有//求是学刊，1988(5)

1330《隆中对》写作时间考辨/闵和顺//湖南师范大学学报，1988(5)

1331 三国时期魏吴的校事制度/张廷耀//喀什师范学院学报，1988(5)

1332 试析曹操不敢代汉称帝之因/谭绪缵//湖南师范大学学报，1988(5)

1333 王弼易学之史迹/华宗三//中国哲学史研究，1988(5)

1334 谈王弼的有无之辨/龚振黔//思想路线，1988(6)

1335 官渡之战并非以弱胜强/宋裕//齐鲁学刊，1988(6)

1336 诸葛亮南征经过越西郡路线的再探讨/张云鹏//四川地方志，1988(6)

1337 王粲赋论/张亚新//贵州社会科学，1988(6)

1338 论孙权/张大可//史林，1988(2)

1339 对刘备夷陵之败直接原因的商榷/董石竹//军事历史，1988(2)

1340 中国审美主体理论的发轫与道家哲学：曹丕“文气说”探源之一/李岚//学术研究，1988(2)

1341 对夷陵之战刘备战略决策之吾见/丁致中//军事历史，1988(2)

1342 论曹魏屯田的广泛推广与经营管理/童超//中国社会经济史研究，1988(1)

1343《隆中对》别论/裴传永//山东社会科学，1988(5)

1344 孙权偏安江东说质疑：兼论孙权立国的战略策略/裴传永//理论学刊，1988(11)；山东社会科学 1991(6)；人大复印资料转载 K22—92—2

1345 汉魏六朝以悲为美/袁济喜//齐鲁学刊，1988(3)

1346 论陈寅恪的魏晋南北朝史研究/简修炜//历史教学问题，1988(3)

1347 论孙权用人治国/吴洁生//探索，1988(1)

1348 剑客·轻侠·壮士——吕布与并州军事集团/方诗铭//史林，1988(1)

1349 建国四十年来三国史研究述评/张大可//甘肃社会科学，1988(2)

1350 略论陇右地区在蜀魏抗衡中的地位和影响/施光明//社会科学，1988(6)

1351 三国西晋时期的文化区域与文化重心/卢云//历史地理 6，1988

1352 “斜出汉津”与赤壁大战/冯道信//武汉大学学报，1988(6)；人大复印资料转载 K22—89—3

1353 名理方法与汉魏思想变迁/田文棠//华东师大学报，1988(6)

1354 诸葛亮哲学思想探析/陈国生//社会科学，1988(5)

1355 三国人口探索/王育民//历史地理 6，1988

1356 论孙权的二宫构争/方北辰//四川大学学报丛刊 37，1988

·1989年·

77篇(1357～1433)

1357 释九品中正制度之一品虚设问题/方北辰//许昌师专学报，1989

(1)；人大复印资料转载 K22－89－6

1358 诸葛亮《隆中对》和现代经营决策/赵靖//经济科学，1989(1)

1359 比较鲁肃与诸葛亮的战略思想——兼谈对孙吴与刘蜀国策总旨之影响/张云波//齐鲁学刊，1989(1)

1360 就角色论看曹操/常林炎//光明日报，1989.1.18③

1361 "诸葛亮隐居南阳说"质疑/唐明礼//南都学刊，1989(1)

1362 略论曹操的唯才是举/李崇农//锦州师院学报，1989(1)

1363 论魏延/张之樵//社会科学辑刊，1989(1)

1364 罗秀书与《诸葛亮八阵图》刻石/薛凤飞//成都大学学报，1989(1)

1365 三国时期著名的谋略家——荀彧/薛贻康//辽宁师范大学学报，1989(1)

1366 武昌东吴墓中出土的佛像散记/程欣人//江汉考古，1989(1)

1367 吐鲁番出土《三国志·魏书》和佛经时代的初步研究/李遇春//敦煌学辑刊，1989(1)

1368 荆州之失原因新探/吉彦波//湖北教育学院学报，1989(1)

1369 刘放孙资与魏末政局/赵英//百科知识，1989(2)

1370 王弼改定周易体制考/张善文//福建师大学报，1989(2)

1371 曹操墓何在/张之//郑州大学学报，1989(2)

1372 反文化现象的历史思考：读《三国志》及其它/谢选骏//科技日报，1989.2.19

1373 为三国魏延一辨/周学禹//信阳师院学报，1989(3)

1374 何晏、王弼贵"无"异同论/王晓毅//东岳论丛，1989(3)

1375《三国志》中巴丘方位及地名探讨/杨采华//地名知识，1989(3)

1376 陈寿行年钩沉/李纯蛟//史学史研究，1989(3)；人大复印资料转载

1377 诸葛亮军事思想研究/施光明//南都学坛，1989(3)

1378 重评孙权的历史功绩/邹身城//江海学刊，1989(3)

1379 曹魏时期杰出的法官——高柔/邓奕琦//文史知识，1989(6)

1380 陈寿对诸葛亮的评价新议/严衡山//求索，1989(3)

1381 周郎于此破曹公——赤壁之战地点在黄州考证/贺亚先//广州师范学院学报，1989(3)

1382 从曹操的乐府诗看他在音乐史上的贡献/陈飞之//许昌师专学报，1989(3)

1383 论孙吴毗陵屯田的性质/陈玉屏//西南民族学院学报，1989(2)

1384 曹魏屯田管理方式探索/杨荣新//四川大学学报，1989(3)

1385 不应贬低诸葛亮的军事才能/严衡山//湘潭大学学报，1989(3)

1386 关于曹魏屯田客徭役兵役负担问题的历史考察/王鑫义//安徽大学学报，1989(3)；人大复印资料转载 K22－90－1

1387 **谈诸葛亮识人七要诀**/陈炳权//行政与人事,1989(8)

1388 **评荀彧在曹操统一北方过程中的作用**/尚志迈//内蒙古大学学报,1989(3)

1389 **刘、曹汉中之战**/薛凤飞//汉中师范学院学报,1989(3)

1390 **再论赤壁之战的几个问题**/刘孔伏//渤海学刊,1989(3)

1391 **曹魏的周边问题及民族政策**/白翠琴//西北史地,1989(3)

1392 **三国形成时期的人才流向**/朱荣衢//海南师范学院学报,1989(3)

1393 **论辛、陈、杜、赵——曹魏颍川士人研究**/乔丽宾//许昌师专学报,1989(4)

1394 **清人的《三国志》研究**/杨耀坤//文献,1989(4)

1395 **论王弼的"自然主义"**/刘金山//中国史研究,1989(4)

1396 **论王弼的认识论**/胡贤鑫//中国史研究,1989(4)

1397 **论襄樊之役与关羽失荆州**/朱子彦//军事历史研究,1989(3)

1398 **略论刘曹汉中之战和蜀汉集团开国方略**/孙海石//汉中师范学院学报,1989(2)

1399 **蜀汉开国铜镜初探**/陈光表//成都文物,1989(3)

1400 **蜀吴夷陵之战后议和史事考**/方北辰//四川大学学报,1989(4)

1401 **蜀国名将,汉中太守——魏延**/殷克勤//成都大学学报,1989(4)

1402 **论邓艾**/王贵文//朝阳师专学报,1989(4)

1403 **魏晋胡汉文化习尚比较研究——兼论历史中的非理性因素**/刘晓明//争鸣,1989(5)

1404 **评周一良《魏晋南北朝史札记》**/高敏//史学月刊,1989(5)

1405 **蜀汉曹魏襄樊之战初探**/魏殿文//辽宁大学学报,1989(5)

1406 **隆中对策实践质疑**/余鹏飞//历史教学问题,1989(5)

1407 **战略三角下的东吴外交**/余大吉//军事史林,1989(6)

1408 **三国时期校事考论**/袁刚//山东社会科学,1989(6)

1409 **诸葛亮用人得失评价**/黄晓阳等//实事求是,1989(6)

1410 **论三国时期曹操的用人政策**/刘国石//佳木斯师专学报,1989(6)

1411 **曹操研究的历史反思**/沈祖祥//江汉论坛,1989(9)

1412 **蜀之勇将——魏延**/冯康波//文史知识,1989(10)

1413 **孔融浅论**/张普//北方论丛,1989(2)

1414 **名士、贤相——道士、神仙——忠臣、贤相:诸葛亮人格的演变和诸葛亮形象的塑造**/于朝贵等//黑龙江财专学报,1989(3)

1415 **曹植美学观初探**/小星//延安大学学报,1989(3)

1416 **刘备性格的深隐特质**/刘敬圻//文学遗产,1989(3)

1417 **诸葛亮:传统文化心理的产物**/王枝忠//宁夏社会科学,1989(5)

1418《隆中对》再认识/田余庆//历史研究,1989(5);人大复印资料转载K22—89—12

1419 谈谈六朝文学中的命运观/袁济喜//古典文学知识,1989(4)

1420 魏晋南北朝的历史特点与农民的反封建斗争/简修炜//许昌师专学报,1989(2)

1421 再论魏晋南北朝的历史特点与农民的反封建斗争/简修炜//许昌师专学报,1989(4)

1422 魏晋南北朝地方学校嬗变考/袁刚//教育评论,1989(5)

1423 东吴时期江浙地区社会经济述略/王永平//扬州师院学报,1989(4)

1424《三国志》标点商榷/海呈瑞//社会科学,1989(4)

1425《三国志》词语释义/刘百顺//西北大学学报,1989(1)

1426 曹操与诸葛亮书质疑/汪稚青//江淮论坛,1989(4)

1427 曹魏士家制度的形成与演变/高敏//历史研究,1989(5);人大复印资料转载K22—89—12

1428 东吴屯田与农业水利的开发/汪家伦//中国农史,1989(1)

1429 诸葛亮不谏刘备伐吴的究竟/顾文栋//贵州文史丛刊,1989(3)

1430 诸葛亮对"南中"宽缓和善的民族政策/侯绍庄等//贵州文史丛刊,1989(3)

1431 论魏延/张云樵//社会科学辑刊,1989(1)

1432 石马遗址与魏延冤案/陶喻之//四川文物,1989(4)

1433 "丹阳兵"与"东据吴会"——论丹阳郡在孙策平定江东战争中的地位/方诗铭//史林,1989年增刊

·1990年·

88篇(1434~1521)

1434 三国兵制杂考/高敏//河南大学学报,1990(1)

1435 续《〈三国志〉札记》驳论/李纯蛟//四川师范学院学报,1990(1)

1436 刘劭《人物志》中的政治观和人才观/喻凡//湘潭大学学报,1990(1)

1437 孙权生年无可怀疑/王友敏//中国史研究,1990(1)

1438 一个史学界没有公认的问题——北京、上海、成都、郑州、开封等地史学工作者讨论诸葛亮躬耕地望综述/丁宝斋//襄樊大学学报,1990(1)

1439 从八阵图说起/辛正//军事史林,1990(1)

1440 八阵图的秘诀新探/赵应宗//大众心理学,1990(1)

1441 赤壁之战再辨/尹韵公//学习与探索,1990(1)

1442 孙权与吴蜀联盟/刘国石//东北师范大学学报,1990(1)

1443 从曹刘孙三方军队的进退路线看赤壁之战鏖战何地/王琳祥//黄冈师专学报,1990(1)

1444 从阳都故城考古论证诸葛亮家族的新问题/徐淑彬//成都大学学报,1990(1)

1445 “汉末”——《三国志》中的一个独具涵义的词/庞天佑//临沂师专学报,1990(1)

1446 论姜维/黄晓阳//西部学坛,1990(1)

1447 座论孙权的用人之道/张竞成//西北第二民族学院学报,1990(1)

1448 官渡之战二题/陈家麟//汕头大学学报,1990(1)

1449 试析曹操的用人原则/黄菊艳//中山大学研究生学刊,1990(1)

1450 论曹操杰出的军事思想/赵克尧//军事历史研究,1990(1)

1451 关羽其人/赵启同//运城师专学报,1990(1)

1452 刘劭《人物志》研究/章权才//广东社会科学,1990(1)

1453 论孙吴丞相制度/赵昆生//重庆师范学院学报,1990(2)

1454 诸葛亮的军事战略思想/唐士文//临沂师专学报,1990(2)

1455 悠悠千载享殊荣——试论关羽其人/王洪明//淮阴教育学院学报,1990(1—2)

1456 刘备与诸葛亮的用人政策/刘国石//佳木斯师专学报,1990(2)

1457《三国志》本文确实多于裴注/崔曙庭//华中师范大学学报,1990(2)

1458 诸葛亮躬耕地望在襄阳隆中——湖北省史学界讨论观点综述/丁金泰//江汉论坛,1990(2)

1459 孙吴鄱阳郡宗民暴动及其性质/袁刚//江西方志,1990(2)

1460 项羽败亡之军事地理原因/李学斌//军事历史研究,1990(2)

1461 刘备借荆州质疑/陈显远//成都大学学报,1990(2)

1462 “诸葛亮躬耕地”专题学术座谈会简介//中国史研究动态,1990(2)

1463 王粲《从军诗五首》后四首系年考辨/熊清源//黄冈师专学报,1990(2)

1464 三国鼎立局面形成时间的再认识/李兴斌//东岳论丛,1990(3)

1465 中国哲学对理解的探索与王弼的解释学/余敦康//孔子研究,1990(3)

1466 刘备成功之道/杨伟立//河北学刊,1990(3)

1467 吴国青铜器分期、类型与特点探析/肖梦龙//考古与文物,1990(3)

1468 谈三国蜀汉钱/朱活//四川文物,1990(3)

1469 三国蜀汉民居的时代特征/朱小南//四川文物,1990(3)

1470 蜀汉统治南中历史作用的再认识/汪福宝//安徽师范大学学报,1990(3)

1471 马谡之死辨疑/李兴斌//聊城师范学院学报,1990(3)

1472 论“气侠”之士袁术/方诗铭//史林,1990(3)

1473 刘备在荆州的失误/廖双初//益阳师专学报,1990(3)

1474 “三顾茅庐”发生在何处/王晓真//临沂师专学报,1990(3);人大复印资料转载 K22—91—1

1475 何晏与曹操及正始改制/曹伯

言//华东师范大学学报,1990(3)

1476 诸葛亮躬耕地的定位要历史地全面地考察/简修炜//华东师范大学学报,1990(4)

1477 今南阳、襄樊两处的诸葛躬耕遗址皆为后人假托说/曹文柱//北京师范大学学报,1990(4)

1478 论诸葛亮"躬耕"地在南阳邓县隆中/黎虎//北京师范大学学报,1990(4);人大复印资料转载 K22—91—12

1479 汉末风尚与少年曹操/王永平//南都学坛,1990(4)

1480 曹操与"白波贼"对东汉政权的斗争——兼论"白波"及其性质/方诗铭//历史研究,1990(4)

1481 曹魏对蜀吴夷陵之战取观望态度原因初探/潘民中//许昌师专学报,1990(4)

1482 裴松之史学初论/李晓明//华中师大学报,1990(4)

1483 亦君亦人的刘备/汪道伦//天津师大学报,1990(4)

1484 论曹魏的校事/邓奕琦//许昌师专学报,1990(4)

1485《三国志》解题/周一良//史学史研究,1990(4)

1486 四川"三国史研究中心"成立暨"诸葛亮躬耕地"专题学术讨论会综述/陈伟等//成都大学学报,1990(4)

1487 "诸葛亮躬耕地"专题学术讨论会观点简介/彭建平等//四川社联通讯,1990(4)

1488《隆中对》非诸葛亮一人之高见/盛巽昌//学术月刊,1990(4)

1489 孙吴对台湾的经营/张崇根//文史知识,1990(4)

1490 曹魏集团取舍人才标准与士大夫的悲剧命运/景蜀慧//探索与争鸣,1990(5)

1491 王粲赋论/于浴贤//文史哲,1990(5)

1492 三国时期的高级间谍/陈艺鸣//历史大观园,1990(6)

1493 诸葛亮的经济思想/解学东//河南大学学报,1990(6)

1494 上海举行"诸葛亮躬耕地"学术座谈会/庄辉明//中国史研究动态,1990(6)

1495 诸葛亮躬耕地与游学寓居处管见/张诚//卧龙论坛,1990(4)

1496 略论《三国志》中诸葛亮的人才观/宋本竟//黄海学坛,1990(2)

1497 关羽其人/赵启同//运城师专学报,1990(1)

1498 论明清时期的关羽崇拜/郭思义//中国史研究,1990(3)

1499 曹植阮籍诗歌意蕴比较/詹德懋//扬州师范学院学报,1990(4)

1500《隆中对》平议/王汝涛//临沂师专学报,1990(8);人大复印资料转载 K22—91—1

1501《赤壁战地考》序/朱靖华//中国文物报,1990.6.21;人大复印资料转载

1502 读《赤壁战地考序》后的一点意见/冯金平//中国文物报,1990.10.25

1503 山越动乱和东吴民族政策之评

析/叶哲明//台州师专学报,1990(2)

1504《隆中对别论》质疑/李兴斌//山东社会科学,1990(2)

1505“诸葛草庐”究竟在何处/黎虎//文史知识,1990(6)

1506 魏晋南北朝时期的道佛二教比较论/简修炜//学术月刊,1990(1)

1507 玄学是魏晋时代社会思想的主流/王永平//思想战线,1990(6)

1508 汉末建安赋风转变原因初探/池万兴//运城师专学报,1990(2)

1509 钱仪吉稿本和新版《三国会要》/刘修明//史林,1990(2)

1510 赤壁之战的若干问题辨正/刘孔伏等//贵州文史丛刊,1990(3)

1511 对夷陵之战决定三分局面的异议/顾文栋//贵州文史丛刊,1990(3)

1512“诸葛草庐”今地之争/安康//中国史研究动态,1990(2)

1513“诸葛亮躬耕地”专题学术座谈会简介/于威//中国史研究动态,1990(2)

1514 论曹丕的出生年代——大陆学者杨栩生《曹丕生年一辨》商榷/洪顺隆//大陆杂志,1990(81:2)

1515 试析围绕曹魏立嗣展开的斗争/周双林//洛阳师专学报,1990(4);人大复印资料转载 K22—91—2

1516 孙吴世袭领兵制度探讨/高敏//北朝研究,1990(1);人大复印资料转载 K22—90—9

1517 论司马懿杀曹爽事件/马植杰//兰州大学学报,1990(2)

1518 正始改制与高平陵政变/王晓毅//中国史研究 1990(4);人大复印资料转载 K22—91—2

1519 魏晋南北朝时期的雇佣劳动者/刘汉东//中国史研究,1990(4)

1520 关于曹魏屯田的规模问题/柳春藩//史学集刊,1990(2);人大复印资料转载 K22—90—7

1521 东汉三国时期南方豪族地主的形成及其历史作用/孔祥宏//江海学刊,1990(6)

·1991 年·

121 篇(1522~1642)

1522 曹操用人观评析/刘安志//贵州教育学院,1991(1)

1523 谈诸葛亮服饰与道教影响/梁宗奎等//临沂师专学报,1991(4)

1524 读《诸葛亮形象史研究》/王文宝//民间文学论坛,1991(5)

1525 刘备三顾草庐异议/汪济明//南昌职业技术师院学报,1991(1)

1526 关于诸葛亮形象的争议问题/秦彦士//四川师大学报,1991(6)

1527 诸葛亮执法如山/史文//法律与社会,1991(6)

1528 对“诸葛亮躬耕襄阳隆中”说形成过程的考察/鲁阳//卧龙论坛,1991(1)

1529 试论诸葛亮把握利用人们心理的艺术/梁宗奎//泰安师专学报,1991(3)

1530 再辨陈寿“索米”说/杨耀坤//历史研究,1991(1)

1531《三国志》中的“赤壁”及其他/

葛楚英//孝感师专学报,1991(1)

1532 诸葛亮与《孙子兵法》/徐淑彬//成都大学学报,1991(1)

1533 曹操与建安文学新探/刘树清//广西师院学报,1991(1)

1534 张飞"问道"进兵汉中考辨/李承畴//汉中师院学报,1991(1)

1535 诸葛亮治理蜀汉的主要政策和管理艺术/武新春//河北财经学院学报,1991(1)

1536 王粲《七哀诗·西京乱天象》赏析/冯宇//蒲峪学刊,1991(1)

1537 王粲《登楼赋》的描写艺术/张丛林//名作欣赏,1999(1)

1538 三国赤壁考/冯金平//湖北教育学院学报,1991(3);人大复印资料转载 K22—92—4

1539 陈琳、应玚、刘桢籍里歧说考略/王发国等//西南民族学院学报,1991(2)

1540 崔琰被杀原因考辨:兼论曹操的用人/李乐民//史学月刊,1991(2)

1541 论刘备西征的闪失/廖双初//益阳师专学报,1991(2)

1542 论赤壁大战与赤壁考/陈可畏//湖北教育学院学报,1991(3/4)

1543 东吴的基本国策与孙权的战争谋略/简修炜等//学术月刊,1991(2)

1544 论曹魏屯田的创始时间及有关问题/马植杰//史学月刊,1991(3);人大复印资料转载 K22—91—7

1545《隆中对质疑》的质疑:与邱文、杨昃同志商榷/辛渝//西南民族学院学报,1991(3)

1546 孔明躬耕处释疑答问/陈玉屏//西南民族学院学报,1991(2)

1547 赤壁之战拾遗/万绳楠//安徽师大学报,1991(2);人大复印资料转载 K22—91—7

1548 蜀国兵力与诸葛亮北伐用兵考/卢华语//北京师范学院学报,1991(2)

1549 曹魏民屯组织中的宗教色彩及有关问题/周国林//许昌师专学报,1991(2)

1550 曹魏对金城河西地区经营述论/魏明孔//西北民族学院学报,1991(2)

1551 孙吴君权与相权关系研究/赵昆生//重庆师院学报,1991(2);人大复印资料转载 K22—91—7

1552 诸葛亮治蜀为镜/李泮//海南大学学报,1991(2)

1553 论孙权用人政策/刘国石//佳木斯师专学报,1991(2)

1554 吕布历史悲剧的一点启示/秦清泰//黑龙江教育学院学报,1991(2)

1555 试论关于诸葛亮"好为《梁父吟》"一事的辨析/余明侠//徐州师院学报,1991(2)

1556 从"隆中对"到"九伐中原":蜀汉战略探讨/钮海燕//山西大学师范学院学报,1991(2)

1557"诸葛亮躬耕地考辨"辨析/孟明汉//阴山学刊,1991(2)

1558 论诸葛亮从"隆中对"到北伐战略思想的得失/殷克勤//成都大学学报,1991(2)

1559 曹魏与世族关系考察/封海清//昆明师专学报,1991(2)

1560 官渡之战中袁绍集团败亡之再评析/叶哲明//台州师专学报,1991(2)

1561 州的地方化与曹魏时期中央地方关系/薛军力//中国史研究,1991(2)

1562 论汉末三国时期人口下降与迁移:兼论我国古代经济重心南移的开端问题/马强//汉中师院学报,1991(2)

1563 诸葛亮躬耕地考辨/任崇岳//固原师专学报,1991(3)

1564 关于曹魏九品中正制的几个问题/张旭华//郑州大学学报,1991(3);人大复印资料转载 K22—91—8

1565 孙吴"保有江东"基本国策评析/简修炜等//南京史志,1991(3)

1566 东吴舟师作战特点/周兆望//南京史志,1991(3);汉中师院学报,1991(2)

1567 东吴军事思想述略/余大吉//南京史志,1991(3)

1568 诸葛亮躬耕地辨考述评/黄子瑞//史学月刊,1991(3)

1569 浅说"三顾茅庐"时的诸葛亮/邱文等//西南民族学院学报,1991(3)

1570 官渡之战是以少胜多的战役吗/沈祖祥//江汉论坛,1991(4);人大复印资料转载 K22—91—6

1571 暨艳案及相关问题[孙吴政权]/田余庆//中国文化,1991(4)

1572 "生子当如孙仲谋":雄才大略的东吴英主耿权/唐兴礼//文史知识,1991(6)

1573 官渡之战曹操并非以少胜多/张铁民//文史知识,1991(6)

1574 诸葛亮躬耕地之争始末/孙峻亭//中国社会报,1991.7.19

1575 儒学与诸葛亮治蜀/杨代欣//文史杂志,1991(4)

1576 曹操何处"观沧海"/傅金纯//辽宁师范大学学报,1991(4)

1577 论陈寿《三国志》/马植杰//兰州大学学报,1991(3)

1578 "诸葛亮斩马谡"述考三题/刘仲文//西北民族学院学报,1991(3)

1579 孙吴兵户制度述论/周士龙//天津师大学报,1991(4)

1580 "乱山何处葬将军"——周瑜墓所在考/叶孟明//安徽师大学报,1991(3)

1581 论诸葛亮北伐的战略目的——兼及"奇谋为短"说/卢华语//史学月刊,1991(5)

1582 诸葛亮的法制思想/左明祥//河北大学学报,1991(3)

1583 试论曹操"挟天子以令诸侯"策之弊/邱涛//自贡师专学报,1991(1)/2)

1584 关于曹操杀人的问题:与张大可同志商榷/张道英//聊城师范学院学报,1991(3)

1585 吴地人才与东吴兴亡/张承宗//苏州大学学报,1991(4);人大复印资料转载 K22—92—2

1586 三国人才八面观/孙宝义//丹东师专学报,1991(3)

1587 中国首届三国赤壁之战学术研讨会开幕词/景木瑞//黄冈师专学报,1991(4)

1588 诸葛亮修身述论/邱少平//益阳师专学报,1991(4)

1589 魏延论/黄晓阳//成都大学学报,1991(4)

1590 略论诸葛亮的北伐/任重//石油大学学报(社科版),1991(4)

1591 对复客制与世袭领兵制的再探讨/胡宝国//中国史研究,1991(4);人大复印资料转载 K22—92—2

1592 刘备"三顾茅庐"原因之我见/王端平//黄淮学刊,1991(4);人大复印资料转载 K22—92—3

1593 三国鼎立与蜀魏的吴陇抗争/尤明智//兰州学报,1991(5)

1594 赤壁之战战地在黄州/刘盛佳//华中师大学报,1991(6)

1595 遭乱流寓,自伤情多:读王粲《七哀诗》(之一)/徐公持//文史知识,1991(9)

1596 试论建安诗风的慷慨:功名理想对情感的升华/王伟英//齐齐哈尔师院学报,1991(1)

1597 郑州诸葛亮学术研讨会概述/有为等//卧龙论坛,1991(2)

1598 郑州诸葛亮学术研讨会综述/郑梁//史学月刊,1991(4)

1599 诸葛亮学术研讨会述要/郑宛//高校社科情报,1991(2);人大复印资料转载

1600 诸葛亮学术研讨会综述/任崇岳//社会科学述评,1991(4)

1601 诸葛亮学术研讨会综述/豫史//中国史研究动态,1991(7)

1602 简论诸葛亮对各家思想的综合/于联凯//临沂师专学报,1991(4)

1603 简评《诸葛亮形象艺术史研究》/王欣欣等//博览群书,1991(4)

1604 论诸葛亮逸群之才的成熟条件/赵炯//临沂师专学报,1991(4)

1605 且说诸葛亮对蜀汉人才的摧残/刘小龙//青年思想家,1991(3)

1606 谈诸葛亮服饰与道教影响/梁宗奎等//临沂师专学报,1991(4)

1607 诸葛亮的领导思想浅议/朱文民//临沂师专学报,1991(4)

1608 诸葛亮的情报与决策思想/徐兴海等//情报杂志,1991(4)

1609 诸葛亮躬耕地辨析/孟明仪//卧龙论坛,1991(4)

1610 魏晋南北朝时期中华文明发展脉络/袁刚//晋阳学刊,1991(2)

1611 论刘备仁义的本质及其得失/李国平//邵阳师专学报,1991(1)

1612《曹植集校注》质疑/邓安生//天津师大学报,1991(3)

1613 才高八斗,命途多舛的曹植/吴家荣//文史知识,1991(8)

1614 关羽因何封"鬼帝"/支康鑫//人民日报,1991.2.27(7)

1615 曹植陶渊明诗歌渊涵比较/詹德懋//扬州师范学院学报,1991(4)

1616 总观石灵大事难成/思哲//谈关羽麦城之败,承德社会科学,1991(4)

1617 曹植诗歌的阴柔之美/裴登峰//西北民族学院学报,1991(1)

1618 蒲圻赤壁考/冯金平//中国地名,1991(5)

1619 近十年《隆中对》研究述略/许锋//临沂师专学报,1991(4);人大复印资料转载 K22—92—3

1620 东吴卫温、诸葛宜远规台湾出海港口考析/叶哲明//东南文化,1991(6)

1621 刘备借荆州考析/李兴斌//山东社会科学,1991(5)

1622 "黑山贼"张燕与袁绍在河北对山东的战争/方诗铭//史林,1991(4)

1623《三国志校诂》述评/王浩//古籍整理出版情况简报 249 期,1991 年 10 月

1624 三国志标点琐记/郭在贻遗作、张涌泉整理//语文研究,1991(8)

1625 改革失衡与三国倾斜/顾奎相//社会科学研究,1991(5)

1626 吴蜀荆州之争与三国鼎立的形成/朱绍侯//史学月刊,1991(1);人大复印资料转载 K22—91—4

1627 中国封建社会始于魏晋新解/范传贤//云南社会科学,1991(3)

1628 从诸葛玄的葬地看诸葛茅庐之所在/白万献等//史学月刊,1991(3);人大复印资料转载 K22—91—9

1629 魏晋南北朝时期的妇女再嫁/庄华峰//安徽师大学报,1991(3)

1630 曹魏与世族关系考察/封海清//昆明师专学报,1991(2);人大复印资料转载 K22—91—11

1631《隆中对》实现过程中的条件和机遇/杨德炳//魏晋南北朝隋唐史资料 11,1991

1632 魏晋南北朝时期粮食亩产的估计/周国林//中国农史,1991(3)

1633 千年诗歌大合唱:谈建安诗至元曲中国诗歌发展的轨迹/金启华//盐城师专学报,1991(1)

1634 论建安赋的新风貌/章沧授//聊城师范学院学报,1991(1)

1635 建安女性文学及其精神意蕴/马宝记//许昌师专学报,1991(3)

1636 建安诗歌的继承性与创造性/谢贵平//贵州师大学报,1991(4)

1637 建安时期的同题共作之风/龚斌//古典文学知识,1991(3)

1638 建安时期士人的政治地位、社会意识与文学思潮/詹福瑞//天府新论,1991(4)

1639 建安文学研究的新探讨/胡世厚等//社科信息,1991(3)

1640 建安文学与曹操/张宏义//驻马店师专学报,1991(2)

1641 略论建安文学的突起/刘伯严//湖南教育学院学报,1991(4)

1642 文学的自觉与消沉:建安文学三题/胡世厚等//学术界,1991(4)

·1992 年·

74 篇(1643~1716)

1643 孙吴建国的道路/田余庆//历史研究,1992(1);人大复印资料转载 K22—92—4

1644 黄州赤壁与古战场地理环境不

合——兼答冯金平先生/朱靖华//中国地名,1992(1);人大复印资料转载

1645 论曹操平定关陇的奠基战役——潼关之战/关治中//西北大学学报,1992(1);人大复印资料转载K22—92—4

1646 应变将略,确非其长——诸葛亮军事才能漫议/刘隆有//天津师大学报,1992(1)

1647 汉末魏晋人眼中的诸葛亮/刘隆有//历史大观园,1992(1)

1648 国际三国文化研讨会综述/孟彦//社会科学研究,1992(1)

1649 略论《三国志》取材的原则和重点/李纯蛟//四川师范学院学报,1992(1)

1650"攻心"未必平定南中/李乔//楚雄师专学报,1992(1)

1651 论曹操平令关陇的奠基战役:潼关之战/曹操//西北大学学报,1992(1)

1652 关羽"大意失荆州"的再认识/李绍泽//成都大学学报,1992(1)

1653 论诸葛亮政治地理思想/庞德谦//宝鸡师专学报,1992(1)

1654 孙刘荆州之争中蜀的失误/寇养厚//唐都学刊,1992(1)

1655 从《三国志》看裴松之的史学批评/叶建华//晋阳学刊,1992(1)

1656《三国志》裴注说略/易孟醇//长沙水电师院学报,1992(1)

1657 中国四川国际三国文化研讨会综述/彭建平等//1992(1)

1658 人往高处走,才向善政流:析刘表荆楚集团失败的教训/黄晓阳//阜阳师院学报,1992(1)

1659 蜀汉政治新论/赵昆生//许昌师专学报,1992(2);人大复印资料转载K22—92—6

1660 孙吴封爵制的创始年代略考/高敏//许昌师专学报,1992(2);人大复印资料转载K22—92—6

1661 失街亭斩马谡与蜀军的战斗力/杨德炳//武汉大学学报,1992(2);人大复印资料转载K22—92—4

1662 试谈诸葛亮治蜀/罗修贵//宁夏教育学院银川师专学报,1992(2)

1663 曹操在官渡之战中的兵力考略/任重//石油大学学报,1992(2)

1664 曹植妇女题材诗作鉴赏异说/张雷//河北师范大学学报,1992(2)

1665 曹植诗歌的阳刚之美/裴登峰//西北民族学院学报,1992(2)

1666 曹植谢灵运诗歌薮脉比较/詹德懋//扬州师范学院学报,1992(4)

1667 功名理想对曹植创作的影响/王伟英//山东社会科学,1992(3)

1668 曹植辞赋初探/杨柳桥//天津社会科学,1992(2)

1669 关羽崇拜初探/李伟实//学术研究丛刊,1992(4)

1670《三国志》标点指误/李兆成//成都文物,1992(2)

1671 裴松之的历史考证法/伍野春//古籍整理研究学刊,1992(2)

1672 毛泽东与《三国志》、《三国演义》/王立嘉等//浙江大学学报,1992(2)

1673 诸葛亮法律思想探源/李俊恒//许昌师专学报,1992(2)

1674 从宇宙生成论到本体论:王弼哲学再认识/杨义银,赵明//西藏师大学报,1992(2)

1675 诸葛亮躬耕隆中说献疑/程有为//南都学坛,1992(3);人大复印资料转载 K22—92—10

1676 蜀汉后期汉中军事防务及"敛兵聚谷"刍议:兼谈对姜维的评价/邹鹏//成都大学学报,1992(3)

1677《三国志》与《三国演义》的区别/周仿//文史杂志,1992(3)

1678 蜀汉凉州"和戎"策略探析/黄晓阳//成都大学学报,1992(3)

1679 论诸葛亮的将略/陈玉屏//贵州师大学报,1992(3)

1680 论诸葛亮的隆中避世/谭良啸//天府新论,1992(3)

1681 简论夷陵之战/陈辽//湖北师院学报,1992(4)

1682 试论蜀汉统治集团的地域构成及其矛盾/雷近芳//信阳师院学报,1992(4);人大复印资料转载 K22—93—4

1683 岂止是"关羽大意失荆州":荆襄战役得失谈/平长江//咸宁师专学报,1992(4)

1684 略论曹操阳安郡之设置/潘民中//信阳师院学报,1992(4)

1685 曹魏政治与才性之辨/杜汉生//湖北师院学报,1992(4)

1686 论诸葛亮形象的文化意义/王齐洲//荆州师专学报,1992(4)

1687 评诸葛亮北伐的战略错误/岳玉玺//聊城师范学院学报,1992(4)

1688 仲长统的历史理论与社会批判思想/许殿才//史学史研究,1992(4)

1689 赤壁战地辨析——与万绳楠先生商榷/王琳祥//安徽师大学报,1992(4);人大复印资料转载 K22—93—1

1690 论吴蜀荆州之争/张兆凯//求索,1992(5);人大复印资料转载 K22—92—12

1691 诸葛亮隐居襄阳隆中原因探析/杨剩虹//武汉大学学报,1992(6)

1692《三国志今译》误注举隅/刘范第//古籍整理研究学刊,1992(6)

1693 仲长统的经济思想/张守军//人文杂志,1993(5)

1694 王粲论/顾农//天津师大学报,1992(5)

1695 曹操的统一政策和当时有关统一的诗歌/郑文//西北师大学报,1992(1)

1696 云南诸葛亮的传说及其崇拜现象/郭汉林//云南民族学院学报,1992(3)

1697 诸葛亮后裔家族文化/徐国平//东南文化,1992(2)106—110

1698 清朝为什么崇奉关羽/张羽新//世界宗教研究,1992(1)

1699 汉晋之际佛教发展的思想基础/杨耀坤//四川大学学报,1992(3)

1700 孙吴时期江西境内的山越及其对经济开发的贡献/周兆望//争鸣,1992(3)

1701 魏晋时期都督制的建立与职能转变/薛军力//天津师大学报,1992(3);人大复印资料转载 K22—92—10

1702 董卓对东汉政权的控制及其失败/方诗铭//史林,1992(2)

1703 "任侠放荡"的少年曹操/王永平//文史知识,1992(2)

1704 再论《隆中对》:兼与田余庆先生商榷/吴洁生//甘肃社会科学,1992(3)

1705 徐干论/顾农//山东师范大学学报,1992(3)

1706 刘桢论/顾农//齐鲁学刊,1992(2)

1707 蜀史四题/田余庆//文史第35辑,中华书局,1992

1708 论荆州之争与孙刘联盟/李兆成//求索,1992(2)

1709 也论曹操/李世宇//贵州社会科学,1992(5)

1710 论吴国的军队组织/陈恩林//吉林大学社会科学学报,1992(2)

1711 诸葛亮的倡廉风范/张有智//晋阳学刊,1992(5)

1712 "三顾茅庐"异说/盛巽昌//学术月刊,1992(10)

1713 九品中正制杂考/胡宝国//文史36,1992

1714 简论建安正始士风与文学/胡敬民//贵州民族学院学报,1992(2)

1715 英雄、才士和文学创造:对建安文学的综合考察/潘啸龙//安徽师大学报,1992(3)

1716 简评《建安文学概论》:兼谈文学史写作的框架和内容的关系/葛晓音//辽宁大学学报,1992(6)

·1993年·

77篇(1717～1793)

1717 诸葛大名重宇宙 精神文明传千秋:"诸葛亮文化"国际学术讨论会综述/吴志根//湖北日报,1993.10.21(6)

1718 曹植与佛教音乐/姜健宏//吉林日报,1993.5.8⑦

1719 传神文笔写关公:关羽艺术形象神圣化之历史变迁/李惠民//上海师大学报,1993(2)

1720《赤壁之战》中的"欲"和"如"/韩世龄//承德民族师专学报,1993(1)

1721 诸葛亮的军事思想/兰书臣//中国军事科学,1993(1)

1722 一个崇高的人格——诸葛亮现象探因/刘隆有//成都大学学报,1993(1)

1723 曹操遗嘱辨伪/徐作生//东南文化,1993(1)

1724 成都诸葛亮研讨会概述/谭良啸//天府新论,1993(1)

1725 论诸葛亮形象的文化意义/张艳国//江西社会科学,1993(9)

1726 诸葛亮形象的文化意蕴/沈新林//古典文学知识,1993(3)

1727《草庐对》新论/李兆钧//中州今古,1993(1)

1728 论仲长统的治同思想/杜洪

义∥辽宁师范大学学报，1993(1)

1729 三国的移位/张清河∥贵阳师专学报，1993(1)

1730 论孙权的外交政策/吴堂荷∥邵阳师专学报，1993(1)

1731《隆中对》评议/吉家友∥信阳师范学院学报，1993(1)

1732 论三国时期的荆襄之战/朱子彦∥上海大学学报，1993(1)；人大复印资料转载 K22—93—4

1733 曹操的自卑与超越/马良怀∥华中师大学报，1993(3)

1734 试论裴宋之的主要史学成就和贡献/陈虎∥甘肃社会科学，1993(2)

1735 蜀汉何以失荆州/杜建民∥史学集刊，1993(2)

1736 诸葛亮外交思想探析/余明侠∥江海学刊，1993(2)

1737 论孙吴袭取江陵的军事谋略/俞玲∥湖北大学学报，1993(2)

1738“挟天子”新解/李纯良∥成都大学学报，1993(2)

1739 蜀汉谋略家法正/黄晓阳∥成都大学学报，1993(2)

1740 关于孙刘联盟中几个问题的辨析/朱和平∥郑州大学学报，1993(2)

1741 诸葛亮“六出祁山”探踪/李星∥汉中师院学报，1993(2)

1742 主要矛盾与蜀汉政权的失败/颜勇∥贵州文史丛刊，1993(2)

1743 试论地理环境在魏国兴衰中的作用/陈国生等∥山西大学学报，1993(2)

1744 曹魏政权与山越/〔日〕关尾史郎∥文史哲，1993(3)

1745《三国志》书名称谓考/李纯蛟∥浙江学刊，1993(3)

1746 论《三国志》及《晋书》列传人物籍贯的地理分布/史念海∥浙江大学学报，1993(3)

1747“刘备荆州”失守“罪”在刘备/徐俊∥华中师范大学学报，1993(3)

1748 略论孔融其人其诗/王伟英等∥齐齐哈尔师院学报，1993(3)

1749 从诸葛亮北伐的战略思想看北伐失败的原因/杨荣新∥天府新论，1993(2)

1750 也谈官渡之战/赵荣捷∥文史知识，1993(5)

1751 曹魏内迁政策述论/张丁∥西北师范大学学报，1993(3)

1752 裴注《三国志》引书考订：兼评《廿二史札记校证》/高振铎∥汉中师院学报，1993，(3)

1753 论东吴限江自保说/周兆望∥南昌大学学报，1993(3)

1754 汉魏佛教与何晏早期译音学/王晓毅∥世界宗教研究，1993(3)

1755 从史料来源看《三国志·魏志》多回护的原因/陈博∥西北大学学报，1993(4)

1756 新的探索新的启迪：评余毅康《何晏王弼玄学新探》/陈明∥1993(4)

1757 关羽奉令北征考/魏殿文∥社会科学辑刊，1993(4)；人大复印资料转载 K22—93—10

1758 中日三国历史学术讨论会上的

演讲辞/彭卿云//中国文物报,1993.11.7②

1759 宋儒的魏蜀正伪论争与改修《三国志》之风/蔡东洲//四川师范学院学报,1993(5)

1760 何晏的玄学与医学/刘康清//甘肃社会科学,1993(5)

1761 刘备与诸葛亮关系新探/刘国荣//北方论丛,1993(6)

1762 诸葛亮形象史外部研究浅议/黄钧//湖南师大学报,1993(6)

1763 怎样读《三国志》/童超//文史知识,1993(11)

1764 从对曹操、刘备的审美评价看中国传统文化的价值观//广东社会科学,1993(6)

1765 曹操与儒学/孙明君//文史哲,1993(2)

1766 曹植生平中的三个问题/顾农//扬州师院学报,1993(1)

1767 曹植诗歌的自我形象/裴登峰//西北民族学院学报,1993(4)

1768 曹植诗歌的两种形象及情感内涵/裴登峰//固原师专学报,1993(3)

1769 曹植诗歌的意境美探析/裴登峰//西北师大学报,1993(4)

1770 狂放迂阔:曹植个性论/孙洪侠//徐州教育学院学报,1993(2)

1771 论建安诗人对生命悲剧意识的消解/孙明君//陕西师大学报,1993(4)

1772 魏晋南北朝妇女对学术文化的贡献/周兆望//文史哲,1993(3);江西社会科学,1993(3)

1773 魏晋南北朝北方民族融合中的几个理论问题/陈玉屏//西南民族学院学报,1993(1)

1774 从士兵来源看曹操军事力量的发展及其衰落/方诗铭//中国史研究,1993(1);人大复印资料转载K22—93—6

1775 祢衡论/顾农//湖北大学学报,1993(2)

1776 曹植游仙诗新论/顾农//山东师大学报,1993(3)

1777 曹操《薤露行》《蒿里行》新说/顾农//天津师大学报,1993(3)

1778 文学和历史中的关羽/罗忼烈//社会科学战线,1993(1)

1779 夷陵之战蜀师为何由"忿兵"变为"縻军"/杨德炳//魏晋南北朝隋唐史资料12,1993

1780 东三郡与蜀魏历史/田余庆//国学研究1,1993

1781 汉末行政区划疆界之更易与诸葛武侯卧龙处考/朱雷//魏晋南北朝隋唐资料12,1993

1782 南阳人才在三国各政权中的地位与作用/白万献等//南都学坛,1993(3);人大复印资料转载K22—93—9

1783 刘备与诸葛亮/杨德炳//魏晋南北朝隋唐史资料12,1993

1784 诸葛亮与中国传统文化/丁宝斋//文史哲,1993(3)

1785 诸葛亮研究会成都联会综述/谭良啸//中国魏晋南北朝史研究通讯9,1993

1786 诸葛亮隐居襄阳隆中原因探析/杨剑虹//武汉大学学报,1993(1)
1787 王弼易学与汉魏学风/王连儒//中国哲学史,1993(1)
1788 试论关帝信仰传播日本及演变/童家洲//海交史研究,1993(1)
1789 关帝信仰初探/荣真//对外经济贸易大学学报,1993(3)
1790 激荡千秋的慷慨悲壮之咏:略谈"建安文学"兴起的原因/潘啸龙//文史知识,1993(12)
1791 建安文学思想之嬗变/黄玉田//河南教育学院学报,1993(2)
1792 近年来建安文学研究综述/王巍//文史知识,1993(12)
1793 一部全方位研究建安文学的力作:读《建安文学概论》/喻朝刚//社会科学辑刊,1993(3)

·1994年·

146篇(1794～1939)

1794 荆州官学与三国思想文化/王晓毅//孔子研究,1994(1)
1795 试论孙权建国过程中北方地主集团之间的矛盾斗争/高敏//郑州大学学报,1994(1)
1796 试论曹操的儒家思想/王云林//南都学坛,1994(1)
1797 曹植诗歌的形象美/裴登峰//宁夏大学学报,1994(1)
1798 三曹三辨/陈良云//南昌大学学报,1994(1)
1799 曹操《蒿里行》"刻玺于北方"补证/卜文柏//天津师大学报,1994(1)
1800 论王弼易学的"得意忘象"/张善文//学术界,1994(1)
1801 论王弼的学术思想/刘坤生//汕头大学学报,1994(1)
1802 孙权经略辽东平议/何满子//学海,1994(1)
1803《隆中对》新考/王延武//中南民族学院学报,1994(1);人大复印资料转载K21—92—4
1804 五丈原头话武侯——蜀汉渭南之役/李伯勋//成都大学学报,1994(1)
1805 论诸葛亮用人之得失/程铁标//太行学刊,1994(1)
1806 刘备、诸葛亮关系考/冯文广等//四川师院学报,1994(1)
1807 仲长统,汉代杰出政治批判家/张子开//渝州大学学报,1994(1)
1808 华佗焉非中国人:兼议松木明知先生的"新知见"/李起//外国问题研究,1994(1)
1809 "战争瘟疫"斑疹伤寒使曹操兵败赤壁/乔富渠//中医文献杂志,1994(1)
1810 试论曹操个性品格的时代合理性/张道英//聊城师院学报,1994(1);人大复印资料转载K21—94—6
1811 从诸葛亮的人才思想看当今教育改革/刘道玉//江苏高教,1994(1)
1812 诸葛亮的法制观及《蜀科》的制订/余明侠//淮海文汇,1994(2);人大复印资料转载K21—94—6
1813 王粲生平、创作中的两个问题的考辨/王怀让//齐鲁学刊,1994(2)

1814 门阀士族与魏晋南北朝时期的史学/庞天佑//湛江师院学报,1994(2)

1815 诸葛恪与孙峻/尹韵公//光明日报,1994.6.6③

1816 正史中的关羽与演义里的关公/尹韵公//光明日报,1994.6.13③

1817 文质辨洽:《三国志》的史文特色/周国林//史学史研究,1994(2)

1818 陈琳《应讥》写作年代辩诬/顾农//江海学刊,1994(2)

1819 试论陈琳的为人及为文/张连科//河南大学学报,1994(2)

1820 伤马超/尹韵公//光明日报,1994.6.20③

1821 有关诸葛亮两个问题的考释/诸葛志//浙江师范大学学报,1994(2)

1822 诸葛亮在汉中八年北伐/殷克勤//汉中师范学院学报,1994(2)

1823 如何看待李严之废这段历史公案/陈玉屏//西南民族学院学报,1994(2)

1824 论曹操对大一统思想文化模式的突破/马育良//许昌师专学报,1994(2);人大复印资料转载 K21—94—8

1825《三国志》点校本专名号问题/周国林//古籍整理研究学刊,1994(2)

1826 也谈《隆中对》与荆益得失/张建明//汉中师院学报,1994,(2)

1827《隆中对》平议之二:刘备与其三谋士/王汝涛//临沂师专学报,1994(2)

1828 天下有变析:《隆中对》/郝光陆//汉中师院学报,1994,(2)

1829 蜀汉破灭咎由谁负/赵敏如//百家论坛,1994(2)

1830《三国志》干支纪日考/龚国祥//图书馆论丛,1994(2)

1831 曹植刘劭的唯物主义观点/郑万耕//甘肃社会科学,1994(2)

1832 门阀政治与司马氏的称帝道路/赵昆生//重庆师院学报,1994(2)

1833 曹植浪漫主义创作初探/贺金红//湘潭大学学报,1994(2)

1834 曹操后勤思想浅析/齐振翚//辽宁大学学报,1994(2)

1835“关羽现象”与儒、释、道/蔡东洲//中华文化论坛,1994(2)

1836 刘备的忠君思想及其演变/廖双初//益阳师专学报,1994(2)

1837 也谈曹植对继承权的争夺/高飞卫//求索,1994(2)

1838 论刘备/刘琳//四川大学学报,1994(3)

1839 诸葛亮与传统价值观散论/谭良啸//社会科学研究,1994(3)

1840 略论曹植诗歌的抒情艺术/王原赞//江苏教育学院学报,1994(3)

1841 论曹植的政治悲剧及其对创作的影响/徐天祥//江淮论坛,1994(3)

1842 曹操与曹植游仙诗的成因与异同/贺秀明//中州学刊,1994(3)

1843 曹植赋略论/黄季耕//安徽教育学院学报,1994(3)

1844 魏晋之际社会理想述论/赵昆

生//许昌师专学报，1994(3)

1845 论孔融“儒变”/李培栋//许昌师专学报，1994(3)

1846 三国文化国际学术讨论会观点综述/明言//学术月刊，1994(3)

1847 “借荆州”的是是非非/李殿元//成都大学学报，1994(3)

1848 诸葛亮“七擒七纵”孟获解析/刘耀辉//成都大学学报，1994(3)

1849 诸葛亮“应变将略”析/黄晓阳//成都大学学报，1994(3)

1850《三国志》四夷传偏缺原因试探/刘范弟//长沙水电师范学院学报，1994(3)

1851《魏志·倭人传》前四段出自《东观汉记》考/何远景//内蒙古师范大学学报，1994(3)

1852《后汉书》《三国志》游侠考述/韩云波//三峡学刊，1994(2—3)

1853 论蜀汉人才缺乏的原因/刘国石//东北师范大学学报，1994(3)

1854 玄学的学风/余敦康//孔子研究，1994(3)

1855 略论诸葛亮的“闭关”经济思想/沈端民//财经理论与实践，1994(3)

1856 诸葛亮八阵图及阵法试探/余大吉//中国史研究，1994(3)

1857 陈寿修史多所回护说辨析/徐大英//史学史研究，1994(3)

1858 论裴松之《三国志注》与《三国演义》的关系/傅惠生//华东师范大学，1994(3)

1859 “三国文化”概念初探/沈伯俊//中华文化论坛，1994(3)

1860 三国文化研究的新成果——《三国文化历史走向》评介/谈观//社会科学研究，1994(4)

1861 论曹操的人才思想/李世萼//杭州师院学报，1994(4)

1862 试论魏晋士人的狂放风貌/汤其领//苏州大学学报，1994(4)

1863 论三国时期的重学意识/周维仁等//四川师范大学学报，1994(4)

1864《三国志》时误补校/牛继清、张林祥//甘肃理论学刊，1994(4)

1865 论曹魏王朝的权力分配/要瑞芬//江西社会科学，1994(4)；人大复印资料转载 K21—94—9

1866 三国鼎立成因新论/顾奎相等//江海学刊，1994(4)

1867 求实、汲深、探新——全国第八次诸葛亮学术研讨会综述/薛宁东//临沂师专学报，1994(4)

1868 诸葛亮的经济思想探微/刘春香等//许昌师专学报，1994(4)

1869《三国志》标点商榷/李兆辰//社会科学研究，1994(4)

1870 论诸葛亮的古代知识分子特质/梅铮铮//社会科学研究，1994(4)

1871 刘咸炘与他的《三国志知意》/杨代欣//贵州师范大学学报，1994(4)

1872 诸葛亮文化现象浅议/张晓刚等//南都学坛，1994(4)

1873 三国的魅力/尹韵公//光明日报，1994.12.19③

1874 裴注的史学意义/崔凡芝//史

学史研究，1994(4)；人大复印资料转载

1875《三国志》裴注引书新考/虞万里//温州师范学院学报，1994(4)

1876 大动荡的时代，大竞争的人才：谈三国，论用人/文武//百家论坛，1994(3—4)

1877 我校馆藏前四史版本述略/邹全涛//六安师专学报，1994(4)

1878 释诸葛亮"好为梁父吟"/庞天佑//临沂师专学报，1994(4)

1879 论诸葛亮治法中的弹性原则/高梅//临沂师专学报，1994(4)

1880 刘劭《人物志》所包含的心理学思想浅析/郑玉光//山西师大学报，1994(4)

1881 曹植集编纂过程与四种宋版之分析/〔韩〕朴现圭//文学遗产，1994(4)

1882 建置在人生坐标上的价值取向：论曹植的文学价值观/墨白//北方论丛，1994(5)

1883 曹丕诗歌艺术浅论/王巍//吉林大学学报，1994(5)

1884 诸葛亮的《出师表》只有一个/杨炳//甘肃社会科学，1994(5)

1885《隆中对》研究概述/彭建平//社会科学研究，1994(5)

1886 诸葛亮人才思想初探/林维平//湖湘论坛，1994(5)

1887《三国志今译》指疵/杨文柱//天津师大学报，1994(5)

1888 诸葛亮服饰论考/谈梁笑//社会科学研究，1994(5)

1889 试论《隆中对》方略的矛盾：兼评《诸葛亮不谏刘备伐吴的究竟》一文/颜勇//贵州文史丛刊，1994(6)

1890 论曹操重建邺城的原因/王迎喜//中州学刊，1994(6)

1891 从曹操的几个政令视其用人观/石军红//河南师大学报，1994(6)

1892 从《三国志》到《三国演义》/段启明//古典文学知识，1994(6)

1893《三国志》、《三国演义》与诸葛亮文化现象/于平//西南民族学院学报，1994(6)

1894 颍川谋士群体与曹操政权/孟繁冶//郑州大学学报，1994(6)；人大复印资料转载 K21—95—4

1895 诸葛亮现象成因论/李明山//河南大学学报，1994(6)；人大复印资料转载 K21—95—2

1896 全国第八次诸葛亮研讨会在山东举行，讨论如何从文化视角看诸葛亮/李兴斌//文汇报，1994.12.4

1897 汉魏之际士族文化性格的双重裂变/王晓毅//史学月刊，1994(6)；人大复印资料转载 K21—95—1

1898 诸葛亮艺术形象的生命力/丘振声//古典文学知识，1994(6)

1899 评《三国经济史》/朱大渭//中国史研究动态，1994(9)

1900《三国志》"渭南"标点商榷/东湖//中国历史地理论丛，1994(10)

1901《三国志》新衡/李耀仙//中华文化论坛，1994(10)

1902 "英雄"与"奸雄"/马宝记等//许昌师专学报，1994(4)

1903 孙权对辽东的经略/黎虎//北京师范大学学报,1994(5);人大复印资料转载 K21—95—2

1904 悲凉慷慨,沉雄顿挫——论曹操诗歌的悲壮美/霍雅娟//内蒙古师大学报,1994(4);人大复印资料转载

1905“登清台以荡志,伏高轩以游情”——曹操、曹植的登高创作/裴登峰//西北民族学院学报,1994(4);人大复印资料转载

1906 略论玄学的产生派别及影响/万绳楠//孔子研究,1994(3)

1907 论曹丕诗歌的生命意识/孙明君//人文杂志,1994(1)

1908 重评曹操一生功过及其战争杀人问题/叶哲明//台州师专学报,1994(3)

1909 孙吴特殊政区制度考论/胡阿祥//赣南师院学报,1994(1);人大复印资料转载 K21—94—5

1910《典论·论文》文学贡献新论/张廷银//固原师专学报,1996(1)

1911 论曹植的心态与其诗文/裴登峰//绥化师专学报,1994(3)

1912 三曹诗歌中的飞鸟形象/裴登峰//社科纵横,1994(5)

1913 曹植作品中女性美的象征意义/裴登峰//青海民族学院学报,1994(4)

1914 略说曹植的文艺观/裴登峰//青海师大学报,1994(1)

1915 魏晋南北朝时期的地方学官/袁刚//许昌师专学报,1994(4)

1916 赤壁之战,瓜分荆州/何兹全//光明日报,1994.12.12

1917 裴松之《三国志注》初探/徐大英//传统文化与古籍整理研究,西南师大出版社,1994

1918 枭雄刘备的起家与争盟淮隅/方诗铭//史林,1994(2);人大复印资料转载 K21—94—8

1919 东吴领兵复客奉邑三制关系之研究/刘汉东//许昌师专学报,1994(1);人大复印资料转载 K21—94—4

1920 曹操屯田释义/胡守为//学术研究,1994(4)

1921 魏晋时期的上品与起家官品/张旭华//历史研究,1994(3);人大复印资料转载 K21—94—10

1922 大别山名人魏延//信阳师院学报,1994(4)

1923 曹魏西晋诗赋中的悲秋感情/贺秀明//厦门大学学报,1994(1)

1924 论曹魏江淮屯田与水利建设/金家年//安徽大学学报,1994(4)

1925 曹魏与孙吴的“校事”官考略/高敏//史学月刊,1994(2)

1926 汉代北军与曹魏中军/张焯//中国史研究,1994(3)

1927 曹魏“才性四本论”析解/邵小萌//中国历史博物馆馆刊,1994(4)

1928 曹魏屯田释议/胡守为//学术研究,1994(4)

1929 建安七子赋论/桑学英//济宁师专学报,1994(1)

1930“杨修现象”的消失/江士坚//安徽教育,1994(9)

1931 文学观念·文学价值·文学批

评——曹丕文学理论三题/王佑江//延安大学学报,1994(2)

1932 曹丕"文以气为主"辨/寇效信//陕西师大学报,1994(2)

1933 三国历史旅游线/李霞//今日中国(中文版),1994(4)

1934 论三国文化精神/谭洛非//中华文化论坛,1994(4)

1935 试论三国时期的书法艺术/杨代欣//社会科学研究,1994(5)

1936 建安风骨与盛唐气象的美学定格/陈长义//社会科学研究,1994(6)

1937 建安诗风的意蕴阐释/李绍华//固原师专学报,1994(4)

1938 论"建安体"/刘晓莉//延安大学学报,1994(2)

1939 试析建安诗中的女性描写/王力坚//广西社会科学,1994(4)

·1995年·

169篇(1940~2108)

1940 "关羽现象"五考/蔡东洲//四川师院学报,1995(1)

1941《三国志》地理正误一则/东湖//中国历史地理论丛,1995(1)

1942 为魏延辨屈/雍国泰//达县师专学报,1995(1)

1943 谈诸葛亮审时明法和任贤律己/蔡骏华//社科纵横,1995(1)

1944 刘备遗诏浅论/梅林//社会科学研究,1995(1)

1945 曹操与世族关系述论/邱少平//益阳师专学报,1995(1)

1946 东汉末年的选举流弊与曹操的改革/张兆凯//湘潭师院学报,1995(1)

1947 从社会角色的认识看曹操/卢山红//汕头大学学报,1995(1)

1948 诸葛亮为人作《图谱》略说/杨伟立//中华文化论坛,1995(1)

1949 曹植与嵇康诗歌气格比较/詹德懋//扬州师院学报,1995(1)

1950 诸葛亮在剑阁的业绩及其影响/萧明远等//四川文物,1995(1)

1951 关于诸葛亮南征中经朱提问题的探讨/陈序德//云南史志,1995(1)

1952《三国史》自序/何兹全//北京师范大学学报,1995(1)

1953 马植杰著《三国史》评介/丁毅华//中国史研究,1995(1)

1954 论借荆州/徐澄等//杭州师范学院学报,1995(1)

1955 全国第八次诸葛亮学术研讨会综述/李兴斌//烟台师院学报,1995(1)

1956 读四史笔记(下)/余行达//成都师专学报,1995(1)

1957 概论诸葛亮文化现象/谭良啸//中华文化论坛,1995(1)

1958 三国历史与《三国演义》/危兆盖//光明日报,1995.2.6⑤

1959 诸葛亮思想溯源/李永先//大众日报,1995.3.22

1960 从蜀汉的政治格局谈《前出师表》的真实趣旨/朱维权//四川师范学院学报,1995(1);人大复印资料转载K21—95—4

1961 诸葛亮法律思想初探/刘冀民

等//社会科学研究，1995(1)

1962 魏武[曹操]"军遮要以临汉中"辨析/陶喻之//成都大学学报，1995(1)

1963 略论诸葛亮"违众拔谡"的原因/刘蕴之//天津师大学报，1995(1)

1964 汉代琅邪地区的学术氛围与诸葛亮思想的形成/张崇琛//中国典籍与文化，1995(1)

1965 对诸葛亮的两点新认识/何景强//惠州大学学报，1995(1)

1966 略论诸葛亮以弱胜强的思想方法/刘志刚//山东社会科学，1995(1)

1967 曹植嵇康诗歌气格比较/詹德懋//扬州师范学院学报，1995(1)

1968 高标艺术个性　勇于自赏风流——试论曹植的五言诗创作/梁加尼//湛江师院学报，1995(1)

1969 论关羽崇拜的社会文化心理/柴继光，柴虹//运城高专学报，1995(1)

1970 挟天子能令诸侯/尹韵公//社会科学战线，1995(6)

1971 说曹操/郑庆山//克山师专学报，1995(1)

1972 关公崇拜与近代民族心理/廖可斌//炎黄世界，1995(1)

1973 曹操的"硬手段"/阿敏//探索与求是，1995(2)

1974 关羽崇拜的塑成与民间文化传统/刘永华//厦门大学学报，1995(2)

1975 曹植的生平、政治主张及文学成就/徐志啸//中国典籍与文化，1995(2)

1976 诸葛亮与《周易》/张崇琛//社科纵横，1995(2)

1977 诸葛亮的人事管理思想与用人艺术/谢修敬//人才管理，1995(2)

1978 诸葛亮的齐地人文风格/赵缦//史学月刊，1995(2)

1979 重发明讲实用:《三国志校诂》述评/王华宝//文教资料，1995(2)

1980 论赤壁之战考赤壁地望/吴如嵩//中国军事科学，1995(2)

1981 三国兴衰与人才浮沉/吴探林//昭通师专学报，1995(2)

1982 刘备实未借荆州/杜建民//齐鲁学刊，1995(2)

1983 论东汉三国时期的游侠/韩云波//西南师范大学学报，1995(2)

1984 曹操的重要谋士——荀彧/文明元//学术探索，1995(2)

1985 田丰的"乡土情结"与人生悲剧:兼评袁绍拒迎汉献帝及其南进战略的失误/王永平//河北学刊，1995(4)

1986 说东汉末年曹操徙入扶风、天水的武都氐户/南山//中国历史地理论丛，1995(2)

1987 如何看待易"象":由虞翻、王弼与朱熹对易"象"的不同看法说起/朱丽真泽//周易研究，1995(2)

1988 历史的曹操和文艺的曹操/吴代芳//学术界，1995(3)

1989 曹操与建安文学/王黎君//绍兴文理学院学报，1995(3)

1990 汉赋对曹植诗歌创作的影响/邹树德//求索，1995(3)

1991 论曹植创作中的忧患意识/高飞卫//延安大学学报,1995(3)

1992 从游侠到游仙:曹植创作中的两大特点/顾农//东北师大学报,1995(3);人大复印资料转载

1993 诸葛亮北伐目的论析/李兴斌等//齐鲁学刊,1995(3)

1994 诸葛亮北伐目的论析/李兴斌//史林,1995(3)

1995 诸葛亮治蜀没能解决的问题/周乾荣//史学集刊,1995(3)

1996 诸葛亮制造的冤案/王天成//中国行政管理,1995(3)

1997 诸葛亮未阻谏刘备伐吴原因新探/王大健//许昌师专学报,1995(3)

1998 诸葛亮新论/屈玉堂//许昌师专学报,1995(3)

1999 就《隆中对》谈《三国演义》原著及电视剧改编的得与失/孟繁冶//许昌师专学报,1995(3)

2000 诸葛亮用人思想述评/石红军等//河南师大学报,1995(3)

2001 卢弼和他的《三国志集解》/涂宗涛//天津师范大学学报,1995(3)

2002 诸葛亮的忧患意识初探/闵宜//山东师大学报,1995(3)

2003 曹操形象的文化意蕴/雷勇//汉中师院学报,1995(3);人大复印资料转载

2004 孙吴封爵制度商探/陈明光//中国史研究,1995(3);人大复印资料转载

2005 评诸葛亮的确定性思维文学史地位/姜念涛//群众,1995(3)

2006 论"自强不息"精神对诸葛亮的影响/李殿元//成都大学学报,1995(3)

2007 曹操在立嗣上的选择对曹植的影响/彭鑫//学海,1995(3)

2008 学术通俗化的可贵尝试——读张亚新之《曹操大传》/赵伯陶//天府新论,1995(4)

2009 刘备用人之道论/叶哲明//淮阴师院学报,1995(4)

2010 略谈曹操的用人方略/张喜全等//攀枝花大学学报,1995(4)

2011 曹植并非曹操第三子/张子刚//延安大学学报,1995(4)

2012 略论曹操是一位杰出的军事家/张道英//聊城师院学报,1995(4)

2013 曹操的激励手段/徐开太//教育艺术,1995(4)

2014 从刘备的屯兵地看诸葛亮的躬耕地/李乐民//史学月刊,1995(4)

2015 诸葛亮西和诸戎南抚夷越质疑/龚鹏九//广西民族研究,1995(4)

2016 一部雅俗共赏的《三国志》/薛军力//中国史研究,1995(4)

2017 马植杰著《三国史》读后/张秀平//历史研究,1995(4)

2018 孙吴政权与世家大族/邱少平//益阳师专学报,1995(4)

2019《三国志·魏书·华佗传》校释二十一条/陈永良//西南师范大学学报,1995(4)

2020 刘备浅议/杜长庚//云南教育学院学报,1995(4)

2021 刘备性格的深隐特质补说/都

宝成//牡丹江师院,1995(4)

2022“隆中对策”新论/潘民中,王海燕//许昌师专学报,1995(4)

2023 诸葛亮不识时务/韦久经//贵阳师专学报,1995(4)

2024 试论诸葛亮的历史功过/周毓华等//西藏民族学院学报,1995(4)

2025 诸葛亮的儒者气象/刘祚昌//孔子研究,1995(4)

2026 标领建安诗坛的宗师——曹操/李卓文//高等函授学报,1995(4)

2027“学所以成材”:刘劭《人物志》教育思想浅析/张传燧//西南师大学报,1995(4)

2028 曹操与女人/舒展//现代交际,1995(4)

2029 曹操治税研究/李炜光//现代财经,1995(4)

2030 曹操用人方略散论/秦文坦//行政人事管理,1995(4)

2031 冯友兰论魏晋玄学/许抗生//北京社会科学,1995(4)

2032 诸葛亮南征传说及其在缅甸的流播/傅光宇//民族艺术研究,1995(5)

2033 魏晋南北朝时期财政管理制度的变革/黄惠贤//武汉大学学报,1995(5)

2034 孙吴三项财经措施作用析疑/陈明光//历史研究,1995(5)

2035“三顾茅庐”和《草庐村》献疑——诸葛亮早年思想和生活考察/王大良//南都学坛,1995(5)

2036 儒道互补——诸葛亮智慧的文化特征/王群力//社会科学辑刊,1995(5)

2037 诸葛亮正确通过的十大矛盾/杨炳//甘肃社会科学,1995(5)

2038 关于诸葛亮斩马谡的冤案/王成功//河南大学学报,1995(5)

2039 登楼千古情,凭眺难消忧:读王粲《登楼赋》/章沧授//古典文学知识,1995(5)

2040 刘劭的心理学思想研究/燕国材//心理科学,1995(5)

2041 论三国人物与其历史原型的异同/温梁华//云南师大学报,1995(5)

2042 论曹操统一中原后的用兵方向/郭松柏//赣南师院学报,1995(5)

2043 治世之能臣,乱世之奸雄:曹操的性格分析/袁士迎//心理世界,1995(5)

2044 曹操:中国古代的大军事家/薛同安//军事历史,1995(5)

2045 三国时期襄樊的战略地位/余鹏飞//军事历史,1995(5)

2046 曹操性格琐议/何轸光//炎黄春秋,1995(5)

2047 三国时期的外交斗争述论/裴传永//理论学刊,1995(6)

2048 对陈寿及《三国志》所遭非议的辩正/栾继生//北方论丛,1995(6);人大复印资料转载

2049 谈孙权的守成与创业/黄忠品//理论学习月刊,1995(6)

2050 黄皓杂议/蒋福亚//首都师范大学学报,1995(6)

2051 论关羽崇拜/王齐洲//天津社

会科学，1995(6)；人大复印资料转载

2052 诸葛亮用马谡辨/平白//探索与求是，1995(7)

2053《三国文化传统与现代》丛书总序/肖秧//中华文化论坛，1995(7)

2054 曹操忌杀人才原因辨析/钟素芬//吉林师院学报，1995(7)

2055“魏延现象”的启示/李燕杰//特区理论与实践，1995(4)

2056 曹操哭奉孝及其它/谷正雄//新长征，1995(8)

2057 标领建安诗坛的宗师——曹操/李卓文//高师函授学刊，1995(4)

2058 走向儒道互补——对曹植人格建构的动态考察/孙明君//清华大学学报，1995(4)；人大复印资料转载

2059 论六朝文士的孤独感/袁济喜//中国人民大学学报，1995(6)；人大复印资料转载

2060 魏晋九品官人法再探讨/陈长琦//历史研究，1995(6)；人大复印资料转载

2061 董卓进京述论/陈勇//中国史研究，1995(4)；人大复印资料转载

2062 释“张角李弘毒流汉季”/方诗铭//历史研究，1995(2)；人大复印资料转载

2063 魏晋南北朝史学中的直书与曲笔/李颖科//西北大学学报，1995(1)；人大复印资料转载

2064 论刘勰对三曹的评价/王巍//辽宁大学学报，1995(5)；人大复印资料转载

2065 二曹文学观异同论/张廷银//青海师大学报，1995(2)；人大复印资料转载

2066 从“三曹七子”到“二十四友”——试论魏晋文人集团与文学精神的演变/李中华//武汉大学学报，1995(2)

2067“建安风骨”简论/沈季林//青岛师院学报，1995(1)；人大复印资料转载

2068 建安士风论/孙明君//甘肃社会科学，1995(1)

2069 建安诗风的旧说与我见/孙明君//广西社会科学，1995(2)

2070 45年来文学家曹操研究综述/孙明君//陕西师大学报，1995(3)

2071 建安文学研究的现状与展望/孙明君//古典文学知识，1995(4)

2072 建国以来曹丕研究综述/孙明君//文史知识，1995(7)

2073 80年代以来的中国古代军事历史研究/童超//中国史研究动态，1995(6)

2074 诸葛亮北伐何以不用魏延的奇谋/李兴斌//历史教学，1995(8)

2075 魏晋南北朝妇女的服饰风貌/周兆望//江西社会科学，1995(3)

2076 魏晋南北朝妇女的服饰风貌与个性解放/周兆望//中国史研究，1995(3)

2077 刘表新论/王永平//江汉论坛，1995(6)

2078 论袁绍/王永平//扬州师院学报，1995(1)

2079 关羽北伐的战略目的/卢华

语//史学月刊,1995(5)

2080《三国志》标点献疑二则/王兵//文教资料,1995年6期

2081 诸葛亮的齐地人文风格/赵蕴//史学月刊,1995(2)

2082 试论秦汉三国时期岭南地区的园艺业生产技术/王川//中山大学学报,1995(2)

2083 蜀五铢非蜀汉所铸考/徐承泰//中国钱币,1995(2)

2084 街亭访古/徐日辉//科技先导,1995(2)

2085 曹魏直臣——冀人杨阜/徐日辉//科技先导,1995(2)

2086 魏延错在哪儿/商玉贵//探索与求是,1995(4)

2087 刚直不阿的曹魏官吏——杨阜/李春等//党风通讯,1995(10)

2088 曹魏官吏与史官/牛润珍等//史学史研究,1995(2)

2089 说三国曹魏所开的成国渠/陈仓等//中国历史地理论丛,1995(3)

2090 中国城市发展的质变:曹魏的邺城和南朝城市群/吴刚//史林,1995(1)

2091 论曹魏时期纸成为主要书写材料/黄权才//图书馆界,1995(3)

2092"建安七子"应有孔融论/姜葆夫//济宁师专学报,1995(4)

2093 建安七子之死与驴叫祭奠/王迎喜//中州今古,1995(1)

2094 试评建安七子/辛保平//语文学刊,1995(3)

2095 曹操为什么杀杨修/李邦云//党建与人才,1995(1)

2096 杨修之死的启示/李树友//行政人事管理,1995(8)

2097 论曹丕诗——兼论对"建安风骨"的再认识/丁夏//清华大学学报,1995(1)

2098 文学自觉时代的第一声号角——《典论·论文》/张文生//锦州师院学报,1995(3)

2099 华佗佚书考略/高文涛//天津中医学院学报,1995(2)

2100 儒雅多才的魏国司徒王朗/杨玉金//临沂师专学报,1995(1)

2101 KOEI三国志四个版本的比较/边晓春//电子出版,1995(10)

2102 汉三国时期武昌佛教文化遗存/熊寿昌//世界宗教研究,1995(4)

2103 三国文化与改革开放/陈辽//中华文化论坛,1995(1)

2104 漫话三国时期的炮战/马鸿钧//军事历史,1995(1)

2105 三国时代的人才政策/刘越英//党建与人才,1995(4)

2106 建安诗歌与正始诗歌比较初论/李扬//齐齐哈尔师院学报,1995(3)

2107 建安作家生平创作考辨五题/顾农//许昌师专学报,1995(2)

2108 建安文学繁荣的主要原因/王训龙//江西师大学报,1995(4)

·1996年·

123篇(2109~2231)

2109 论三国时期统一战线的历史教

训/张大可//中央社会主义学院学报,1996(1)

2110 三国时期外交人才述论/刘国石//吉林师院学报,1996(11)

2111 王粲《登楼赋》与登楼怀乡的传统:《登楼赋》的文学美学价值上的新认识/赵松元//中国韵文学刊,1996(1)

2112 三国时期的新闻传播/尹韵公//新闻与传播研究,1996(1)

2113 诸葛亮的过劳和曹操的养生/赵友琴//医古文知识,1996(1)

2114 曹操文章的艺术特色/许善述//安庆师院学报,1996(1)

2115 佛心诗韵两相通——曹操诗风成因一解/左汉林//河北师大学报,1996(1);人大复印资料转载

2116 三国文化的传承与思考——读《三国志》/刘耀辉//成都大学学报,1996(1)

2117《三国志》匡误一则/李勃//史学月刊,1996(1)

2118 诸葛亮悲剧形象的文化解读/谭邦和//明清小说研究,1996(1)

2119 关羽:儒称圣,释称佛,道称天尊——文化的"变异复合"/于志斌//苏州大学学报,1996(1)

2120 人神之间话关羽/周征松//山西师大学报,1996(1)

2121 为诸葛亮辩诬/周云龙//明清小说研究,1996(1)

2122《三国志》词语札记/徐澄,成纯//杭州师范学院学报,1996(1)

2123《三国志》的诞生和流传/沈伯俊//中华文化论坛,1996(1)

2124《三国志》的历史地位/李纯蛟//四川师范学院学报,1996(1);人大复印资料转载

2125 论南宋建本《三国志》及其涵芬楼影印本/程远芬//山东教育学院学报,1996(1)

2126 论裴松之的史学思想/李颖科//人文杂志,1996(1);人大复印资料转载

2127 一部很有特色的三国断代史、评马植杰著《三国史》/王鑫义//大学图书情报学刊,1996(1)

2128 简论三国战场赤壁在何处/甘方武//江汉大学学报,1996(1)

2129《三国志》纠谬一则/李勃//史学月刊,1996(2)

2130 曹操生命价值得失浅探/李静//湖北大学学报,1996(2)

2131 论曹操对原始儒学精神的诗化/孙明君//陕西师大学报,1996(2);人大复印资料转载

2132《三国志校诂》订补/吴金华//文教资料,1996(2)

2133 孙吴的婚姻关系及其影响/高诗敏//江海学刊,1996(2)

2134 诸葛亮名字解诂二题/杨长富//古汉语研究,1996(2)

2135《隆中对》跨有荆益得失再评说/杨德炳//武汉大学学报,1996(2);人大复印资料转载

2136 三国时代蜀、魏在临洮的战争/苟鸿洲//甘肃社会科学,1996(2)

2137 清代补史艺文志述评/曹书杰//史学史研究,1996(2)

2138 读《三国志》二札/杨合林//吉首大学学报,1996(2)

2139 论赤壁之战与曹操的战略指导/王中兴//军事历史研究,1996(2)

2140 区域经济与吴国政治特征/赵昆生//许昌师专学报,1996(2)

2141 试论曹魏制胜之道:交通水利建设/刘长荣等//西南民族学院学报,1996(2)

2142 也谈刘备借荆州/刘勇//许昌师专学报,1996(2)

2143 "周瑜破曹"说的偏颇/崔吉学//聊城师院学报,1996(2)

2144 论曹魏太和"浮华案"/王晓毅//史学月刊,1996(2);人大复印资料转载

2145 论孙吴统治中的权力中枢/赵昆生//重庆师院学报,1996(2);人大复印资料转载

2146 谈科学假说的超前思维:由诸葛亮的"三分天下"说起/褚木兰//张家口师专学报,1996(2)

2147 义士、忠臣、帝神:关羽形象的演变及其文化涵义/陈同方//淮北煤师院,1996(2)

2148 唯才是举令颁行的社会心理考察/薛瑞泽//洛阳大学学报,1996(3)

2149 转型时期的才性理论:刘劭《人物志》研究/李建中//苏州大学学报,1996(3)

2150 曹操唯才是举是乱世揽才的权宜之计/许春在//江苏社会科学,1996(3)

2151 话说诸葛亮/郑杰文//大众日报,1996.5.15⑦

2152 诸葛亮成为杰出人物的原因/李殿光//天府新论,1996(3)

2153 论诸葛亮现实主义的政治与政策/何颖等//黑河学刊,1996(2/3)

2154 何兹全著《三国史》读后/蒋福亚//历史研究,1996(3)

2155 韦昭《吴书》考/陈博//文献,1996(3)

2156 魏蜀吴三国时代的政治地理战略分析/王恩涌等//人文地理,1996(3)

2157 魏延不协与孔明失策/刘光亮等//吉安师专学报,1996(3)

2158 45年来社会史思想领域曹操研究综述/孙明君//阴山学刊,1996(3)

2159 "诸葛"复姓与蜀相诸葛亮世家考/王德峰、赵运古//关中学刊,1996(3)

2160 王粲《登楼赋》楼址在麦城考/韩格平//社会科学探索,1996(3)

2161 王粲《登楼赋》文意发覆/易健贤//贵州教育学院学报,1996(3)

2162 诸葛亮的人格:多重性质之大悲剧/竺洪波//上海教育学院学报1996(4)

2163 曹操尚俭/关本满//文史天地,1996(4)

2164 曹操的用人观与儒家传统德才论/刘立夫//衡阳师院学报,1996(4)

2165 汲获之战是官渡战役的重要组成部分/潘民中//许昌师专学报,1996(4)

2166 试论曹操的人才思想/吴玉

生//河北师大学报,1996(4)
2167 试论关羽神圣化的历史过程/李惠明//上海师大学报,1996(4)
2168 商潮中的名人效应与历史科学的真实性:关于诸葛亮躬耕地的争论评说/朱大渭//人民日报,1996.7.20⑥
2169 三国尚简时尚初探/张建民//成都大学学报,1996(4)
2170 浅析孙吴立国与夺取江陵之关系/王延武//中南民族学院学报,1996(4)
2171 魏蜀吴三国政策优劣的历史比较/王子今//南都学坛,1996(4)
2172 从《让县自明本志令》看裴松之《三国志注》的史料价值/布仁图//内蒙古社会科学,1996(4)
2173 从"通力合作"至同床异梦:论曹操的功业与荀彧悲剧/白自东//西藏民族学院学报,1996(4)
2174 孙权我国古代杰出的航海王/杨申强//历史教学问题,1996(4)
2175《三国志》的启示:虚名与实力/〔日〕狩野直祯著,沈伯俊译//成都大学学报,1996(4)
2176 孙吴时期两大利益集团间的冲突与平衡/庄辉明//探索与争鸣,1996(5)
2177 "倭国乱"时间考索/李纯蛟//日本学刊,1996(5)
2178 曹魏都督制的渊源和定型——兼论中央和地方的关系/陈琳国//北京师范大学学报,1996(5);人大复印资料转载
2179 吴蜀往来信使考:入吴蜀使考/裴传永//理论学刊,1996(6)
2180 诸葛亮躬耕地学术座谈会在京举行/吴彤//中国史研究动态,1996(8)
2181 三国史籍哲理研究的可喜成果:评《三国志注释》/陈玉屏//中国史研究动态,1996(10)
2182 人才资源与三国鼎立/丁邦友等//广东社会科学,1996(5)
2183 诸葛亮的人格风采/周国林//华中师大,1996(5)
2184 诸葛亮历史悲剧探因/李淑娴、王秉琴//固原师专学报,1996(5)
2185《诸葛亮研究集成》序言/陈翔华//临沂师专学报,1996(5)
2186 魏晋之赋首,千古之至情:简析王粲《登楼赋》/李蔚会//名作欣赏,1996(5)
2187 从孙刘联盟的破裂看关羽北上襄樊的时机/王天石//河南大学学报,1996(6)
2188 夷陵之战诸葛亮何以未能与谋/薛军力//天津师范大学学报,1996(6)
2189 论诸葛亮的成败得失及现实意义/刘于雄//思维与实践,1996(6)
2190 曹操嫉贤妒能之我见/陈宝林//石油教育学院学报,1996(6)
2191 曹操与司马光之人才观比较研究/赵康生//中国行政管理,1996(7)
2192 简论三世纪东吴经略台湾之功绩/周文顺//上海社会科学,1996(7)
2193 "出师表"与"止战疏"之优劣

论/胡觉照//理论导刊,1996(9)

2194 曹植墓砖铭释读浅议/卢善焕//文物,1996(10)

2195 三国时期外交人才述论/刘国石//吉林师院学报,1996(11)

2196 刘备的儒家管理思想/张家成等//改革月刊,1996(4)

2197 忠——诸葛亮的支柱和灵魂/萧红缨//天中学刊,1996年增刊

2198 试论满族的关羽崇拜/张德玉等//1996(10)

2199 曹丕文学不朽的新意识及其文章人文观念/于迎春//学术研究,1996(2);人大复印资料转载

2200 孙吴校事与吕壹事件/章义和//许昌师专学报,1996(1);人大复印资料转载

2201 暨艳案与吕壹事件再探讨/庄辉明//江海学刊,1996(1);人大复印资料转载

2202 东汉魏晋南北朝州郡兵制度的演变/高敏//历史研究,1996(3);人大复印资料转载

2203 魏晋南北朝的三五取丁问题/张维训//中国社会经济史研究,1996(3);人大复印资料转载

2204 天下意识的投射:曹操《观沧海》赏析/孙明君//文史知识,1996(2)

2205 生命意义的追寻:曹丕《大墙上蒿行》赏析/孙明君//古典文学知识,1996(2)

2206 建安时代"文的自觉"说再审视/孙明君//北京大学学报,1996(6)

2207 建国以来曹植研究综述/孙明君//许昌师专学报,1996(4)

2208《三国人物风云》序/叶哲明//台州师专学报,1996(1)

2209 刘备、诸葛亮对吴政策异同论/黄晓阳//成都大学学报,1996(1)

2210 孤独情绪——曹植作品中强烈兴发的人生感念/裴登峰//社科纵横,1996(3)

2211 诸葛亮廉政思想探要/吴洁生//探索,1996(3)

2212 三国文化与天水旅游经济发展研究/徐日辉//天水师院学报,1996(1)

2213 邓艾"屯淮"起讫时间考辨/王鑫义//中国农史,1996(2)

2214 东吴政权与东南地区经济的发展/许辉//江淮学刊,1996(2)

2215 闲话建安七子/李国文//文学自由谈,1996(2)

2216 从杨修之死看秘书的适度参谋/吉晶玉//乌鲁木齐成人教育学院学报,1996(2)

2217"王粲登楼"与登楼怀乡的传统——《登楼赋》的文学美学价值之新认识/蔡世华//中国韵文学刊,1996(1)

2218"七子之冠冕"的另一面——王粲实用文章价值初探/蔡世华//江苏社会科学,1996(2)

2219 曹植的人生经历对其文学创作的影响/刘伟光//辽宁师大学报,1996(1)

2220 曹植妇女题材诗歌评析/封如

楼//苏州大学学报,1996(4)

2221 侠文化与曹植的游侠诗/李晓芹//阴山学刊,1996(4)

2222 论曹丕诗歌的抒情特征/刘伯严//湖南教育学院学报,1996(4)

2223 曹丕文学理论的系统描述/王佑江//黄冈师院学报,1996(3)

2224《华佗传》词语注释札记/李怀之//医古文知识,1996(3)

2225 丙子太岁郭嘉大将军/徐蔚一//中国道教,1996(1)

2226 司马懿在三国统一中的作用/程力军//东南学术,1996(3)

2227 历史研究中的新探索——读《司马迁评传》与《三国》/王书杰//中央社会主义学院学报,1996(3)

2228 曹操与曹植的游仙诗/杨建波//江汉大学学报,1996(5)

2229《三国志校诂》及《外编》订补(一)/吴金华//文教资料,1996(2)

2230《三国志校诂》及《外编》订补(二)/吴金华//文教资料,1996(6)

2231 三国鼎立和江南人才崛起及其盛衰之评析/叶哲明//台州师专学报,1996(4);人大复印资料转载

·1997年·

126篇(2232~2357)

2232 三国时期的吴蜀关系/赵国华//华中师范大学学报,1997(1);人大复印资料转载

2233 再论蜀汉政治中的北伐问题/赵昆生//重庆师范学院学报,1997(1)

2234 试解"曹操恸哭郭嘉"之谜/王志武//华夏文化,1997(3)

2235《水经注》所记载的三国军事地理/梁中效//成都大学学报,1997(1);汉中师院学报,1997(1);人大复印资料转载

2236 试论"诸葛一生唯谨慎"/马学元//成都大学学报,1997(1)

2237 姜维论/黄晓阳//成都大学学报,1997(1)

2238《三国志》语词札记/黄灵庚//古籍整理研究学刊,1997(1)

2239《三国志今注今译》中郡县治所注释举误/贾庆申//许昌师专学报,1997(1)

2240 陈寿谤议诸葛亮质疑/李小树//中州学刊,1997(1)

2241《三国志·夫余传》中的错简问题探讨/刘子敏//东疆学刊,1997(1)

2242《后汉书》与《三国志》之写梦/傅正谷//渤海学刊,1997(1)

2243 杨修与曹操之间的是非评议/蔡教海//娄底师专学报,1997(1)

2244 试论马谡悲剧的成因/郑继江//聊城师范学院学报,1997(1)

2245 论三国兵制之异同/刘汉东//许昌师专学报,1997(1)

2246 三国女才人及其有异议问题/马植杰//固原师专学报,1997(1)

2247 定三分英雄所见略同/孟天运//史学集刊,1997(1)

2248 三国时代与新闻信息传播/尹韵公//中国文化研究,1997(1)

2249 海峡两岸专家学者在台研讨

"关公文化"//文艺报,1997.2.13①

2250 试论校事制度与曹魏政治/陈金凤//宜春师专学报,1997(1)

2251 诸葛亮的思想体系及其成败/李子伟//贵州文史丛刊,1997(1)

2252 诸葛亮南征新考/陈本荣//贵州文史丛刊,1997(1)

2253 从北伐说诸葛亮将略之失/张华松//齐鲁学刊,1997(1)

2254 东吴立国与江南佛教/严耀中//中国史研究,1997(1)

2255 赤壁之战的再评价/胡觉照等//汉中师院学报,1997(1)

2256 "三国"领袖们的赏罚谋略/孙抱今//广西社会科学,1997(1)

2257 论魏晋思想的文化意义/田文棠//中国文化研究,1997(1)

2258 莫将成败论三分——三国正统与历史文化传统辨/李星等//汉中师院学报,1997(1)

2259 两汉三国文化与汉中旅游/王芳//汉中师院学报,1997(1)

2260 汉中在三国时期的历史地位/蔡秉衡//汉中师院学报,1997(1)

2261 论三国时期的"薄葬"之风/蔡美云//汉中师院学报,1997(1)

2262 三国研究的几个视点/徐鸿藻//汉中师院学报,1997(1)

2263 曹操征张鲁人物考辨/刘昌安//汉中师院学报,1997(1)

2264 得陇为何不能望蜀:从曹操争夺汉中看其统一思想的矛盾性/温勤能//汉中师院学报,1997(1)

2265 蜀汉汉中都督考论/雷勇//汉中师院学报,1997(1)

2266 曹马之争辨析——陈寅恪先生说献疑/封海清//云南教育学院学报,1997(1);人大复印资料转载

2267 民间关羽崇拜心理/李群//华夏文化,1997(1)

2268 诸葛亮归葬汉中心态透视/傅兴林//汉中师院学报,1997(1)

2269 诸葛亮与俄底修斯:中西文学人物智慧的比较分析/罗帆//益阳师专学报,1997(1)

2270 论诸葛亮钟情汉中的人性真实/李锐//汉中师院学报,1997(1)

2271 诸葛亮伐魏不是"以攻为守":兼论诸葛亮北伐的思想基础/田耕滋//汉中师院学报,1997(1)

2272 曹丕诗歌的阴柔之美/裴登峰//西北民族学报,1997(2)

2273 王夫之论曹操/龚鹏九//船山学刊,1997(1)

2274 诸葛亮北伐新探/郑之洪//学术月刊,1997(2)

2275 黄州赤壁说质疑/李思孟//华中理工大学学报,1997(2)

2276《三国志》和陈寿的史识/孙绍华//史学史研究,1997(2);人大复印资料转载

2277《隆中对》"跨有荆益"的策划为何破灭——论刘备和关羽对丧失荆州的责任/方诗铭//学术月刊,1997(2);人大复印资料转载

2278 魏晋南北朝时期的女兵/周北望//江西社会科学,1997(2)

2279 鸟飞情溢　托鸟传意——曹植

诗赋中的飞鸟形象/裴登峰//青海师专学报,1997(3);人大复印资料转载

2280 论《三国志》的传记文学价值/许菁频//浙江师范大学学报,1997(2)

2281 陈寿的主导历史观评析:读《三国志》札记之一/郑之洪//贵州师范大学学报,1997(2)

2282 论"三国"公关谋略在企业经营战略中的运用/董原//兰州商学院学报,1997(2)

2283 论诸葛亮多谋善断的文韬武略/唐建华//江西社会科学,1997(2)

2284 略论诸葛亮的战略失误/赵天瑞//辽宁教育学院学报,1997(2);人大复印资料转载

2285 再谈王夫之论诸葛亮/莫尔雅//船山学刊,1997(2)

2286 三国时期的间谍战/尹韵公//光明日报,1997.6.3⑤

2287 刘曹优劣论/洪涛//学术月刊,1997(2)

2288 曹操的用人韬略/白明高//探索与争鸣,1997(2)

2289 三国时期孟获族属新论/杨正权//思想战线,1997(2)

2290 三国人物服饰研究/于涛//民族研究,1997(2)

2291 崔琰之死与毛玠之废/柳春新//武汉大学学报,1997(2)

2292 毛泽东评曹操/张贻玖//人民论坛,1997(2)

2293 钟会——名法世家向玄学转化的典型/王晓毅//中国史研究,1997(2)

2294 试论诸葛亮行法治蜀/王玲//贵州师大学报,1997(2)

2295 三国至隋唐的巴蜀学术/邓星盈等//四川大学学报,1997(2)

2296 千古赞颂的历史名相:《诸葛亮评传》评述/许辉//学海,1997(2)

2297 东吴商品经济初探/朱和平等//许昌师专学报,1997(2)

2298 曹操诗三题/涂光社//苏州大学学报,1997(2)

2299 存真求实发覆阐微:余明侠著《诸葛亮评传》/卞孝萱,胡阿祥//淮海文汇,1997(3)

2300 湖南临武县马塘出土三国吴镜/龙碧林//考古,1997(3)

2301 盐业在曹魏恢复北方经济中的地位和作用/王向田//首都师范大学学报,1997(3)

2302 汉末私谥和曹操碑禁的文化意蕴/徐国荣//东方文化,1997(3)

2303 论魏晋玄学生成的学术渊源与理论逻辑/李军//杭州大学学报,1997(3);人大复印资料转载

2304 安徽全椒县卜集东吴砖室墓/朱振文//考古,1997(3)

2305 诸葛亮法治思想成因初探/杨彦平等//青海师专学报,1997(3)

2306 读《乌丸鲜卑东夷传》二题/李纯蛟//四川师院学报,1997(3)

2307 马谡新论/史义银//盐城师专学报,1997(3)

2308 "关羽现象"与民族文化心理/

杜景法//锦州师院学报,1997(3)

2309 试析宋明理家中诚学对关羽忠义形象的影响/张惠芝等//中国历史博物馆馆刊,1997(3)

2310 魏晋南北朝时期江东顾氏考论/孟繁冶//史学月刊,1997(3)

2311 漫说关羽文化的魅力/胥惠民//新疆师大学报,1997(3)

2312 徜徉于雅俗文化之间的关羽/潘万木//荆门大学学报,1997(4)

2313 刘备与蜀汉政权的兴衰/杨世见//川东学刊,1997(4)

2314 孙吴谋荆州述论/杨松权//烟台师院学报,1997(4)

2315 鲁肃之"短"别论/陈金凤//许昌师专学报,1997(4)

2316 曹操立嗣问题考辨/柳春新//中国史研究,1997(4)

2317 关羽始筑江陵城说辨误/李步嘉//华中师大学报,1997(4)

2318 三国文化对巴蜀的影响/沈伯俊//今日四川,1997(4)

2319 试论汉魏时期颍川士风的时代特征/孟繁冶等//郑州大学学报,1997(4)

2320 "护军"制起始时间考辨/吴兵岐//中国史研究,1997(4)

2321 论袁绍集团中士人的地域分野及其斗争/王永平//洛阳师专学报,1997(4)

2322 略论陈寿《三国志》回护司马氏:读赵翼《廿二史劄记》有感/王炳厝//福建学刊,1997(4);人大复印资料转载

2323 孤苦与逍遥:汉魏以来文士的一种心态/袁济喜//社会科学家,1997(6);人大复印资料转载

2324 论三国时代的吴蜀同盟/陈乾康//四川师范大学学报,1997(4)

2325 试论曹魏重建洛阳的三个阶段/潘民中//洛阳师专学报,1997(4)

2326 再论诸葛亮的八阵图/谭良啸//天府新论,1997(4)

2327 试论孙权迟迟称帝的原因/张志杰//中学历史教学,1997(4)

2328 试论孙权集团对苏州经济文化的初步开发/徐茂明//苏州大学学报,1997(4)

2329 三国两晋人口初探/袁祖亮等//郑州大学学报,1997(4)

2330 从"体"的释义看王粲的"体弱"/林维民//温州师院学报,1997(4)

2331 扣《志》识小录/王汝涛//辽宁师范大学学报,1997(4);人大复印资料转载

2332 "魏讽谋反案"析论/柳春新//江汉论坛,1997(5)

2333 刘劭《人物志》中的人才思想初探/裴传永//长白学刊,1997(5)

2334 爱才却有嫉才时:诸葛亮的人才思想与实践/李庚辰//中国人力资源开发,1997(5)

2335 论三国鼎立的几个问题/孟平//山东教育学院学报,1997(5)

2336 从曹操的理财思想看汉魏经济的发展/李民//南都学坛,1997(5)

2337 三国时期文化的发展与传播/于联凯等//历史教学,1997(5)

2338 文质辨洽:陈寿的执著追求/周国林//华中师范大学学报,1997(5)

2339 蜀汉将领东征探微/魏殿文//文史哲,1997(5)

2340 诸葛亮和抚夷越南北朝重归一统/金石//民族团结,1997(5)

2341 诸葛亮的举贤任能/王蕴华等//河北学刊,1997(5)

2342 魏晋南北朝地方行政的军事化/袁刚//地方政府管理,1997(9)

2343 历史与哲学的交融:《王弼评传》的学术特色及其创见/丁冠文等//中国历史动态,1997(6)

2344 曹操军事思想十题/张作耀//社会科学战线,1997(6);人大复印资料转载

2345 曹操的深层心理分析/刘金全//心理世界,1997(6)

2346 浅论《出师表》与《陈情表》的情理表达/侯留军,王永长//天中学刊,1997(12)

2347 早期五斗米道的诸首领及他们之间的关系/杨皑//华南师大学报,1997(5);人大复印资料转载

2348 亶洲新探/许永璋//中国史研究,1997(1);人大复印资料转载

2349 曹氏父子的心态与创作/孙明君//文史知识,1997(4)

2350 英雄、枭雄、奸雄辨/李燕捷//文史知识,1997(10)

2351 曹操行刺董卓事源自何处/李燕捷//文史知识,1997(11)

2352 鞭打督邮是何人/李燕捷//文史知识,1997(12)

2353 街亭续考二题/徐日辉//甘肃高师学报,1997(1)

2354 论魏延的悲剧/达凤全//社会科学研究,1997(5)

2355 浅论曹魏屯田/赫连玉芳//许昌师专学报,1997增刊

2356 走向心灵——曹植杂诗小议/缪军//广西师院学报,1997(4)

2357 浅论曹丕"文气"说的思想源起/蒋振华//湖南教育学院学报,1997(3)

·1998年·

106篇(2358~2463)

2358 关羽之忠义与儒家诚学/张惠芝//山西大学学报,1998(1)

2359 论关羽形象的"类种化"/杨旺生//江苏教育学院学报,1998(1)

2360 论曹操的儒学伦理实践/李昱姣//河南教育学院学报,1998(1)

2361 析曹操的游仙诗学/刘晓光//北京教育学院学报,1998(1)

2362《三国志》双音词研究/唐子恒//文史哲,1998(1);人大复印资料转载

2363 从鲁肃"鼎足江东"谋划看"隆中对"得失/黄晓阳//成都大学学报,1998(1)

2364 古代八阵渊源及诸葛亮八阵考略/李伯勋//成都大学学报,1998(1)

2365 论夏侯玄与正始改制/曹江红//贵州师大学报,1998(1)

2366 陈寿对《三国志》分行与并行的处理/范家伟//史学史研究,1998(1)

2367 荆州的得失与三国的兴衰/罗民介//新东方,1998(2)

2368 曹魏时期樵沛集团兴衰述论/李良玉//安徽史学,1998(2)

2369 王粲《登楼赋》的描写艺术兼及主题及其它/张丛林//辽宁教育学院学报,1998(2)

2370 夷陵之战考略/郭良玉//湖北方志,1998(2)

2371 试论诸葛亮的忠君爱国思想/余明侠//江海学刊,1998(2)

2372 关于诸葛亮的复姓及家世探源/王德峰等//山东大学学报,1998(2)

2373 虽识时务而未明大义:诸葛亮形象再认识/刘纪昌//河东学刊,1998(2)

2374 孙吴二宫之争浅探/陈春雷//徐州师范学院学报,1998(2)

2375 隆中对与走麦城:隆中对中战略构想的缺陷及其后果刍议/王佩琼//徐州师范学院学报,1998(2)

2376 从东海郡(集簿)看汉代亩制、亩产与汉魏田租额/杨际平//中国经济史研究,1998(2)

2377《魏书·倭人传》"住七八十年"解——"倭国乱"之年代考述/李纯蛟//古籍整理研究学刊,1998(2)

2378 诸葛亮"谨慎"性格小议/李晓晖//高等函授学报,1998(2)

2379 诸葛亮教育思想浅探/贾维钦等//徐州师院学报,1998(2)

2380 论曹操的人品对其诗品的影响/吴颖梅//华北电力大学学报,1998(2)

2381 论曹操屯田兴起的原因/葛文杰、朱仰华//汉中师院学报,1998(2)

2382 一个被传化的英雄:关羽论/于朝贵//许昌师专学报,1998(2)

2383 魏明帝的"权法之治"及失误/柳春新//许昌师专学报,1998(3)

2384 何晏生年考辨/郑欣//文史哲,1998(3);人大复印资料转载

2385 清代新疆的关羽崇拜/齐清顺//清史研究,1998(3)

2386 论诸葛亮的封建法治/陈春雷等//淮阴师院学报,1998(3)

2387 缪钺先生与《三国志》的整理研究/方北辰//文献,1998(3)

2388 诸葛亮的管理理论与实践散论/岳梁//河南大学学报,1998(3)

2389 诸葛亮北伐失败的评价/韩隆福//湖南教育学院学报,1998(3)

2390 陈寿与《晋书》限断争议/范家伟//大陆杂志,1998(3)

2391《三国志》标点洽误(上)/王柯//古籍整理研究学刊,1998(3)

2392《三国志》标点拾误(下)/王柯//古籍整理研究学刊,1998(增)

2393 只因一前错,决策才成空:论诸葛亮对荆州失守的责任/石弘//1998(3)

2394 孙权佚文天子自序考辨:兼评序文的史料价值/陆允昌//管子学刊,1998(3)

2395 三国时期的"将军"小考/郑文胜//河东学刊,1998(3)

2396 何晏在曹魏高平陵政变前后/

方诗铭//史林,1998(3)

2397 曹操"唯才是举""重才轻德"说正误/裴传永//东岳论丛,1998(3)

2398 儒家思想——曹操思想的主干/裴传永//理论学习,1998(3)

2399 曹操尚礼重法思想述论/张作耀//东岳论丛,1998(3)

2400 三国"吴四姓"考释/张承宗//江苏社会科学,1998(3)

2401 蒲圻赤壁何以成为曹操与孙刘联军鏖兵战场/单长江//咸宁师专学报,1998(4)

2402 孙权决计抗曹过程考/裴传永//齐鲁学刊,1998(4)

2403 诸葛亮家世考略/唐嘉弘等//贵州大学学报,1998(4)

2404 刘备东征孙吴原因质疑/马平安//辽宁教育学院学报,1998(4)

2405 "西和诸戎"与失街亭之关系考/徐日辉//固原师专学报,1998(4)

2406 论诸葛亮之用人和魏延之悲剧/徐澄清//青海社会科学,1998(4)

2407 曹操"唯才是举"与汉末"综核名实"/孙生//西北民院学报,1998(4)

2408 魏晋十六国以来巴人的迁徙与汉化趋势/张雄//中南民院学报,1998(4)

2409 从兵出祁山与兵出子午看诸葛亮的得与失/戴承元//中华文化论坛,1998(4)

2410 蜀国后兵力再考:兼与卢华语同志商榷/宋薇、李斌//首都师大学报,1998(4)

2411 论曹操管理思想中的仁与法/王淑芳等//宁夏大学学报,1998(4)

2412 笔法微隐,瑕不掩瑜:读《三国志》札记/廖纯//上海大学学报,1998(4)

2413 试论曹操诗歌创作的英雄主义特质/刘启云//社会科学家,1998(6)

2414 谈谈曹操的管理思想/岳辉//商业文化,1998(5)

2415 诸葛亮的立志及其意义/王炳仁//教育研究,1998(6)

2416 蜀汉镇戍都督论略/张鹤泉//吉林大学学报,1998(6)

2417 对惠陵若干问题的再认识/梅铮铮等//四川文物,1998(6)

2418 诸葛亮与汉末法治思想的渊源关系/黄朴民//历史教学,1998(6)

2419 司马懿与曹魏政治/王晓毅//文史哲,1998(6)

2420 论曹操的无令弱民兼赋思想/张作耀//文史哲,1998(6)

2421 论曹操的用人思想/张作耀//社会科学战线,1998(6)

2422 近年来魏晋南北朝史研究概论/段雷云//中学历史教学,1998(10)

2423 曹操屯田述论/张作耀//江汉论坛,1998(12)

2424 必然的走向:九品中正制/胡宝国//文史知识,1998(11)

2425 曹操的经济改革思想/樊羁克//改革与理论,1998(6)

2426 论王弼玄学体系的建构方法/高晨阳//中国哲学史研究,1998(3);

人大复印资料转载

2427 魏晋南北朝时期边疆域外地理知识的发展/艾素珍//自然辩证法通讯，1998(2)；人大复印资料转载

2428 世族势力之复兴与曹睿顾命大臣之变易/王永平//扬州大学学报，1998(2)；人大复印资料转载

2429 1997年魏晋南北朝史研究综述/刘勇等//中国史研究动态，1998(4)；人大复印资料转载

2430 建安乐制及拟乐府诗形态考述/吴怀东//江淮论坛，1998(2)；人大复印资料转载

2431 夫余的地理环境与疆域/张博泉//北方文物，1998(2)；人大复印资料转载

2432 曹丕《典论·论文》甄微/孙明君//清华大学学报，1998(1)

2433 建安气象/孙明君//清华大学学报，1998(4)

2434 讨伐董卓诸侯共几路/李燕捷//文史知识，1998(2)

2435 三曹诗歌中的孤独感伤情绪/裴登峰//西北民族学院学报，1998(1)

2436 论建安风骨向正始之音的转变/袁济喜//中国人民大学学报，1998(2)

2437 古虎头桥与魏延之死/曹弘//中学历史教学参考，1998(7)

2438 曹魏至隋唐河洛地区的茶消费/薛瑞泽//农业考古，1998(2)

2439 曹魏时期以肉刑代替死刑之争/贾敏//文史杂志，1998(4)

2440 论曹魏屯田兴起的原因/葛文杰等//汉中师院学报，1998(2)

2441 曹魏学校教育制度及其特点述论/马宝记//许昌师专学报，1998(1)

2442 曹植五言诗之通变/杨万仁等//宁夏大学学报，1998(3)

2443 追寻生命的乐园——曹植游仙诗思想新解/李辉//云南师范大学学报，1998(3)

2444 曹植女性题材作品前后期之比较/汤力伟//湘潭师院学报，1998(2)

2445《燕歌行》的断句分解及其他/倪祥保//苏州大学学报学报，1998(1)

2446 继承“汉音”传统　开拓“魏响”新风——论曹丕在建安文学中的地位/曹文心//淮北煤师院学报，1998(3)

2447 论曹丕《典论·论文》/吴淑莹//中山大学学报，1998(1)

2448 华佗时代的开刀医术/杨皑//文史杂志，1998(2)

2449 三国创基立业的地理阐释/王丽等//云南地理环境研究，1998(2)

2450 三国的人才观/吴虞//山区开发，1998(9)

2451 试论三国文化发展的四个阶段/贺亚先//鄂州大学学报，1998(2)

2452 三国文化的特质/贺亚先//鄂州大学学报，1998(3)

2453 被忽视的三国女性/涂秀虹//福建论坛，1998(4)

2454 论建安风骨向正始之音的转变/袁济喜//中国人民大学学报，1998(2)

2455 道家思想与建安、魏末文学/李生龙//中国文学研究,1998(1)

2456 试论建安文人的妇女题材之作/王巍//东北师大学报,1998(1)

2457 建安诗歌、正始诗歌文化意蕴比较/汪宏飞//湛江师院学报,1998(1)

2458 论建安诗人的忧患意识/李畅友//广东教育学院学报,1998(3)

2459 建安诸子辞赋创作的重新审视/章沧授//中国文化研究,1998(3)

2460 曹操与建安文学/穆乃堂等//殷都学刊,1998(3)

2461《三国志》待质录(一)/吴金华//文教资料,1998(2)

2462《三国志》待质录(二)/吴金华//文教资料,1998(3)

2463《三国志》待质录(三)/吴金华//文教资料,1998(4)

·1999年·

115篇(2464～2578)

2464"关羽现象"探源/蔡东洲//中华文化论坛,1999(1)

2465 发凡起例,体大思精——评高敏先生主编的《魏晋南北朝经济史》/庞天佑//常德师院学报,1999(1)

2466 法家——曹操形象的文化精神主体/马建华等//福建师大福清分校学报,1999(1)

2467 诸葛亮为何六出祁山/李冰//兰州学刊,1999(1)

2468 试论孔融在汉魏文学创作中的影响及地位/窦玉玺//殷都学刊,1999(1)

2469 试论三国婚姻的政治性/薛瑞泽//许昌师专学报,1999(1)

2470 浅析三国蜀吴大钱/何红英//文史杂志,1999(1)

2471 曹操倡俭及原因考议/王永平//江苏社会科学,1999(1)

2472 诸葛亮与蜀汉教育/黄胜华//1999(1)

2473 魏晋南北朝的租佃关系/蒋福亚//中国史研究,1999(1)

2474 魏晋南北朝北方的农业耕作方式/蒋福亚//首都师大学报,1999(1);人大复印资料转载

2475 魏晋时期丧葬礼制的承传与创新/韩国何//文史哲,1999(1)

2476 萌芽门城南三国长坂坡遗址考辨/陈楚云//史林,1999(1)

2477 试论三国时代的人才思想及其实践/朱锦程//徐州师院学报,1999(1)

2478 略论曹魏政治中的"浮华"问题/李宜春//聊城师院学报,1999(1)

2479 刘备葬奉节说质疑/管维良//重庆师院学报,1999(1)

2480 试论三国时期东吴对岭南的开发与治理/段塔丽//南京大学学报,1999(1)

2481 探析传统三顾茅庐论诸葛亮自荐/陈廷志//贵州文史丛刊,1999(1)

2482《三国志》与赤壁/冯金平//湖北方志,1999(1)

2483 曹操征乌桓是域内统一战争/张作耀//烟台大学学报,1999(1)

2484 建安诗文系年新考二题/顾农//许昌师专学报,1999(1)

2485 曹操形象异化的时代价值取向/单长江//鄂州大学学报,1999(1)

2486 魏晋南北朝国有土地上的租佃关系/蒋福亚//中国经济史研究,1999(2)

2487《三国志》待质录(四)/吴金华//文教资料,1999(1)

2488 简析三国时代婚姻制的主要特点/何红英//四川文物,1999(2)

2489 论诸葛亮的朴素军事真理观/喻舒宗//军事历史研究,1999(2)

2490 诸葛瑾、诸葛亮离乡时间考辨/许锋//临沂师专学报,1999(2)

2491 诸葛亮的八阵图/田昭林//军事历史,1999(2)

2492 简评诸葛亮的人才思想/周全等//理论探讨,1999(2)

2493 试论隆中对的构想与客观实际的矛盾/梅铮铮//中华文化论坛,1999(2)

2494 诸葛亮的失误四议/何耘等//汉中师院学报,1999(2)

2495 论诸葛亮用人之得失/黄晓阳//成都大学学报,1999(2)

2496 诸葛亮成才的地域文化基础/刘存祥//成才大学学报,1999(2)

2497 论曹操对音乐文化的贡献/魏宏灿//中央音乐学院学报,1999(2)

2498 三国文化传播中文艺形式的流变及其作用/曹玲等//黔南民族师专学报,1999(2)

2499《三国志》对历史人物的评价/田文红//成都大学学报,1999(2)

2500 十八路诸侯讨伐董卓失败的现实意义/喻镇荣//成都大学学报,1999(2)

2501 略论中国的三国热/谭良啸//成都大学学报,1999(2)

2502 三国文化概念初探/沈伯俊//成都大学学报,1999(2)

2503 刘备"连营七百里"异说/盛巽昌//学术月刊,1999(2)

2504 关于《三国志今译》一段译文的商榷/杨文泉//锦州师院学报,1999(2)

2505 曹操兵败赤壁的主要原因不是血吸虫病/李国华//郑铁教育学刊,1999(2)

2506 孔融文风论/熊礼汇//武汉大学学报,1999(2)

2507 简评诸葛亮的人才思想/周全等//理论探讨,1999(2)

2508 吴国南郡治所位置考辨/李步嘉//河南师大学报,1999(2)

2509"孟德诗犹是汉音"引论/许善述//安庆师院学报,1999(2)

2510 论曹操诗歌的生命主题和创新意识/苏芸//新疆教育学院学报,1999(2)

2511 曹操诗歌风格剖析/周柳燕//河南商学院学报,1999(2)

2512 经学盛衰与曹操诗歌革新/吴怀东//江淮论坛,1999(3)

2513 毛泽东对曹操诗的偏爱及其原因/吴直雄//南昌大学学报,1999(3)

2514《三国志》待质录(五)/吴金

华//文教资料,1999(2)

2515 刘备建国道路述略/张晓连等//重庆师范学院学报,1999(3)

2516 曹爽、司马懿之争真相考论/王永平//扬州大学学报,1999(3)

2517 酒与魏晋咏怀诗/孙明君//清华大学学报,1999(1);人大复印资料转载

2518 多卷本中国通史第五卷读后/陈琳国//回族研究,1999(3)

2519 诸葛亮与常州的殊胜因缘/蔚冰等//常州工业技术学院学报,1999(3)

2520 主次矛盾移位了的杰作:读诸葛亮出师表/郭象//沧州师专学报,1999(3)

2521 智慧光环中的妖气:诸葛亮形象谈片/房日晰//陕西师大成教学院学报,1999(3)

2522 武侯的遗憾/付金财,张文彦//石家庄师专学报,1999(3)

2523 魏晋南北朝史研究 50 年成果斐然/侯旭东//中国教育报,1999.9.7(7)

2524 安徽东吴时期墓葬初探/方成军//安徽史学,1999(3)

2525 三国后期邓艾屯田开渠考略/王炳庆//东南学术,1999(3)

2526 刘备贬马谡遗嘱之真伪辨/史义银//盐城师院学报,1999(3)

2527 曹爽伐蜀之目的及失败原因考析/王永平//许昌师专学报,1999(3)

2528 漫谈三国节令习俗/何红英//文史杂志,1999(4)

2529 论曹操之"通脱"及其对世风的影响/王永平//南都学坛,1999(4)

2530 乱世英雄的人才观:论曹操的"求贤之令"/吴莺莺//合肥教育学院学报,1999(4)

2531 高句丽与孙吴的交往/崔永哲等//东疆学刊(延吉),1999(4)

2532 论曹魏租调制中的田租问题/张学锋//中国经济史研究,1999(4)

2533 分期、评价及其相关问题 魏晋南北朝文学研究三人谈/徐公持//文学遗产,1999(2);人大复印资料转载

2534 高句丽国王名号相似现象的分析/梁志龙//北方文物,1999(4)

2535 蒋济与成机论/史向辉//吉林师院学报,1999(4)

2536 十年磨一剑,超越兼创见:简评诸葛亮集要论/李培坤//唐都学刊,1999(4)

2537 三国历史的整体考察:简评马植杰《三国史》/赵国华//宁夏社会科学,1999(4)

2538 从人口比例失调看蜀汉政权之败亡/高凯等//郑州大学学报,1999(4)

2539 蜀道历史军事地理论略/马强//成都大学学报,1999(4)

2540 论曹操的管理思想及其实践意义/赵德肃//贵州教育学院学报,1999(4);人大复印资料转载

2541 关羽失荆州评议/杨伟立//中华文化论坛,1999(4)

2542 襄樊古代道路的形成与拓展/

余鹏飞//襄樊学院学报,1999(4)

2543 襄樊古代道路的形成与拓展(续)/余鹏飞//襄樊学院学报,1999(6)

2544 本世纪《三国志》研究编年/吕美泉//暨南学报,1999(5)

2545《三国志》裴注引书杂记/王炳庆//泉州师院学报,1999(5)

2546 论诸葛亮草庐决策的科学性/任守春等//史学月刊,1999(5)

2547 诸葛亮道家形象探源/谭良啸//天府新论,1999(5)

2548 诸葛亮的"以法治蜀"与"务农殖谷"/木家//广州粮食经济 1999(5)

2549 三国时期天水战略地位探微/雍际春//固原师专学报,1999(5)

2550 试析刘劭《人物志》的人才学说/程有为//郑州大学学报,1999(6)

2551 诸葛亮用人的得失/罗民介//新东方,1999(6)

2552 玄学与魏晋史学/庞天佑//中州学刊,1999(2)

2553 三国时期正统观点简论/泰永洲//山东师大学报,1999(6)

2554 诸葛亮与汉末襄阳大隆/丁宝斋//文史哲,1999(6)

2555 论明清时期"关羽现象"的演变和发展/文廷海//四川师院学报,1999(6)

2556 论荀彧——兼论曹操与东汉大族的关系/王永平//扬州大学学报,1997(3);人大复印资料转载

2557 陈寿对诸葛亮的评价是公允的/萨如拉//内蒙古师范大学学报,1999(6)

2558 毛泽东与"为曹操翻案":对四十年前一桩公案的探源/宋培宪//文艺理论与批评,1999(6)

2559 人心向背与荆州的得失/李程//荆州师专学报,1999(6)

2560 生动再现诸葛亮的真实形象:历史人物传记新作武侯春秋/童超//中国史研究动态,1999(10)

2561 三国史料中不应忽视的明元郭太后/尹韵公//光明日报,1999.11.5

2562 怎样看待曹操镇压农民起义军的问题/张作耀//学术研究,1999(12)

2563 诸葛亮与汗末荆州政权/夏日新//江汉论坛,1999(12)

2564 蜀汉人口问题研究/刘雪河//广州师院学报,1999(8)

2565 裴松之与《三国志注》/逯耀东//魏晋史学的思想与社会基础,东大图书公司,1999

2566 刘劭《人物志》识人用人心理探析/侯琦//理论探讨,1999(6)

2567 仲长统的思想与易学/张涛//周易研究,1999(4)

2568 从东吴学术文化特点看陆机文学理论和创作/汪春泓//复旦学报,1999(5)

2569 东吴之人文学术传统/钱仲联//苏州大学学报,1999(1)

2570 忧生·享乐·济世——汉魏之际文人心态剖析/孔毅等//许昌师专学报,1999(1)

2571 曹植与屈原:历史性距离/汪大白//九江师专学报,1999(2)

2572 从曹植的诗歌谈创作个性/范林芳//石家庄职业技术学院学报,1999(3)

2573 曹植的心态及其创作三题/周蓉//甘肃高师学报,1999(3)

2574 论曹丕/张宏义//天中学刊,1999(1)

2575 曹丕《典论·论文》与徐干《中论》/王晓卫//贵州大学学报,1999(3)

2576 由"悲凉"看建安风骨的北方文化审美属性/刘畅//天津大学学报,1999(1)

2577 一部全面研究建安文学的专著——评王巍教授的《建安文学概论》/艾治平//光明日报,1999.9.6

2578 从意象建构看建安与盛唐风骨/张学松//北京师范大学学报,1999(5)

·2000年·

122篇(2579~2700)

2579 曹魏中后期散骑清官的变化/黄惠贤//魏晋南北朝隋唐史资料(第17辑),武汉大学出版社,2000

2580 散骑诸官初置有关问题/黄惠贤//魏晋南北朝隋唐史资料(第17辑),武汉大学出版社,2000

2581 关于玄学哲学基本特征的再研讨/许抗生//中国哲学史研究,2000(1);人大复印资料

2582 三国至明代考古学五十年/段鹏琦//人大复印资料魏晋南北朝隋唐史卷,2000(1)

2583 三国文化与绵阳/蒋志//绵阳师专学报,2000(1)

2584 "文史互证"方法与魏晋南北朝史研究/景蜀慧//中山大学学报,2000(1)

2585 气韵雄浑,慷慨悲凉:浅谈曹操的诗歌/贾长营//北京广播电视大学学报,2000(1)

2586 浅析曹操《蒿里行》一诗产生的背景/乔红霞//河洛春秋,2000(1)

2587 曹操的女儿及其婚姻考辨/杨皑//华南师范大学学报,2000(1)

2588 曹操从历史人物到文学典型的演化/傅隆基//华中理工大学学报,2000(1)

2589 从文宴诗看三曹的人生胸襟和艺术视境/陈立强//济宁师专学报,2000(1)

2590 两晋南朝小说中野史的贬曹倾向/梁建邦//陕西广播电视大学学报,2000(1)

2591 诸葛亮研究二题/魏平柱//襄樊学院学报,2000(1)

2592 新时期关公信仰复兴的原因探析/黄旭涛//山西师大学报,2000(1)

2593 关公崇拜与中国传统文化/李学勤等//文物世界,2000(1)

2594 还杨修之死本来面目/江毅//云梦学刊,2000(1)

2595 从三国时期南中与蜀汉之关系看中国的统一/肖登华//武警学院学报,2000(1)

2596 也谈孔明治下的蜀汉经济/徐唐龄//经济学院学报(成都),2000.3.17

2597 刘表荆州政绩浅议/余鹏飞//襄樊学院学报,2000(1)

2598 论曹魏之黜抑“浮华”/孔毅//许昌师专学报,2000(1)

2599 陈寅恪先生的科学史研究/刘广定//自然辩证法通讯,2000(6)

2600 曹操重视家庭教育/李均惠//文史知识,2000(1)

2601 儒道互补仲长统/孟祥才//烟台大学学报,2000(1)

2602 曹操诗歌用韵及其文化学考察/刘冬冰//许昌师专学报,2000(1)

2603 试论建安作家诗歌创作的艺术个性/王廷琦//山东教育学院学报,2000(1)

2604 从汉中到陇右:蜀汉战略新论/陈金凤//莱阳农学院学报,2000(2)

2605 评朱大渭《六朝史论》/方北辰//中国史研究,2000(2)

2606 略论三国兵士的婚姻/薛瑞泽等//齐鲁学刊,2000(2)

2607 曹魏中书研究/赵昆生//重庆师院学报,2000(2)

2608 专业研究与通俗读物在成功结合:读《武侯春秋》/景蜀慧//书品,2000(2)

2609 试论孙权的外交策略/金裕风//聊城师院,2000(2)

2610 魏晋南北朝军事统导体制的历史特点/童超//中国史研究 2000(2);人大复印资料转载

2611 论曹操的军事才能/李兴斌//济南大学学报,2000(6)

2612 南北融会与诸葛亮形象的演变/赵山林//文学遗产,2000(4);人大复印资料转载

2613 论对关公的神化及其演化/吴美华//中共济南市委党校.市行政学报.市社院学报,2000(2)

2614 东曹魏尚书的先举与中正的形成/于涛//文史哲,2000(6)

2615 记述三国史的著名史籍:《三国志》述评/章惠康//衡水师专学报,2000(2)

2616 试论三曹诗文中的生死观/温艳华//锦州师范学院学报,2000(2)

2617 论曹操诗歌的写实行/梁祖莘//兰州大学学报,2000(2)

2618 魏晋玄学研究的回顾与瞻望/王晓毅//哲学研究,2000(2)

2619 曹操人才观解析/杜伟//理论导刊,2000(2)

2620《三国志》裴注研究三题/张子侠//史学史研究,2000(2)

2621 从联吴抗曹看诸葛亮运作公共关系的技巧/许莹//巢湖师专学报,2000(2)

2622《三国志》管窥/吴金华//中华文史论丛,2000(3)

2623 一部历史人物传记的典范力作:《武侯春秋》评介/张大可//襄樊学院学报,2000(3)

2624 诸葛亮经济管理得失谈/陈山旁//河北师大学报,2000(3)

2625 诸葛亮的成才之路/张崇琛//

武警工程学院学报,2000(3)

2626 诸葛亮崇拜的文化心理透视/雷勇//汉中师院学报,2000(3);人大复印资料转载

2627 刘备"周旋陈元方、郑康成之间"事考/张崇琛//许昌师专学报,2000(3)

2628《让县自明本志令》评议/史瑞玲//济南大学学报,2000(3)

2629 魏延与诸葛亮/胡觉照//汉中师范学院学报,2000(3)

2630 魏晋经学探略/汤其领//徐州师大学报,2000(3)

2631 吐鲁番、敦煌发现的《三国志》写本残卷/〔日〕片山章雄著,季忠平译//文教资料,2000(3)

2632 也谈诸葛亮与魏延/李兆成//中华文化论坛,2000(3)

2633 简论魏晋玄学对《三国志》的影响/郭秀琦//阴山学刊,2000(3)

2634 三曹与六朝诗风/严国荣//唐都学刊,2000(3)

2635 诸葛亮《出师表》考释/蔡文锦//北京联合大学学报,2000(3)

2636 的卢成为凶马的原因/阚绪良//安徽广播电视大学学报,2000(3)

2637 凉州兵团在三国史上的特殊地位:从马超助刘备取蜀说起/王北固//开封大学学报,2000(3);人大复印资料转载

2638 论曹植失败与成功的原因/董家平//青海师大,2000(3)

2639 曹操集权而未篡汉自立辨析/张作耀//东岳论丛,2000(3);人大复印资料转载

2640 曹操用人韬略论述/冯帆//荷泽师专学报,2000(3)

2641 论诸葛亮的战略思想/张武//江汉论坛,2000(10)

2642 重评孙权的历史地位/李立泉等//云梦学刊,2000(3)

2643 从曹操诗歌看汉魏语音的演变/刘冬冰//河南教育学院学报,2000(3)

2644 举贤任人,鼎峙江东——试论孙权的人才政策/李葵模等//云梦学刊 2000(4)

2645 论诸葛亮相蜀的理财方略/邓前成//云南师大学报,2000(4)

2646 "吴四姓"非"东吴四姓"辨:与张承宗先生商榷/张旭华等//许昌师专学报,2000(4)

2647 韩冉使魏探微/魏殿文//文史哲,2000(4)

2648 通脱自然,风骨兼备:简析曹操《让县自明本志令》的艺术特色/徐琼//应用写作,2000(4)

2649 浅谈三曹诗中对人生的咏叹/王则远//齐齐哈尔大学学报,2000(4)

2650 略论《三国志》裴松之注的史料价值/高凯//郑州大学学报,2000(4)

2651《后汉书》《三国志》中《高句丽传》的比较研究/曹德全//社会科学战线,2000(4)

2652 夷陵之战二题/蒋福亚//襄樊学院学报,2000(4)

2653 官渡之战中曹军兵力考/杨巨中//军事历史,2000(6)

2654 汉魏六朝时期江东大族的形成及其地位的变迁/王永平//扬州大学学报,2000(4);人大复印资料转载

2655 魏晋南北朝时期史传文学的嬗变轨迹/张新科//陕西师大学报,2000(4);人大复印资料转载

2656 魏晋的朝班、官品和位阶/阎步克//中国史研究,2000(4)

2657 曹操作品的反传统倾向/覃育兵//自贡师专学报,2000(4)

2658 曹操与司马懿"多疑"性格比较/王姝//辽宁教育学院学报,2000(4)

2659 野心还是"魏"心:钟会谋反之谜/尹韵公//光明日报,2000.8.4

2660 曹操的欲望与雄心:三国戏杂谈/邹平//上海戏剧,2000(5)

2661 曹操"挟天子令诸侯"的实证/黄留春//文博,2000(5)

2662 曹魏淮河流域屯田述论/王鑫义//安徽大学学报,2000(5)

2663 曹操焚书及其它/李文林//炎黄春秋,2000(6)

2664 易氏《三国志补注》评述/吴金华等//复旦大学学报,2000(6)

2665《三国志·魏志》否定副词的特点/张治三//阜阳师范学院学报,2000(6)

2667 曹魏侍中考释/赵昆生//许昌师专学报,2000(6)

2668 三国时期婚姻形态研究/勒力//济南大学学报,2000(6)

2669 魏晋南北朝的"送故"制度考略/高敏//历史研究,2000(6)

2670 评诸葛亮之用人和魏延之悲剧/徐澄清//炎黄春秋,2000(12)

2671 谋反是杨仪不是魏延/史式//今日中国(中文版),2000(12)

2672 赵云死后葬何处/李绍先//文史杂志,2000(4)

2673 也谈关于诸葛亮北伐的几个问题/何静//黔西南民族师专学报,2000(2)

2674 谈蜀汉钱币/赵会元//中国钱币,2000(2)

2675 论蜀汉兴衰的财政原因/周红//现代财经,2000(11)

2676 孔融:"建安七子"中的异类/唐春艳//重庆师专学报,2000(2)

2677 从建安七子的创作看建安风骨/刘涛//临沂师院学报,2000(2)

2678 汉末儒学及建安七子的儒家思想/张振龙//信阳师院学报,2000(3)

2679 王粲诗风浅谈/胡明清//南宁师专学报,2000(1)

2680《文选·曹植·送应氏二首》写作时间蠡测/韩格平//古籍整理研究学刊,2000(6)

2681 试论曹植诗歌的情感格调/王建平//陕西师大学报,2000(4)

2682 曹植赠答诗主体意识的呈现/梁祖苹//宁夏大学学报,2000(2)

2683 试析《文选》中萧统对曹植诗的评价/崔军红//华北水利水电学院学报,2000(1)

2684《庄子》与魏晋文学/宋秋安//许昌师专学报,2000(4)

2685 曹植诗赋艺术特征简论/崔军红//殷都学刊,2000(1)

2686 曹植赋创作时期考略/梁惠//殷都学刊,2000(3)

2687 曹植游仙诗的艺术寄托/郭真义//广州大学学报,2000(6)

2688 论曹丕文学思想及其意义/姚海燕//株洲工学院学报,2000(6)

2689 曹丕文论思想新探/周玲//商洛师专学报,2000(1)

2690 试论曹丕的散文创作/谢虹光//山西广播电视大学学报,2000(4)

2691 华佗非梵语译音考/庞光华//古汉语研究,2000(3)

2692 外科鼻祖——华佗/从飞//中华医史杂志,2000(4)

2693 三国两晋南北朝时期旅店的沿革/杜永刚//浙江经济高专学报,2000(5)

2694 谈谈对鲁肃的评价/鲁才全//襄樊学院学报,2000(6)

2695《三国志集解·吕布传》中的一例误释/王永顺等//山东教育学院学报,2000(5)

2696 简论夏侯玄的玄学思想/臧宏//淮北煤炭师院学报,2000(3)

2697 郭嘉对曹操统一北方的贡献/马雅琴//黑龙江教育学院学报,2000(3)

2698 三国文化国际学术研讨会在荆州举行/张业茂//江汉论坛,2000(10)

2699《三国志》斠议(上)/吴金华//文史,2000(1)

2700《三国志》斠议(下)/吴金华//文史,2000(2)

·2001年·

103篇(2701~2803)

2701 庞德公及其亲友考释/黄惠贤//武汉大学学报,2001(1);人大复印资料转载

2702 对魏晋士族制度的历史考察——兼评陈寅恪的士族说/田昌五//学术研究,2001(1)

2703 全国第十二届诸葛亮学术研讨会综述/彭建平//天府新论,2001(1)

2704 论蜀汉的政治腐败——诸葛亮失误之二/韩福隆//常德师范学院学报,2001(1)

2705 论曹操诗歌赋中之兴/许善述//安庆师院学报,2001(1)

2706 论荀彧/孟祥才//史学月刊,2001(1)

2707 论《三国志》对孟子民本思想的发展/郭秀琦//阴山学刊,2001(1)

2708 从荀彧死看曹操的"唯才是举"令/徐德龙//梧州师专学报,2001(1)

2709 求仙道旨在求功业——试论曹操游仙诗的思想实质/王丽珍//青海师大学报,2001(1)

2710 东北亚古族历史的开篇之作——析陈寿的《三国志·东夷传》/王臻//延边大学学报,2001(2)

2711 个体人格与人才聚合——论三国鼎立的决定性因素/余世明//贵州大学学报,2001(2)

2712 佛教与魏晋南北朝时期的史学/庞天佑//史学理论研究,2001(2)

2713 论《后出师表》应系诸葛亮所作/贯井正//晋阳学刊,2001(2)

2714 孙吴长江防线论略/曾现江//成都大学学报，2001(2)

2715 关羽北伐与《隆中对》再探/黄晓阳//成都大学学报，2001(2)

2716 汉水流域与诸葛亮的政治军事战略/马强//成都大学学报，2001(2)

2717 谈三国时期的秘书/常崇宜//成都大学学报，2001(2)

2718 陈寿笔下的刘备/徐兴海//无锡教育学院学报，2001(2)

2719 论汉魏禅代的军府模式及影响/于涛//山东大学学报，2001(2)

2720《三国志》裴注所书的史传文学价值/李伯勋//中华文化论坛，2001(2)

2721 从魏、蜀、吴三国鼎立看立体矛盾观/坚毅//益阳师专学报，2001(2)

2722 汉末三国时代的疾疫/赵夏竹//中国典籍与文化，2001(3)

2723《三国志》代词宾语的词序考察/邓军等//南京师大文学院学报，2001(3)

2724 魏晋南北朝时期的商品经济和传统市场/蒋福亚//中国经济史研究，2001(3)；人大复印资料转载

2725《走下神坛的诸葛亮》序/陈致远//常德师范学院学报，2001(3)

2726 诸葛亮"心战"新论/刘伟航//中华文化论坛，2001(3)

2727 三曹以气为本的哲学思想/王巍//清华大学学报，2001(3)

2728 士族门阀政治与九品中正制/张叔宁//南京理工大学学报，2001(3)

2729 辰国考/杨军//北方文物，2001(3)

2730 论曹操对儒学思想的实践/王联斌等//军事历史研究，2001(3)

2731 从关帝信仰崇拜看孔子儒家思想对中国统一大业的意义/李春敏//洛阳大学学报，2001(3)

2732 论曹操与魏晋玄学/张廷银//清华大学学报，2001(3)

2733《三国志·魏书》程度副词的特点/张诒三//殷都学刊，2001(3)

2734 论孔融的悲剧/孟祥才//山东大学学报，2001(4)

2735 浅议曹诗中的"气"/祁建华//楚雄师院学报，2001(4)

2736 三国三题/沈伯俊//汉中师院学报，2001(4)

2737 中外学者会聚蜀中，三国文化焕发异彩——四川"三国文化国际学术研讨会"综述/方北辰//许昌师专学报，2001(4)

2738 三国文化国际学术研讨会综述/方北辰//中华文化论坛，2001(4)

2739 曹操与道教/李刚//世界宗教研究，2001(4)

2740 试论曹操的自卑感/宋战利//史学月刊，2001(5)

2741《三国志》今注今译问题辨析/苏杰//南京师大学报，2001(5)

2742《三国志》校诂拾零/苏杰//古籍整理研究学刊，2001(5)

2743"竹林七贤"考/王晓毅//历史研究，2001(5)；人大复印资料转载

2744 求才令与汉魏嬗代/卫广来//历史研究，2001(5)；人大复印资料转载

2745 从《三国志》史评看陈寿的政治思想/刘伟航等//四川师院学报,2001(5)

2746 陈寿史学刍论/龙显昭//四川师院学报,2001(5)

2747 浅论王粲在曹魏政权中的政治地位/何日取//西南民族学院学报,2001(5)

2748 成都武侯祠的研究工作与诸葛亮研究会/李兆成//四川文物,2001(5)

2749 诸葛亮成才原因研究综述/许如贞//泰安师专学报,2001(5)

2750 三国文化及其应用研究/谭良啸//四川文物,2001(5)

2751《关羽崇拜研究》序/沈伯俊//四川师院学报,2001(6)

2752 曹操宽容纳才/王敏//中国人才资源开发,2001(8)

2753 曹操用人十策/左卫星//人事与人才,2001(9)

2754 关于三国历史分期的思考/任昭坤//社会科学研究,2001(6)

2755 孙权北击合肥的历史作用——吴、魏前期战争评议/王延武//中南民族学院学报,2001(6)

2756 论刘备的"仁"与"泪"/于逢春//长春大学学报,2001(6)

2757 论诸葛亮的精神生命/梁满仓//襄樊学院学报,2001(6)

2758《三国志》书法略论/李纯蛟//四川师院学报,2001(6);人大复印资料转载

2759《三国志》整理研究长编摘录/吴金华//文教资料,2001(6)

2760《三国志》斠校议续例/吴金华//文史,2001(3)

2761 新世纪之初《三国志》校勘问题的思考/吴金华//中华文史论丛,2001(3)

2762 陈仓渭水道考辨/徐日辉//中国历史地理论丛,2001(2)

2763 魏晋南北朝时期的州郡地志/胡宝国//中国史研究,2001(4)

2764 也评诸葛亮之用人和魏延之悲剧/彭传杰//炎黄春秋,2001(9)

2765 由文本到生活——论道家人生哲学在魏晋时期的实践和发展/马良怀//华中师大学报,2001(6);人大复印资料转载

2766 论魏晋时期的立法改革/刘笃才//辽宁大学学报,2001(6);人大复印资料转载

2767 魏晋南北朝时期淮河流域的商业和城市/王鑫义//史学月刊,2001(5);人大复印资料转载

2768 2000年魏晋南北朝史研究综述/李琼英等//中国史研究动态,2001(4);人大复印资料转载

2769 荀彧之死/孙明君//东南大学学报,2001(3)

2770 论魏延被杀兼及诸葛亮的过失/高新伟//襄樊学院学报,2001(6)

2771 谯周与《古史考》/黄怀信//古籍整理研究学刊,2001(5)

2772 刘劭的才德观研究/阎世平等//广东社会科学,2001(2)

2773 刘劭的名实观研究/阎世平//佛山科学技术学院学报,2001(2)

2774 邓艾灭蜀评述/王炳庆//泉州师院学报,2001(3)

2775 东吴九品中正制初探/张旭华//复旦大学学报,2001(1)

2776 以死殉国的东吴末代宰相张悌/李烈辉//湖北档案,2001(12)

2777 蜀汉重庆人口考/卢华语//西南师大学报,2001(6)

2778 蜀汉婚姻的特色/薛瑞泽//文史杂志,2001(3)

2779 曹魏政治与《典论·论文》/刘文勇//西南师大学报,2001(4)

2780 曹魏苛禁宗实政策之考论/王永平//许昌师专学报,2001(3)

2781 曹魏尚书研究/赵昆生//郑州大学学报,2001(1)

2782 从苍凉悲慨到慷慨豪壮——简论王粲的诗风及其演变/胡明清//重庆教育学院学报,2001(5)

2783 论建安时期的赋学批评/冷卫国//常德师院学报,2001(1)

2784 试论曹植的悲剧性格/张振元//黄河水利职业技术学院学报,2001(2)

2785 从超脱到超越:建安激情的退潮/刘运好//安徽师大学报,2001(3)

2786 论曹植诗歌的"生命精神"/田劲松//佳木斯大学学报,2001(4)

2787 失志以后的歌哭——曹植阮籍诗歌比较/常为群//南京师大学报,2001(4)

2788 曹植《释疑论》应系葛洪所撰/汪大白//学术界,2001(5)

2789 骨肉相残　孰是孰非/董家平//青海师大学报,2001(3)

2790 论曹植与中古诗歌创作范式的确立/吴怀真//吉首大学学报,2001(3)

2791 试论《人物志》对《典论·论文》的影响/潘世东//唐都学刊,2001(1)

2792 曹丕文学观的思想渊源及价值取向/朱全庆等//东岳论丛,2001(2)

2793 曹丕"文气说"的几点生发/徐菡//信阳师院学报,2001(1)

2794《典论·论文》与"文气"说/周兰//乐山师院学报,2001(1)

2795《典论·论文》:文学自觉的第一声号角/红生//自贡师专学报,2001(1)

2796 论三国时代的再嫁婚/何红英//四川文物,2001(1)

2797 康僧会与东吴宗教/余鹏飞//襄樊学院学报,2001(3)

2798 马谡之死与三国的军法/宋杰//襄樊学院学报,2001(4)

2799 试论三国时期的邸阁与关邸阁/黎石生//郑州大学学报,2001(6)

2800 赤壁之战古战场新考——真正赤壁之战古战场在汉川/冯汉江等//荆州师院学报,2001(6)

2801 曹操诗歌的忧患意识/刘红英//齐齐哈尔大学学报,2001(2)

2802 刘表与汉末荆州学术文化/刘玉堂等//江汉论坛,2001(4)

2803 刘表时期避难荆州的北方名士/唐春生//湖南大学学报,2001(2)

（二）个人论文集内单篇论文（501篇）（2804—3304）

·1978—2001年·

本题收录未在报刊发表的个人学术论著论集中的论文，以及诸葛亮研究会等学术活动成集的论文两个部分，分别集中著录于后。

·个人论集论文65篇·

(2804～2868)

·1978年·

2804 论诸葛亮的攻守策略/史念海//河山集.三联书店，1978

·1979年·

2805 论曹操的用人政策/常霈//复旦大学分校论文集，1979

2806 曹操与建安文学/黄立新//(存目)

·1980年·

2807 三国屯田制度的特点及其作用/谷霁光//中国古代经济史论文集，江西人民出版社，1980

2808 三越与宗部/胡守为//史学论文集，1980

·1982年·

2809 关于曹操评价的根本问题/漆侠//求是集，天津人民出版社，1982

2810 司马懿/何兹全//读史集上海人民出版社，1982

2811 南中地方势力与蜀统治之争夺及相互利用/方国瑜//滇史论丛(1)上海人民出版社，1982

·1983年·

2812 曹操/徐公持//中国历代著名文学家评传(第一卷)，山东教育出版社，1983

2813 我国古代一部重要的心理思想专著——刘劭《人物志》/燕国材//中国古代心理学思想研究，江西人民出版社，1983

2814 孙吴的治国之道/万绳楠//魏晋南北朝史论稿，安徽教育出版社，1983

2815 魏晋南北朝时期的客和部曲/唐长孺//魏晋南北朝史论拾遗，中华书局，1983

2816 王弼哲学思想对魏晋南北朝文艺的影响/王可平//广西师大研究生论文集，1983

2817 论建安文风的转变/龚斌//研究生论文选集(1)，江苏人民出版社，1983

·1984年·

2818 吴姓门阀士族形成初探/方北辰//研究生论选集:中国历史分册，江苏古籍出版社，1984

2819 王弼与郭象哲学的比较分析/汤一介//燕园论学集:汤用彤先生九

十诞辰纪念，北京大学出版社，1984

2820 魏晋玄学中的体验思想：试论王弼"圣人体无"的观念的哲学意义/杜维明//收入《燕园论学集》北京大学出版社，1984

2821 略论曹植及其创作/徐公持//（存目）

2822《魏志·倭人传》研究/陈乐素//求是集，广东人民出版社，1984

2823 曹魏屯田与西晋占田课田/陈守实//中国古代土地关系史稿，上海人民出版社，1984

·1985 年·

2824 陈寿评传/缪钺//冰茧庵丛稿，上海古籍出版社，1985

2825《三国志·吴书·虞翻张温传》校记/蒋天枢//论学杂著，中州古籍出版社，1985

2826 三国人物小辑/戴惠英等//诸葛亮研究，巴蜀书社，1985

2827 读《三国志》/吕叔湘//语文杂记，上海教育出版社，1985

2828 杭世骏《三国志补注》与赵一清《三国志注补》/郑天挺//探微集，中华书局，1985

2829《魏志·倭人传》研究/陈乐素//求是集，广东人民出版社，1985

2830《三国志》的书名并非始于北宋/缪钺//冰茧庵丛稿·陈寿评传，上海古籍出版社，1985

2831 裴松之与《三国志注》研究/逯耀东//中国史学史论文选集，华世出版社，1985

2832 裴松之/杨翼骧//中国史学家评传（上册），中州古籍出版社，1985

2833 赤壁小战说质疑/顾孟武//中国古代史论丛(9)，1985

·1986 年·

2834 评曹操的"唯才是举"政策/马欣//魏晋南北朝史研究，四川省社会科学院出版社，1986

2835 试论三国时期南北均势的形成与其破坏/邹云涛//（存目）

2836《三国志·倭人传》研究/陈乐素//求是集第一集，广东人民出版社，1986

·1988 年·

三国史研究/张大可//甘肃人民出版社，1988

这里收录该集中未在报刊发表的论文 10 篇如次：

2837 东汉末年的军阀混战

2838 官渡之战及袁绍集团的覆灭

2839 赤壁之战考辨

2840 夷陵之战与三国鼎立的地理均势

2841 论二荀程郭

2842 孙吴儒将

2843 论孙吴部曲兵制

2844 论三国一统

2845 论三国一统人物

2846 读《三国志·东夷传》——论魏

3315 晋时期中国与朝鲜、日本的文化交流/朱绍侯//雏飞集，1988(3315 为补号)

·1990 年·

2847《三国志》标点本两版校诂/吴金华//三国志校诂,江苏古籍出版社,1990

·1991 年·

2848《三国志·魏志·倭人传》校释/陈连庆//中国古代史研究(下册).吉林文史出版社,1991

2849 魏晋时期盐铁事业的回复和发展/陈连庆//魏晋南北朝史论文集,齐鲁书社,1991

2850 孙吴毗邻屯田的性质/陈玉屏//(存目)

2851 孙吴时期的浙江社会经济/佩芳//(存目)

2852 魏晋官制中的护军/冯君实//(存目)

·1993 年·

魏晋南北朝史论稿/杨耀坤//成都出版社,1993

该集所收三国部分论文 7 篇如次:

2853 陈寿与《三国志》

2854 再辨陈寿索米说

2855 清人的《三国志》研究

2856 关于《曹操集译注》的九个问题

2857 诸葛亮故居所在地辨析

2858 从傅嘏《难刘劭考深论》看曹魏为政的特点

2859 有关司马懿政变的几个问题

·1995 年·

古文献研究丛稿/吴金华//江苏教育出版社,1995

该集收作者《三国志》研究论文 4 篇:

2860 晋写本《魏志·臧洪传》残卷初探

2861 岳麓本《三国志》出版说明

2862“护前”不是“护短”

2863“两绝”应作“雨绝”

·2001 年·

2864《三国志》四字格成语散记/吴金华//古文献整理与古汉语研究,江苏古籍出版社,2001

该集收作者《三国志》研究论文三篇:

2865《三国志》语词笺释/吴金华

2866《三国志辞典》商兑/吴金华

2867 中华书局校点本《三国志》修订刍议/吴金华

2868《三国志》裴注研究/胡宝国//中国社会科学院历史所集刊第一集,社会科学文献出版社,2001

(三) 学术交流论集(共 12 集,收文 437 篇)(2869—3305)

·1983 年·

(一)诸葛亮与三国(第一辑)/《诸葛亮与三国》编辑组//内刊,湖北省南漳县印刷厂印刷,1983

收文 30 篇(2869~2898)

2869 诸葛亮兵出祁陇探微/刘长源

2870 略论诸葛亮的攻心术/吴天畏

2871 读李兴《诸葛丞相故宅碣表》书后/黄惠贤

2872 诸葛亮在襄阳人事关系初探/张孝元
2873 八阵图的战术要点及相关问题/李兆成
2874 浅议诸葛亮的教育思想/王吉明
2875 "奇谋为短"辨/王复忱
2876《隆中对》后的刘备和诸葛亮/余鹏飞
2877《出师表》在文学史上应占一席位/李星
2878 是"三顾",不是"自荐"/张云轩
2879 成都武侯祠考/梁玉文
2880 隆中胜迹永清幽/李智忠
2881 "五月渡泸"和"七擒孟获"在何处/谭良啸
2882 空城计与西城/范吉升
2883 奉节八阵图浅说/袁仁林
2884 三国时代的古战场——定军山/范吉升
2885 武侯墓/明高
2886 诸葛亮读书台/欧德禄
2887 刘备其人/谭良啸
2888 刘备马跃檀溪遗址/李吉兴
2889 汉上读史小札/杨培钧
2890 "汉寿亭侯"释/鲍传华
2891 "壮缪侯"及其他谥号/鲍传华
2892 司马懿气死诸葛亮/肖伍
2893 马超祠墓/侯素柏
2894 夏侯渊是刘禅妻的外公/郭清华
2895 泰国的刘备后裔/行行
2896 "三国探踪"在日本/洋洋
2897 诸葛氏谱/刘京华等
2898 蜀汉遗迹/戴惠英

·1984年·

(二)诸葛亮与三国(第二辑)/

《诸葛亮与三国》编辑组//1984

收文29篇(2899—2926)

2899 诸葛襄阳故旧考/黄惠贤
2900 识人举贤话孔明/李恩来
2901 蜀汉的教育及成就/李兆成
2902 淡泊明志堪为师表/周达斌
2903 死而无恨罚而不怨/陈显远
2904 优良的政风/刘长源
2905 应变将略有其所长/王本元
2906 "中原逐鹿不由人"小析/欧德录
2907 死犹护蜀葬定军/侯素柏
2908 "六出祁山"辨误/郭荣章
2909 论刘备对吴政策的得失/张孝元
2910 蜀汉巾帼有几多/刘京华
2911 关羽的生年/赵嗣沧
2912 抗曹何能弃联盟/彭起耀
2913 魏延的历史冤案/吴天畏
2914 立向斜阳说孔明/李淳信
2915 "南抚夷越"刍议/余鹏飞
2916 飞凤山与张飞/刘粤基
2917 "魏长城"与曹魏防线/杜凤鸣
2918 武侯祠楹联萃谈/田旭中
2919 惠陵/梁玉文
2920 成都武侯祠的建筑艺术/张宗荣
3305 勉县武侯祠/劲松
2921 隆中三顾堂与武侯祠/肖伍
2922 草船借箭出自孙权/谭良啸
2923 法正谏"缓刑弛禁"不可靠/荣章

2924 古今阳平关/张谅信

2925 定军山战役的重大作用/岳德新等

2926 三国出土文物概述/戴惠英

·1985年·

(三)诸葛亮研究/谭良啸等//巴蜀书社,1985

收文27篇(2927—2953)

2927 近年来诸葛亮研究综述/谭良啸等,1985

2928 诸葛亮研究资料目录索引(1926—1983年)/陈绍乾等

2929 教化昭后世,尽瘁留楷模/张秀熟

2930 政治家诸葛亮散论/缪钺

2931 历代诗人笔下的诸葛亮/田旭中

2932 试论诸葛亮的政治思想/王利器

2933 试论诸葛亮的军事战略思想/李正清、陈玉屏

2934 诸葛亮隐没五事辨析/朱大有

2935 建安十二年至十九年诸葛亮在荆州事迹考评/黄惠贤

2936 从经济原因分析《隆中对》的战略得失/刘金甲、于溶春

2937 从三国前期战争看《隆中对》的战略/吴洁生

2938 诸葛亮用人四论/谭良啸

2939 诸葛亮品格与用人商兑/周玉璋、于溶春

2940 诸葛亮襄阳人事关系初探/张孝元

2941 诸葛亮的教化之功/李星等

2942 诸葛亮与法正/贺游

2943 审势攻心——泛论诸葛亮的治国艺术/范奇龙

2944 诸葛亮的人才观/黄剑华

2945 论诸葛亮北伐/杨伟立

2946 姜维伐魏与诸葛亮的战略思想/唐金裕

2947 诸葛亮屯军汉中对北伐的意义/郭清华

2948“五出祁山”述评/彭年等

2949 徭役和战争影响下的蜀汉社会经济/李兆成

2950 诸葛亮与科技/冯一下

2951 陈寿评价诸葛亮曲笔辨/刘京华

2952 隆中武侯祠沿革考/李吉兴

2953 诸葛草庐在何处/周达斌

(四)诸葛亮与三国(第三辑)/诸葛亮与三国编辑组//湖北人民出版社,1985

收文28篇(2954～2981)

2954 习凿齿《诸葛武侯宅铭》释/黄惠贤

2955 诸葛故里初考/何玮等

2956 刘备故里与楼桑庙/李振寅等

2957 诸葛亮的隐居生活/张孝元

2958 诸葛亮出山前的政治策略/余鹏飞

2959“自比管乐”析/王复忱

2960 诸葛亮治国措施刍议/王本元

2961 诸葛亮用人失误谈/张仁镜

2962 丞相田园何处是/吴鼎南

2963 浅论诸葛亮北伐/晋宏忠

2964 出褒斜道、驻五丈原——正确的战略决策/王林科等

2965 “噉食不至数升”何以“将死”/李兆成

2966 诸葛仙风何所似/李恩来

2967 诸葛亮的文才和文章风格/周达斌

2968 虚心纳言话孔明/鸿仲

2969 辅佐后主见忠心/岳军

2970 曹操汉中失利原因何在/岳德新

2971 刘备为何夺汉中/白日煦

2972 知人善任的刘备/梁玉文

2973 蜀汉人杰张嶷/韩新明

2974 魏延功高受戮的历史教训/杜凤鸣

2975 三国时期的艺术成就/田旭中

2976 蜀汉“国不置史”理由初探/贺游

2977 试论吴蜀联盟与夺取荆州的矛盾/刘粤基

2978 八阵图的科学性与神秘性/王复忱

2979 机器人·连珠炮·指南车——马钧二三事/谭良啸

2980 诸葛亮的羽毛扇/张云轩

2981 朝鲜关于孔明妻子的传说/戴惠英

·1986年·

(五)诸葛亮研究新编/襄樊市诸葛亮研究会编//湖北人民出版社,1986

收文31篇(2982～3012)

2982 论政治家诸葛亮/王汝涛

2983 诸葛亮和蜀汉政权的组织路线——兼论诸葛亮的用人/许蓉生

2984 继承诸葛大业的蒋琬/李恩来

2985 简论诸葛亮为刘琦设谋/鲁才全

2986 论诸葛亮的治人之术/谭良啸

2987 “诸葛亮达治知变”浅析/李兆成

2988 诸葛择主刍议/贺游

2989 诸葛亮与荆州之争/柳春藩

2990 论《隆中对》的成功与失误/傅克辉

2991 出师未捷身先死,中原得鹿不由人——从北伐看诸葛亮战略思想的得失/殷克勤

2992 诸葛亮北伐失败原因再探/臧振

2993 如何评价诸葛亮的民族政策/杨剑虹

2994 试论诸葛亮的外交策略/刘鸣冈

2995 浅论诸葛亮择妇兼及三国婚姻/晋宏忠

2996 从民间传说看诸葛亮的形象/陈文道

2997 理财家诸葛亮/彭年

2998 琅琊诸葛亮世家初探/姜开民等

2999 根据旧方志考证诸葛亮的故乡/郭善勤

3000 对诸葛亮思想渊源的探索/王复忱

3001 汉末襄阳的教育事业/张孝元

3002 诸葛亮“好为《梁父吟》”辨/周达斌

3003 司马懿“畏蜀如虎”考辨/郭荣章
3004 诸葛亮与鲁肃之比较/刘京华
3005 从勉县出土的蜀汉文物看诸葛亮在汉中的活动/郭清华
3006 诸葛亮《后出师表》辨析/白亦莫
3007 诸葛亮北伐时筑汉、乐二城的军事意义/唐金裕
3008 贵州习水发现的蜀汉岩墓和摩崖题记及岩画/黄泗亭
3009 三届诸葛亮研究联会论文概述/马强等
3010 近年来国内学术界对诸葛亮的“批判思维”/常崇宜
3011 东汉末年的襄阳/余鹏飞
3012 张辅论诸葛武侯/黄惠贤

·1988年·

(六)诸葛亮研究三编/王汝涛等主编//山东文艺出版社,1988

收文30篇(3013～3042)

3013 论诸葛亮所处历史时代及其历史作用/李季平
3014 诸葛亮研究方法琐议/于联凯
3015 诸葛亮研究之我见/刘鸣冈
3016 古为今用拓前进——关于诸葛亮研究中的几个问题/周达斌
3017 诸葛亮的政治思想与政治实践/王汝涛
3018 略论诸葛亮在思想史上的地位/臧振
3019 诸葛二论/王瑞功
3020 诸葛亮的悲剧所在/陈启智
3021 浅论诸葛亮的政治策略/李恩来
3022 诸葛亮占荆州策略思想是非浅议/白亦莫
3023 论诸葛亮的法治思想/赵炯
3024 论诸葛亮民族观念与民族政策的矛盾性/曹邦军
3025 蜀汉兵制初探/许蓉生
3026 略论诸葛亮的审时度势与通权达变/晋宏忠
3027 浅析诸葛亮的“兴复汉室”/姜开民
3028 是“三顾茅庐”,不是“登门自见”/丁宝斋等
3029 论《隆中对》——蜀汉立国的总纲领/刘诚言
3030 从《隆中对》看诸葛亮的决策思想/幺大中
3031《隆中对》与反馈调节律/崔学礼
3032 刘葛关系论/谭良啸
3033 论刘禅/杨伟立
3034 诸葛亮与俾斯麦/常崇宜
3035 诸葛　梁父　武乡——读《三国志·诸葛亮传》札记/张崇琛
3036 诸葛亮“好为《梁父吟》”新解/周颖
3037 前后《出师表》刍议/郭荣章
3038 诸葛亮《后出师表》非伪作辨析/吴洁生
3039《诸葛武侯文集·卷四》考评/李兆成
3040 五丈原古战场初考/王满全
3041《全裔堂诸葛氏宗谱》之我见/王汝涛
3042 诸葛亮与诸葛亮形象——读《三国志》和《三国演义》札记/丁履标

(七)诸葛亮与三国文化/谭良啸主编//成都出版社,1993

收文32篇(3043~3074)

3043 关于诸葛亮与传统文化的两点思考/鲁才全

3044 诸葛亮与中国传统文化/丁宝斋

3045 诸葛亮文化现象浅论/张晓刚等

3046 诸葛亮择主的思维误区/孔毅

3047 诸葛氏后裔在浙江兰溪,兰溪市诸葛大公堂理事会

3048 诸葛亮的忠君与失误/刘京华

3049 诸葛亮与《孙子兵法》/刘长荣等

3050 读《诫子书》札记/梅铮铮

3051 诸葛亮墨家思想探微/张晓春

3052 审势治蜀经验谈/冷爱铃

3053 浅议诸葛亮的民族政策/何红英

3054 以"攻心"治南中/唐玲

3055 木牛流马小考/方北辰

3056 诸葛亮与筹笔驿/黄应泰

3057 武侯在保山的遗迹及其文化现象探源/刘晖

3058 天水地区三国史迹考丛/王彦俊

3059 关索文化现象简论/谭良啸

3060 姜维祭祀及其社会文化影响在芦山/周曰琏

3061 论荆州之争与孙、刘联盟/李兆成

3062 魏蜀吴的少数民族军队/姜先杰

3063 曹操运兵道/任晓民

3064 蜀汉"国不置史,注记无官"议——兼论后主刘禅/戴惠英

3065 论谯周/杨代欣

3066 不服老的黄忠/张丽君

3067 论赵云/彭建平

3068 易学预测奇人管辂/赵彬

3069 魏延及其遗迹/左汤泉

3070 漫谈关羽的红脸/甘露

3071 听"老外"侃"三国"/刘永杰

3072 荆州三国史迹陈列观览/马良生

3073 成都诸葛亮研究会综述/(1992年)/秘书组

3074 三国新书目(1983—1993)/胡莉等

·1994年·

(八)诸葛亮及其后裔研究/浙江省兰溪市诸葛亮学术研究会编//新华出版社,1994

收文27篇(3075~3101)

3075 诸葛孔明四论/谭良啸

3076 论三顾茅庐故事的文化意义/丁宝斋

3077《隆中对》平议之二——刘备与其三谋士/王汝涛

3078 诸葛亮为何要挥泪斩马谡/郭清华

3079 诸葛亮在浙后裔及诸葛家谱考略/诸葛达等

3080 诸葛亮十四世孙来浙考/胡汝明

3081 诸葛村落布局与八卦八阵图关系考略/徐国平等

3082 诸葛亮后裔聚居地村落布局内涵浅析/徐国平等
3083 略论《诫子书》及其对诸葛村经济文化的巨大影响/何百川
3084《三国志》、《三国演义》与诸葛亮文化现象/陈玉屏
3085 对诸葛孔明忌辰祭祀活动形成过程的考察/张晓刚等
3086 从武侯祠看诸葛亮文化现象/张晓春
3087 兰溪诸葛村古建筑风采/李秋香
3088 诸葛亮与成都简论/李兆成
3089 继承诸葛亮统一大业的忠臣良将——姜维/甘永福等
3090 论诸葛亮的古代知识分子的特质/梅铮铮
3091 阳城故城在黄疃/孙元吉
3092 诸葛亮读书台考辨/陶喻之
3093 从"隆中对"漫谈三国谋略/孙海石
3094 诸葛亮南下豫章往依刘表躬耕陇亩时间考/诸葛志
3095 小议青龙偃月刀与刀文化/陈伟
3096 石马遗址与魏延冤案/陶喻之
3097 浅谈"曹魏屯田"/任晓民
3098 释诸葛亮"好为梁父吟"/庞天佑
3099 诸葛亮以儒治蜀考辨/陈建亮
3100 诸葛亮好学精神浅介/郑绍康
3101 发展诸葛亮文化事业,加快诸葛经济建设步伐/胡正军

·1995年·

(九)金秋阳都论诸葛/王汝涛主编//军事科学出版社,1995

收文46篇(3102～3147)

3102 五十年前一场诸葛亮论争评介/王九令
3103 简论诸葛亮的历史影响/王中兴
3104 中国古代政治家军事家诸葛亮研究之我见/〔澳大利亚〕肯·巴思依
3105 诸葛亮散论/唐士文
3106 诸葛亮北伐曹魏目的论析/李兴斌等
3107 从北伐看诸葛亮将略之失/张华松
3108 略论诸葛亮的勤政廉政思想/李兆钧等
3109 略论诸葛亮的行法与廉政/董绘今
3110 浅谈诸葛亮在汉中的休士劝农/侯素柏
3111 论诸葛亮用人方略/段新荣
3112 论蜀汉的民族政策/王彦俊
3113 浅议蜀汉的兵制/余鹏飞
3114《隆中对》诸说概述/彭建平
3115 诸葛亮文化现象概论/谭良啸
3116 汉代琅琊地区的学术氛围与诸葛亮思想的形成/张崇琛
3117 诸葛亮的齐地人文风格/赵蕴
3118 民族文化与诸葛亮文化/于联凯等
3119 管仲与诸葛亮/黄宝先
3120 诸葛亮精神是中华传统美德和智慧的结晶/周达斌
3121 论"君臣遇合"的历史文化现象/晋宏忠
3122 理想人格的象征——诸葛亮/黄朴民

3123 诸葛亮的忧患意识初探/闵宜

3124 诸葛亮的治军思想及其对我们的启示/姜普敏

3125 诸葛亮军事思想及其在现代的运用/苏彦荣

3126 论诸葛亮的军事思想/杜一平

3127 浅析诸葛亮的"隆中"战略/张锦良

3128 略论诸葛亮以弱胜强的思想方法/刘志刚

3129 诸葛亮《将苑》的用人思想浅析/高军

3130 齐国兵学体系与诸葛亮的军政思想/孙敬敏等

3131 三国托孤的跟踪考察/王汝涛

3132 三国使用校事小考/薛宁东

3133 诸葛亮与曹操改革之比较/赵炯

3134 陈寿编《诸葛亮集》二三考/李伯勋

3135 诸葛亮《诫子书》、《自表后主》文字异同校考/徐国平

3136《梁父吟》:诸葛亮明志之吟/何百川

3137 一"对"一《表》见文心/黄丽峰

3138 论诸葛瑾/刘晓焕

3139 论诸葛诞/梁宗奎

3140 曹魏忠臣诸葛诞及其后裔/朱文民等

3141 浅谈三国时期对后世影响最大的几个人物/郭善勤

3142 诸葛亮故里——沂南阳都故城考古研究/徐淑彬

3143 诸葛亮与五丈原/梁作祯等

3144 沂南北寨汉墓/吴文祺等

3145 沂南北寨古画像石墓墓主考索/王瑞功

3146 从沂南古画像石墓书法风貌考证其年代/段希洪

3147 北朝及隋出土文物记载的诸葛氏族人/刘家骥

·1997年·

(十)羲皇故里论孔明/徐日辉等主编//甘肃文化出版社,1997

收文48篇(3148~3195)

3148 诸葛丰生平事迹考/丁宝琛

3149 诸葛亮家世考略/唐嘉弘等

3150 诸葛亮后裔聚居浙江兰溪的前因后果/何百川等

3151 论诸葛亮后裔家族文化/徐国平

3152 诸葛亮《诫子书》考辨/白亦奠

3153 黄承彦故里初考/张晓春

3154 街亭位置考辨/王文杰

3155 三国战略重地——天水/刘江真

3156 诸葛亮出师陇右活动据点地名考/朱据之

3157 论说天水三国遗址/刘雁翔

3158 隆中历史沿革/丁宝斋

3159 秦汉(南郡、南阳)两郡分界的地理学分析/李兆钧等

3160 魏武"军遮要以临汉中"辨析/陶喻之

3161《叹秣陵地形》之真伪及系年考辨/李焕琳

3162 再论诸葛亮的八阵图/谭良啸

3163 论诸葛亮塑像的民间性、多样性及其原因/张应生

3164“三绝碑”散论/戴惠英

3165 蜀汉《姚立题记》摩岩刻石考察记/杨代欣

3166 三国时期薄葬习俗简考/何红英

3167 论诸葛亮的谋略系统观/齐天祥等

3168 关于诸葛亮政治思想的哲学思考/李遵刚

3169 融铸九流自成一家成亦由兹败亦由兹/李子伟

3170 诸葛亮的道德思想及其现代意义/朱礼泉等

3171 论诸葛亮六出祁山与北定中原的关系/王彦俊

3172 论魏蜀对天水的争夺与经营/雍际春

3173 诸葛亮攻魏战略得失论/王中兴

3174 试探诸葛亮的法治思想及其对当代法制的启示/何季辰

3175 诸葛亮经济思想与北伐/张四龙

3176 诸葛亮的农本思想和实践/袁本清

3177 诸葛亮的谋略与现代企业经营/姜开民

3178 祁山辨/康世荣

3179 三国鼎立态势形成中人才因素之我见/项一峰

3180 诸葛亮与曹操用人之比较/赵炯

3181 简论诸葛亮/陈怀曦

3182 论诸葛亮形象的双重性/刘克勤

3183 从诸葛亮邓芝出使东吴的成功看古人的公关策略/王三义

3184 论诸葛亮的人品与文品/诸葛子房

3185 诸葛亮修身思想浅析/李乐民

3186“三国鼎立”方略与“统一”历史潮流是否相悖/曹邦军

3187 诸葛亮的心态及隆中决策的失误/刘建宽

3188 蜀汉时代悲剧和诸葛亮精神的升华/杨育峰

3189 论诸葛亮对姜维的知遇评姜维的品格/梁宗奎

3190 为姜维三辨/刘鸣冈

3191 关于姜维北伐曹魏的地理考察/李振翼

3192 论轻“治经典”的历史文化现象/晋宏忠

3193 三国历史的时代特色/方北辰

3194 关于陈寿《诸葛亮传》评价问题的回顾与思考/王瑞功

3195 祁山地名探源/杜万鼎

·2000年·

(十一)诸葛亮成才之路/丁宝斋主编//武汉大学出版社,2000

收文61篇(3196～3256)

3196 家学·反思·成才/王汝涛等

3197 诸葛亮与汉末襄阳大姓/丁宝斋

3198 诸葛亮的成才之路/张崇琛

3199 诸葛亮和刘表/丁毅华

3200 诸葛亮成才的启示/段明贵

3201 诸葛亮与汉末荆州政权/夏日新
3202 诸葛亮的美学素养和艺术成就/严永渊
3203 诸葛亮为官与修身浅说/邹演存
3204 诸葛亮成才的客观因素/刘鸣冈
3205 刘表、诸葛亮与荆州学风/杨代欣
3206 儒家入仕思想对青年诸葛亮世界观形成的影响/李来廷
3207 管仲对诸葛亮成才的影响/梁宗奎
3208 琅琊文化对诸葛亮成才的影响/刘存祥
3209 卧龙凤雏为何同出襄阳/刘克勤
3210 汉末文化环境与诸葛亮成才/雍际春等
3211 多因一果的成才之路/李子伟
3212 诸葛亮成才的历史底蕴/杨育峰
3213 诸葛亮的隆中之"隐"/魏平柱
3214 诸葛亮成才的社会背景和个人素质/黄尚明
3215 司马徽荆州事迹浅议/张晓春
3216 诸葛亮教子成才之道及其对我们的启示/杜本文
3217 诸葛亮治学之道对现代教育的启迪/潘炜
3218 诸葛亮道家形象探源/谭良啸
3219 谈诸葛亮塑像/杜棣生等
3220 历代咏诸葛亮诗词的文化意蕴/郑铁生
3221 读《三国志》札记/王晓红
3222 对前人诸葛亮研究的一点心得/常崇宜
3223 刘、关、张的"义气"与诸葛亮的两难选择/晋宏忠
3224 诸葛亮不用魏延危计论/李兆成
3225 诸葛亮及其同侪择主比较论/陶喻之
3226 历史名相　千古赞颂——《诸葛亮评传》述评/许辉
3227 论蜀汉政权中的襄郡人物/白亦莫
3228《世说新语》所见之诸葛氏家族/陈星
3229 三国时代身份内婚制/何红英
3230 诸葛亮科教观探微/张四龙
3231《隆中对》的怪圈/黄朴民
3232 诸葛亮隆中对策赏析/徐国平
3233《隆中对》战略构想与实践/柴继光
3234 诸葛亮与蜀国的清明政治/盛林中
3235 论诸葛亮的军事思想/王彦俊
3236 论街亭古战场/王文杰
3237 诸葛亮在祁山所制木牛流马考/贾慎之
3238 魏延及其遗迹/左汤泉
3239 从营盘考察谈蜀汉北伐前哨基地/欧德禄
3240 从蜀汉北伐看疆土变迁/李振翼
3241 襄阳隆中汉末属南阳郡邓县考/夏日新

3242“南阳诸葛庐”浅析/晋宏忠等

3243 初平元年到建安十三年宛、邓的政治军事形势——兼论诸葛亮躬耕地不可能在宛县/袁本清

3244 罗贯中笔下的诸葛亮躬耕地/朱鸿儒

3245 开展诸葛亮学术研究，发展诸葛村旅游事业/包瑞田

3246 关于发展诸葛村旅游业的思考/胡正军

3247 诸葛八卦村的文化说解/施怀德

3248 诸葛古村落、古民居的保护与利用/李彩标

3249 论诸葛亮的历史影响与其传记/陈翔华

3250 近年来诸葛亮研究专著介绍/贺游

3251《三国志》语词琐记/吴金华//中古近代汉语研究(1)，上海教育出版社，2000

3252 略论易氏《三国志补注》/吴金华//三国志丛考，上海古籍出版社，2000

3253 易氏《三国志补注》今证/吴金华

3254《三国志集解》笺记/吴金华

3255 晋写本《魏志·臧洪传》残卷初探/吴金华

3256 岳麓本《三国志》修订后记/吴金华

·2001年·

(十二)诸葛亮与三国文化(一)/成都市诸葛亮研究会编//四川大学出版社，2001

收文48篇(3257～3304)

3257 论曹魏巩固河西进击蜀汉的威慑战略/徐日辉

3258 刘表与荆州/宋超

3259 人物品题与三国名士/龙瑜生等

3260 论两晋南北朝人评三国/李兆成

3261 试论刘备的价值观/贺游

3262 三国时期士大夫价值取向的变化影响/林成西等

3263 蜀汉秀才孝廉察举考略/罗新本

3264 三国的秘书/常崇宜

3265 魏蜀吴的改革概论/唐士文

3266 蜀汉学术考论/段渝

3267 试论惠陵的历史地位/何红英

3268 金刻金拓《重修蜀先生庙碑》考述/陶喻之

3269“魏”心是假，野心是真/赵炯

3270《后汉书三国志补表三十种》管见/卿三祥

3271 毛泽东谈论三国与诸葛亮/谭良啸

3272 蜀汉饮食杂谈/吕一飞

3273 三国时期的服饰化妆习俗/杨代兴

3274 浅谈三国文化对四川民俗的影响/刘西源

3275 诸葛亮与夷陵之战/王子今

3276“法孝直若在……”小议/张晓春

3277 诸葛亮治国思想溯源/高雷

3278《出师表》研究/张东

3279 论诸葛亮开发祁山的历史功绩/贾利民

3280 **蜀道线上的诸葛亮文化**/梁中效

3281 **汉水流域与诸葛亮的政治军事战略**/马强

3282 **罗秀书和《诸葛亮八阵图说》石刻**/王景元

3283 **试析诸葛亮不用魏延之计的原因**/杨荣新

3284 **蜀汉诸葛亮与前蜀王建六次北伐的比较研究**/徐学书

3285 **魏延率五千精兵能袭夺长安吗**/任远

3286 **沂南北寨画像石墓年代与墓主问题平议**/王汝涛

3287 **诸葛亮用人治国之道散论**/梅铮铮

3288 **评诸葛亮刘琮取荆州之议**/晋宏忠

3289 **木牛初探**/赵彬等

3290 **关于木牛流马的若干问题**/方北辰

3291 **诸葛亮文化心理初探**/杜小安

3292 **诸葛亮联话**/冯全生

3293 **明代名人与南阳卧龙岗**/张晓刚

3294 **虚白道人及其《忠武侯祠墓志》**/冯岁平

3295 **杨慎与诸葛亮**/姜开民

3296 **论诸葛亮后裔的敬宗意识**/徐国平

3297 **诸葛玄行踪考索**/王瑞功

3298 **论彝族民间传说中的孟获形象**/江玉祥

3299 **论"刘葛鱼水情"**/付保平

3300 **从刘备取西川看尊重人才的重要性**/高显齐等

3301 **成都武侯祠园林的特色和保护发展**/张丽君

3302 **发展蜀汉文化旅游产业的思考及建议**/孙丹木

3303 **从魏蜀陇右之战谈西部经济开发**/王彦俊

3304 **诸葛亮学术研讨会历次会议情况**/李兆成

【说明】《诸葛亮与三国文化》(二)(三)两辑分别于 2004 年、2008 年在四川科学技术出版社出版。超出 2001 年的收录范围,因而未收录

·补遗 19 篇·

孙吴与三国文化/谭洛非主编//明清小说研究,1993 年增刊,这里收录本集所收未在报刊上发表的论文 19 篇,系三国演义学会年会论文。其中增号 2 个编码:3306—3307;另 17 篇填补因删除的重复篇目以及缺目的编码。19 篇发文量计入 1987 年。

增目 2 篇

3305 论孙权的历史地位/张大可

3306 简论两个孙权/丘振声

补 1959 年 3 篇

3307 经略辽东评议/何满子

3308 谈孙权的长江战略防御体系/任昭坤

3309 略论孙权的识才和用才/蒋祖勋

补 1983 年 1 篇

3310 论孙权的用人艺术/裘本洪

补 1984 年 3 篇

3311 谈孙权的严刑峻法/杨寅樵

3312 孙武与孙权/王小丁

3313 吴大帝孙权年谱涉要/王文治

补 1986 年 1 篇

3314 东吴人物漫话(五则)/闻衡

补 1987 年 9 篇

补 1987 年缺目 9 篇

(1231—1239)

1231 文才武略黄公覆/洪柏祥

1232 论东吴灭亡的历史经验/胡世厚

1233 论东吴创业的艰难曲折及其原因/王枝忠

1234 孙吴政权与江东世家大族/李时人

1235 试谈孙吴对长江流域及江南地区的开发/蒋增福

1236 东吴文化浅探/王运祥

1237 海宁的孙吴史迹/陈伯良

1238 三国文化的源流与丰富内涵/谭洛非

1239《李卓吾先生批评三国志整理本》前言/沈伯俊

【司马朝军附记】 拙编《(1978—2001)三国史与〈三国志〉论著目录》曾蒙吴金华师的督促、指正，并采用师母张敏文老师提供的补充材料 70 余条。在 2002 年上海“《三国志》研究国际学术研讨会”上发表后，得到张大可教授、周国林教授、胡阿祥教授、李纯蛟教授等先生的赐教，徐日辉教授、伍野春教授寄赠专著与论文目录资料，充实了目录。张大可教授致函让我补充 1978 年以前目录，征得我的同意并由张先生作技术改编，增补校核，制成本索引，附录在张先生的论集之后，以飨读者。在此，对所有提供帮助的先生，谨致谢忱！

附录五：

一百零五位作者三国史论文编码索引

（一）发文5篇以上的核心作者83人①

吴金华40篇（0511/0654/0689/0690/0893/0966/1130/1137/1183/1153/2132/2229/2230/2241/2462/2463/2487/2514/2622/2664/2699/2700/2759/2760/2761/2847/2860/2861/2862/2863/2864/2865/2866/2867/3251/3252/3253/3254/3255/3256）

谭良啸38篇（0567/0570/0638/0734/0735/0781/0830/0837/0935/0972/0979/1009/1088/1184/1307/1680/1724/1785/1839/1957/2326/2501/2547/2750/2881/2887/2922/2927/2938/2979/2986/3032/3059/3075/3115/3162/3218/3271）

张大可28篇（0507/0722/0850/0959/0960/1056/1057/1155/1159/1189/1223/1280/1301/1302/1338/1349/2109/2623/2837/2838/2839/2840/2841/2842/2843/2844/2845/3305）

孙明君20篇（1765/1771/1907/2058/2068/2069/2070/2071/2072/2131/2158/2204/2205/2206/2207/2349/2432/2433/2517/2769）

叶哲明19篇（0518/0586/0604/0698/0702/0811/0818/0942/1120/1151/1158/1175/1503/1560/1620/1908/2009/2208/2231）

李兆成17篇（0572/0601/1670/1708/2632/2748/2873/2901/2949/2965/2987/3039/3061/3088/3224/3260/3304）

---

① 作者排列按发文量多少为序。

高　敏16篇(0434/0466/0468/0487/0672/0676/0932/1404/1427/1434/1516/1660/1795/1925/2202/2669)

王永平16篇(1423/1479/1507/1703/1985/2077/2078/2321/2428/2471/2516/2527/2529/2556/2654/2780)

尹韵公15篇(0498/0522/0526/0628/1441/1815/1816/1820/1873/1970/2112/2248/2286/2561/2659)

裴登峰15篇(1617/1665/1767/1768/1769/1797/1905/1911/1912/1913/1914/2210/2272/2279/2435)

方诗铭15篇(1070/1139/1161/1254/1348/1433/1472/1480/1622/1702/1774/1918/2062/2277/2396)

赵昆生14篇(1151/1273/1289/1453/1551/1659/1832/1644/2140/2145/2233/2607/2667/2781)

方北辰13篇(0868/1146/1356/1357/1400/2387/2605/2737/2738/2818/3055/3193/3290)

余鹏飞13篇(0880/1149/1406/2045/2542/2543/2597/2797/2876/2915/2958/3011/3113)

蒋福亚13篇(0397/0405/0678/0889/1250/1251/2050/2154/2473/2474/2486/2652/2724)

陈玉屏13篇(0625/2939/1079/1304/1383/1546/1679/1773/1823/2181/2850/2933/3084)

杨耀坤13篇(0656/0847/1017/1394/1530/1699/2853/2854/2855/2856/2857/2858/2859)

童　超12篇(0462/0614/0627/0885/1018/1202/1247/1342/1763/2073/2560/2610)

王晓毅12篇(0969/1295/1374/1518/1754/1794/1897/2144/2293/2419/2618/2743)

周国林12篇(0674/0805/0999/1164/1222/1266/1549/1632/1817/1825/2183/2338)

潘民中12篇(0994/1014/1015/1016/1215/1245/1246/1281/1684/2022/2165/2325)

黄惠贤12篇(0448/0617/0947/2033/2579/2580/2701/2871/2899/2935/2954/3012)

黄晓阳12篇(1409/1446/1589/1658/1678/1739/1849/2209/2237/2363/2495/2715)

顾　农 11 篇（1694/1705/1706/1766/1775/1776/1777/1818/1992/2107/2484）
吴洁生 11 篇（0537/0785/0987/1128/1153/1316/1347/1704/2211/2937/3038）
李纯蛟 11 篇（1203/1312/1376/1435/1649/1745/2124/2177/2306/2377/2758）
何兹全 11 篇（0117/0240/0401/0408/0827/0891/1103/1172/1916/1952/2180）
李兴斌 11 篇（1464/1471/1504/1621/1896/1955/1993/1994/2074/2611/3106）
王汝涛 11 篇（1194/1500/1827/2331/2982/3017/3041/3077/3131/3196/3286）
简修炜 11 篇（1116/1126/1249/1291/1346/1420/1421/1476/1506/1543/1565）
马植杰 10 篇（0019/0030/0786/1219/1221/1275/1517/1544/1577/2246）
袁济喜 10 篇（0766/0887/0888/1248/1345/1419/2059/2323/2436/2454）
徐日辉 10 篇（0777/1111/1264/2084/2085/2212/2353/2405/2762/3257）
袁　刚 10 篇（0653/1127/1207/1252/1408/1422/1459/1610/1959/2342）
刘隆有 10 篇（0892/0925/1010/1129/1162/1270/1329/1646/1647/1722）
裴传永 9 篇（1317/1343/1344/2047/2179/2333/2397/2398/2402）
田余庆 9 篇（0068/0532/0592/0779/0118/1571/1643/1707/1780）
杨德炳 9 篇（0608/0655/0890/1226/1631/1661/1779/1783/2135）
柳春藩 9 篇（0016/0063/0095/0114/0167/0704/0988/1520/2989）
丁宝斋 8 篇（1438/1784/2554/3028/3044/3076/3158/3197）
沈伯俊 8 篇（1000/1859/2123/2175/2318/2509/2736/2751）
黎　虎 8 篇（0699/0849/0886/0937/1478/1505/1903/3309）
马　强 8 篇（1032/1058/1065/1562/2539/2716/3009/3281）
张崇琛 8 篇（0634/1964/1976/2625/2627/3035/3116/3198）
张作耀 8 篇（2344/2399/2420/2421/2423/2483/2562/2639）
黄茂生 8 篇（0631/0632/0721/0824/0835/0851/0962/0967）
晋宏忠 8 篇（2963/2995/3026/3121/3192/3223/3242/3288）
何红英 8 篇（2470/2488/2528/2796/3053/3166/3229/3267）
郑　欣 8 篇（0275/0561/0565/0789/1031/1067/1140/2384）
徐公持 7 篇（0712/0767/0768/1595/2533/2812/2821）
王鑫义 7 篇（0821/1109/1386/2127/2213/2662/2767）
杨伟立 7 篇（0494/1230/1466/1948/2541/2945/3033）
庞天佑 7 篇（1445/1814/1878/2465/2552/2712/3098）
胡宝国 7 篇（0536/1171/1591/1713/2424/2763/2818）
戴惠英 7 篇（1087/2826/2898/2926/2981/3064/3164）
贺　游 7 篇（0974/1095/2942/2976/2988/3250/3261）
周达斌 7 篇（0913/2902/2953/2967/3002/3016/3120）

刘国石 7 篇(1410/1442/1456/1553/1853/2110/2195)
刘京华 7 篇(0736/1093/2897/2910/2951/3004/3048)
许抗生 6 篇(0411/0461/0652/1083/2031/2581)
常崇宜 6 篇(1090/2717/3010/3034/3222/3264)
朱大渭 6 篇(0224/0485/0524/0573/1899/2168)
周兆望 6 篇(1566/1700/1753/1772/2075/2076)
缪　钺 6 篇(0217/0242/0744/2824/2830/2930)
张孝元 6 篇(0976/2872/2909/2940/2957/3001)
梅铮铮 6 篇(1870/2417/2493/3050/3090/3287)
杨代欣 6 篇(1575/1871/1935/3065/3165/3205)
周一良 6 篇(0005/0085/0255/0463/0958/1485)
梁宗奎 6 篇(1523/1529/1606/3139/3189/3207)
吴　晗 5 篇(0062/0155/0207/0208/0234)
王　巍 5 篇(1792/1883/2064/2456/2727)
冯金平 5 篇(0394/1502/1538/1618/2482)
张亚新 5 篇(0579/0669/0905/1108/1337)
赵克尧 5 篇(0429/0806/1001/1225/1450)
郭清华 5 篇(0499/2894/2947/3005/3078)
陈迩冬 5 篇(0763/0820/0833/0841/0856)
于联凯 5 篇(0717/1602/2337/3014/3118)
张旭华 5 篇(1059/1564/1921/2646/2775)
赵　炯 5 篇(1604/3023/3133/3180/3269)
陈显远 5 篇(0569/0724/0954/1461/2903)
朱子彦 5 篇(0894/1220/1256/1397/1732)
孟繁冶 5 篇(1071/1894/1999/2310/2319)
王瑞功 5 篇(1229/3019/3145/3194/3297)

(二)发起"替曹操翻案"以及参与讨论的知名学者22人[①]

郭沫若 3 篇(0045/0053/0252)　　**谭其骧 1 篇**(0106)

① 参与"替曹操翻案"讨论的知名学者,按发文量进入核心作者群的仅两人:一是柳春藩,发文 9 篇;二是吴晗,发文 5 篇。

翦伯赞 **2 篇**(0054/1288)
朱绍侯 **4 篇**(0041/0512/0626/2946)
郑天挺 **4 篇**(0075/0111/0113/2828)
吴　泽 **3 篇**(0091/0152/0199)
汤用彤 **3 篇**(0228/0229/0230)
杨荣国 **3 篇**(0102/0172/0211)
杨翼骧 **3 篇**(0034/0232/2832)
白寿彝 **3 篇**(0223/0239/0444)
万绳楠 **3 篇**(0183/0241/2814)
汤一介 **2 篇**(0231/2819)
唐长孺 **1 篇**(2815)
蒙文通 **1 篇**(0222)
王昆仑 **1 篇**(0060)
尚　钺 **1 篇**(0110)
唐　兰 **1 篇**(0116)
刘大杰 **1 篇**(0105)
冉昭德 **1 篇**(0177)
束世徵 **1 篇**(0109)
杨　宽 **1 篇**(0118)
刘　节 **1 篇**(0171)